sociología
y
política

MÉXICO ANTE LA CRISIS

el impacto social y cultural
las alternativas

2

coordinadores:
PABLO GONZÁLEZ CASANOVA
HÉCTOR AGUILAR CAMÍN

siglo
veintiuno
editores

siglo veintiuno editores, sa de cv
CERRO DEL AGUA 248, DELEGACIÓN COYOACÁN, 04310 MÉXICO, D.F.

siglo veintiuno de españa editores, sa
CALLE PLAZA 5, 28043 MADRID, ESPAÑA

siglo veintiuno argentina editores

siglo veintiuno editores de colombia, sa
CARRERA 14 NÚM. 80-44, BOGOTÁ, D.E., COLOMBIA

portada: fotos de héctor garcía

primera edición, 1985
quinta edición, 1991
© siglo xxi editores, s.a. de c.v.
isbn 968-23-1332-5 (obra completa)
isbn 968-23-1345-7 (volumen 2)

la presente obra se publica por acuerdo especial
con el instituto de investigaciones sociales
de la universidad nacional autónoma de méxico

derechos reservados conforme a la ley
impreso y hecho en méxico/printed and made in mexico

ÍNDICE

PRIMERA PARTE: LA SOCIEDAD Y LA CULTURA

LA SOCIEDAD Y LA CULTURA

ALGUNAS IMPLICACIONES SOCIALES DE LA ESTRATEGIA ECONÓMICO-SOCIAL DEL RÉGIMEN*

J. ANTONIO ROJAS NIETO

I. LA ESTRATEGIA ECONÓMICO-SOCIAL DEL RÉGIMEN DE MIGUEL DE LA MADRID ANTE LA CRISIS

El segundo informe de MMH es una confirmación política de la estrategia adoptada por su régimen para enfrentar la crisis. A diferencia de otros años, el informe se concentra en los aspectos político-programáticos, remitiendo la información detallada a los anexos y presentando los elementos claves de la estrategia general del régimen:

A] A nivel político: políticas —interior y exterior—, renovación moral, reformas jurídicas, impartición de justicia y seguridad nacional, elementos articulados en el objetivo de conservar las instituciones democráticas.

B] A nivel económico-social: reordenación económica y cambio estructural, líneas estratégicas fundamentales en la búsqueda de los tres objetivos del régimen: vencer la crisis, recuperar la capacidad de crecimiento e iniciar los cambios cualitativos que requiere el país.

Debemos notar que en la estrategia económico-social prevalecen, ante todo, criterios de una política pragmática inspirada en fundamentos doctrinales de diversas corrientes teóricas que sólo son sostenidos y reivindicados en tanto sean eficaces en el control de la inflación y en el saneamiento de las finanzas públicas, puntos esenciales a resolver según el diagnóstico oficial sobre la crisis. Se trata de un diagnóstico que privilegia los aspectos pragmáticos de la crisis y que también pragmáticamente se orienta a solucionarlos.

No cabe ya ninguna duda que la estrategia defendida en el se-

* Estas notas tienen como antecedente la preparación de la argumentación para el incremento salarial realizada en la Sección Centro Nuclear del SUTIN y que luego se plasmó en un folleto de educación sindical, *Inflación, deterioro salarial y lucha obrera*, editado por la D-III-24 del INAH y cuya responsabilidad fue compartida también por Javier Villarreal.

gundo informe, representa la hegemonía del eficientismo tecnocrático que desde principios de los años setenta empieza a emerger
desde el interior de la burocracia política del Estado para imponer,
por sobre todas las cosas, los criterios de la más pura racionalidad
capitalista.

II. SIGNIFICADO DE LA ESTRATEGIA ECONÓMICO-SOCIAL DEL RÉGIMEN

La estrategia económico-social de MMH posee un significado que
puede ser recogido del análisis de tres aspectos particulares de la
dinámica económica: el financiamiento, las condiciones y de productividad y comercialización, y de una consideración más general.

A] A nivel del financiamiento de la dinámica económica, la estrategia representa la búsqueda de una adaptación creciente y
funcional a las nuevas condiciones de la economía mundial —afectada por una profunda crisis de estructura apenas matizada por
ciertos esbozos de recuperación— y a la situación del sistema financiero internacional y nacional, caracterizado por el término del ciclo
expansivo del crédito internacional y la transformación de México
en exportador neto de fondos líquidos.[1]

El objetivo económico consiste en tratar de sustituir las fuentes
externas de financiamiento de la demanda económica y de su transformación estructural, por fuentes internas que no afecten la rentabilidad del sector privado ni los privilegios de la burocracia estatal, con las restricciones propias de una orientación prioritaria que
implica el saneamiento de las finanzas públicas.

B] A nivel de las condiciones de producción la estrategia busca
una reestructuración esencial del aparato productivo en torno a dos
ejes básicos: 1) su modernización y racionalización para garantizar
la recuperación de la tendencia descendente de la productividad
general de la economía; 2) su articulación creciente al mercado
mundial, del cual el mercado regional centroamericano y del Caribe se considera estratégico en esta nueva situación.

Ciertamente, en el corto plazo esta pretensión se enfrenta con

---

[1] México se convierte en exportador de fondos líquidos porque es mayor
lo que se paga que el capital nuevo que ingresa al país, ya sea como inversión extranjera, como endeudamiento externo neto, o como saldo positivo de la balanza comercial.

problemas financieros graves y con problemas de infraestructura, tecnológicos y de cualificación de la fuerza de trabajo igualmente graves. Por ello, ante la urgencia de acceder al mercado mundial, se sustituyen la eficiencia y la productividad por una mayor explotación de la fuerza de trabajo a través de contención y depresión salarial crecientes, que apenas empiezan a tocar fondo, y con la intensificación de las condiciones de trabajo y el tope a la disminución de la jornada laboral. Esto cobra especial importancia para el agro, donde la eficiencia se plantea como exigencia esencial y principal.

c] A nivel de la comercialización la estrategia pretende, como ya se decía, un acceso creciente al mercado mundial y una consolidación del mercado interno, aceptando, para lo primero, una asociación mayor con el capital internacional y, para lo segundo, el financiamiento público del sector de bienes básicos y fundamentalmente con recursos internos limitados. La estrategia considera una reivindicación restringida de los precios agrícolas, con beneficio especial para las unidades agrícolas capitalizadas que aún operan con un margen importante de ganancias extraordinarias. Y en cuanto al desarrollo industrial da impulso a industrias que puedan acceder inmediatamente al mercado mundial: turismo, maquiladoras, industrias manufactureras o semimanufactureras de productos nacionales para los que se tienen condiciones especiales de productividad; petróleo, petroquímica e industrias basadas en materias primas nacionales o que pueden operar con tecnología atrasada y con bajos costos salariales, entre las que se incluyen, necesariamente, aquellas de productos agrícolas con altos requerimientos de mano de obra.[2]

d] En general se intenta la recuperación de la tasa de rentabilidad, buscando superar los problemas de elevación que la tasa de interés conlleva, apoyándose en el fortalecimiento de la concentración y centralización dineraria para reorientar el financiamiento en el sentido deseado e incluso para que en el ámbito industrial y comercial se fortalezca la misma concentración y centralización,

[2] Un ejemplo muy evidente de esto lo da la industria del turismo. Mientras que el precio de una habitación en un hotel de lujo —equivalente en todos los casos— es mayor en un 14% y en un 45% en Estados Unidos y Canadá, respectivamente, con relación a México, el poder adquisitivo de los trabajadores de esta industria es, apenas la cuarta parte en México de lo que es en Canadá y la tercera parte de lo que es en Estados Unidos. Para verificar con cifras estas relaciones véanse los informes de la "Encuesta sobre competitividad turística internacional", en BANAMEX, *Examen de la situación económica de México*, mayo de 1984.

lo que es constatable en la disminución de establecimientos industriales, comerciales y de servicios y en la concentración bancaria.

Por el lado de la estructura de la fuerza de trabajo la estrategia del régimen pretende modificaciones fundamentales que impliquen su adaptación al desarrollo de procesos de trabajo más modernos y racionales, característicos de un desarrollo plenamente intensivo, que exige mayor especialización y una cualificación más específica de la fuerza de trabajo.

Se trata de reestructurar los mecanismos de trabajo para hacer más fluida la extensión de los procesos productivos propia del fordismo en los sectores que aún se encuentran vinculados a procesos artesanales o semiartesanales, y comenzar a introducir la automatización y la robotización de manera creciente.

Con todo ello se pretende una reorientación productiva sustancial, sustentada en la consolidación de una industria básica capaz de permitir aumentos importantes en la productividad general de la economía y apoyada en la existencia de un sector sólido orientado al mercado mundial.

III. LA CONTRADICCIÓN PRINCIPAL DE LA CRISIS Y DE LA ESTRATEGIA ECONÓMICO-SOCIAL DEL RÉGIMEN

Para mostrar las contradicciones principales que implica la crisis y la estrategia económico-social del régimen tomaremos la evolución de la situación de los trabajadores, lo que permite reconocer la gravedad y las implicaciones que para los asalariados del campo y de la ciudad ha tenido la crisis y el programa de estabilización más antipopular emprendido en la historia reciente de México.

Si tomamos como referencia el 1 de enero de 1980 —fecha en que aún se hablaba de la "administración de la abundancia"—, podemos observar que el deterioro real del salario alcanzó a fines de junio más del 50%. Esto significa que para esas fechas debió haberse fijado, al menos, un aumento de emergencia del 100% y no del 20.2%. Este leve aumento fue "borrado" por la inflación para fines de año. (Véase gráfica núm. 1.)

Para la mayoría de los asalariados del campo y de la ciudad, la situación en términos de su poder adquisitivo es la siguiente: hoy deben trabajar dos días para obtener los productos básicos que en enero de 1980 obtenían con un solo día de trabajo.

1. EVOLUCIÓN PRECIOS-SALARIOS

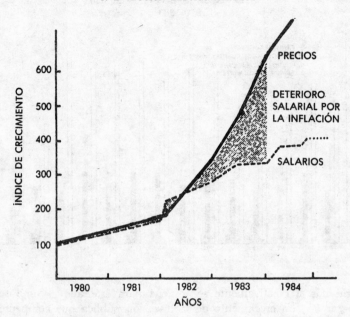

Pero esta tendencia a la caída del salario no se ve compensada, como acaso se notó un poco en 1978 y 1979 —años de "topes salariales"— con un aumento real de la inversión pública en beneficio social. En cambio, conviene denunciar que simplemente de 1976 a 1982 el Estado mexicano invirtió una cantidad ligeramente superior a los 5 000 millones de dólares para constituir lo que estudiosos de la Organización de las Naciones Unidas (onu) han llamado "el ejército más armado y más moderno de América Latina, luego de Brasil y Argentina".[3] Vale la pena recordar que en 1983 se solicitaron, precisamente, 5 000 millones de dólares a la banca internacional para aminorar la gravedad de la crisis en su aspecto financiero.

Para 1983 se programó una disminución real del gasto público del 34% y según las versiones oficiales sobre la evolución económica de 1983 es posible reconocer, efectivamente, una caída real cercana al 50%, caída que en el mejor de los casos no se pronun-

[3] Para un informe más amplio del desarrollo del ejército y de la industria bélica en México, puede consultarse ALN, "Informe Especial América Latina Industria Bélica (parte de México), IE-84-03.

2. EVOLUCIÓN DE LA INVERSIÓN PÚBLICA
1970-1983

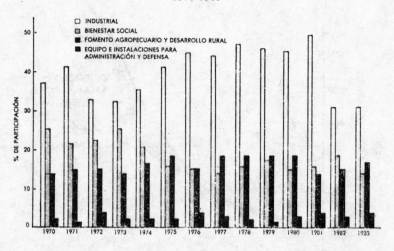

ciará más si efectivamente se sostiene para este año —como se programó— un crecimiento de la inversión pública que compense la inflación esperada: 45%. (Véase gráfica núm. 2.)

Pero el deterioro de la capacidad adquisitiva de los trabajadores puede notarse también en la caída que ha experimentado la participación anual de los salarios en el producto o riqueza nueva de cada año, riqueza que por cierto, los capitalistas miden después de sustraerle diversos renglones que también se pagan con tiempo de trabajo de los asalariados.

En 1970 los salarios representaban el 36% de esa nueva riqueza anual. Es cierto que esta participación se elevó hasta alcanzar en 1976 un 43%, pero a partir de ese año y no obstante que se tenía mucho dinero por la venta de petróleo, el salario representó porcentajes menores: 40% en 1978; 41% en 1979; 40% en 1980; 41% en 1981; y 32% en 1982. Ya en 1983 el salario representó menos de la cuarta parte del producto interno —24%— y algo similar se espera para este año de 1984. Se confía que pueda haber mejorías hasta los primeros meses de 1986, básicamente de acuerdo con la evolución del empleo. Éste es, ni más ni menos, uno de los efectos inmediatos del Programa de Reordenación Económica del actual gobierno. (Véase gráfica 3.)

Cabe indicar que esta variable —participación del salario en el PIB— tiene un aspecto un tanto engañoso, dado que se consideran

3. PARTICIPACIÓN DEL SALARIO EN EL PIB
1970-1984

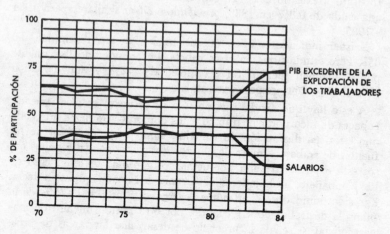

como "beneficios" los ingresos de los trabajadores por cuenta propia y como "salarios" los sueldos y las compensaciones de gerentes y altos funcionarios. Esto supone, de inmediato, que con el desarrollo del capitalismo y del trabajo asalariado se registre un crecimiento de la participación de los "salarios" en el ingreso sin necesidad de que a esto corresponda un crecimiento del salario real.

Similarmente sucede cuando hay una elevación más que proporcional de los llamados "salarios de alta dirección" y, en general, de los empleados de confianza. Sin embargo, esto no hace más que fortalecer nuestra tesis, ya que la participación efectiva de los salarios correspondientes a trabajadores de base dentro del conjunto de los ingresos populares debió haber subido menos hacia 1976 y bajado aún más hacia 1983 y 1984.

Esta situación se expresa también en la remuneración media real de los asalariados, que cayó 22% en 1982; 20% en 1983 y que, con proyecciones sumamente conservadoras, se espera que experimente una caída del 7% en 1984 y del 2% en 1985, lo cual representará una desaceleración en el ritmo de deterioro, pero nunca una recuperación. Ésta sólo podrá esperarse hasta 1988 o 1989, dependiendo de la evolución que tengan ciertos desequilibrios estructurales.

Por parte de la ocupación se tiene una evolución baja, no sólo con respecto al crecimiento de la oferta de fuerza de trabajo —aproximadamente 4% anual— sino, incluso, de manera absoluta.

Considerando indicadores conservadores como los del registro del Instituto Mexicano del Seguro Social (IMSS), es posible reconocer una caída de 0.8% en 1983, previéndose cifras similares para 1984 y 1985.

Existen indicadores oficiales que hablan de un desempleo del 8%. Pero estudios que en otros rubros son considerados seriamente por el régimen señalan un desempleo del 12% y aun del 15% (Warthon y CIDE, respectivamente).

A esto hay que añadir que no sólo no se crean empleos nuevos, capaces de incorporar al trabajo a los hombres y mujeres que cada año están en disposición de trabajar, sino que se expulsan de las fuentes de trabajo a miles de obreros y asalariados. En algunos casos esta expulsión resulta por demás vergonzosa; tal es el caso de los compañeros trabajadores de Uranio Mexicano que a la fecha han sido liquidados en un número cercano a los 1 500 (75% de la plantilla de trabajadores) cuando, por otra parte e incluso de manera oficial, se señala la urgencia de desarrollar las tareas de prospección, exploración y beneficio de minerales radiactivos y el desarrollo de combustibles nucleares para usos energéticos.[4]

Sin embargo, cabe hacer notar aquí que existen algunos sectores que no han experimentado despidos y a quienes se ha otorgado aumentos por encima de los generales. Se trata, en un caso, de trabajadores de ciertos sectores considerados estratégicos y a quienes no negamos este derecho, sólo que nos parece necesario exigir que estos aumentos se generalicen. Pero en otro caso se trata de los miembros de las fuerzas armadas y de los grupos de seguridad pública y seguridad política, a quienes se les ha llegado a dar aumentos superiores al 80% en algún año.

A esto hay que añadir el desenfrenado proceso de "jerarquización" de altos funcionarios, como se ha llamado al vergonzoso proceso de generación y consolidación de una élite burocrática cada vez más rica en un país cada vez más pobre.

A este respecto puede señalarse que el proceso de control sobre los ingresos de estos funcionarios y el combate contra la corrupción anunciado por el gobierno parece haberse quedado a nivel de los

---

[4] Es indudable que el gobierno ha tenido "especial cuidado" con aquellas organizaciones o sectores que pueden actuar como "detonadores" de la efervescencia social. En este sentido el deterioro salarial (castigado) de los maestros, de los profesores universitarios, al ahogo presupuestal a la Universidad de Guerrero, las presiones al muncipio de Juchitán, y el trato arbitrario hacia el SUTIN dan muestras, entre otros casos, de este tratamiento especial.

4. EVOLUCIÓN DEL SALARIO MÍNIMO REAL 1934-1984

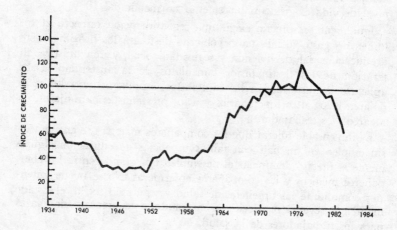

jefes de departamento para abajo, y de unos pocos casos conocidos como el de Arturo Durazo y Jorge Díaz Serrano.

Mientras, los trabajadores de salario mínimo del campo y de la ciudad experimentan el más grave deterioro de los últimos años; se llega ya a los niveles salariales de la época de López Mateos, similares a los experimentados en los años de 1934 a 1936, aun cuando hay que reconocer que en términos relativos es mayor el deterioro del salario de los trabajadores de la educación y de ciertos servicios. (Véase gráfica 4.)

Frente a esta situación de deterioro salarial, a principios de junio y ante la petición de aumento de emergencia, se ofrecieron diversas alternativas. La CTM, la CROC, la CROM y la COR hablaron —una vez más— de una exigencia del 50%. Por su parte las cámaras patronales ofrecieron un incremento del 10%. Obviamente no indicaron en su ofrecimiento que este 10% no sólo no recuperaba lo perdido en el año, sino que tampoco permitía resistir el incremento esperado para los seis meses restantes.

El incremento se ubicó en un 20.2%, propuesta que, por cierto, sólo se aplicó al salario mínimo y a algunas empresas del sector privado. A los trabajadores de la industria paraestatal y del sector central sólo se les concedió un incremento de 4 000 pesos mensuales.

Un incremento del 50% apenas hubiera permitido una leve mejoría del deterioro experimentado en el primer semestre de 1984, aunque tomando en cuenta lo antes expuesto la reconstitución del nivel de vida exigiría un incremento no menor del 100%.

Igualmente es preciso exigir una reconsideración respecto al volumen del gasto social que el gobierno destinará los próximos años a educación, salud, vivienda y seguridad social, y una drástica alteración de los destinatarios inmediatos de la austeridad. Debe aplicarse la austeridad a los capitalistas, especialmente a los sacadólares, a los altos funcionarios y a los prestamistas extranjeros, en lugar de los trabajadores.

Es impensable tolerar que los compañeros maestros se encuentren sin empleo en un país con tantas urgencias de educación. Igualmente es preciso denunciar el desempleo tan grande entre los compañeros médicos y las compañeras enfermeras. No se puede entender cómo, ante las urgencias de salud y seguridad social, el Estado mantenga severas restricciones en cuanto a la creación de plazas para los trabajadores de la salud.

Finalmente, también hay que denunciar que pese a la nacionalización de la banca, siguen siendo severamente raquíticos los créditos destinados a la construcción de viviendas de auténtico interés social. Igualmente es criticable la carencia de un régimen jurídico orientado a cubrir la lucha de inquilinos y colonos frente a terratenientes y latifundistas urbanos.

Para el gobierno, el PRI y los dirigentes de las organizaciones oficialistas de control de los trabajadores, estas reclamaciones son utópicas, al señalar que no toman en cuenta la crisis y la necesidad de la austeridad. El problema consiste en que no sólo no contemplan aplicar la austeridad a otros sectores —que antes hemos señalado—, sino que ni siquiera consideran que en los últimos tres años se han pagado más de 30 000 millones de dólares en intereses por la deuda; se han fugado más de 40 000 millones de dólares; se ha invertido un poco más de 5 000 millones de dólares en armamento; y se han otorgado miles de millones de pesos en subsidios y en compensaciones a los funcionarios, cantidad que bien podría haber resuelto el problema financiero sin afectar el crecimiento de la economía.

Todo esto no es sino expresión evidente de la inviabilidad de la actual forma de organización de la sociedad y del trastocamiento y aberración que representa el objetivo fundamental de la sociedad capitalista y su estado: obtención de grandes y jugosas ganancias, aunque en ello vaya de por medio la explotación de los trabajadores y el deterioro de sus condiciones de vida.

IV. REAJUSTES EN EL BLOQUE DOMINANTE

En el marco de esta contradicción principal conviene notar la pugna que la fracción tecnocrática de la burocracia política sostiene con los representantes del capital privado para que incidan en la recuperación económica tratando de frenar la caída de la inversión: —7% en 1981; —29% en 1982; —23% en 1983; y, posiblemente, —20% en 1984. Negocia también con ellos el "regreso" de más de 40 000 millones de dólares —cerca de la mitad de la deuda global— que fueron sacados del país en los últimos tres años.

De manera específica se reconoce la negociación con la fracción bancaria de la burguesía financiera ("ex banqueros"), hoy conformados en banca paralela, en torno al control de las empresas asociadas a las actuales sociedades nacionales de crédito, de las cuales poseen ya —como la nueva ley lo permite— el 34% de las acciones.

En tercer término se encuentra la pugna con las diversas fracciones políticas en el interior del Estado, que se expresa y reconoce de manera ejemplar en la evolución y los cambios del partido oficial. Se trata de una negociación indispensable para garantizar la estabilidad intraestatal y controlar eficientemente la emergencia del movimiento social que implica tanto cuotas de poder como redistribución de los escasos recursos de que se dispone.

Finalmente y en la frontera del enfrentamiento social, la fracción que controla actualmente el gobierno se encuentra negociando permanentemente con los líderes de las organizaciones oficialistas de control de los trabajadores a quienes, incluso, les ha rechazado recientemente el pliego petitorio formulado el 14 de junio de 1984. De 21 peticiones sólo fueron aceptadas algunas de carácter insustancial: programa limitado de inversiones para productos básicos; apoyo a la creación de empresas y tiendas sindicales; establecimiento de una cadena nacional de cocinas y comedores populares. Se han rechazado las peticiones más importantes: aumento salarial y escala móvil de salarios; anulación del IVA; reforma fiscal a fondo; congelación de precios de productos básicos, entre otras.[5]

[5] Resulta increíble que un programa relativamente "conservador" como el que presentó el Congreso del Trabajo al Gabinete Económico el 14 de junio de 1984, inscrito, incluso, en la retórica de la alianza de los obreros con el Estado, haya sido severamente rechazado 12 días después sin haberse hecho luego ninguna réplica o contrapropuesta. Y, entre otras cosas, hablamos de programa "conservador" porque no se exige una reorientación radical de la austeridad.

Toda esta situación, como es obvio, ha generado desde fines de 1981 un descontento generalizado —hasta hoy desarticulado— que ha implicado un conjunto de reajustes entre las diversas clases sociales y entre éstas y el Estado. Dentro de este reajuste debemos explicar primero la nacionalización de la banca y el establecimiento del control generalizado de cambios, realizado por López Portillo y replanteado regresivamente por Miguel de la Madrid,[6] y, segundo, la situación de enfrentamiento de los trabajadores con los capitalistas y el Estado, luego de que éstos han comenzado a realizar cambios importantes que involucran ajustes entre sus diversas fracciones, la burocracia sindical oficialista y la burocracia política.

Los ajustes en el interior del bloque dominante pueden descubrirse desde la caída de los precios internacionales del petróleo —junio de 1981—, que implicó el retiro de la vida política de Jorge Díaz Serrano y que precedió la selección de Miguel de la Madrid como candidato a la Presidencia de la República. Una vez llegado De la Madrid al poder estos ajustes se expresan también en la pugna de su equipo tecnocrático con la burocracia política tradicional y la burocracia sindical oficialista, principalmente la CTM de Fidel Velázquez

Para nadie es misterio el día de hoy que la supuesta debilidad de la burguesía financiera —tan cantada en septiembre de 1982— es un mito y que incluso su sector bancario tiende a recuperar posiciones a partir de la devolución de sus intereses no bancarios y su asociación a la banca oficial, mientras que otros sectores (grupos no bancarios o grupos asociados a la "familia revolucionaria", Televisa, Grupo Hank, Grupo Vázquez Raña, etc.) mantienen posiciones que jamás perdieron.[7]

Hoy es posible reconocer una burguesía financiera que no habiendo perdido su predominio económico ha logrado mantener su hegemonía política en el bloque dominante, lo cual no quiere decir que el Estado se encuentre totalmente subordinado a sus intereses.

La política seguida por MMH para superar la crisis es una palpable confirmación de tal hegemonía, expresada hoy en torno al desarrollo de un proyecto monopolista estatal moderno cada vez más alejado del viejo populismo semicorporativo que ha dejado de ser expresión necesaria para el desarrollo capitalista en el México actual.

---

[6] Para profundizar esto se puede consultar a A. Toledo, *Transformaciones del Estado mexicano*, y a S. Escobar, "México: crisis y bloque en el poder", en *Teoría y Política*, núm. 10, abril-junio de 1983.

[7] Véase a J. Basave, "Capital financiero y expropiación bancaria", en *Teoría y Política*, núm. 9, enero-marzo de 1983.

Precisamente en esta contradicción se ubican los enfrentamientos entre el gobierno y la burocracia sindical oficialista comandada por Fidel Velázquez.

De manera por demás clara el presidente de la República expresó el 9 de julio del año pasado su radical rechazo a los —por él llamados— viejos estilos de negociación política que sirvieron para "proponer un pacto entre la iniciativa privada, el gobierno y el movimiento obrero organizado", pacto que aspiraba, fundamentalmente, a congelar precios y salarios.[8]

Con el rechazo del pacto y su calificación demagógica, Miguel de la Madrid viene a reafirmar la falta de vigencia que para la actual tecnocracia gubernamental tienen los métodos y prácticas populistas en las que, en gran medida, han descansado el Estado y el sistema de dominación en nuestro país durante muchos años.[9]

Esto, desde luego, no es mera expresión de la llamada "voluntad política" del actual gobierno, sino por el contrario y de manera fundamental, expresión de la profundidad de la actual crisis estructural del capitalismo mexicano que, entre otras cosas, exige la conformación de una nueva modalidad del desarrollo capitalista en nuestro país que implique una mayor profundización en el carácter intensivo,[10] en su carácter monopólico y en la explotación de la fuerza de trabajo por un lado, pero también exige el surgimiento y la consolidación de algunos rasgos correspondientes a una nueva forma de Estado, modernizado y racionalizado, con el consecuente reajuste en la estructura de las clases sociales.

Es eso y no otra cosa lo que se encuentra atrás de la política de austeridad, de la política de realismo y eficiencia, contenidos básicos del Programa Inmediato de Reordenación Económica y del Plan Nacional de Desarrollo, plasmados a través de la estrategia económico-social del régimen actual.

Se trata, pues, de la estrategia de recuperación económico-social más impopular —por sus efectos reales— de la historia reciente de México; una estrategia impuesta al movimiento social —hasta ahora controlado— para lograr la recuperación y la reorientación

[8] *Prensa Nacional*, diversos, del 10 de junio de 1984.
[9] A. Toledo, "El discurso de Jalisco y el charrismo sindical", en *Que Sí, Que No*, suplemento mensual de la Universidad de Guerrero, *Gaceta Popular*, julio de 1983.
[10] Para un mayor desglose del significado del carácter *intensivo* del desarrollo del capitalismo en México, véase a M. A. Rivera y P. Gómez, "México: acumulación de capital y crisis en la década del setenta", en *Teoría y Política*, núm. 2, octubre-diciembre de 1980.

general de la economía, sustentada en un férreo control del movimiento social, como se ha indicado y que pese a mostrar sus primeros logros dentro de su concepción y su lógica, representa la agresión más profunda que han experimentado en los últimos 25 años los asalariados del campo y de la ciudad, los campesinos pobres, los colonos y, en general, los sectores mayoritarios del país, cada día más gravemente empobrecidos.

La recomposición global de la economía desde una perspectiva capitalista monopólica con hegemonía política del capital financiero está generando un "fuerte Estado rector, con un gobierno tecnocrático concentrado al frente, que no da cabida al más mínimo populismo, que se articula en torno a una política recesiva, de disminución del gasto social, de sólida racionalización y reorientación del crédito y de activa atracción del capital extranjero".[11]

Hoy el Estado mexicano replantea, como ya antes hemos dicho, todas sus relaciones con las diversas clases y fracciones de clases sociales. Dentro de este replanteamiento se ve forzado a controlar la efervescencia social que entre las masas genera la crisis y la estrategia seguida para superarla y que, incluso, tiende a superar en algunos momentos a las diversas direcciones sindicales oficialistas.

Incluso para controlar esta efervescencia se reprime severamente a todos aquellos sectores sindicales, campesinos o populares que tienen la posibilidad de actuar como detonadores de la emergencia social. Sólo así pueden explicarse las violentas acciones en contra de nucleares, universitarios, maestros democráticos, etcétera.

Precisamente por toda esta situación, todas las organizaciones que forman parte del aparato oficial de control se han visto agitadas desde sus bases, exigiendo incluso, que algunos líderes oficialistas encabecen movilizaciones y enfrentamientos, muchos de ellos usados y orientados exclusivamente para recuperar las cuotas de poder e influencia dentro del mismo aparato gubernamental.

Creemos que así, y no de otra manera, pueden explicarse los enfrentamientos de la CTM con Miguel de la Madrid y con los dirigentes de las otras centrales obreras: CROC y CROM, y también los esfuerzos de los dirigentes campesinos oficialistas por unificar y movilizar diversas centrales: CNC, CCI, UGOCM, CAM, entre otras, a las que hace casi dos años han convocado demagógicamente a "defender la Revolución mexicana aun con las armas".

---

[11] A. Toledo, *op. cit.*

V. EL MOVIMIENTO INDEPENDIENTE

Podría pensarse que todo esto configura el preámbulo de un resquebrajamiento de los aparatos sindicales oficialistas de control. Nosotros creemos que lejos de esto, se trata —por la naturaleza misma del Estado mexicano— del comienzo de un ineludible e inevitable proceso de recomposición de la estructura sindicalista oficial.

Este proceso debe ser analizado de cerca para ser considerado justamente en el diseño de una política unitaria y global de resistencia a la agresión estatal plasmada en la estrategia económico-social. Existen sectores tradicionalmente inscritos en el movimiento independiente que valoran en exceso este proceso, otros en cambio, ni siquiera lo toman en cuenta.

La situación de hondura de la crisis y de firmeza e intransigencia del Estado mexicano y de los capitalistas exige que se redoblen los esfuerzos de toma de conciencia y organización clasista e independiente de la clase obrera, del campesinado y de todos los asalariados del campo y la ciudad.

Redoblar esfuerzos en estos momentos exige —como hemos dicho— acumular fuerzas para ir abriendo un proceso de lucha creativo, con base en movilizaciones que permitan frenar la ofensiva estatal contra las condiciones de vida y organización de la clase obrera y de los sectores populares, con acciones amplias que permitan la convergencia de múltiples sectores asalariados que se encuentran en franco proceso de lucha para el mejoramiento de sus condiciones de vida y por la democratización de sus sindicatos y la organización clasista independiente.

Para ello es importante evaluar a fondo las agresiones al movimiento popular: sindical, campesino, urbano-popular, universitario, sobre todo en las experiencias del SUTIN, STUNAM, SITUAM, CNTE, sectores democráticos de la FSTSE, Normal Superior, CNPA, Juchitán, Tierra y Libertad, Universidad de Guerrero, entre otros e impulsar plenamente la consolidación de las coordinadoras del movimiento popular: CONAMUP, CNPA, CNTE, COSINA, ANOCP.

La lucha contra la austeridad burguesa impuesta a la clase obrera y a los sectores populares no se librará sólo unos días; la profundidad y la persistencia de la crisis exigirá un combate más fuerte durante los próximos tres o cuatro años. Es momento de preparar instrumentos más eficaces: organizativos, ideológicos, políticos.

La preparación se da en la lucha, una lucha que debe caracterizarse por una evaluación permanente de las fuerzas y de las condiciones para acumularlas, y por una oposición permanente y decidida a la austeridad decretada para los trabajadores.

La lucha empezó, pero continúa. La clase obrera ha perdido una batalla en las luchas de junio de 1983. Pero la intransigencia de la clase obrera y de los sectores populares respecto de sus reivindicaciones económicas, sociales y políticas debe ser desplegada y profundizada, tratando de catalizar la oposición al programa más impopular de los últimos años.

Este despliegue debe orientarse a consolidar un programa de transformación social, democrática y revolucionaria que atendiendo a la crisis actual, genere posibilidades reales de avance del movimiento popular independiente. Se trata de un programa que no se centre en el logro del control de posiciones dentro de los aparatos de Estado, incluidas la cúpula de las cúpulas del movimiento obrero oficialista —el Congreso del Trabajo— sino, por el contrario, que concentre sus esfuerzos en la autoorganización de los trabajadores y en la conformación de un auténtico frente de masas que luche por la democratización global de la sociedad y su desarrollo, en una perspectiva popular anticapitalista, sentando con ello las bases para una gestión global del proceso social de producción y distribución de la riqueza por parte de los trabajadores, que no siga vías burocráticas ni autoritarias.

LA CRISIS ECOLÓGICA

VÍCTOR MANUEL TOLEDO

INTRODUCCIÓN

El impetuoso proceso de concentración, centralización y acumulación de capital que se ha visto favorecido con la modernización del país ha provocado, entre otras cosas: la dislocación de las estructuras agrarias heredadas de la historia reciente, la descomposición de la llamada economía campesina, la integración de la producción primaria al ámbito del mercado, la marginación y/o proletarización de campesinos e indígenas y, como última de sus consecuencias, el deterioro y la degradación de los recursos naturales renovables (RNR) o *ecosistemas*.[1] A ello deben agregarse los impactos ecológicos derivados de la industrialización y el urbanismo caracterizados por una desmedida y caótica concentración, la cual es producto del desarrollo desigual sufrido por regiones, sectores y clases. A la aguda crisis social que afecta al país expresado en la marginación de vastos sectores de la población debe entonces agregarse la crisis ecológica, cuya dimensión es ya una amenaza para su desarrollo. De esta forma, el análisis de lo ecológico —habitualmente ignorado, soslayado o relegado a un plano secundario— debe situarse de manera paralela al análisis social, dado que expresa el conjunto de *factores exógenos* que hacen posible al conjunto de individuos que conforman la sociedad mexicana, producir y reproducir las condiciones materiales de su existencia. Ello permite encuadrar la problemática medioambiental desde una perspectiva que privilegia las relaciones materiales que se establecen entre la *sociedad* (nacional) y la *naturaleza*, y ya no desde esa óptica estrecha que reduce la crisis ecológica a los problemas de la contaminación industrial, la calidad de la vida urbana, o el conservacionismo biológico.[2]

[1] En el presente ensayo sólo se consideran los recursos naturales renovables que son objeto de estudio de la ecología (la luz, el suelo, el aire, el agua, la flora y la fauna) y que se integran en unidades medioambientales conocidos como *ecosistemas*.

[2] Con ello situamos nuestro análisis más allá de la limitada perspectiva

[27]

En México, como una consecuencia del proyecto de nación que el movimiento popular dejó plasmado en la Constitución de 1917, los RNR fueron considerados, desde principios de siglo, un bien patrimonial al reconocerse el derecho de propiedad originario que tiene la nación sobre ellos, y al establecerse el derecho de la misma de regular su aprovechamiento.[3] No obstante lo anterior, el país carece aún de una verdadera política ecológica, de un adecuado aparato de ciencia y tecnología,[4] de una legislación medioambiental, y de un sistema nacional de planeación que integre los criterios derivados de la moderna ciencia de la ecología, sin los cuales se hace imposible el usufructo ordenado y justo de los RNR que la nación requiere.

LA MAGNITUD DE LA CRISIS ECOLÓGICA

A pesar de que reiteradamente se invocan diversos ejemplos de contaminación (de ríos o de la atmósfera) como evidencias de la crisis ecológica del país, lo cierto es que los mayores y más graves deterioros al entorno natural provienen de las formas inadecuadas con las cuales los RNR son apropiados a los procesos productivos primarios. Este fenómeno se ha ido acentuando conforme los espacios naturales se han ido integrando a un proceso de modernización, cuyo rasgo principal es el de permitir y favorecer, a través de diversos mecanismos, la expansión del capital. De esta forma lo que debiera constituir una apropiación adecuada y racional de los

del ecologismo, es decir, de las formas ideológicas que encuentran en "El Hombre" la raíz de la problemática medioambiental (véase Toledo, 1983a).

[3] El párrafo primero del artículo 27 constitucional dice: "...la propiedad de las tierras y aguas comprendidas dentro de los límites del territorio nacional corresponde originalmente a la nación, la cual ha tenido y tiene derecho de trasmitir el dominio de ellas a los particulares, constituyendo la propiedad privada". Además en el párrafo tercero se asienta: "La nación tendrá en todo tiempo el derecho de imponer a la propiedad privada las modalidades que dicte el interés público, así como el de regular el aprovechamiento de los elementos naturales susceptibles de apropiación."

[4] Esto se expresa de dos formas: por la inexistencia de los cuadros humanos y la infraestructura económica y académica capaz de generar las innovaciones tecnológicas que en materia de apropiación de los recursos requiere el país; y/o por la reproducción de modelos tecnológicos y pautas y objetos de la investigación no acordes con la realidad ecológica, social y cultural del país (v. gr. la actual investigación agropecuaria).

RNR, es decir, basada en la adecuación de los procesos productivos a las leyes y principios de los ecosistemas se ha convertido en un usufructo depredador sólo regido por los criterios de la rentabilidad a corto plazo. Los efectos de este "capitalismo salvaje" se han visto amplificados a su vez por dos fenómenos íntimamente ligados al carácter dependiente y subdesarrollado de la sociedad mexicana: la inadecuación de los modelos tecnológicos que generados en los países capitalistas industriales poco logran hacer en el contexto ecológico, social y cultural del país, y la ausencia total de leyes que reglamenten y planifiquen el uso de los recursos. Ello no sólo ha impedido "filtrar" y "adaptar" los modelos tecnológicos y de organización engendrados en los países centrales sino que, sobre todo, no ha logrado atenuar o minimizar los diversos forzamientos ecológicos que estos modelos ineludiblemente conllevan como instrumentos técnicos del proceso productivo capitalista. De esta forma, el actual panorama crítico de los ecosistemas de México, es consecuencia directa de la aplicación, en las últimas décadas, de aquellos esquemas, aplicación que ha ocurrido fundamentalmente a través de los diversos programas y acciones de desarrollo rural implementados por el Estado,[5] complementados por el propio devenir modernizador. Los datos más recientes indican que el 26% del territorio nacional sufre de una erosión avanzada, en tanto que un 15% se encuentra totalmente erosionado. De esta forma el 41% de la superficie nacional se encuentra ya ecológicamente degradada, afectando directa o indirectamente a una población estimada en 15 millones de habitantes.[6] La causa principal de este agudo deterioro es, fundamentalmente, el uso inadecuado de los espacios naturales. Así, mientras que la ganadería, la práctica productiva primaria de mayor rentabilidad desde la óptica de la acumulación, se extiende sobre el 43% del territorio nacional en áreas agrícolas y, sobre todo, forestales; la agricultura lo hace sobre bosque y selvas y las ciudades que ocupan cada año 2 millones de hectáreas de nuevas superficies, ocupan a su vez tierras de alto potencial agrícola.[7] Este proceso depredador queda expresado en fenómenos tales como las 400 000 hectáreas que se estima cada año

---

[5] Esto se hace harto evidente en el caso del trópico cálido húmedo en el que los diversos organismos y programas de desarrollo implementados por el Estado, desde la Comisión del Papaloapan o del Grijalba hasta el Plan Chontalpa o el de Balancán-Tenosique, han sido los principales agentes de la aguda destrucción ecológica sufrida en esa porción del territorio.

[6] SAHOP, 1981.

[7] *Ibid.*

pierden su cubierta forestal,[8] el elevado número de especies de la
flora mexicana (casi un 15%) que se han declarado en peligro
de extinción,[9] o el agudo estado de marginación social que afecta
al 57.3% de la población rural del país.[10]

EL IMPERIO DE LAS RESES

La marcada expansión que la ganadería bovina ha experimentado
durante las últimas décadas en México muestra la paulatina imposición del criterio de rentabilidad por sobre los otros factores en
el proceso productivo primario.[11] En efecto, estimulada por los programas de modernización y por las necesidades del mercado norteamericano a través de los empréstitos otorgados por los grandes
bancos internacionales y nacionales (tan sólo entre 1971 y 1977 el
Banco Mundial y el Banco Interamericano de Desarrollo otorgaron
préstamos para este fin por un total de 527.4 millones de dólares,
con una contraparte nacional de 639), la ganadería en México ha
venido creciendo a un impresionante ritmo del 4% anual, de tal
forma que en la actualidad 31 millones de reses se extienden sobre
aproximadamente 80 millones de hectáreas, es decir, casi la mitad
del total del territorio nacional (!). No obstante lo anterior, alrededor de 30 millones de mexicanos (el 40% de la población) no
consumen leche y en 1980 hubo que importar 1 800 millones de
litros para el consumo interno. Esta incongruencia social se ve
acompañada por el enorme costo ecológico que la nación está pagando, puesto que la ganadería que se practica en México es fundamentalmente de tipo extensivo, es decir, ocupa enormes extensiones de terreno con pastos naturales o inducidos (sólo un 5%
poseen pastos cultivados), lo cual permite explicar su alta rentabilidad dado el bajo nivel de inversiones que requiere el mantenimiento de los potreros. Lo anterior supone el libre pastoreo de los
animales, con poco o ningún mejoramiento tecnológico (siembra
de pastos, tecnificación de establos, etc.), además de una baja utilización de mano de obra lo cual resulta inexplicable en un país
donde el desempleo rural conforma uno de sus más graves proble-

[8] González-Pacheco, 1979.
[9] Vovides, 1980.
[10] COPLAMAR, 1982.
[11] Véanse los estudios de Rutsch, 1980; Reig, 1982; Feder, 1982.

mas. Ello explica también su marcada expansión sobre prácticamente todos los rincones del territorio nacional, en virtud de un bajísimo índice de productividad de alrededor de 10 kgs de carne por hectárea al año. Así, mientras que en la zona sur se requieren alrededor de 2 hectáreas por cabeza de ganado, en la zona norte la superficie requerida oscila entre 20 y 25 hectáreas. Este carácter extensivo de la ganadería en México viene también a explicar la notable incongruencia de las leyes agrarias que permiten la existencia de la llamada "pequeña propiedad ganadera" con extensiones de entre 300 y 50 000 hectáreas (!), merced a los certificados de inafectabilidad ganadera promulgados por el régimen cardenista en 1937, y que de hecho vinieron a legitimar una nueva modalidad del latifundismo mexicano. En la actualidad, bajo la protección de tales leyes, la parte principal de la ganadería del norte se encuentra conformada por propiedades de entre 300 y 50 000 hectáreas (!), constituyendo el principal baluarte de la poderosa burguesía ganadera. Tal incongruencia se acentúa con el hecho de que en su mayor parte, la zona norte realiza una ganadería de exportación que suministra al mercado norteamericano entre 400 y 500 000 cabezas de ganado fino al año (principalmente Hereford, Aberdeen-Angus y Santa Gertrudis) de entre 6 y 24 meses de edad, es decir, nada menos que el 40 y el 80% de todo el ganado en pie que se consume en los Estados Unidos. Aún más, no obstante las grandes extensiones que detentan los ganaderos del norte del país han sobrepastoreado sus potreros, hasta tal punto que se estima que en la actualidad los pastizales que sirven de base a esta práctica productiva soportan el triple del número de cabezas recomendado por el coeficiente de agostadero técnicamente determinado. Así, en 1980 se registraron 11 millones de bovinos, 2 millones de ovinos y 3 millones de caprinos que produjeron a los ganaderos del norte 1.5 billones de pesos.[12] Ello está provocando un agudo deterioro ecológico en toda la zona norte donde se practica la ganadería, expresado en: 1] El cambio radical de la composición florística de los pastizales y por lo cual las especies que normalmente sirven de alimento al ganado son sustituidas por otras no apetecidas por los animales, ásperas, espinosas e incluso tóxicas; 2] La erosión acelerada de los suelos, puesto que la compresión por pisoteo reduce la permeabilidad de los mismos y aumenta la escorrentía, y 3] La destrucción de enormes extensiones con ecosistemas forestales (matorrales desérticos y bosques de coníferas

___

12 Claverán-Alonso, 1982.

ras). Por otra parte, en las zonas tropicales cálido-húmedas en donde se encuentran los máximos coeficientes de agostadero, la ganadería ha logrado una acelerada expansión en virtud de dos factores: el primero es la equivocada decisión de convertir todas las zonas con selvas tropicales húmedas —el ecosistema forestal con mayor potencial productivo del país— en parte de la frontera agrícola, lo cual ha provocado que una vez desforestado el espacio y ante la cada vez más exigua producción agrícola que es característica de estos ecosistemas, los predios se conviertan en potreros; el segundo, es la propia política de ganaderización del trópico que, realizada por el Estado y mediante la desforestación a base de maquinaria, ha venido abriendo grandes extensiones de terreno con fines pecuarios. Así, de 1972 a 1977 la Comisión Nacional de Desmontes, desmontó un total de 423 000 hectáreas y tan sólo en la región del río Uxpanapa en Veracruz se intentó la desforestación de 75 000 hectáreas.[13] En el trópico, convertir en pastizales los extremadamente ricos y complejos ecosistemas selváticos para la ganadería, supone un incalculable costo ecológico representado por las miles de especies vegetales y animales que se destruyen irremediablemente. Así, por cada hectárea dedicada a producir de 0.5 a 1 cabeza de ganado al año, la nación pierde alrededor de 250 especies de plantas y unas 200 de animales que conforman un potencial forestal, alimenticio, medicinal, industrial, doméstico y por supuesto forrajero, irrecuperables. El panorama no puede ser más desalentador: el 90% de las selvas tropicales ha desaparecido de la superficie del país,[14] en tanto que la frontera ganadera se expande por sobre los fracasados intentos de producción agrícola, a un ritmo de 6% de incremento anual teniendo como ejemplos palpables de esto los estados de Veracruz, Tabasco y sobre todo Chiapas.[15]

LA DIMENSIÓN ECOLÓGICA DE LA CRISIS AGRÍCOLA

En la última década, pocos sistemas productivos han sido tan cuestionados por la teoría ecológica como el modelo agrícola impul-

---

[13] Toledo, 1978.
[14] Rzedowski, 1978.
[15] Véase SARH, 1979; y para el caso de Chiapas: Fernández-Ortiz y Tarrio de Fernández, 1980.

sado por la revolución verde, es decir, ese que se basa en la implantación de extensos monocultivos mantenidos a través de grandes insumos de energía fósil (petróleo y gas natural empleados en maquinarias, bombas, fertilizantes y pesticidas químicos). Sus efectos negativos sobre el suelo han hecho que en los Estados Unidos aproximadamente un tercio de la superficie agrícola haya perdido ya su suelo superficial. Por ello el agricultor norteamericano se ve obligado a agregar cada año aproximadamente 46 litros de energía fósil por hectárea en forma de fertilizantes y otros insumos para mantener constante la productividad de la tierra.[16] A la erosión del suelo debe agregarse la erosión genética. El uso cada vez más marcado de semillas genéticamente mejoradas ha reducido al mínimo el empleo de la gama natural de variedades incrementando las probabilidades de una catástrofe por plagas. El empleo masivo de fertilizantes y pesticidas químicos provoca, a su vez, la contaminación de la atmósfera, las aguas y los alimentos, en tanto que su marcada dependencia de la energía fósil lo ha vuelto cada vez más costoso. Todo ello ha dado lugar a una paradoja: en términos energéticos la agricultura mecanizada es menos eficiente que la tradicional agricultura campesina a base de energía humana o animal.[17] Si las limitaciones que hemos señalado aparecen bajo condiciones propicias a dicho modelo agrícola (topografía plana, suelos fértiles, recursos de agua seguros o muy probables, ciclos climáticos bien marcados y medianas y grandes propiedades), las condiciones ecológicas, culturales y agrarias de México lo hacen todavía más inadecuado. Por ello su implantación tras cuatro décadas de revolución verde sigue estando reducida a aquellas porciones del país ecológicamente propicias (planicie costera noroeste, porciones de Baja California, Chihuahua, Coahuila y Tamaulipas, el Bajío, parte de las Huastecas y otras áreas menores). Hacia 1976 de 2 millones 816 mil unidades de producción sólo un 7.1% con el 20% de la superficie producían eficientemente bajo este modelo, en tanto que el 92.9% restante con el 80% de la superficie sólo producían o para la autosubsistencia o parcialmente para la sociedad nacional.[18] En México, suele olvidarse que el 45% de la población agrícola se halla sobre áreas con topografía accidentada, en tanto que las tres cuartas partes de la superficie son áreas de temporal y de éstas el 70% de mal temporal.[19] Por otra parte la historia

---

[16] Pimentel, *et al.*, 1973.
[17] Véanse los datos aportados por Pimentel y Pimentel, 1979.
[18] Wellhausen, 1976.
[19] Por ello hacia 1981 de una superficie agrícola estimada en 18.17 mi-

agraria de México hace que sea el minifundio y no las grandes propiedades la forma de propiedad predominante; el 77.2% de las unidades de producción tienen menos de 10 hectáreas en tanto que el 46.6% son menores de cinco.

Si la ecología ha mostrado las deficiencias tecnológicas del modelo engendrado por la revolución verde, la economía política ha revelado sus bondades como punta de lanza que garantiza el proceso de acumulación capitalista. Visto desde la óptica de la otra trinchera, los cuarenta años en que México ha permanecido como laboratorio privilegiado de la revolución verde han sido todo un éxito. En el país de la primera revolución agraria del siglo, del ejido y del artículo 27, los caballos de Troya introducidos por el imperialismo bajo el pretexto de la modernización agrícola han alcanzado sus objetivos. Así, entre 1960 y 1981 cinco compañías transnacionales (Massey-Ferguson, John Deere, International Harvester, Ford y Caterpillar) lograron colocar 173 371 tractores entre los agricultores mexicanos, ninguno de los cuales puede operarse sobre pendientes ni laborar en otro agrosistema que no sea el monocultivo. La venta de pesticidas químicos realizada por las seis compañías que abastecen el 95% de estos insumos pasó de los 96 millones de pesos en 1960 a los 762 en 1977. Junto a ello todo el aparato de ciencia y tecnología agrícola que el país desarrolló con la ayuda norteamericana no ha hecho más que reproducir inexplicablemente, los esquemas productivos, técnicos y de investigación propuestos por la Fundación Rockefeller y otras agencias. Por ejemplo, el país hoy en día no cuenta con especialistas en agricultura de terrazas; no hay una tecnología desarrollada para el trópico húmedo, no se tiene información básica para comprender y mejorar un policultivo; apenas se comienza a investigar acerca de la agricultura de temporal o a pequeña escala y, en fin, no se conoce otro implemento agrícola que no sea o el arado egipcio o los tractores de las transnacionales. Casi lo mismo puede decirse de la todavía incipiente educación agrícola que según la ANUIES sólo representó en 1977 el 3.98% del total de estudiantes de educación superior, y cuya orientación tecnocrática y modernizante hacen que la mitad de las escuelas de agronomía del país con casi el 65% de los estudiantes se localicen en la región norte, es decir, ubicadas para apuntalar los polos con "agricultura moderna".[20] Sólo la producción de fertilizantes realizada por una empresa paraestatal y

---

llones de hectáreas, el 27.8% fue de riego (5.06 millones de hectáreas) en tanto que el 72.2% fue de temporal.

[20] Gomezjara y Pérez-Ramírez, 1981.

la banca recientemente estatificada, conforman la porción nacionalizada del proceso agrícola mexicano, aunque ello queda compensado por los créditos que la banca nacional e internacional hicieron llegar durante años a un solo sector de productores, o por las generaciones de agrónomos formados al calor de la filosofía de la revolución verde que hoy constituyen, en cuerpo y alma, la poderosísima burocracia de la SARH. La consecuencia más relevante del panorama anterior lo constituye la incapacidad del país para lograr la autosuficiencia en granos básicos, así como los efectos ecológicos de la forzada implantación de este modelo en áreas no adecuadas, tales como: erosión del suelo, desgaste de la fertilidad, reducción de la diversidad genética de los cultivares, y contaminación de aguas, suelos y alimentos.

EL CASO DE LA PESCA

México posee un enorme potencial pesquero representado por sus 2 millones de km² de superficie marina explotable, sus 1.4 millones de km² de aguas continentales (lagos, ríos, presas, bordes, ollas, jagüeyes) y sus 1.5 millones de km² de lagunas costeras. No obstante lo anterior y a pesar de que es éste el único sector de la producción primaria en donde el Estado ha intentado implantar una política nacional de administración del recurso, la inercia dejada por varias décadas de explotación especializada, comercial y dirigida fundamentalmente a la exportación y a la industria, es hoy todavía lo prevaleciente. Así, la subexplotación del recurso pesquero se manifiesta en el bajo número de especies capturadas: de un potencial de 290 especies comestibles, 32 conforman el 82.6% del volumen anual extraído —anchoveta, sardinas, camarones y atunes (véase el cuadro 1). A ello habría que agregar que el 90% de la anchoveta capturada y el 60% de la sardina, son destinadas a la elaboración industrial de harinas de pescado para la engorda de cerdos y gallinas, en tanto que el camarón y la langosta se envían como productos de exportación. De esta forma, todo el aparato productivo pesquero del país se encuentra dirigido a satisfacer las demandas de la industria y de la exportación, y no a cubrir las necesidades alimentarias de la población nacional, es decir, como en el caso de la ganadería que se orienta fundamentalmente por los criterios de la rentabilidad económica. Desde el punto de vista ecológico esta pesca especializada ha estado provocando el deterioro de la fauna acuática, ya que las técnicas de captura utilizadas no son selectivas. Con ello la dinámica de la población de numerosas especies de peces, moluscos, crustáceos y otros grupos se ha visto alterada sin que, por otra parte, estas "capturas forzadas" proporcionen alimentos para el consumo humano. El extremo de esta irracionalidad queda ejemplificado con la captura de camarón, que extraen enormes volúmenes de una variedad de especies (casi 200) inexplicablemente denominadas "fauna de acompañamiento", para después devolverlas al mar en virtud de su baja rentabilidad económica. La ausencia de tecnologías y de formas de organización dirigidas a la *captura integral* del recurso pesquero del país, aunado a la escasa información básica acerca de la biología de las especies potencialmente útiles, vienen a completar este cuadro de uso inadecuado de los recursos.

CUADRO 1

PRINCIPALES PRODUCTOS OBTENIDOS DEL MAR EN MÉXICO

	Número de especies	Producción anual en toneladas (1980-81)	% de la producción
Anchoveta	1	327 630	34.66
Sardina	6	300 000	31.74
Camarón	15	80 000	8.46
Atún	10	73 000	7.72
Langosta	5	2 000	0.23
Abulón	5	3 000	0.34
Calamar	17	25 000	2.64
Ostión	5	33 500	3.54
Almeja	8	8 000	0.84
Escama	200	80 000	8.46
Tiburón	12	13 000	1.37
Tortuga	6	—	—

FUENTE: Gonzales & Garci-Crespo, 1982.

DE LA CRISIS ECOLÓGICA A LA CRISIS ALIMENTARIA

A pesar de contar con una superficie de 30 millones de hectáreas potencialmente agrícolas, casi 34 millones de cabezas de ganado

(1979), y 10 000 km de litoral con 600 especies de peces, México se vio obligado en la última década a importar cada vez mayores volúmenes de alimento (principalmente granos y leche) para alimentar a una población que pasó de 35 millones en 1960 a 70 millones en 1980. Así, en 1965 la importación de alimentos sólo representó el 9% del total sectorial, para 1975 ya representaba el 67% y para 1980 el 80%.

Desde la perspectiva ecológica, ello constituye un exabrupto mayúsculo dado que pocos países poseen la cantidad y la variedad de recursos naturales que existen en México.[21] Tan sólo el potencial alimentario de origen vegetal es enorme: la reciente investigación etnobiológica arroja más de 600 especies silvestres utilizadas como alimento por las diversas culturas antiguas y actuales, entre 80 y 100 especies autóctonamente domesticadas y unas 60 más traídas a raíz de la colonización española. Sólo la India y China compiten con México en este abanico de posibilidades alimentarias. Además del maíz, frijol, trigo y otros cereales predominantemente utilizados, el país dispone de toda una gama de alimentos vegetales de alto potencial nutritivo: el árbol del ramón y la chaya en el trópico húmedo, el amaranto y la espirulina en el altiplano templado, la calabacilla, el tepario y el mezquite en las zonas desérticas. Hasta el golfo de California ofrece un "cereal" con altos contenidos proteínicos: la *Zoostera marina*. La confluencia de la cultura indígena y europea hacen hoy posible una de las alimentaciones vegetales más ricas y variadas del mundo.

Pero todavía más, el país dispone de cerca de 300 especies comestibles de peces, crustáceos y moluscos, y dada la extensión y características ecológicas de su territorio, las posibilidades de la acuacultura se vuelven especialmente prometedoras. Los especialistas estiman que si México utilizara todas sus lagunas costeras para la acuacultura, habría posibilidades de producir alimentos equivalentes a 18 millones de hectáreas bajo uso agrícola. Las 98 especies de insectos comestibles registradas en México,[22] constituyen por sus altísimos contenidos proteínicos un reservorio alimentario estratégico para tiempos inesperados.

Es en este arduo e inexorable juego de la satisfacción alimentaria que la irracionalidad que impera en los tres sectores de producción de alimentos (agricultura, ganadería y pesca) se vuelve determinante: no sólo el proceso de apropiación es un proceso de

[21] Para un análisis detallado del tema, véase Toledo, 1983b.
[22] Ramos-Elorduy, 1982.

deterioro constante y creciente de los ecosistemas nacionales, sino que éste se dirige a satisfacer los requerimientos de los países centrales.

Renunciar a producir los alimentos a partir de nuestros propios recursos no sólo es acatar la lógica económica del imperialismo (las tramposas ventajas comparativas), sino aún más, es aceptar la lógica de la dominación a través de la cual el enorme potencial alimentario de nuestros riquísimos recursos se vuelve inexistente. Ello significa darle la espalda a la generosidad de la naturaleza y poner en entredicho nuestro futuro como país soberano.

El dilema es claro: o el país se alimenta a partir de sus diversos recursos, revalorizando las propias culturas rurales y a través del esfuerzo nacional, o se le hipoteca despreciando su riqueza y reduciéndolo a una vasta fábrica de carne, café, flores y hortalizas para la exportación.

ECOLOGÍA Y PRODUCCIÓN FORESTAL

De acuerdo con el Inventario Nacional Forestal, la República mexicana posee 119.6 millones de hectáreas sujetas de producción forestal entre bosques templados (pinares y encinares), selvas tropicales (altas, medianas y bajas), matorrales y otros tipos de vegetación (cuadro 2). No obstante la existencia de este enorme potencial, el aprovechamiento que se realiza es mínimo, en virtud de: 1] La predominancia del modelo tecnológico generado en los países industriales, en donde debido a la baja diversidad de los ecosistemas forestales se reduce la apropiación a unas cuantas especies (generalmente coníferas); 2] La ausencia de investigación científica y tecnológica forestal dirigida a lograr el aprovechamiento integral de los ecosistemas forestales de alta diversidad de especies (como las selvas tropicales), y 3] La ausencia de una verdadera política nacional forestal que planifique y organice la apropiación de los recursos forestales con una orientación ecológica y dirigida a satisfacer las necesidades sociales y económicas de la nación. De esta forma, toda la concepción del aprovechamiento forestal en México, no ha hecho más que repetir inexorablemente esquemas importados, que no trascienden el estereotipado concepto que reduce lo forestal a lo maderable. Ello explica por qué de los bosques templados generalmente sólo se aprovechan las especies de

CUADRO 2

RELACIÓN DE LOS PRINCIPALES ECOSISTEMAS FORESTALES
DE MÉXICO

	Superficie (millones de has)	%
Bosques de pino	20.6	17.2
Bosques de encino	8.6	7.2
Selvas altas	2.4	2.0
Selvas medianas	12.6	10.5
Selvas bajas, chaparrales y mezquitales	29.1	24.3
Matorrales	46.3	38.7
Total	119.6	99.9

FUENTE: Programa Nacional de Desarrollo Forestal (1980).

pino (que dan lugar a las industrias del aserrío, de los tableros y
de la celulosa y el papel, además de resinas) dejando sin utilidad
al resto de las especies de estos ecosistemas (por ejemplo las numerosas especies de encinos que siempre forman parte importante
de estas comunidades). Pero más aún, ello explica también por
qué las riquísimas selvas tropicales (altas y medianas) han sido en
su mayor parte, transformadas en campos agrícolas y potreros: se
ha sido incapaz de generar conocimientos, tecnologías y formas
adecuadas de producción, que permitan aprovechar íntegramente
el ecosistema más rico, diverso, intrincado y complejo del país. Esto
contrasta con el aprovechamiento que campesinos e indígenas realizan de las selvas tropicales: de un total de 790 especies de plantas reconocidas en Uxpanapa, Veracruz, 457 tuvieron uno o varios
usos para las culturas rurales, de tal forma que logran obtenerse
casi 500 productos.[23] Algo similar ocurre con los ecosistemas áridos
y semiáridos, en donde el aprovechamiento forestal se reduce a unas
cuantas especies (candelilla, ixtle, jojoba, guayule, palma china y
otras) en tanto que investigaciones recientes señalan el enorme
potencial alimenticio, forrajero y sobre todo químico-farmacéutico
de los desiertos mexicanos.

Este notable fenómeno de subexplotación, queda expresado por
la baja participación del subsector forestal en el producto interno
bruto nacional, situación que ha sido constante en los últimos 20
años, y por la predominancia casi absoluta de los productos made-
reros, los que por otro lado no alcanzan a cubrir las necesidades

[23] Caballero, et al., 1978.

de la nación (México importó 6 268 millones de pesos en 1978 en productos forestales principalmente celulosa), puesto que sólo se utiliza un tercio del potencial reconocido (8.8 millones de m³ de madera en rollo de un total de 23.5 en 1978). A ello habría que agregar el agudo proceso de desforestación causado por incendios, plagas, pastoreo, tala inmoderada, extracción para leña, y desmontes masivos (con o sin maquinaria) provocados por los planes estales de expansión de la frontera agrícola y pecuaria.[24]

INDUSTRIA, CIUDADES Y MEDIO AMBIENTE

La producción industrial y los fenómenos de concentración urbana afectan tanto a los RNR como a la calidad de la vida en virtud de los efectos de la contaminación por diversos desechos domésticos e industriales. Tales efectos nocivos se producen fundamentalmente a través de la contaminación de las aguas,[25] en las que se descargan materiales diversos o a las que se les alteran sus características físico-químicas (turbiedad, sedimentación, azolve, eutroficación, cambios en la temperatura). De esta forma se llega a afectar los recursos naturales (entre ellos fundamentalmente los ecosistemas acuáticos) mediante las emisiones que indirectamente y a distancia generan los grandes centros urbanos y los polos industriales.

En México, a pesar de las limitaciones del desarrollo industrial, el marcado fenómeno de la centralización que concentra enormes núcleos de población y de industrias en unas cuantas áreas del territorio, aunado a la falta de medidas (legislativas y técnicas) que eviten la contaminación de las aguas, provoca cada vez con más fuerza diversos efectos destructivos de los RNR. Las consecuencias nocivas de la industria nacional en la ecología se magnifican por el hecho de que la mayor parte de la actividad industrial se concentra en los principales centros urbanos, los cuales se localizan en porciones del país que se caracterizan por dos denominadores comunes: su elevada altitud (por encima de los 500 msnm) y su escasez de agua.

Así, las zonas donde se concentra el 70% de la población y 80%

---

[24] Para una revisión de la situación forestal en México, véase Trueba, 1983.

[25] Vizcaíno-Murray, 1975.

de la actividad industrial, apenas cuentan con 15% del recurso
hídrico, además las cinco entidades del país en donde se lleva a
cabo el 73% de las actividades industriales (el D.F., Estado de
México, Nuevo León, Jalisco y Coahuila) son zonas geográficas
de altura y por lo común alejadas de las costas. Ello extiende el
efecto contaminador, en virtud de que se sobrecargan los sistemas
fluviales, los cuales corren de las partes centrales y altas hacia las
costas y no al contrario. Dos ejemplos muy ilustrativos son el lago
de Chapala, que recibe las aguas de dos ríos muy contaminados por
la producción industrial y la concentración urbana (el Lerma y el
Santiago), y la laguna de Alvarado, en la planicie costera de
Veracruz, en la cual desembocan los ríos Papaloapan y Blanco, este
último contaminado por las descargas de ciudades como Orizaba
y Córdoba.

Todavía más, según el estudio realizado por la SARH en 1973, de
un total de 218 cuencas hidrográficas, 11 tienen alta contaminación
y requieren una atención inmediata. Las cuencas afectadas son
precisamente las que concentran 59% de la población nacional y
77% del valor bruto de la producción industrial (cuadro 3). A la
anterior situación general debe agregarse la fuerte contaminación
que está produciendo el auge reciente de la industria petrolera en
la planicie costera del golfo de México,[26] y la que comienza a producir en algunos puntos de la costa del Pacífico la nueva industria
siderúrgica (Lázaro Cárdenas-Las Truchas).

Por otra parte, la contaminación de las aguas marinas[27] completa el panorama en este renglón. Es éste un fenómeno que tiene
diferentes causas, tales como la emisión directa de desechos industriales (Ensenada y Coatzacoalcos), la sobrecarga poblacional (Acapulco) o simplemente, accidentes durante la extracción petrolera.
De no tomarse las medidas adecuadas, tal vez el programa de puertos industriales que se planea desarrollar en los próximos años
contribuya a agravar la situación.

Aunque las principales consecuencias de la actividad industrial
y la concentración urbana afectan sobre todo a los ecosistemas
acuáticos (ríos, lagos, lagunas y costas), y finalmente a la producción pesquera nacional, en el caso de las enormes concentraciones
de población aquéllas se extienden a otros recursos: los forestales
(en el Valle de México por ejemplo, de las 600 000 hectáreas de
bosques originales sólo quedan 100 000), los suelos agrícolas (dado

[26] A. Toledo, 1983.
[27] Vázquez-Botello, 1982.

CUADRO 3

LAS 11 CUENCAS MÁS CONTAMINADAS DE MÉXICO,
CAUSAS PRINCIPALES Y GRADO DE CONTAMINACIÓN

	Fuentes Contaminantes (%)									Grado de contaminación (demanda bioquímica de oxígeno en toneladas al año)
	Población urbana	Industria química	Industria azucarera	Industria de bebidas alcohólicas	Industria papelera	Industria petrolera	Industria alimenticia	Industria de productos lácteos	Otros	
Río Pánuco	46.0	22.0	3.0	9.0	7.9	3.0	1.4	2.0	3.8	668 972
Río Lerma-Santiago	33.8	33.8	13.0	5.9	—	4.7	2.3	3.0	3.4	257 483
Río Balsas	12.5	2.0	82.0	—	1.0	—	—	—	3.7	113 510
Río Blanco	5.2	—	88.6	3.1	—	—	—	—	2.1	40 626
Río Guayalejo	1.11	—	98.7	—	—	—	—	—	0.2	67 837
Río San Juan	35.2	37.2	—	5.7	10.2	2.3	1.9	2.0	5.4	118 470
Río Culiacán	4.0	—	94.7	—	—	—	—	—	1.2	57 711
Río Fuerte	1.9	—	95.1	—	—	—	1.3	—	1.7	51 806
Río Coahuayana	1.9	—	89.1	—	8.8	—	—	—	—	26 330
Río Nazas	30.0	27.2	—	30.6	—	—	2.2	7.0	3.0	53 963
Río Conchos	45.8	2.0	—	—	28.2	4.5	1.4	1.6	14.5	25 543

FUENTE: SARH, 1973.

que la expansión de la frontera urbana invade irremediablemente
las tierras sobre las que se gestó el asentamiento original) o los
mantos acuíferos.

Finalmente, habría que señalar la aguda contaminación atmos-
férica que alcanza niveles por encima de lo tolerable en por lo
menos diez áreas urbanas,[28] y la contaminación por desechos sólidos que alcanza entre los 1 000 y las 6 500 toneladas diarias en
las principales ciudades del país.[29]

POLÍTICA ECOLÓGICA Y PROYECTO NACIONAL

Toda sociedad se reproduce y se desarrolla a partir de su metabo-
lismo con la naturaleza. Por ello los recursos naturales con que la
nación cuenta constituyen la *base material* de su desarrollo, pues
son la fuente a partir de la cual se alimentan tanto los procesos
de producción primarios (agrícolas, pecuarios, forestales y pesqueros) como los industriales. Como ha estado mostrando este ensayo,
los recursos naturales del país sufren ya un marcado deterioro. El
pedazo de naturaleza del que los mexicanos deben extraer sus satisfactores sufre un forzamiento notable que en buena medida es
hoy causa de crisis sociales y económicas de amplios sectores de
la población rural y urbana y de regiones enteras. Por ello, a los
habituales problemas demográficos, económicos, urbanos, de organización, etc., la nación debe enfrentar y dar solución a todo un
cúmulo de problemas ecológicos. El problema aquí descubierto es,
sin duda alguna, ominoso y preocupante, puesto que la nación comienza a adentrarse por un camino peligroso que amenaza con
dejarle desprovisto de su base material, es decir, sin su objeto de
trabajo. Piénsese que en el futuro inmediato los recursos naturales
del país deberán suministrar los suficientes alimentos, materias primas y satisfactores diversos a una población de entre 93 y 101
millones en 1990 y entre 125 y 139 millones en el año 2000.

En México, las causas fundamentales del deterioro y la destrucción de los recursos naturales han sido la paulatina adecuación
de los procesos productivos (primarios e industriales) a la lógica de

[28] Éstas son: Valle de México, Guadalajara, Monterrey, Tijuana, Mexicali, Ciudad Madero, Tampico, Ciudad Juárez, Gómez Palacio-Torreón y
Coatzacoalcos-Minatitlán.

[29] SAHOP, 1981.

la acumulación de capital, la ausencia de modelos científicos y tecnológicos apropiados a la realidad ecológica del país, la falta de una planeación ecológica en la producción primaria, y la carencia de una legislación que reglamente el usufructo de los recursos de acuerdo al espíritu del artículo 27 constitucional. A ello habría que agregar el incremento de la población rural y sobre todo urbana, que obliga a producir mayores volúmenes de satisfactores con un número menor de productores (en números relativos), y las marcadas presiones geopolíticas que intentan volver los recursos de la nación la fuente de los productos requeridos por los Estados Unidos y otros países industriales. Los impactos medioambientales de la incipiente industrialización y de una expansión urbana caracterizada por la alta concentración de población y la falta de planeación constituyen los últimos elementos del panorama causal de la crisis ecológica de México.

Por todo lo anterior, hoy más que nunca se hace necesaria una política nacional sobre los recursos naturales que subordine el interés privado al interés nacional, que detenga y neutralice las presiones del imperialismo, y que rescate el olvidado espíritu del artículo 27 constitucional. Ello implica reconocer que en materia de ecología, corresponde al Estado regular el uso de los recursos naturales de acuerdo con los criterios derivados de la investigación científica y tecnológica, las particulares condiciones medioambientales y culturales del país, y los intereses y objetivos sociales de la nación. Dicha política debe traducirse en medidas de carácter *legislativo*, de *ordenamiento* (o planificación), de *vigilancia* y *rescate*, y de *investigación* y *educación*. Particularmente importante es la inmediata adopción de una estrategia en materia de ciencia y tecnología que reoriente y dé lugar a nuevos modelos productivos agrícolas, pecuarios, forestales y pesqueros, basados en las aportaciones de la moderna teoría ecológica (integración de procesos, eficiencia energética, vocación productiva de los ecosistemas) y en el rescate y revaloración de los conocimientos y experiencias de las culturas rurales (campesinas e indígenas) de México. A ello debe sumarse la reestructuración de los organismos del sector público directamente ligados a los procesos productivos primarios (fundamentalmente la Secretaría de Agricultura y Recursos Hidráulicos y la Secretaría de Pesca) y su adecuación a una estrategia que privilegie la planeación ecológica. Ello implica gestar una legislación medioambiental centrada en los problemas de la planeación ecológica de la producción, y no sólo en los aspectos de la contaminación industrial o urbana, o en el conservacionismo y la recreación. De esta forma, se hace urgente la promulgación de leyes que penalicen el uso inadecuado de los recursos naturales y que enmarquen la producción y el desarrollo rural bajo criterios precisos de planificación local y regional. Es interesante subrayar que en este contexto muchos de los requerimientos que la planeación ecológica exige para llevar a la práctica modelos productivos eficientes y sostenidos a largo plazo encuentren en la realidad agraria y cultural del país un panorama favorable. Así por ejemplo, la recomendación derivada de la teoría ecológica de realizar una producción en armonía con la heterogeneidad del espacio (mosaicos de unidades medioambientales) y la diversidad vegetal y animal de los ecosistemas (uso múltiple, policultivos), encuentran correspondencia en el minifundio, el sistema ejidal, la organización campesina y la presencia de diversas culturas indígenas. Por ello la búsqueda de nuevos diseños tecnológicos y de formas de organización para la producción ecológicamente adecuadas, pasan necesariamente por la revisión de la experiencia campesina.[30]

El uso adecuado de los recursos naturales sólo podrá lograrse cuando los procesos de producción agrícolas, pecuarios, forestales, pesqueros e industriales, así como el funcionamiento y la expansión de los centros urbanos no atenten contra su existencia y su reproducción, es decir, contra su natural capacidad de renovarse. Ello implica reconocer que la naturaleza es un bien patrimonial que pertenece a la colectividad, es decir, a la nación entera. Por esta razón la implantación de una política ecológica sólo puede darse en íntima relación con un proyecto nacional que busque la independencia y la soberanía, así como el usufructo equitativo y justo de los recursos. Superar la crisis ecológica no es abolir solamente los procesos de expoliación de la naturaleza, es cancelar también las formas de explotación social que impiden consolidar ese proyecto de nación que la propia historia sugiere.

BIBLIOGRAFÍA

Anaya-Garduño, M. (1977), "Optimización del aprovechamiento del agua de lluvia para la producción agrícola bajo condiciones

---

[30] Desde el punto de vista económico, las formas campesinas de producción tienden a realizar una apropiación de los recursos en concordancia con las leyes que rigen la reproducción de los ecosistemas (véase Toledo, 1980).

de temporal deficiente", en Hernández-X. (comp.), *Agroecosistemas de México*, Col. de Postgraduados, México, pp. 85-100.

Caballero, J. *et al.* (1978), *Flora útil o el uso tradicional de las plantas. Biótica*, 3, pp. 102-186.

Claverán-Alonso, R. (1982), *La ganadería en el norte árido*, Primera reunión sobre medio ambiente y calidad de la vida, IEPES, Gómez-Palacio, Durango.

COPARMEX (1965), *Estudio integral preliminar sobre la ganadería de la zona norte de la .República Mexicana*, 4 vols.

COPLAMAR (1982), *Necesidades esenciales en México*, vol. 5: *Geografía de la marginación*, México, Siglo XXI.

Fernández-Ortiz, L. M. y M. Tarrio de Fernández (1980), "Ganadería y granos básicos: competencia por el uso de la tierra en México", en *Memorias del V Congreso Mundial de Sociología Rural*, México.

Féder, E. (1982), "Vacas flacas, ganaderos gordos", en *Documentos de trabajo para el desarrollo industrial*, núm. 8, pp. 241-363, México, SARH.

Gomezjara, F. A. y N. Pérez Ramírez (1981), *Evaluación crítica de la educación agropecuaria en México. Foro Universitario* 9, pp. 19-38.

González, G. y R. Garci-Crespo (1983), "Ecología y producción pesquera", en Carabias y Toledo (comp.), *Ecología y recursos naturales*, ediciones del PSUM, pp. 75-92.

González Pacheco, C. (1978), *Los caminos del universo forestal. Investigación económica* 34, pp. 195-204.

Luiselli, C. (1980), "Por qué el SAM", *Nexos* 32, pp. 25-29.

Pimentel, D. *et. al.* (1973), *Food production and the energy crisis. Science* 182, pp. 443-449.

Pimentel, D. y M. Pimentel (1979), *Food energy and society*, Edward Arnold, Nueva York, 165 pp.

Ramos, Elorduy, J. (1982), *Los insectos como fuentes de proteínas*, Limusa.

Reig, N. (1982), "El sistema ganadero industrial: su estructura y desarrollo 1960-1980", en *Documentos de trabajo para el desarrollo agroindustrial*, núm. 8, México, SARH, pp. 23-235.

Rutsch, S. (1980), *La cuestión ganadera en México*, cuaderno núm. 1 del Centro de Investigación para la Integración Social, México.

Rzedowski, J. (1978), *Vegetación de México*, México, Limusa-Wailey, 432 pp.

SAHOP (1981), *Desarrollo urbano*, Anexo cartográfico, Programa Nacional de Desarrollo Ecológico de los Asentamientos Humanos.

Toledo, A. (1983), *Cómo destruir el paraíso: la destrucción ecológica del Sureste*, Ed. Océano.

Toledo, V. M. (1978), "Uxpanapa: ecocidio y capitalismo en el trópico", *Nexos*, 11, pp. 15-18.

—— (1980), "La ecología del modo campesino de producción", *Antropología y Marxismo*, 3, pp. 35-55.

—— (1983a), "Ecologismo y ecología política", *Nexos*, 69, pp. 15-24.

—— (1983b), *Ecología y producción de alimentos en México*, POAL-UNAM (en prensa).

Trueba, J. (1983), "La problemática forestal y su incidencia en el medio ambiente", en Carabias y Toledo (comp.), *Ecología y Recursos Naturales*, ediciones del PSUM, pp. 53-64.

Vázquez-Botello, A. (1982), "La contaminación en el mar", *Ciencia y Desarrollo*, 43, pp. 90-101.

Vizcaíno-Murray, F. (1975), *La contaminación en México*, Fondo de Cultura Económica, 514 pp.

Vovides, A. P. (1981), *Lista preliminar de plantas mexicanas raras o en peligro de extinción. Biótica*, 6, pp. 219-228.

Wellhaussen, E. J. (1976), *The agriculture of Mexico. Sci. Amer.* 9, pp. 129-141.

FIGURA 1

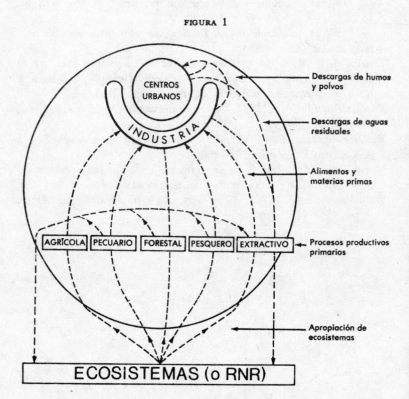

CENTROS URBANOS

INDUSTRIA

AGRÍCOLA PECUARIO FORESTAL PESQUERO EXTRACTIVO

ECOSISTEMAS (o RNR)

Descargas de humos y polvos

Descargas de aguas residuales

Alimentos y materias primas

Procesos productivos primarios

Apropiación de ecosistemas

ANEXO

(La columna de la derecha indica la fuente)

a] *Datos globales*

Ritmo de la desforestación nacional	400 000 hectáreas anuales	González-Pacheco (1979)
Ritmo de la reforestación nacional	10 000 a 40 000 hectáreas anuales	Programa Nacional de Desarrollo Forestal, SARH
Grado de la desforestación	90% de las zonas tropicales cálido-húmedas	Rzedowski (1978)
	65% de la superficie forestal del Edo. de Michoacán	*Unomásuno* 20-XII-1981
	80% de las selvas del estado de Tabasco	SARH (1979)
	62% de la superficie forestal del Edo. de Veracruz	SARH (1979)
Ritmo de la desertificación nacional	235 000 hectáreas anuales	Plan Global de Desarrollo
Erosión	41% de la superficie del país con erosión avanzada en 1972	SARH (1972)
	41% de la superficie del país con erosión avanzada en 1981	SAHOP (1981)
Pérdida de especies	15% de las especies conocidas de la flora de México están en peligro de extinción	Vovides (1980)
Saqueo de especies	Cactos, orquídeas, aves canoras y otros	

b] Procesos de apropiación de los ecosistemas

Agricultura	Sobreexplotación de mantos acuíferos en el NE de Baja California y Región Lagunera	SAHOP (1981)
	Contaminación de mantos acuíferos por intrusión salina en 600 000 hectáreas de riego	Vizcaíno-Murray (1975)
	Contaminación de aguas marinas por químicos agrícolas en los límites de Sonora y Sinaloa	SAHOP (1981)
	Peligro potencial de erosión del suelo en el 75% de las áreas con agricultura de temporal	Anaya-Garduño (1977)
Ganadería	Invasión de 3 millones de hectáreas con vocación agrícola	Luiselli (1980)
	Invasión de aproximadamente 60 millones de hectáreas con vocación forestal	————————
	Sobrepastoreo (85%), erosión (87.5%), invasión de arbustos (49.7%) y plantas tóxicas (38.4%) en las áreas ganaderas del norte	COPARMEX (1965)
Pesca	Destrucción de aproximadamente 8 toneladas de fauna de acompañamiento por cada tonelada de camarón capturada	González y Garci-Crespo (1983)
	Sobreexplotación de algunas especies y subexplotación del potencial pesquero nacional	González y Garci-Crespo (1983)

c] Impactos ecológicos derivados de la industria y la concentración urbana

Impactos no urbanos	Once de las más importantes cuencas del país registran niveles críticos de contaminación	SARH (1973)
	El 80% del agua originalmente concentrada en 12 principales cuerpos lacustres ha desaparecido por desecación (Valle de México) o se encuentra afectada por contaminación (Chapala) o azolve (Cuitzeo y Pátzcuaro)	SAHOP (1981) y otras fuentes
	La contaminación (por extracción petrolera y otros) del sistema de lagunas costeras comienza a alcanzar niveles peligrosos	Toledo A. (1983) y otros
	Existen 3 zonas conurbadas (Tampico-Cd. Madero, Minatitlán-Coatzacoalcos y Salina Cruz) cuyas costas presentan altos niveles de contaminación, además de otras áreas menos afectadas (Ensenada)	SAHOP (1981)
	Invasión urbana de áreas con potencial forestal y agrícolas y agotamientos de recursos acuíferos	———————
Impactos urbanos	Contaminación por humos y por ruido por encima de lo tolerable en 10 centros urbanos	SAHOP (1981) y Vizcaíno-Murray (1975)
	Contaminación por manejo inadecuado de desechos sólidos en las principales ciudades del país	SAHOP (1981)
	Reducción de áreas verdes por debajo del mínimo recomendado en la ciudad de México y otras ciudades	———————

PROBLEMAS URBANOS: PROYECTOS Y ALTERNATIVAS ANTE LA CRISIS*

ALICIA ZICCARDI

I. INTRODUCCIÓN

La gran crisis mundial del capitalismo de mediados de los años setenta, exigió a los países centrales una profunda reestructuración de los vínculos y compromisos establecidos entre el Estado y la sociedad. El Estado benefactor había construido una fórmula capaz de conciliar los intereses económicos y políticos de la burguesía con las demandas sociales de las clases subordinadas. Su participación en el proceso de reproducción-calificación de la fuerza de trabajo aseguró: 1] que la inversión pública garantice la producción de bienes cuya rentabilidad no es atractiva al capital privado, y 2] que los trabajadores urbanos accediesen a esos denominados bienes de consumo colectivo (educación, salud, transporte, vivienda, recreación) con cierto grado de independencia respecto a su inserción en el sistema productivo.[1] Pero la recesión económica viene a cuestionar la esencia misma de estas políticas sociales. Para paliar los efectos más negativos de la crisis sobre el salario real de los trabajadores el Estado debiera intensificar esta función redistribuidora. Para hacer frente al endeudamiento y la inflación uno de los componentes de la fórmula recetada por los organismos financieros internacionales es la reducción del gasto público. Frente a estos contradictorios condicionamientos la intervención estatal en la provisión de estos bienes y servicios colectivos rápidamente se

* Quiero agradecer a Armando Cisneros, Jorge Legorreta, Flora Mariscal, Alejandra Massolo, Ángel Mercado y Héctor Ruiz, la valiosa colaboración que me brindaron para la realización de este trabajo. A María Álvarez Icaza por su decidido apoyo en cada una de las fases del mismo. A Alejandra Moreno Toscano porque con su comentario crítico contribuyó a mejorar de manera importante una versión preliminar de este texto. Desde luego, los errores y deficiencias que aún puedan encontrarse son de mi absoluta responsabilidad.

[1] Sobre los bienes de consumo colectivo, véanse Manuel Castells (1974) y Jean Lojkine (1979).

politiza y el Estado debe asumir plenamente el carácter de interlocutor de las demandas planteadas por las organizaciones sociales
—partidarias, sindicales y comunitarias.[2]

De esta forma hace su aparición en la crisis uno de los elementos de la "crisis urbana": el deterioro en la calidad de vida de
las clases populares. Pero, la crisis urbana es más que esto. Como
señala Castells, esta noción debe distinguirse de la de déficit en el
nivel de provisión de los principales servicios urbanos. Existe crisis
urbana cuando la organización de las grandes ciudades no se corresponde con las necesidades y valores de la mayor parte de los
grupos sociales y, al mismo tiempo, los intereses estructurales dominantes encuentran dificultades para la realización de sus objetivos en estos espacios (Castells, Manuel, 1981). Esto implica necesariamente importantes cambios sociales en la apropiación y uso
del territorio urbano por parte del capital, en la planeación y acción de la burocracia estatal, en la formación y desarrollo de
organizaciones comunitarias y de movimientos sociales de base territorial.

En el caso de los países capitalistas latinoamericanos la crisis
económica agrega al difícil contexto mundial, el agotamiento de
un patrón de acumulación basado en el predominio del capital
monopolista, estatal y extranjero, actuando como organizador del
conjunto de la economía. Inflación, caída del salario real de los
trabajadores, desempleo y endeudamiento externo sin precedentes,
son rasgos comunes de los países que poseen mayor desarrollo
(Brasil, México, Argentina).

Las políticas sociales que en los años setenta formularon e im-
plementaron los estados latinoamericanos, aun con las variantes
propias que les otorga el régimen político imperante en cada país,
se orientaron a proveer educación, salud, vivienda, equipamiento
básico, a aquel restringido conjunto social de los asalariados de
más altos ingresos (Cardoso, Fernando H., 1983). La gran masa
de trabajadores urbanos con escasa calificación que acceden a un
empleo con alta inestabilidad y bajos salarios, no fue ciertamente
el principal destinatario de la acción estatal. Las grandes ciudades
latinoamericanas, particularmente la ciudad de México y São Paulo,
presentan así un patrón de urbanización periférico cuyo rasgo más
distintivo es el masivo proceso de autoconstrucción de viviendas
precarias con escasa o nula dotación de servicios y equipamiento
colectivos. Esta realidad, costosa para los planificadores, ejemplifica

[2] Véase Nicos Poulantzas (1977).

claramente que crisis urbana no es sinónimo de déficit en el nivel de estos servicios urbanos. Las condiciones de pobreza absoluta que prevalecen para el grueso de los trabajadores de estas áreas metropolitanas, no son condición suficiente para generar una crisis urbana. Por el contrario, para el capital esta abundante y barata mano de obra le permite obtener elevadas tasas de ganancia. El control sindical y el carácter incipiente de las organizaciones sociales autónomas garantizan que las grandes ciudades sean aún un espacio apropiado para la realización del capital. Finalmente, las políticas urbanas han sido dentro del conjunto de las políticas sociales, una de las formas más importantes de participación del Estado en la generación de las condiciones generales de la producción para el capital, a la vez que respondían a las principales demandas sociales de los asalariados urbanos.

En esta coyuntura parece interesante analizar los efectos que la crisis económica y social provocará sobre la organización social del espacio que presentan estas grandes ciudades latinoamericanas. Ello dependerá del comportamiento de los principales actores sociales que inciden sobre la estructuración del territorio. Por ello en este trabajo y para el caso de México se intentará explorar los proyectos urbanos que están siendo formulados e implementados actualmente (1982-1984) por la burocracia estatal. De igual forma, nos aproximaremos a las propuestas alternativas que presentan el movimiento urbano popular y los partidos políticos de oposición, representantes de los intereses populares.

II. LA POLÍTICA URBANA DEL ESTADO

Se ha sostenido ya que la crisis estructural que signa a la sociedad mexicana desde hace más de una década está indicando los fuertes límites que presenta el patrón de acumulación instaurado durante el "desarrollo estabilizador". La profundización del proceso de industrialización se orientó hacia la producción de bienes intermedios, de capital y de consumo duradero, subordinando a los demás sectores de la economía, especialmente al sector agrícola, a su propia dinámica. La inversión extranjera directa y la inversión pública —particularmente en obras de infraestructura— fueron componentes claves en el logro y mantenimiento de altas tasas de crecimiento económico. Sin embargo, este estilo de desarrollo no significó una alteración de la distribución del ingreso en favor de los trabajadores sino que, por el contrario, éstos vieron disminuir sistemáticamente su salario real.[3]

Las reformas introducidas en la política económica en los primeros años de los setenta no fueron suficientes ante la profunda reestructuración que demandaba la economía nacional. En 1975-1976 el país presentó una fuerte recesión económica. Los aspectos más salientes de la misma eran el desequilibrio que mostraba la balanza de pagos y las finanzas públicas. En la salida escogida los descubrimientos de grandes reservas petroleras jugaron un papel fundamental, puesto que no sólo garantizaban el incremento de las exportaciones de crudo sino el restablecimiento de la confianza de la banca mundial. El endeudamiento externo fue nuevamente el camino elegido, colocándose el país en una situación financiera cada vez más difícil. A finales de 1982, el país se encontraba en una situación de "virtual" suspensión de pagos con el exterior. Ello era consecuencia de una marcada contracción de la producción agrícola e industrial, la falta de liquidez de las empresas frente a la necesidad de importar insumos y/o pagar los servicios de las deudas contraídas en el exterior, una aceleración del proceso inflacionario sin precedentes, la disminución del ahorro interno y de la disponibilidad de recursos para financiar la inversión, un marcado déficit del sector público, una tasa de desempleo abierto del 8% y un deterioro sostenido de las condiciones laborales en el mercado de trabajo.[4] Frente a esta situación, el nuevo gobierno pone en marcha un conjunto de medidas de reordenación económica inmediata y, seis meses después, la Secretaría de Programación y Presupuesto da a conocer el Plan Nacional de Desarrollo (1983-1988). Entre los grandes objetivos nacionales enunciados se encuentra precisamente el de vencer la crisis. A éste se agregan: recuperar la capacidad de crecimiento, iniciar los cambios cualitativos que requiere el país en sus estructuras económicas, políticas y sociales y conservar y fortalecer las instituciones democráticas. Para ello se plantean dos estrategias: reordenación económica —para enfrentar el desempleo y la inflación— y cambio estructural a fin de atacar las raíces mismas de la situación.

Una característica de la actuación de la burocracia estatal es intentar legitimar definitivamente la planeación como un segmento del proceso decisorio. El PND es el documento central entre la am-

---

[3] Entre otros, Carlos Perzabal (1981), Carlos Tello (1980), Pablo González Casanova y E. Florescano (coord.) (1982).

[4] Cf. SPP: *Plan Nacional de Desarrollo 1983-1988*, p. 102.

CUADRO 1

DOCUMENTOS FUNDAMENTALES DE LA PLANEACIÓN NACIONAL

		Documentos básicos del sistema	Alcance temporal espacial	Cuándo se integra
SISTEMA NACIONAL DE PLANEACIÓN DEMOCRÁTICA	MEDIANO PLAZO	Plan Nacional de Desarrollo	6 años nacional	Deberá ser elaborado, aprobado y p blicado dentro de los primeros s meses, contados a partir de la fec de toma de posesión de cada gobier
		Programas Sectoriales	6 años nacional	Se publicarán con posterioridad a aprobación del Plan Nacional de D arrollo.
		Programas Regionales (Por ejemplo, el de Franjas Fronterizas)	hasta 6 años Áreas o regiones seleccionadas	A partir de la definición de las reg nes prioritarias o estratégicas en versión definitiva del PND.
		Programas Institucionales (Por ejemplo el de PEMEX)	hasta 6 años Nacional o regional	El Presidente de la República deci rá cuáles serán los programas que ben ser elaborados de acuerdo a previsiones del PND, así como el pla en el que deben ser presentados.
	CORTO PLAZO	Programas operativos anuales: Global, sectoriales, regiones e instituciones.	1 año Nacional o regiones seleccionadas	Se formulan cada año. Deben ser p sentados a más tardar en octubre p ra su incorporación en el Presupue de Egresos correspondiente al año guiente al de su elaboración.
PLANEACIÓN ESTATAL	MEDIANO PLAZO	Planes Estatales de Desarrollo	6 años Entidad federativa	Serán elaborados conforme al perío gubernamental en las entidades fe rativas y de acuerdo a la legislaci de cada Estado.
		Planes Municipales (Para municipios selecciona-dos por su capacidad técnica-administrativa para realizar planes.)	3 años Municipio	Serán formulados según los períod de gobierno en los municipios y acuerdo a las previsiones de las leg laciones de cada Estado.
	CORTO PLAZO	Programas operativos anuales y estatales y municipales.	1 año Estatal municipal	Se formulan cada año y deberán est terminados antes de elaborar los p supuestos respectivos, de tal form que les sirvan de insumo.

Con quién	Para qué sirve
responsabilidad de la Secretaría de ramación y Presupuesto integrar el con la participación de las depen- ias y entidades de la APE y de los os sociales interesados y entidades fe- tivas.	Contiene los objetivos, estrategia y prio- ridades del desarrollo, previsiones sobre recursos, instrumentos y responsables de su ejecución. Establece lineamientos de política en todos los ámbitos y rige el contenido de los programas del sistema.
obligación de formular estos progra- corresponde a las dependencias res- sables de los sectores con la partici- ón de las instituciones coordinadas y grupos sociales interesados.	Constituyen los lineamientos de política que rigen el comportamiento de las ac- tividades económicas y sociales del sector correspondiente.
responsabilidad de su coordinación esponde a la SPP con la participación las dependencias y entidades de la los estados y municipios involucra- y los grupos sociales interesados.	Son utilizados para el fomento y desarro- llo de una área geográfica de atención prioritaria y sintetizan las acciones de diversas dependencias y entidades que concurren en la región.
responde a la entidad paraestatal res- iva elaborar su programa con el apo- de la dependencia coordinadora del or correspondiente.	Contiene políticas, objetivos y priorida- des de las instituciones que desagregan al Plan y los programas sectoriales.
POAG es elaborado por la SPP; los s, por las dependencias coordinadoras sector; los POAI, por las entidades dinadas.	Son expresiones concretas de los propó- sitos y objetivos de los programas a me- diano plazo. Contienen asignaciones pre- cisas de recursos y definen a los respon- sables de su ejecución.
ravés de los COPLADES, las unidades laneación de los estados y los grupos ales locales, contando con la aseso- del SNPD, si así lo solicitan.	Constituyen los documentos orientadores de la política económica y social de las entidades federativas.
responde su elaboración a las instan- de planeación de cada municipio.	Fijan las prioridades y objetivos locales, y desagregan los contenidos de los planes estatales.
elaboración corresponde a las unidades planeación estatal correspondientes en narco del COPLADE.	Son la expresión concreta de las priori- dades, objetivos y metas del plan y los programas estatales de mediano plazo.

plia variedad de programas que las secretarías de Estado y demás organismos del sector público deben elaborar de acuerdo con lo establecido por la Ley de planeación[5] (véase cuadro 1). En este contexto de "racionalidad técnica" se inscribe la actuación de la SAHOP recientemente transformada en Secretaría de Desarrollo Urbano y Ecología (SEDUE). Una de las particularidades de la planeación urbana durante el anterior sexenio fue la producción de diferentes tipos de planes y programas de acción. Precisamente fue la Secretaría de Asentamientos Humanos y Obras Públicas (SAHOP) la que llevó a cabo miles de planes y programas de desarrollo urbano y vivienda. Al Plan Nacional de Desarrollo Urbano de 1978, se fueron agregando sucesivamente el Programa Nacional de Vivienda y planes estatales, municipales, de centros de población, de delegaciones, de barrios. Una primera evaluación del estilo de planeación urbana que se introdujo en las instituciones estatales indica que la incorporación de personal técnicamente calificado otorgó a los programas la imagen de racionalidad y neutralidad mediante la cual se pretendía legitimar la acción pública; la formulación de las políticas urbanas respondió muchas veces a modelos ideales a los cuales se incorporaba una limitada información sobre la realidad que se pretendía planificar; en el intento de construir una política, es decir una toma de posición del Estado frente a una cuestión socialmente problematizada,[6] se pretendía formular propuestas excluyendo la consideración de intereses económicos y políticos precisos; y, finalmente, se trató de un ejercicio burocrático carente de participación de aquellos sectores sociales necesariamente implicados en la elaboración e implementación de la política urbana.

Las posibilidades de que esta política urbana formulada por el principal organismo de planeación federal se materializaran eran ciertamente muy reducidas. Más bien, los resultados obtenidos consagraron el divorcio que se produjo entre lo que se planificaba y lo que se hacía. Son numerosos los ejemplos que pueden darse en torno a estas contradicciones, pero tal vez el más claro ha sido señalado por Angel Mercado (1983) al observar la contradicción existente entre una "política descentralizadora" en las principales áreas urbanas del país (particularmente en la ciudad de México) y la efectiva asignación de cuantiosos recursos a la "refuncionalización" de las mismas para adaptarlas a las exigencias del capital. Por otra

---

[5] "Ley nacional de planeación", *Diario Oficial de la Federación*, 5 de enero de 1983.
[6] Oscar Oszlak y Guillermo O'Donnell, (1976).

parte, no se trató de idear una política urbana acorde con la austeridad que ya demandaba la crisis, sino que se movilizaron importantes recursos a fin de producir profundas modificaciones sobre
la organización social de los espacios urbanos. En la ampliación de
las funciones del Estado para la creación de las condiciones generales de la producción —infraestructura, equipamiento, bienes de
comunicación material— se demandó el financiamiento de organismos internacionales.[7]

La disolución de la SAHOP y la creación de la SEDUE, así como
el establecimiento de un sistema nacional de planeación, establecieron nuevos parámetros a la política urbana. La planeación de
los asentamientos humanos se delimitó en el marco de la nueva
Secretaría de Estado al desarrollo urbano, la ecología y la vivienda. Los planes de mediano plazo (PMP) y operativo anual (POA),
del Sector Desarrollo Urbano, así como el Programa Nacional para
el Desarrollo de la Vivienda (PRONADEVI) y la posibilidad de vi-
sualizar los vínculos intraburocráticos establecidos y las relaciones
existentes con organizaciones sociales, contribuyen a dibujar el rumbo de la política urbana en la actual crisis.

1. *Desarrollo urbano*

El diagnóstico general del desarrollo urbano que presenta la SEDUE
no difiere en grandes rasgos del elaborado en el sexenio anterior.
La situación urbana nacional se caracteriza por un patrón de urbanización a la vez centralizado y disperso.[8] Esto se vio agravado
por la ausencia de una política regional, urbana y de vivienda
explícita y por la presencia de factores estructurales tales como
una inequitativa distribución del ingreso y una desmedida especulación inmobiliaria. Al hacerse referencia a la situación actual, el
Programa de Mediano Plazo señala que la problemática urbana
se ha visto agravada por el incremento de los costos del suelo, los
materiales y las tasas de interés y una disminución de la disponibilidad de recursos para obras públicas, lo cual ha provocado una
reducción de la actividad en la construcción privada y la consiguiente subutilización de la capacidad instalada. No obstante, fren-

[7] Cf. Ángel Mercado (1983), Pedro Moctezuma (1983), Priscilla Connoly (1983).
[8] Según el Plan de Mediano Plazo (PMP) de SEDUE (1984): el 26.5%
de la población nacional está concentrada en las tres principales áreas urbanas metropolitanas, mientras que 95 000 centros de menos de 2 500 habitantes contienen el 32.9% de la población.

te a esta situación la SEDUE señala que en lo inmediato se debe actuar hacia el logro de cuatro grandes objetivos: 1] alcanzar un crecimiento urbano más equilibrado en el territorio y ordenado en el interior de los centros de población; 2] responder a las necesidades de suelo, infraestructura, equipamiento y transporte colectivo; 3] combatir el deterioro de los espacios abiertos preservando los valores histórico-culturales, y 4] promover la participación y concertación de acciones con los sectores privado y social.

Para ello señala dos grandes estrategias: 1] consolidar la rectoría del Estado en los procesos de aprovechamiento del suelo, a través de la creación de reservas territoriales y mecanismos de control, y 2] realizar actividades de apoyo a las ciudades medias del país (vía el fortalecimiento de sus actividades económicas, dotación de infraestructura y equipamiento, la construcción de vivienda).[9]

En ambos casos el tipo de acciones que demanda el cumplimiento de tales estrategias requiere movilizar considerables recursos económicos, con los que no se cuenta actualmente. En este sentido al analizar las inversiones de la SEDUE para 1983 y 1984 (cuadro 2) se advierte que poco menos de la mitad de sus recursos se asignan a programas de desarrollo urbano. Entre éstos, las obras de construcción de agua potable y alcantarillado son las que concentran la mayor inversión.[10]

A la planeación de SEDUE se agregan las políticas de desarrollo regional cuya elaboración corresponde principalmente a la Secre-

CUADRO 2

Programa subprograma	1983	1984	
	Autorizado	Solicitado	Programado
Apoyo programas del sector	2.72	5.11	8.12
Vivienda	5.79	11.45	7.06
Desarrollo urbano	45.94	49.72	38.99
Ecología	7.70	20.11	13.26
Administración	37.85	13.61	32.57
TOTAL	35 400.4	131 587.9	41 239.1

FUENTE: SEDUE-POA, 1984, p. 58.

[9] Cf. POA-SEDUE 1984 (1983).
[10] Cf. Programa Operativo Anual (POA) del Sector Desarrollo Urbano, vivienda y ecología, 1984. De un total de 16 261.6 millones en 1983 destinados a desarrollo urbano 8 440.2 se destinaron a agua potable y alcantarillado.

ría de Programación y Presupuesto (SPP). Los programas de desarrollo de la región Sureste, del Mar de Cortés y principalmente el Programa de Desarrollo de la Zona Metropolitana de la ciudad de México y de la Región Centro, contienen lineamientos sobre el desarrollo urbano y la acción pública en materia de vivienda, ecología, transporte, suelo, en el contexto de las respectivas regiones. El último de los programas mencionados plantea la desconcentración de las actividades y servicios de la ciudad capital, así como la elevación de la calidad de vida de la población residente en el área, atendiendo sus necesidades prioritarias en materia de agua, transporte, control ambiental y control en el uso del suelo.

La contrapartida para lograr la descentralización es el fortalecimiento de otros centros urbanos alternativos. Y es aquí donde la planeación urbano-regional de una y otra agencia estatal pone el énfasis en diferentes alternativas: ciudades medias y fortalecimiento municipal. Las ciudades medias parecen ser destinatarias de las acciones propuestas por la SEDUE para crear condiciones urbanas alternativas a las que ofrecen a la producción y a la población, las tres grandes áreas metropolitanas. En este proyecto estratégico de la SEDUE se pretenden impulsar actividades económicas y el desarrollo urbano en un total de 52 ciudades del país, entre las cuales 21 son consideradas prioritarias.[11] Este tipo de proyectos, como es sabido, demandará grandes esfuerzos para que los recursos incorporados no constituyan un esfuerzo aislado. Mientras el gobierno federal no invierta en otras ciudades del país, el capital continuará encontrando ventajas comparativas en la ZMCM, Guadalajara y Monterrey. Pero el desarrollo de una ciudad depende también de la compleja estructuración de intereses económicos y fuerzas sociales locales que actúan sobre su territorio.

El fortalecimiento municipal constituye la otra línea de acción cuyo principal sustento jurídico son las modificaciones introducidas recientemente al artículo constitucional 115. En este sentido, debe señalarse que dichas modificaciones contemplan importantes cambios en las atribuciones que posee el municipio para actuar sobre

[11] Los 21 centros seleccionados son: Área del Noroeste: Torreón, Gómez Palacio-Lerdo, Matamoros, Reynosa y Saltillo, Ramos Arizpe Arteaga; Área Pacífico Centro: San Luis Potosí, Aguascalientes, Morelia, Manzanillo y Lázaro Cárdenas; Área del Golfo; Puebla, Tampico, Ciudad Madero, Coatzacoalcos-Minatitlán, Veracruz, Córdoba, Orizaba y Villahermosa; resto del país: Ciudad Juárez, Chihuahua, Mexicali, Hermosillo, Mérida y Tuxtla Gutiérrez. Como puede advertirse muchas ciudades responden también a la intención gubernamental de impulsar el desarrollo en la frontera norte del país.

el desarrollo urbano. Los poderes locales podrán captar los recursos fiscales provenientes del pago del impuesto predial y de las transacciones comerciales entre bienes inmuebles y, en contrapartida, se les transfiere la atención de los servicios públicos comunitarios (agua potable, alcantarillado, alumbrado, limpia, mercado y centrales de abasto, panteones, rastros, calles, parques, jardines). Se le otorga también participación en la definición y control de usos del suelo de su territorio (regularización, otorgamiento de permisos, formación de reservas ecológicas).

Es imposible prever qué tipos de impactos puede tener la acción de la administración local sobre el desarrollo urbano; según estimaciones sólo el 13% de los municipios del país (unos 300) podrían ser considerados urbanos si por tales se agrupan a aquellos que poseen más de 15 000 habitantes.[12] Es sabido que los principales y más recurrentes problemas son la ocupación irregular de la tierra y los marcados déficit en materia de infraestructura, equipamiento y servicios. Para enfrentarlos en una situación de escasez de recursos se impulsan ya el desarrollo de tecnologías alternativas y la incorporación de mano de obra de la comunidad, con o sin remuneración.[13] De todas formas la heterogeneidad de este conjunto y el desconocimiento existente sobre las fuerzas económicas, políticas y sociales que operan en el interior de este nivel de gestión impiden prever qué tipo de modificaciones se producirán en cada realidad.

Finalmente, las fuentes de financiamiento del desarrollo urbano son principalmente de dos tipos: 1] los recursos provenientes de la captación fiscal que el gobierno asigna a los estados vía los convenios únicos de desarrollo (CUD)[14] y el programa del sector, y 2] los recursos provenientes del financiamiento externo canalizados a través de fideicomisos constituidos por el gobierno federal por medio del Banco Nacional de Obras y Servicios (BANOBRAS). Entre estas últimas instituciones puede mencionarse el Fondo de Inversiones Financieras para Agua Potable y Alcantarillado (FIFAPA) que opera con recursos del Banco Interamericano de Reconstrucción y Fomento BIRF) y las que le asigne el gobierno federal.[15]

[12] Cf. SPP, *El municipio dentro del Sistema Nacional de Planeación Democrática* (s/d).

[13] Véase varias experiencias municipales en SPP, *Fortalecimiento y desarrollo municipal* (1983-1984).

[14] El CUD se estableció en 1983; su antecedente es el Convenio Único de Colaboración (CUC) que opera desde 1977.

[15] Cf. SEDUE-PMP (1984). Pto. IV Metas y Previsión de Recursos. Véase *Excélsior*, 30 de abril de 1984.

Es decir, el desarrollo urbano del país contribuye al endeudamiento externo en una forma considerable. La planeación entonces no puede ser considerada tan sólo un ejercicio tecnocrático sino que efectivamente constituye un fundamento racional para la toma de posición que asume el Estado en la resolución de cuestiones socialmente problematizadas.[16]

La formulación y concreción de determinada política urbana solamente pueden ser consideradas como etapas analíticas distinguibles pero fuertemente imbricadas a través de los actores sociales y de los recursos económicos y políticos que participan de las mismas.

2. *Ecología*

Con relación a la problemática ecológica recientemente incorporada al nivel de decisión de una secretaría de Estado, constituye una de las cuestiones sociales que mayor gravedad adquiere en los grandes centros urbanos del país. La ciudad de México es una de las 5 ciudades más contaminadas del mundo; otras ciudades del país poseen altos índices de contaminación: Guadalajara, Monterrey, Puebla, Saltillo, Cuernavaca, Salamanca, Ciudad Juárez, Tampico, Tijuana, las conurbaciones de Minatitlán y Coatzacoalcos, Torreón, Gómez Palacio-Lerdo y las zonas de explotación petrolera. Otro tanto ocurre con las aguas, estando ya amenazado el potencial pesquero, comercial y turístico en los puertos de Acapulco, Salina Cruz, Lázaro Cárdenas, Veracruz y pronto Cancún. Los residuos sólidos, la erosión del suelo y la deforestación, deben agregarse como elementos objetivos sobre la necesidad de tomar una enérgica posición frente a la situación ambiental del país. Las causas de este grave desequilibrio ambiental deben hallarse principalmente en el tipo de proceso de industrialización instaurado. Las industrias cuentan con insumos subsidiados, tales como la energía y el agua, pero hay una total ausencia de control en la degradación del medio ambiente y en la generación de desechos y residuos que dichas actividades generan. El costo ambiental no se contabiliza, aun cuando se trate de empresas que obtienen importantes ganancias y pertenezcan al sector público, como es el caso de PEMEX.

[16] Véase Oscar Oszlak (1980).

Puede decirse que la inclusión de la problemática en el interior de la política urbana constituía un paso obligado ante la necesidad de que el Estado emprendiese una enérgica acción. Sin embargo, no es clara la orientación que tomará esta política. Las grandes líneas de acción contenidas en el POA en materia de ecología son: 1] establecer las bases para el ordenamiento ecológico del territorio; 2] prevenir y controlar la contaminación ambiental, y 3] proteger y enriquecer los recursos naturales del país.[17] Ahora bien, al parecer le corresponde a la SEDUE asumir una acción decidida en la materia, puesto que no existen otros organismos gubernamentales que actúen en la cuestión, como ocurre en el caso del desarrollo urbano o la vivienda. Al observar las inversiones de 1983, se advierte que a ecología le correspondió poco más del 7% de los recursos de la SEDUE (cuadro 2), previéndose para 1984 algo más que la duplicación de sus recursos. Pero llama la atención que el grueso de los mismos se asignan al rubro "administración general de ecología" y sólo en menor medida a la prevención y control de la contaminación del aire y a la construcción de parques, reservas y áreas ecológicas protegidas.[18] Esto permite suponer que la Subsecretaría de Ecología cumple casi exclusivamente funciones de carácter normativo. En correspondencia con ello ha firmado convenios para prevenir, proteger y restaurar el medio ambiente con organismos gubernamentales tales como PEMEX, DDF. Azúcar, S. A., gobierno del estado de Jalisco, SARH, PESCA, TURISMO, SECOFI, SSA y SPP y con instituciones de investigación como CONACYT, UNAM, IPN.[19]

Frente a esta situación, organizaciones sociales de capas medias de la ciudad de México trabajan en el sentido de generar una corriente de opinión pública en defensa de la ecología, pero las posibilidades reales de intervenir en las causas que generan esta "crisis ecológica" parecen ser muy limitadas. El capital no está obligado a introducir equipos anticontaminantes. En el contexto de crisis económica actual, agravado por el hecho de que estos equipos son por lo general importados, es difícil rebatir los argumentos que tienden a postergar la decisión de otorgar obligatoriedad a la inversión del capital en la preservación del medio ambiente.

[17] SEDUE-POA, 1984 (1983), pp. 20-21.

[18] Véase SEDUE-POA (1984), pp. 59-67.

[19] Véase SPP, *Fortalecimiento y desarrollo municipal*, núm. 5, año 1, México, 1983.

3. *Vivienda*

La vivienda de "interés social" continúa siendo una de las principales problemáticas incorporadas en la política urbana gubernamental. A su alrededor se están formulando un conjunto de objetivos económicos y sociales a fin de articular diferentes intereses y adecuar esta política social a la crisis.

En 1979, la SAHOP elaboró por primera vez un Programa Nacional de Vivienda el cual pretendía normar la acción pública en la materia. Entre las líneas y programas propuestos se ponía especial énfasis en la necesidad de expandir la oferta de vivienda para los sectores sociales de menores ingresos, proponiéndose nuevas líneas de acción (apoyo a la autoconstrucción, vivienda cooperativa, en renta, progresiva). Sin embargo, los organismos de vivienda continuaron realizando sus tradicionales programas de viviendas terminadas, más altos costos y dirigidas a los asalariados de mejores ingresos. A esto se agregó el hecho de que la inversión pública en vivienda entre 1976-1981 se redujo, si se le compara con el crecimiento de la economía nacional y el incremento de la demanda (García, Beatriz y Perló, Manuel, 1981).

En 1983, la SEDUE expresa las nuevas orientaciones de la política habitacional al señalarse en el PND que los objetivos fundamentales de la política habitacional son: 1] apoyar la superación a las carencias de vivienda urbana y rural a través de la "acción directa pública" en sus tres niveles de gobierno, y 2] modificar las bases del proceso de desenvolvimiento de la vivienda, supeditando su evolución económica al desarrollo social, así como orientando las acciones de los sectores públicos, privado y social, por medio de la acción popular concertada.[20] También se adelanta que la política habitacional introduciría definitivamente, en el nivel de la planeación, el apoyo a la autoconstrucción y a las cooperativas de vivienda y de materiales. También se definía el fortalecimiento y la reorientación de la capacidad instalada de la industria de la construcción y el auspicio que se otorgaría a la construcción de vivienda en renta.[21] Durante 1983, no se advierten grandes cambios en los tipos de programas que desarrollan los organismos de vi-

---

[20] SPP, PND (1983), pp. 254-255. Nótese el énfasis en la "acción directa pública" que se coloca. Los fondos habitacionales más importantes INFONAVIT y FOVISSSTE orientan su acción a través de promociones externas, convirtiéndose así en financiadores de créditos para vivienda. Véase Martha Schteingart (1983).

[21] SPP, PND (1983), p. 256.

CUADRO 3

DISTRIBUCIÓN PORCENTUAL POR TIPO DE VIVIENDA Y AÑO

Tipos de vivienda	1983		Autorizado		1984 Estratégico		Total	
	Acciones	Inversión	Acciones	Inversión	Acciones	Inversión	Acciones	Inversión
1. Terminada	55.9	72.6	49.8	71.7	19.3	28.2	40.2	59.5
2. Progresiva	28.1	16.7	29.7	14.2	73.6	63.6	43.6	28.0
3. Mejoramiento	8.1	2.0	9.6	1.6	71.1	1.7	8.7	1.6
4. Otras inversiones	7.9	8.7	11.0	12.5	—	6.5	7.5	10.9
TOTAL	100.0	100.0	100.0	100.0	100.0	100.0	100.0	100.0

FUENTE: SEDUE-PRONADEVI, 1983.

CUADRO 4

RESUMEN DE ACCIONES E INVERSIÓN POR TIPO DE VIVIENDA

(en millones de pesos)

Tipos de vivienda	Autorizado[1]		1984 Estratégico[2]		Total	
	Acciones	Inversión	Acciones	Inversión	Acciones	Inversión
1. Terminada	92 216	184 515.1	16 371	28 332.3	108 587	212 847.4
2. Progresiva	55 132	36 476.2	62 588	63 800.0	117 720	100 276.2
3. Mejoramiento	17 537	3 966.0	6 013	1 677.7	23 550	5 643.7
4. Otras inversiones	20 379	32 385.4	—	6 460.0	20 379	38 845.4
TOTAL	185 264	257 342.7	84 972	100 270.0	270 236	357 612.7

[1] Información del programa de los organismos de vivienda.
[2] Corresponde a la inversión factible de realizarse con recursos adicionales de acuerdo a los organismos.

FUENTE: SEDUE-PRONADEVI, 1983.

vienda y en las modalidades que presentan los mismos. Casi las tres cuartas partes de la inversión y poco más de la mitad de las acciones se dirigieron al financiamiento de vivienda terminada (cuadro 3). Sólo el 16.7% de la inversión y el 28.1% de las acciones a vivienda progresiva y un bajísimo porcentaje a acciones de mejoramiento. En 1984, la situación tiende a cambiar, contrariamente a la retracción en la inversión pública en vivienda que habían vaticinado algunos analistas ante la crisis. La SEDUE anunció el programa más "ambicioso" en la historia de la nación al pretender satisfacer el sector público más del 50% de la demanda habitacional según se expresa en el Programa Nacional para el Desarrollo de la Vivienda (PRONADEVI).[22] Este nuevo marco normativo indica que la inversión autorizada para el presente año asciende a 257 342.7 millones de pesos (1% del PIB) que significa la realización de 185 264 acciones de vivienda y la generación de 329 000 empleos. De éstas poco menos de las tres cuartas partes de la inversión y la mitad de las acciones corresponden a viviendas terminadas y poco menos de una tercera parte a vivienda progresiva (cuadro 4). Es decir, hasta aquí, el tipo de acciones en poco diferiría de las realizadas tradicionalmente por los organismos públicos de vivienda. Sin embargo, el programa agrega a esa importante suma de recursos 100 000 millones de pesos adicionales con los cuales se pretenden realizar alrededor de 85 000 acciones habitacionales. Sobre este último monto, el grueso de los recursos se destina a vivienda progresiva 73.6% del total de las acciones y 63.6% de la inversión. De esta forma se espera que la acción estatal atienda 1 500 000 personas y a la vez genere más de 600 000 empleos.[23]

Sobre la renovación de los esquemas financieros, particularmente para la instrumentación del programa estratégico con recursos de la banca nacional, el Banco de México dará créditos a familias de ingresos medios (40 000 a 153 000 mensuales). Las nuevas modalidades de operación establecen condiciones moderadas de acuerdo a la capacidad económica de los deudores y al salario mínimo vigente. La carga del servicio de la deuda será decreciente; a medida que se incrementa el ingreso del acreditado, dichos servicios aumentarán como máximo en un 70% de dicho incremento.

Frente a esta política habitacional pueden hacerse dos preguntas fundamentales: 1] Cómo se articula una política económica de res-

[22] Cf. SEDUE-PRONADEVI (1984), p. 21.
[23] SEDUE-PRONADEVI (1984), p. 15

tricción del gasto público con el intento de poner en marcha el más ambicioso programa habitacional del país, y 2] Cuáles son las previsiones que pueden hacerse en torno a la factibilidad de cumplir las metas propuestas en el mismo.

Con relación a la primera cuestión son muchas las experiencias latinoamericanas en las que en períodos de crisis económica y social, el Estado al poner en marcha un importante programa habitacional pretende conciliar diferentes objetivos:

a] al estimular la producción de vivienda se activa la industria de la construcción y la de los materiales que ésta demanda. A la vez se consigue generar un considerable número de empleos para aquel sector de los trabajadores más afectados por la crisis (los que poseen un bajo grado de calificación).[24] Así, al anunciarse la puesta en marcha del Programa de Empleo para Zonas Urbanas Críticas (PEZUC)[25] se aclara explícitamente la articulación de éste con el PRONADEVI.

b] para los asalariados este incremento en la oferta de vivienda de interés social significa la posibilidad de acceder a un mecanismo redistributivo, ya que los préstamos de los organismos del sector público son a tasas de interés comparativamente muy bajas respecto a las que prevalecen en el mercado y los montos de la deuda tienden a disminuir considerablemente, en un contexto inflacionario.

c] En el caso de la vivienda progresiva, se responde a la demanda de tierra urbana para vivienda popular garantizando un mínimo de construcción. Para ello el propio usuario debe aportar o contratar mano de obra. De esta forma se persigue incidir y hasta "controlar" la ocupación del espacio urbano.

En cuanto a la factibilidad en el cumplimiento de este programa habitacional debe decirse que la SEDUE constituye el principal organismo de planeación, y por lo tanto su papel ha sido fundamentalmente normativo. Sin embargo la nueva Ley federal de

[24] Estos objetivos se hacen explícitos en el PMP (1984) y en el PRONADEVI (1948) de SEDUE.

[25] El PEZUC supone una inversión de 168 000 millones destinados a generar entre 250 y 350 mil empleos. De éstos 138 mil millones corresponden a los programas de inversión en vivienda de SEDUE y los 30 mil millones restantes provienen de la reserva autorizada por el Congreso de la Unión que fueron canalizadas por Programas de Desarrollo Estatal. El PZUC también tiene programas de realización de obras y servicios que una comunidad a través de su COPLADE declare prioritarios (agua potable, alcantarillado). Sobre la realización de estos programas en Naucalpan y en Guadalajara, véase SPP, *Fortalecimiento y desarrollo municipal.*

vivienda[26] le otorga funciones de coordinación y de control sobre el cumplimiento de las políticas nacionales de vivienda. Al mismo tiempo, se faculta a la Secretaría para que promueva acciones directas para fomentar, en coordinación con estados y municipios, la constitución de organizaciones comunitarias, sociedades cooperativas y de esfuerzos solidarios para la producción y mejoramiento de la vivienda. También la SEDUE puede transmitir áreas de dominio privado de la federación a solicitud de los estados, municipios, entidades públicas y organizaciones sociales.

La Ley de vivienda establece un detallado conjunto de mecanismos de regulación para la realización de vivienda autoconstruida, producción de materiales básicos para la construcción así como también sobre la constitución de cooperativas habitacionales. Es decir, con ello la participación del Estado en los procesos de autoconstrucción de vivienda popular ya ha sido definida jurídicamente. Sin embargo, el único organismo del sector público que posee una estructura institucional adecuada a las exigencias que imponen en este tipo de acciones es el Fondo de las Habitaciones Populares (FONHAPO). Este fideicomiso tiene como fiduciario a BANOBRAS. Su principal objetivo es financiar vivienda a la población cuyos ingresos no rebasen los 2.5 v.s.m., y en particular, a los no asalariados. Un requisito es que no se otorgan préstamos individuales sino a organizaciones sociales, tales como las patrocinadas por entidades públicas de orden federal, estatal y/o municipal, sociedades cooperativas y organismos privados dedicados a promoción de vivienda popular.[27] En 1983, los recursos asignados a esta institución, eran del orden de los 7 200 millones de pesos y según el PRONADEVI se realizaron 17 117 acciones, de las cuales el 66% correspondió a pie de casa y poco más de las tres cuartas partes se localizaron en ciudades medias.[28] Otros organismos como FOVISSSTE tienen una escasa y reciente experiencia en este tipo de programas. La posibilidad de realización de estas acciones de gobierno, que demandan cierto grado de organización social, deben ser evaluadas en función de las relaciones que entabla la burocracia estatal con otras agrupaciones de la sociedad, particularmente con organizaciones del partido gobernante. En este sentido, la SEDUE ha firmado ya un convenio con la Confederación Nacional de Organizaciones

[26] "Ley federal de vivienda", *Diario Oficial de la Federación*, 7 de febrero de 1984.

[27] Cf. FONHAPO (1983).

[28] SEDUE-PRONADEVI (1984), p. 145. Un 13% de las acciones corresponden a lotes con servicios y un 20% a mejoramiento de vivienda.

Populares (CNOP) para la instrumentación de programas de desarrollo urbano, vivienda y ecología. Según este acuerdo, la CNOP, entre otras cosas, "pugnará para que sean respetadas las reservas territoriales por sus afiliados" y la SEDUE "se obliga a dar atención a las solicitudes de la CNOP promoviendo ante las autoridades competentes la ocupación ordenada y oportuna de las mismas" (Cláusula 6a.).[29]

De igual forma se firmó un convenio entre SEDUE y el Congreso del Trabajo que tiene por "objeto promover la formación de cooperativas para construir unidades habitacionales por el sistema de autoconstrucción".[30] La SEDUE ofrecerá asesoría técnica, generará un sistema de comercialización de materiales, información sobre créditos, promoverá la regularización de poseedores de terrenos irregulares y nombrará un Comité Promotor de la Autoconstrucción para que actúe como instrumento ejecutivo para el desarrollo de los programas. El Congreso del Trabajo impulsa la formación de organizaciones cooperativas sosteniendo que este tipo de asociaciones coincide con los objetivos de las sindicales y que la unidad es la premisa básica en estos momentos de crisis. La autoconstrucción es vista como una alternativa viable y para ello ofrece a sus afiliados asesoría técnica a través de su Unidad de Proyectos y Asesoría en Construcción.

En síntesis, la posibilidad de que se realicen este tipo de acciones de vivienda progresiva descansa en la capacidad de las organizaciones sociales, particularmente las del partido gobernante, de promover su realización. Esto indica que la planeación trasciende el carácter de un instrumento técnico y se vincula directamente con las fuerzas sociales que participan del juego político.

En el caso de la vivienda terminada, como en el de las obras de infraestructura y equipamiento urbano, los intereses que participan en la formulación e implementación de la política urbana son otros. Frente a la crisis hay un necesario reacomodo de los diversos agentes sociales involucrados. La industria de la construcción se ha visto duramente afectada por la recesión económica y la política urbana, en el momento de la asignación de recursos, debe tener en cuenta esta situación. Uno de los más importantes empresarios de la industria de la construcción al referirse a la actual coyuntura expresó: "hay un sentimiento generalizado de que nuestra industria está siendo injustamente tratada por la falta de inversión pública, lo que provoca presiones sobre la Cámara Nacional de la

[29] Convenio SEDUE-CNOP, México, 11 de agosto de 1983.
[30] Congreso del Trabajo, núm. 81, 20 de febrero de 1984.

Industria de la Construcción (CNIC) para que luche por lograr un mayor volumen de obra", pero "la crisis económica del país no le ha permitido al gobierno hacer más de lo que está haciendo... debemos ver nuestra situación dentro del gran contexto... el sector obrero resintió fuertemente la disminución del poder adquisitivo de su salario, la clase media ha visto considerablemente deteriorado su nivel de vida a causa de la inflación, el Estado mismo se sometió a un régimen de gran austeridad y a todas las ramas de la industria les ha afectado también, muy profundamente, la gravedad y la amplitud de la difícil coyuntura... no somos el chivo expiatorio de esta situación." [31]

La CNIC, en representación de los intereses del capital de esta industria, consiguió que el gobierno, su principal cliente, incorporara un conjunto de mecanismos de operación en la realización de las obras públicas capaces de contemplar los efectos negativos que el proceso inflacionario tiene sobre sus presupuestos de obras y sobre sus ganancias. Los empresarios de la construcción han conseguido introducir factores de ajuste en el período de ejecución a terminación de obras, formas de pronto pago, eliminación del fondo de garantía del 5% del gobierno federal y definición de políticas de paridad cambiaria para el pago de las máquinas de importación. [32]

Al mismo tiempo, la crisis está provocando un proceso de concentración de capital, búsqueda de incrementos en la productividad, condiciones laborales desfavorables para la fuerza de trabajo y nuevos campos de actuación en estados y regiones del país. Con relación a esta última cuestión debe pensarse que las posibilidades de impulsar "empresas sociales" de construcción como una de las alternativas propuestas ya por diversos sectores, se enfrentará con la abierta oposición del capital privado. Tal como lo sostuvo el presidente de la CNIC "estamos —y seguiremos así— abogando directamente y definitivamente, por la prohibición y por la eliminación de las constructoras de los gobiernos estatales. Las rechazamos por costosas, tanto en lo económico como en lo social, por ineficientes y desleales". [33] Por otra parte, los empresarios han recibido muy recientemente un llamado de atención al decidir la Secretaría de Trabajo y Previsión Social excluir a la Corporación Patronal Mexicana (COPARMEX) de la Asamblea del INFONAVIT, aun cuando

[31] Bernardo Quintana (1984).
[32] Vicente H. Bortoni (1984).
[33] *Idem.*

su representación esté asegurada por la presencia de otras organizaciones empresariales tales como la CONCAMIN y la CONCANACO.

Otro gran interlocutor de la política habitacional es la CTM. Esta agrupación sindical ha manifestado su inconformidad frente a la política económica gubernamental y posee un conjunto de demandas en materia urbana que no han sido incorporadas por la política estatal.

La CTM al presentar propuestas para la elaboración del programa del nuevo gobierno sostuvo un conjunto de reivindicaciones en torno a la vivienda de los trabajadores, entre las cuales las más importantes fueron: 1] actualización y avance de la legislación para limitar el acaparamiento y la especulación de tierras, haciéndose necesario constituir reservas territoriales y utilizando para ello medidas como la expropiación; 2] dotación de mayores fondos al INFONAVIT para que amplíe sus acciones; 3] participación de los trabajadores en la selección de tierras, proyectos arquitectónicos y construcciones, de manera tal que se obtenga una vivienda amplia y ajustada a las características propias de la familia mexicana; 4] integración de servicios básicos a los conjuntos habitacionales; 5] construcción de vivienda en renta con opción a compra; 6] sanción de una ley inquilinaria "que fije y ajuste las rentas de acuerdo con el valor catastral de los inmuebles"; 7] mejoramiento del funcionamiento de INFONAVIT a través de una administración bipartita entre el Estado y los trabajadores; 8] creación de empresas del sector social, no sólo cooperativas, que produzcan bienes y servicios básicos, entre éstos vivienda, y 9] canalización de los recursos de los trabajadores, tales como los de INFONAVIT e IMSS, a través de la banca obrera.[34]

Al mismo tiempo en enero de 1983, la CTM solicitó a la Secretaría del Trabajo el registro de una asociación inquilinaria y hasta hubo amenazas de huelga de pagos de alquiler.[35] Recientemente sus dirigentes se comprometieron a intensificar sus esfuerzos para lograr que los patrones incrementen sus aportaciones al INFONAVIT, a fin de que se cuente con mayores recursos financieros que permitan acceder a soluciones más viables al problema de la vivienda.[36]

Como puede advertirse, salvo en lo relativo a la constitución de reservas territoriales y construcción de vivienda en renta con opción a compra, tanto la nueva legislación como los programas de la SEDUE no contemplan otras demandas de la central obrera.

[34] CTM (1982), p. 19.
[35] Armando Cisneros, *Unomásuno*, 20 de enero de 1983.
[36] CT, núm. 82, 21 de marzo de 1984.

La política de impulsar la autoconstrucción encuentra en la CTM resistencia, puesto que para la clase obrera, inserta de manera estable en el sistema productivo, el deterioro de sus salarios reales no puede acompañarse también de una aceptación de medidas que tienden a agravar el deterioro de sus condiciones de vida. Aceptarlo es "condenar a vivienda infrahumana al trabajador porque construye a plazos, sin técnicas, sin asesoría y sin los servicios indispensables", sostuvo un alto dirigente obrero.[37]

Todo ello pretende contribuir a relativizar la idea que poseen ciertos sectores de la burocracia estatal de que la realización de un programa está garantizada porque los fundamentos técnicos y financieros se adecuan al interés general de la sociedad. Tampoco es próxima a la realidad la visión alternativa, según la cual la materialización de las propuestas pertenece a un campo de acción pública diferente, el de la política. En ambos casos se trata de concepciones parciales sobre la planeación, en las cuales esta práctica es considerada fuera del contexto histórico social en el que se desarrolla.

4. *Transporte urbano*

Un último elemento de la política urbana que debe necesariamente introducirse es el transporte urbano. La Secretaría de Comunicaciones y Transportes centralizó a partir de 1983 la planeación del sistema nacional de transporte al concentrar las funciones relativas a la infraestructura y operación de este servicio. Su tarea es ardua y compleja. El PND señala las grandes dificultades que presenta el transporte público en las grandes ciudades del país, particularmente en la ciudad de México, donde el intenso proceso de urbanización rebasó ampliamente la capacidad de este servicio. La capital fue escenario de un intento de adecuación de este servicio público a las necesidades. La realización de los ejes viales, la estatización del transporte camionero, la reestructuración de las rutas y la incorporación de nuevas unidades y, particularmente, la continuación de las obras del metro demandaron cuantiosos recursos públicos. El Departamento del Distrito Federal, para hacer frente a estas grandes erogaciones recurre al endeudamiento externo, actuando como intermediario BANOBRAS.[38]

---

[37] *Excélsior*, 19 de abril de 1984. Entrevista a Blas Chumacero, responsable de la Comisión Nacional de Vivienda de la CTM.

[38] Véase entre otros: Jesús Rodríguez López (1983), Priscilla Connoly

En el PND se sostiene que el sistema de transporte debe satisfacerse de manera eficiente y al menor costo para la comunidad, mantener los niveles de ocupación, en lo posible generar empleo y continuar selectivamente las obras de infraestructura en proceso. Entre los propósitos figura también el tender a la autosuficiencia del sector y, en consecuencia, impulsar una disminución de los subsidios. En el caso del transporte urbano de pasajeros esto puede significar incrementos en las tarifas, lo cual implica mayores gastos de traslado que los trabajadores deben afrontar con su deteriorado salario. En este sentido es sabido que la orientación de la política de transporte incide directamente sobre la dinámica de la economía urbana. Sobre todo en un período inflacionario las repercusiones de los incrementos de las tarifas se expresan en los precios de los principales artículos de la canasta familiar.

La tendencia a la estatización del transporte urbano camionero que se puso en marcha en el sexenio pasado (ej. el D.F. y Morelia) perseguía, entre otras cosas, adecuar este servicio a las necesidades del propio capital y a la vez satisfacer una de las demandas más sentidas por los habitantes de estas ciudades. La ineficiencia del transporte público no sólo hace que esta actividad no sea atractiva a la inversión privada sino que entorpece la natural incorporación de los trabajadores al proceso productivo. La fuerza de trabajo no sólo debe soportar la carga económica que la utilización de este servicio implica, sino que se ve sometida a un fuerte desgaste físico. Así en ocasiones han sido los propios empresarios quienes han reclamado al Estado el mejoramiento de las condiciones del transporte público, particularmente el suburbano, expresando que las mismas afectan considerablemente la productividad. También las organizaciones populares introducen las mejoras en el suministro del transporte urbano y la estatización del sistema entre el conjunto de sus reivindicaciones urbanas, como se verá seguidamente.

(1983). En la XLII Asamblea de BANOBRAS se informó la reestructuración de la deuda externa contraída con 270 bancos extranjeros y por un total de 2 400 millones de dólares. Se cuenta ahora con un plazo de 8 años y 4 más de gracia para saldar el compromiso. De 93 429 millones de pesos 16 243 millones los usó el DDF para solucionar el problema del transporte, particularmente para la construcción del metro. Otros importantes deudores son: estados de Baja California, Sinaloa, Estado de México, Puentes y Caminos y los mismos transportistas. Cf. *Excélsior*, 30 de abril de 1984.

III. PROYECTOS ALTERNATIVOS DE LAS FUERZAS POPULARES

1. El movimiento urbano popular

Ante la agresiva política urbana gubernamental que se puso en marcha durante el sexenio pasado, un conjunto de asociaciones populares independientes constituyen, en 1980, la denominada Coordinadora Nacional del Movimiento Urbano Popular (CONAMUP). Esta organización intenta "presentar alternativas amplias y unitarias a las organizaciones de colonos, inquilinos, solicitantes de vivienda, vendedores ambulantes y trabajadores no asalariados en su lucha por el mejoramiento de las condiciones de vida del pueblo, así como su desarrollo democrático e independiente".[39] Las diferentes agrupaciones que constituyen esta organización popular urbana han sido protagonistas de experiencias de lucha en torno a sus reivindicaciones más inmediatas como tierra, vivienda, equipamientos y servicios.

La CONAMUP es entonces un espacio de aprendizaje político en el cual estas luchas por reivindicaciones inmediatas se integran a una visión global de la sociedad, intentándose la constitución de una fuerza social con capacidad de incidir en modificaciones de la estructura urbana y en la coyuntura social. Por ello el tema de la crisis no puede ser ajeno a sus planteamientos. Muy por el contrario, en 1982, al celebrarse el Tercer Encuentro Nacional en Acapulco se presenta la posición del movimiento al enmarcar los efectos más negativos de la política urbana en el contexto de la crisis que ya presenta el país.

La CONAMUP promueve la realización de una jornada y un foro nacional sobre la carestía y la austeridad y participa en la formación de un frente nacional en defensa del salario, contra la austeridad y la carestía, compuesto por otras organizaciones de masas.[40]

Estos sectores urbanos que forman parte del conjunto social de los trabajadores más afectados por la recesión caracterizan a ésta como una crisis que se manifiesta en "mayor dependencia respecto al imperialismo yanqui y al FMI, endeudamiento externo creciente,

---

[39] CONAMUP-Arquitectura-Autogobierno, UNAM (1984). Existen algunos importantes trabajos sobre la constitución y desarrollo del movimiento urbano popular. Entre éstos véase, Pedro Moctezuma (1984).

[40] "La jornada culminó el 28 de septiembre con el Foro Nacional contra la Carestía y la Austeridad, al que asistieron 37 organizaciones incluyendo al CNTE y la COSINA." CONAMUP-Arquitectura-Autogobierno (1984).

inflación acelerada, aumento de los impuestos, menor poder adquisitivo del pueblo, topes salariales, reducción del gasto público, despidos masivos y quiebre de la pequeña y mediana industria".[41] Esto
es lo que permite suponer una ampliación de sus alianzas puesto
que la situación afecta al conjunto de los trabajadores de la ciudad
y a la pequeña burguesía empobrecida.

Para el MUP las principales demandas frente a la crisis son: elevar a rango constitucional el delito de especulación, impulsar cooperativas de consumo y producción con control popular, oponerse
al impuesto al consumo doméstico de energía eléctrica, derogación
de la Ley de hacienda, aumento salarial y lucha contra el desempleo. En cuanto a las reivindicaciones urbanas propiamente dichas
se agrupan en dos grandes temas: 1] suelo y vivienda, y 2] servicios
públicos. Con relación a las primeras, se demanda el respeto a la
posesión, regularización y escrituración favorable al MUP, la expropiación y dotación de terrenos para inquilinos y solicitantes, una
ley inquilinaria de carácter federal y de orden público, la expropiación de los edificios y vecindades en favor de los inquilinos,
créditos para vivienda popular y control de suelo urbano destinado
a habitación popular. En cuanto a los servicios públicos, se plantea
la urbanización total y sin gravación alguna a los usuarios, la estatización del transporte público y la instalación de redes de comunicación en zonas urbano-populares, servicios médicos y centros
educativos. La CONAMUP incorpora también reivindicaciones de
orden social y político: lucha por las libertades democráticas, contra la represión y por la solidaridad con todos los movimientos
nacionales.[42]

La crisis afecta a los sectores populares urbanos en todas las dimensiones de la vida cotidiana. No sólo deben enfrentar la amenaza
a perder el empleo y la necesidad de que más miembros de la
familia desempeñen alguna actividad remunerada ante la disminución del ingreso real de los trabajadores. Las consecuencias negativas de esta situación se instalan en las propias relaciones familiares, en la reducción del tiempo disponible para participar en sus
propias organizaciones y en el clima de inestabilidad que impera
en los lugares de residencia (p. ej., mayor delincuencia). Estas
cuestiones específicas, que en general tienden a ser excluidas de los
balances políticos de las organizaciones populares, son tratadas con
particular interés por las mujeres que participan en el movimiento
urbano popular. Entre las resoluciones del Primer Encuentro Na-

41 *Idem.*, p. 17.
42 *Idem.*, p. 17.

cional que celebraron en Durango en noviembre de 1983, las mujeres pusieron de manifiesto la manera cómo la crisis las afecta directamente.[43] Son ellas las encargadas de distribuir el gasto familiar y las que perciben las tensiones familiares en mayor grado, y viéndose ante la necesidad de buscar formas de ingreso complementarias y a la vez resolver los conflictos familiares. A las demandas generales del movimiento urbano popular, las mujeres agregan otras reivindicaciones específicas tales como: comedores, guarderías, servicios de salud y que no se impongan políticas represivas de control natal.[44]

2. Los partidos políticos de la oposición

Los partidos políticos de la oposición que representan los intereses populares no poseen aún una estructurada propuesta de acción urbana alternativa. Ello puede constatarse en el análisis efectuado en los programas de acción de los mismos para la lucha electoral de 1979.[45] Más recientemente, un conjunto de entrevistas realizadas por Ángel Mercado a tres de los candidatos presidenciales en las elecciones de 1982, permiten pensar que la problemática urbana lentamente va ganando espacio y complejidad en las propuestas partidarias. Rosario Ibarra de Piedra, candidata de la alianza Partido Revolucionario de los Trabajadores (PRT), el Movimiento Revolucionario del Pueblo (MRP) y la Unión de Lucha Revolucionaria (ULR) expresó que la crisis de la ciudadanía "no es diferente de la crisis económica", que los principales problemas urbanos para la clase obrera son la vivienda y el transporte. Al mismo tiempo, sostuvo que se "planifica desde arriba" sin reparar en las necesidades de la población. La especificidad de los problemas urbanos no debe interpretarse como lucha sectorial con propósitos políticos limitados; que las luchas urbanas constituyen un importante frente y se debe fortalecer a la CONAMUP como organismo de masas que agrupa el movimiento democrático en este sector.[46]

El candidato del Partido Social Demócrata, Manuel Moreno Sánchez,[47] expresó que los principales problemas de las grandes

---

[43] Véase "Conclusiones del Primer encuentro nacional de mujeres del MUP" (1983).

[44] Idem., p. 9. Sobre la participación de la mujer en los movimientos sociales urbanos, véase Alejandra Massolo (1983).

[45] Alejandra Moreno Toscano (1982).

[46] Ángel Mercado, Unomásuno, 23 de febrero de 1982.

[47] Idem, 16 de marzo de 1982.

ciudades del país, la ciudad de México, Guadalajara y Monterrey son: la obsolescencia de las instituciones vigentes y la centralización. Su propuesta se basa en crear entidades urbanas superiores a las tradicionales y nuevas formas políticas tales como la creación en el D.F. de una cámara local o municipal para orientar las decisiones del gobierno de la ciudad y que los colonos puedan tener una representación política propia y directa en el gobierno de la ciudad. Sostuvo que la atención eficiente de los servicios sólo puede resolverse en la medida en que se avance en el suministro de éstos sobre las zonas conurbadas.

Finalmente, el candidato del Partido Socialista Unificado de México (PSUM),[48] sostuvo que los problemas de las grandes ciudades son: bajos salarios y carestía, antidemocracia, represión, control del movimiento sindical y otro conjunto de problemas que constituyen la llamada "crisis urbana" (transporte y agua, suelo, vivienda y servicios públicos). Para él esto no es reciente pero ahora presenta "proporciones realmente extraordinarias, sobre todo en estos momentos de crisis económica en que los terrenos urbanos suben automáticamente —artificialmente— de precio dando lugar a una especulación desmedida". Las razones son las mismas: crisis económica, crisis urbana e incapacidad histórica del mando burgués para enfrentarlas con propósitos sociales. Sus propuestas, en el mismo orden, fueron: una ley que establezca la escala móvil de los salarios y mantener la revisión anual conjuntamente con controles efectivos de precios, elección directa del gobierno del D.F., establecimiento de una cámara local de diputados, conversión de las delegaciones políticas en ayuntamientos con autoridades elegidas a través del voto, creación de una representación directa de todos los ciudadanos en lugar del Consejo Consultivo y democratización de la vida sindical. Con relación a los problemas urbanos, expresó la necesidad de una reforma urbana de carácter democrático para que el suelo no sea materia de especulación y la vivienda sea una facultad social. Propuso la creación de una empresa estatal encargada de la construcción de viviendas, créditos del Estado baratos y producción estatal de materiales de construcción, regularización de la tenencia de la tierra en colonias populares con procedimientos sencillos, una nueva ley inquilinaria para que las rentas no rebasen un porcentaje (el 8%) del salario real de los trabajadores y que el Estado construya activamente viviendas en alquiler. La estatización o municipalización del transporte con la participación

48 *Idem*, 7 y 8 de abril de 1982.

de las organizaciones sindicales y de colonos y cambios en la política de uso y distribución del agua. Estas propuestas se complementan con una visión de que los movimientos populares urbanos son muy alentadores porque en ellos se combate el caudillismo, la antidemocracia y la represión.

La reforma urbana del PSUM define dos ejes de acción: 1] la lucha por la democratización de los procesos de toma de decisión del aparato gubernamental, y 2] la supresión paulatina de la propiedad privada de los servicios y prestaciones sociales.[49] El PSUM considera que la relación con las organizaciones de masas debe fincarse en dos criterios: a] la autonomía política y la más amplia democracia en el interior de las organizaciones populares, y b] la elevación de la organización al plano político, de hacer política y ejercerla, rebasando los planteamientos populistas y reivindicativos.[50]

Estas consideraciones de algunas de las propuestas alternativas indica la distancia existente entre la política urbana gubernamental y los programas de otras fuerzas sociales. Los problemas urbanos son sin duda, un campo propicio para el debate social y para ejercer una práctica democrática. Sin embargo, su interés está restringido a la actuación de la burocracia estatal, que salvo alguna excepción, pretende hacer descansar la gestión urbana en su propia estructura administrativa y en las organizaciones del partido gobernante. Por su parte, las opciones del movimiento social y los partidos políticos de la oposición, se mueven en otro universo, mucho más ideológico. La disputa por la obtención de las demandas encuentra fuertes limitaciones en las propias relaciones sociales que pretenden entablar con el Estado y demás organizaciones de la sociedad civil.

IV. CONSIDERACIONES FINALES

La crisis afecta duramente las condiciones de vida de quienes habitan en la ciudad. Justamente son las grandes mayorías urbanas, aquellos trabajadores que migrando del campo buscan nuevas alternativas de empleo y de vida, los que deben afrontar más dura-

[49] Partido Socialista Unificado de México, Grupo de Estudios Urbanos (1983), p. 13.
[50] *Idem*, pp. 8-9.

mente el desempleo, la inflación, la caída del salario real. La ciudad impone sobre sus magros ingresos el derecho de habitarla: impuestos, altas rentas, gastos de transporte, educación, recreación.

El Estado, en su intento por estructurar una política urbana consagra sus esfuerzos a la elaboración de modelos ideales, racional y técnicamente fundamentados, sobre la organización social de espacio. Las propuestas que deben orientar la gestión urbana gubernamental son paliativos que producen escasos efectos con relación a la magnitud de los problemas. En las crisis no puede asegurarse que los destinatarios de la acción gubernamental serán aquellos sectores que más necesitan de una acción pública redistributiva de bienes y servicios urbanos. Otorgar masivamente créditos para viviendas es importantísimo, como lo es el asignar recursos para garantizar la presencia del Estado en la formación de reservas territoriales, impulsar el desarrollo de las ciudades medias y/o fortalecer los poderes locales. Pero la formulación de estas propuestas, aun cuando pudieran ser consideradas válidas para resolver las necesidades sociales en cuestión, son producto de un ejercicio burocrático. Las posibilidades de realización de estas propuestas no descansan en la entusiasta y masiva participación de una comunidad capaz de potenciar con su esfuerzo los escasos recursos que hoy se movilizan, sino más bien en el propio comportamiento intraburocrático, en la capacidad de movilización subordinada del partido gobernante y en el comportamiento de las fracciones del capital que participan en la construcción del espacio urbano.

La regularización de acuerdo con los intereses de quienes poseen la tenencia de la tierra, una ley inquilinaria, el suministro de infraestructura y equipamiento sin que ello signifique nuevas cargas para los sectores populares, incrementos en los aportes patronales a los fondos de vivienda, etc., forman parte de un conjunto muy amplio de demandas alrededor de las cuales coinciden diferentes organizaciones de la sociedad. Sin embargo, no existen canales de participación capaces de respetar su autonomía y evaluar la viabilidad de sus demandas. La planeación urbana es por ahora una práctica burocrática. La creación de nuevas formas de representación social (p. ej.: los comités de planeación) y/o sustanciales modificaciones legales (art. constitucional 115, Ley federal de vivienda) no son suficientes. El carácter racional y técnico que revisten las propuestas urbanas restringe, en el momento de su elaboración, la propia participación de las organizaciones del partido gobernante y excluye la de agrupaciones representativas de diferentes sectores de la sociedad civil. Como sostuvieron hace muy poco un conjunto de planificadores urbanos y académicos dedicados a la problemática urbana, se ha "reforzado el centralismo con un paternalismo que excluye la participación de la ciudadanía en las decisiones que afectan la vida de las ciudades".[51]

Si en otros campos la planificación encuentra dificultades para generar un debate social amplio del que surjan alternativas, en lo urbano sí existen posibilidades de instrumentar una planeación democrática, a partir de la cual realizar acciones públicas consensuales. Así, en otros países la crisis llevó a la elaboración de propuestas en las que la austeridad supone disminuir el consumo improductivo y expandir el consumo social (Campos, Venuti, Giussepe, 1981). Recuperar estas y otras experiencias podría también orientar el camino para impedir la agudización del deterioro en las condiciones de vida de los ciudadanos. Pero como señala Fernando H. Cardoso (1983) gestar estas alternativas en el contexto latinoamericano supone un parlamento libre y libertades políticas pero también dos componentes fundamentales: 1] recuperar el carácter público más que meramente estatal de las agencias gubernamentales de manera de expandir la ciudadanía poniendo en marcha una auténtica planeación democrática, y 2] construir formas de representación política que reconozcan la fuerza motora de los movimientos sociales.

Junio de 1984

BIBLIOGRAFÍA

Altvater, Elmar, "¿Reestructuración o desmantelamiento del Estado social?", en *Estudios Políticos*, Nueva Época, vol. 2, núm. 1, CEP/UNAM, México, enero-marzo de 1983, pp. 57-63.

Bortoni, Vicente H., "Mensaje del presidente de la CNIC en la Reunión Nacional de Guadalajara, Jal., dic. de 1983", en *Revista Mexicana de la Construcción*, núm. 351, México, CNIC, enero de 1984, pp. 15-17.

Cámara Nacional de la Industria de la Construcción, Dirección Técnica, *La industria mexicana de la construcción 1981*, México, 1982.

Campos Venuti, Giuseppe, *Urbanismo y austeridad*, Siglo XXI de España, 1981.

[51] Sociedad Mexicana de Planificación (1984).

Cardoso, Fernando Henrique, "Las políticas sociales en la década de los años ochenta: ¿Nuevas opciones?", en *El Trimestre Económico*, vol. L (1), núm. 197, México, enero-marzo de 1983, pp. 169-188.

Castells, Manuel, "Consommation, collective, intéret de classe et processus politique dans le capitalisme avancé", en *Papers Revista de Sociología*, Barcelona, Universidad Autónoma de Barcelona, núm. 3, 1974, pp. 63-89.

——, "Crisis urbana y cambio social", Siglo XXI de España, 1981, 2a. ed.

Cisneros, Armando, "La crisis en la ciudad", en *Unomásuno*, México, 27 de febrero de 1982.

——, "La dolarización del alquiler", en *Unomásuno*, México, 20 de enero de 1983.

Colegio de Ingenieros Civiles de México A.C., Secretaría de Desarrollo Urbano y Ecología, *Programa Nacional de Vivienda* (ponencias), México, abril de 1984.

CONAMUP-Facultad de Arquitectura-Autogobierno, UNAM. *Cuarto Encuentro Nacional y Encuentro Extraordinario*, México, 1984.

——, "Decreto que reforma y adiciona la ley general de bienes nacionales", *Diario Oficial de la Federación*, México, 7 de febrero de 1984.

Excélsior, "Promoverá la CTM que los empresarios dupliquen aportaciones a vivienda", México, 19 de abril de 1984.

Excélsior, "XLII Asamblea de BANOBRAS", México, 30 de abril de 1984.

Fondo de las Habitaciones Populares (FONHAPO), *Información básica de las condiciones de operación*, México, abril de 1983 (mimeo.).

FOVISSSTE, *Proyecto de reglamento para el crecimiento de la vivienda progresiva del FOVISSSTE*, México, 1984.

García, Beatriz y Manuel Perló, "Las políticas habitacionales del sexenio: un balance inicial", en *Habitación*, año 1, núm. 2/3, abril/septiembre de 1981, pp. 33-44.

González Casanova, Pablo y Enrique Florescano (coords.), *México hoy*, México, Siglo XXI, 6a. ed., 1982.

Lojkine, Jean, *El marxismo, el Estado y la cuestión urbana*, México, Siglo XXI, 1979.

Massolo, Alejandra, "Las mujeres en los movimientos sociales urbanos de la ciudad de México", en *Iztapalapa*, año X, núm. 9, México, junio/diciembre de 1983, pp. 152-167.

Mercado, Ángel, "Crisis económica y despliegue del movimiento urbano popular en México", en CONAMUP-UAG, *Testimonios*, núm. 1, año 1, México, mayo de 1983, pp. 37-57.

——, "Las ciudades en la campaña", en *Unomásuno*, México, 23 de febrero, 16 de marzo y 8 de abril de 1982.

CONAMUP, "Foro nacional contra la carestía y la política de austeridad", en CONAMUP-UAG, *Testimonios*, núm. 1, año 1, México, mayo de 1983, pp. 17-172.

Confederación de Trabajadores de México, *Aportaciones de la CTM para la elaboración del plan de gobierno 1982-1988*, México, julio de 1982.

Congreso de Trabajo, *Órgano Informativo del Movimiento Obrero Organizado*, núms. 77 a 81, noviembre de 1983-febrero de 1984.

Connoly, Priscilla, "El financiamiento de la capital", en *Iztapalapa*, núm. 9, año 4, México, junio-diciembre de 1983, pp. 97-113.

De la Madrid, Miguel, "Primer Informe de Gobierno", en *El Día*, Suplemento 79, Testimonios y Documentos, México, 2 de septiembre de 1983.

DDF, gobiernos constitucionales de los estados de Hidalgo, México, Morelos, Puebla, Querétaro y Tlaxcala, *Programa de desarrollo de la Zona Metropolitana de la ciudad de México y de la Región Centro*, México, 1983.

Diario Oficial de la Federación, "Ley de Planeación", *Diario Oficial de la Federación*, México, 5 de enero de 1983.

——, "Reformas y adiciones al artículo constitucional 115", *Diario Oficial de la Federación*, México, 3 de febrero de 1983.

——, *Decreto por el que se aprueba el Plan Nacional de Desarrollo 1983-1988*, Diario Oficial de la Federación, México, 31 de mayo de 1983.

——, "Decreto que reforma y adiciona diversas disposiciones de la Ley general de asentamientos humanos", *Diario Oficial de la Federación*, México, 7 de febrero de 1984.

——, "Ley federal de vivienda", *Diario Oficial de la Federación*, México, 7 de febrero de 1984.

Moctezuma, Pedro, "Breve semblanza del movimiento urbano popular y la CONAMUP", en CONAMUP-UAG, *Testimonios*, núm. 1, año 1, México, mayo de 1983, pp. 5-15.

—— *El movimiento urbano popular mexicano*, México, 1984 (mimeo.).

Moreno Toscano, Alejandra, "La 'crisis' en la ciudad", en Pablo González Casanova y Enrique Florescano, *México hoy*, México, Siglo XXI, 6a. ed., 1982, pp. 152-176.

Movimiento Urbano Popular, *Conclusiones del Primer Encuentro*

Nacional de Mujeres, Durango, 25 a 27 de noviembre de 1983 mimeo.).

Navarro Benítez, Bernardo, "MUP y acumulación de capital en México", en CONAMUP-UAG, *Testimonios*, núm. 1, año 1, México, mayo de 1983, pp. 69-75.

Oszlak, Oscar, *Políticas públicas y regímenes políticos: reflexiones a partir de algunas experiencias latinoamericanas*, Estudios CEDES, vol. 3, núm. 2, Buenos Aires, 1980.

Oszlak, Oscar y Guillermo O'Donnell, *Estado y políticas estatales en América Latina: hacia una estrategia de investigación*. Doc. CEDES/G.E. CLACSO núm. 4, Buenos Aires, 1976.

Partido Socialista Unificado de México, Grupo de Estudios Urbanos, *La política urbana alternativa del PSUM*, México, julio de 1983 (mimeo.).

Pereyra, Carlos, "Estado y movimiento obrero", en *Cuadernos Políticos* núm. 28, México, abril-junio de 1981, pp. 35-42.

Perzabal, Carlos, *Acumulación capitalista dependiente y subordinada: el caso de México (1940-1978)*, México, Siglo XXI, 2a. ed., 1981.

Poder Ejecutivo de la Nación, *Programas de empleo*, México, 1984 (mimeo.).

Poulantzas, Nicos, "Las transformaciones actuales del Estado, la crisis política y la crisis del Estado", en varios autores, *El marxismo y la crisis del Estado*, Puebla, Universidad Autónoma de Puebla, 1977, pp. 23-65.

Quintana, Bernardo, "La situación de México y de América Latina: sus repercusiones en la construcción", en *Revista Mexicana de la Construcción*, CNIC, núm. 352, México, febrero de 1984, pp. 43-48.

Rodríguez López, Jesús, "El transporte urbano de pasajeros: el caso del D.F.", en *Habitación*, año 2, núm. 6, abril-julio de 1982, pp. 3-13.

Rodríguez Salas, Jesús, "Finanzas públicas y política urbana en el D.F.", en CONAMUP-UAG, *Testimonios*, núm. 1, México, mayo de 1983, pp. 89-101.

Schteingart, Martha, *El sector inmobiliario y la vivienda en la crisis*. Ponencia presentada en el coloquio "Perspectivas del desarrollo urbano en México", Programa Justo Sierra-UNAM, 1983.

Secretaría de Desarrollo Urbano y Ecología, *Programa Nacional para el Desarrollo de la Vivienda. Programa 1983*, México, 1984.

——, *Programa Operativo Anual del sector desarrollo urbano y ecología*, 1984, Resumen, México, 1983; *Programa de Mediano Plazo de Desarrollo Urbano y Vivienda*, México, 1984.

——, *Proyecto Estratégico de Ciudades Medias. Programa Operativo Anual*, México, octubre de 1983 (mimeo.).

——, *Convenio SEDUE-CNOP*, México, 11 de agosto de 1983.

Secretaría de Programación y Presupuesto, *El municipio dentro del sistema nacional de planeación democrática*, México, s/d (mimeo.).

——, *Fortalecimiento y desarrollo municipal*, año 1, núms. 1 al 11, México, 1983-1984.

——, *Plan Nacional de Desarrollo 1983-1988*, 1a. ed., México, 1983.

Sociedad Mexicana de Planificación, Relatoría General del VIII Congreso Nacional de Planificación: "Nuestro debate ante la crisis", *Excélsior*, 5 de febrero de 1984.

Tello, Carlos, *La política económica en México, 1970-1976*, México, Siglo XXI, 4a. ed., 1980.

LA CRISIS Y LA SALUD*

IGNACIO ALMADA BAY

Un acercamiento a los problemas y a las alternativas que la actual crisis de México plantea en el campo de la salud, encuentra un obstáculo mayúsculo en la carencia de estadísticas vitales oportunas y en la ausencia de disponibilidad de información, consolidada y global, de los servicios prestados por el sector salud.

Ante estas limitaciones, opté por: 1] presentar las notas más sobresalientes de las tendencias registradas desde la última década y que pudieran resultar pertinentes para el escenario que puede configurar la crisis; 2] exponer algunas consideraciones sobre rasgos específicos de la salud en la crisis de México, básicamente acerca de gasto público y población derechohabiente y sobre la interacción sociedad-Estado, y 3] ofrecer una serie de observaciones que pueden contribuir a generar un debate que rescate los recursos que los atributos políticos de la salud brindan a la lucha *por una democracia ampliada* en México.

Evitar el análisis con base en la mera adición de supuestos y prescindir del traslado mecánico de categorías de análisis es una primera tarea, en este caso imperfecta, ante una realidad que hay que problematizar. Y que acerca de su crisis, sólo se puede asegurar que algo se está gestando y algo se ha terminado, pero hasta hoy no sabemos bien qué es.

TENDENCIAS RECIENTES: ¿POR QUIÉN DOBLAN LAS CAMPANAS?

Una aproximación a los datos disponibles para la década de los años setenta, permite observar que el estado de salud de la pobla-

* Versiones preliminares de este trabajo fueron presentadas en el curso "Salud, medicina y sociedad" de la División de Estudios de Posgrado de la Facultad de Economía de la UNAM —enero de 1984—, en el coloquio "Salud para todos en el año 2000", auspiciado por el Centro Tepoztlán, A.C. —febrero de 1984—, y en el ciclo de conferencias "Salud y contra-

ción mexicana presenta, entre otras, las siguientes características:

1. *Las comparaciones internacionales de los indicadores disponibles manifiestan el relativo atraso sanitario del país.* La esperanza de vida al nacimiento, que puede considerarse simultáneamente como una expresión de la mortalidad y a la vez su resumen, constituye también una fórmula para comparar la mortalidad de distintos países y regiones cuya población tiene estructura de edades diferente, reflejando su nivel sanitario.[1] En un estudio elaborado por Coplamar, mediante el análisis de la sobrevivencia a distintas edades de una cohorte de cien mil nacidos vivos de sexo masculino, se ilustra la situación internacional de México en cuanto a la esperanza de vida al nacimiento. Ahí se puede apreciar que al llegar a su primer año de edad ya sólo viven 93 mil niños mexicanos, cifra sólo superada por Chile. Hacia los 5 años de edad ha fallecido ya el 10% de esta cohorte de niños y México ocupa el último lugar entre los países escogidos, ya que Chile ha perdido al 7%, Cuba el 4%, y Estados Unidos y Suecia sólo el 2.4 y el 1.2%, respectivamente.

Cuando la cohorte mexicana de nacimientos arriba a los 45 años de edad, sólo sobrevive el 77% de ellos: esto contrasta enormemente con Cuba, donde sobrevive el 91%, o aún más con Suecia, que conserva con vida al 94%. Como señala este estudio: "Es notable que las probabilidades para un nacido vivo de sexo masculino en México de llegar a los 5 años de edad sean inferiores que las de un nacido vivo en Cuba de cumplir 45 años de edad."[2] Esta comparación internacional exhibe el atraso que la población mexicana de 1972 sufría en materia de salud.

A pesar de algunos avances ocurridos en otros indicadores, todavía la esperanza de vida al nacer, en México, para el período 1975-1980 fue estimado en 64.4 años según datos publicados por la División de Población de las Naciones Unidas. Lo que sitúa a México entre los países americanos que menos años ganaron respecto al período 1965-1970, cuando México observó, de acuerdo con la misma fuente, 60.8 años de esperanza de vida al nacimiento y

dicciones en el México actual" organizado por el Departamento de Atención a la Salud de la UAM-Xochimilco en julio de 1984. Agradezco la colaboración del economista Humberto Nicolás.

[1] Ignacio Almada Bay, "Panorama del estudio de la mortalidad en México, 1922-1975", en *La mortalidad en México, 1922-1975*, México, IMSS, 1982, p. 24.

[2] Coplamar, *Necesidades esenciales en México. Salud, situación actual y perspectivas al año 2000*, México, Siglo XXI, 1982, p. 59.

CUADRO 1

TASAS Y PROPORCIÓN DE LAS DEFUNCIONES DE MENORES DE 5 AÑOS
Y PROPORCIÓN DE ÉSTOS COMO PORCENTAJE DE LA POBLACIÓN TOTAL
EN ALGUNOS PAÍSES LATINOAMERICANOS. VARIOS AÑOS

| País | Año | Tasas de mortalidad específicas | | | |
		Defunciones de menores de 5 años como % del total de muertes[1]	Menores de 5 años como % de la población total[2]	Por todas las causas para menores de 5 años de ambos sexos por mil habitantes[3]	Por enfermedades infecciosas y parasitarias (001-136) por 100 mil habitantes[4]
Guatemala	1978	50.7	16.8[5]	27.2	1 035.3
Ecuador	1978	42.2	17.4	17.6	644.8
El Salvador	1974	38.6	17.7	16.8	529.8
México	1976	36.5	17.9	15.0	503.8
Colombia	1977	31.4	12.2	11.8	395.5
Venezuela	1978	28.1	13.0	9.5	241.9
Costa Rica	1979	19.8	15.9	6.4	110.6
Chile	1979	13.9	19.0	8.4	130.6
Argentina	1978	13.6	10.0	11.5	228.3
Cuba	1978	7.6	9.1	3.8	55.0

FUENTES:

[1] OPS/OMS, *Las condiciones de salud en las Américas, 1977-1980, op. cit.*, p. 217.
[2] Naciones Unidas, *World population and its age-sex composition by country, 1950-2000: Demographic estimation and projection as assessed in 1978*, 1980, tomado de OPS/OMS, *op. cit.*, p. 176.
[3] OPS/OMS, *op. cit.*, p. 218.
[4] *Ibidem*, p. 220.
[5] Tomado de *Las condiciones de salud en las Américas, 1973-1976, op. cit.*, p. 134.

debía aumentarla en cuando menos cinco años según el Plan Decenal de Salud para las Américas (1970-1980).[3]

2. *La mortalidad general mantiene un elevado componente de defunciones en edades tempranas que nos perpetúa en el subdesarrollo sanitario.* En 1976, de un total de 455 660 muertes, el 36.5% correspondió a menores de 5 años. De acuerdo con el cuadro 1 sólo tres países nos superan en esta proporción: Guatemala, Ecuador y El Salvador. Dicha proporción es considerada como característica propia de los países subdesarrollados.[4]

[3] OPS/OMS, *Las condiciones de salud en las Américas, 1977-1980*, Washington, 1982, pp. 17-20.
[4] Alan Sorkin, *Health economics in developing countries.* Lexington, Mass., Lexington Books, 1977, p. 16.

La tasa de mortalidad específica de los menores de 5 años nos permite establecer comparaciones más adecuadas al eliminar las diferencias debidas a la estructura de edades de las poblaciones comparadas. Sin embargo, continuamos en el cuarto lugar peor situado con una tasa de 15 por mil habitantes. La proporción de defunciones por enfermedades infecciosas y parasitarias ha sido empleada como índice del desarrollo de la salud pública.[5] En México este racimo de causas alcanza una tasa de 503.8 por cien mil habitantes en el grupo de menores de 5 años. Lo que nos hace permanecer en el 4o. lugar, en todos estos casos contiguos a El Salvador y Colombia. Todavía para 1978 el porcentaje de las defunciones totales correspondiente a los menores de 5 años, fue de 31.1.[6] Debido a que la desnutrición disminuye la resistencia a las infecciones y las infecciones de todo tipo afectan al estado nutricional, exacerbándose ante sí,[7] la población mexicana presenta elevadas tasas de mortalidad y morbilidad a causa del sinergismo de la desnutrición y la infección.

3. *Las causas principales de la mortalidad general configuran un patrón cualitativo mixto que, además de la persistencia de las enfermedades transmisibles y carenciales, suma las propias de la urbanización, la industrialización y el envejecimiento de la población, y registra la irrupción de las violencias en los últimos años.* Así por vez primera en la historia de la salud en México una entidad patológica no transmisible ocupa el primer lugar como causa de defunción general. En 1978 la primera causa de mortalidad general es enfermedades del corazón con una tasa de 71.4 por cien mil habitantes y da cuenta de 46 990 muertes que equivalen al 11.2% de todas las defunciones. Aunque es posible que esté sobrenumerada por la baja calidad de la certificación médica, ya que se abusa del término "paro cardiaco" como causa básica de defunción.

El dúo que había tenido los primeros lugares desde 1930 hasta 1977, las enfermedades diarreicas (que ocuparon el primero los años 1930, 1940, 1950 y 1960) e influenza y neumonías (1970 y 1975) ocupan en 1978 el 3o. y 2o. lugares respectivamente.

[5] J. B. Bourgeois-Pichat y Chia-Lin Pan, "Trends and determinants of mortality in underdeveloped areas", en *Trends and differentials in mortality,* Nueva York, Milbank Memorial Fund, 1956, p. 12.

[6] SPP, *Marco sectorial de salud, asistencia y seguridad social, 1983-1985,* México, copia xerox, s/f, p. I-12.

[7] N. S. Scrimshaw y J. D. Wray, "Nutrition and preventive medicine", en J. M. Last (comp.), *Maxcy-Rosenau public health and preventive medicine,* Nueva York, Appleton-Century-Crofts, 1980, 7a. ed., p. 1489.

Si los rubros de 1, accidentes, envenenamientos y violencias, 2, lesiones que se ignora si fueron accidental o intencionalmente inflingidas y 3, homicidios y otras lesiones intencionales fueran agrupadas como "género de violencias", ocuparían el primer lugar con 58 948 muertes, el 14% del total en 1978. Sin embargo, estos tres componentes del gran rubro de las violencias (faltaría suicidios y lesiones autoinfligidas) se desagregan y ocupan de acuerdo a los datos de 1978 los lugares 4o., 7o. y 11o.

Conviene prestar atención al *irresistible ascenso* que observan las lesiones que se ignora si fueron accidental o intencionalmente inflingidas. En el grupo de 1 a 4 años, esta causa que todavía en 1974 no figuraba dentro del grupo de las diez primeras, pasó en 1978 a ocupar el 4o. lugar con una tasa de 15 por cien mil, ubicada además en seguida del rubro accidentes, envenenamientos y violencias que ganó el 3o. Esta última causa es la más importante en el grupo de escolares (5-14 años), donde también aparecen, ahora en el 2o. lugar, las lesiones de carácter incierto en cuanto a intencionalidad, cuando en 1974 ni siquiera aparecían entre las diez primeras de este grupo de edad. Evolución semejante observó el rubro de homicidios que apareció en 1978 en el 7o. lugar con una tasa de 30.6 por cien mil. *Estas tres causas son responsables del 35.3% de las defunciones registradas de escolares en México.*

En el grupo 15-24 años, estos tres rubros, más suicidios, dan cuenta del 55.8% de las muertes notificadas, con una tasa aproximada de 101 por cien mil mexicanos en esa edad; y para el grupo 25-44 años, causan el 38.1% de las defunciones, con una tasa alrededor del 135 por cien mil.

Hasta el grupo de 45-64 años, el rubro de accidentes, envenenamientos y violencias abandona el primer lugar que sostiene desde el grupo de 5 a 14 años, pasando al 3o. No obstante las tres entidades de marras dan cuenta todavía del 14.2% del total de las defunciones.

Estos datos deberían obligar a no doblar la página hasta que las autoridades competentes fomenten investigaciones y establezcan estrategias para atacar este fenómeno, ya que ahora y en los próximos años decenas de miles de mexicanos sucumbirán (casi 60 000 lo hicieron en 1978) bajo una lógica de aniquilación, condenados a una muerte violenta. Además de que este sombrío panorama debería obtener una mayor atención de toda la sociedad en su conjunto.

Por último habría que señalar que la cirrosis hepática (que en la mayoría de los casos es alcohol-nutricional) ocupa el 9o. lugar

entre las causas de todas las defunciones del país, con una tasa de
19.6 por cien mil; y que el conjunto de enfermedades crónico-
degenerativas continúa también su ascenso entre las primeras causas y cabe esperarlo en la medida en que los procesos de urbanización e industrialización sigan avanzando y sobre todo que el país
cuente con una población más vieja. Así las enfermedades vascu-
lares, los tumores malignos y la diabetes mellitus observaron tasas
estables en el período 1974-1978, salvo la última que pasó de 14.5
a 18.7 defunciones por cien mil.[8]

4. *La insuficiencia de servicios públicos elementales y el decai-*
miento de programas específicos son la causa de un elevado gra-
do de vulnerabilidad de la población a las enfermedades transmi-
sibles.

En México no se han presentado las enfermedades sujetas al Reglamento Sanitario Internacional como son viruela, cólera, peste y
fiebre amarilla, a pesar de que algunas de éstas han aparecido en
otros países del continente como es el caso del cólera (incluso, en
1973 se identificó el primer caso endógeno de cólera de este siglo,
en el litoral del Golfo de México del estado de Texas);[9] y a des-
pecho de los casos ocasionales de peste ocurridos en los Estados
Unidos, donde se comprobó la presencia de peste en roedores y
carnívoros de 12 estados, entre ellos los 4 limítrofes con México.
Además, Nuevo México y Arizona siguen siendo focos importantes
de casos humanos, ya que les corresponde el 72% de los registrados en ese país entre 1970 y 1980.[10]

Asimismo, no obstante que ya no ocurren las epidemias que a
principios de siglo asolaban a México (fiebre amarilla urbana,
tifo) y se han controlado otras enfermedades endémicas (malaria,
oncocercosis, brucelosis, mal del pinto), la morbilidad de las enfermedades transmisibles no exhibe una tendencia sostenida a la
declinación. Así, por ejemplo, el *paludismo*, que en 1964 disminuyó a menos de 8 000 casos, en 1970 se incrementó hasta más de
70 000, habiéndose reportado para 1980 25 734 casos y para 1981
alrededor de 45 000.[11] Esto ocurre a pesar de los esfuerzos desple-

[8] SPP, *op. cit.*, pp. I-12 a 17.

[9] OPS/OMS, *op. cit.*, p. 31.

[10] *Ibid.*, p. 32.

[11] *Ibid.*, p. 338 y Coordinación de los Servicios de Salud, *Hacia un sis-*
tema nacional de salud. Proyecto para la integración de los servicios de
salud en la República Mexicana, México, Presidencia de la República, 1982,
p. 31.

gados en este campo como fue que en 1979, en México se transfirió un área con una población de 5.3 millones de habitantes, de la fase de consolidación a la de mantenimiento, y otra con dos millones de habitantes, de la de ataque a la de consolidación, en el marco de una población en áreas originalmente maláricas de 34 809 000.[12]

A principios de la década pasada se presentaron brotes epidémicos como el de la *encefalitis equina venezolana*, desconocida en nuestro país hasta 1963, que apareció como epidemia en 1971 con más de 5 000 casos; y la *fiebre tifoidea*, que había venido en decremento en los últimos cincuenta años, presentó un comportamiento epidémico en 1972-1973 con 13 578 casos (seguramente subenumerados) que afectó al altiplano central,[13] lo que llevó a un grupo de investigadores a cavilar sobre la posibilidad de que alguna bebida embotellada fuera la fuente, dadas las características de edades de los afectados, la aparición repentina y una enorme diseminación geográfica.[14] Las pesquisas no fueron concluyentes ni para probar que alguna bebida gaseosa haya sido la responsable o factor contribuyente a la epidemia, pero tampoco para descartarla. Aun cuando la metodología del estudio suscite reservas,[15] se debería prestar atención a la demanda de estos investigadores para que los refrescos sean sometidos a los mismos estándares y monitoreo que la leche, debido a que pueden ser fuentes potenciales de brotes de enfermedades entéricas.

Asimismo, el *dengue* se ha extendido desde el sureste y las costas del Golfo hasta Sinaloa y Baja California Sur en el período 1979-1983, presentándose casos además de las entidades mencionadas en los estados de Coahuila, Chiapas, Hidalgo, Nuevo León, Oaxaca, Quintana Roo, San Luis Potosí y Yucatán. En 1983 se reportaron casos en el estado de Puebla (Acatlán). En el caso del estado de Quintana Roo que resulta ilustrativo por su colindancia con Belice, la notificación de los casos observa la siguiente dinámica:

[12] "Programas de erradicación de la malaria en las Américas", *Bol of Sanit Panam* 91(1), 1981, pp. 82-83.

[13] J. Kumate y G. Gutiérrez, *Manual de Infectología*, México, Ediciones Médicas del Hospital Infantil de México, 3a. ed., 1975, p. xi.

[14] A. González-Cortés *et al.*, *Bootled beverages and typhoid fever: The mexican epidemic of 1972-1973*, AJPH Aug, 1982 (72)8, pp. 844-845.

[15] J. R. Harris, *Are bottled beverages safe for travelers?* AJPH Aug, 1982 (72)8, pp. 787-788.

1975	0	1979	278
1976	36	1980	654
1977	74	1981	643
1978	212	1982	1 253

Para 1983, hasta la semana 28 llevaban 1 178 casos registrados.[16]

Ya en 1977 se había declarado una pandemia de dengue en la zona del Caribe, que fue extraordinaria tanto en el número de casos notificados como en la extensión geográfica de la superficie afectada y se debió en parte a la introducción del virus del dengue serotipo 1 y al crecimiento gradual de la zona de reinfestación con *Aedes aegypti*. Esta pandemia se caracterizó por una elevada morbilidad, que originó un elevado ausentismo laboral, baja del turismo y elevados gastos para la lucha de emergencia contra el vector. Fue entonces que las autoridades de salud percibieron la amenaza potencial que representan las enfermedades trasmitidas por el *Aedes*, como la fiebre amarilla, la que podría fácilmente aparecer en estas zonas de la cuenca del Caribe muy infestadas y que tienen tantos y tan vitales nexos con las comunicaciones internacionales. Este brote repentino de dengue importado de Asia o África, acrecentó este temor.[17]

La causa del resurgimiento de casos de enfermedad semejante al dengue que se observó en las islas del Caribe en 1977 se asoció con la falta de progreso en los programas de erradicación del *Aedes aegypti*. Para el caso de México cabe destacar que, como en otros países, la situación puede tornarse crítica. Con información basada en agosto de 1978 se ha señalado que Honduras comunica una extensa reinfección con *A. aegypti* y dengue con posibilidades de propagación del virus a Belice, Guatemala y México. Además de que existen en el país localidades infestadas sobre la costa del Golfo desde Tamaulipas hasta Quintana Roo, así como en Chiapas, San Luis Potosí y Nuevo León.[18]

Como se ha afirmado "La verdadera amenaza es la posibilidad del ingreso a nuestro país del serotipo 2 del virus del dengue que, siguiendo secuencialmente al tipo 1, ya presente en el país, oca-

[16] Coplade del Estado de Quintana Roo, Subcomité Sectorial de Salud, *Propuesta para la integración de los servicios de salud en el estado de Quintana Roo*, Chetumal, 1982, pp. 9-10 y comunicación personal de la Secretaría de Bienestar Social del Estado.

[17] OPS, *Dengue in the Caribbean*, Washington, 1979, 198 pp.

[18] "Vigilancia de Aedes Aegypti en las Américas", *Bol cf Sanit Panam*, mayo de 1979, p. 459.

sionaría la ocurrencia de cuadros hemorrágicos de alta letalidad, como sucedió en Cuba en 1981",[19] por lo que se hará necesario intensificar las medidas preventivas pertinentes, entre ellas una intensa lucha contra el mosquito.[20]

Para ilustrar aún más nuestra *fragilidad sanitaria* conviene indicar que un reporte publicado en 1979 y basado en una encuesta serológica realizada en Mesoamérica durante los años 1961-1975, señala que la presencia de poblaciones que no poseen anticuerpos y que, por lo tanto, son susceptibles a arbovirus de dengue 3 y encefalitis del Oeste, el Este, San Luis y California, debería de constituir una advertencia para las autoridades de salud: puesto que "es concebible que los virus de la encefalitis del Este o de San Luis extiendan su ámbito geográfico... y formen ciclos entre vertebrados y mosquitos vectores que piquen al hombre o a los equinos. De ser así, podrían originarse brotes de encefalitis humana o equina como la epidemia reciente de encefalitis venezolana ocurrida en Mesoamérica y de encefalitis de San Luis en el altiplano central de México".[21]

Ya para finalizar este apartado, conviene prestar atención a que junto al éxito global obtenido en las tasas de incidencia de las enfermedades prevenibles por vacunación para el período 1974-1978, se debe distinguir el descenso de los padecimientos de etiología bacteriana —difteria (3 casos en 1980, 1 en 1981); tosferina (18 mil casos en 1974, 5 mil en 1980); y tétanos— y el aumento de las virales: sarampión y poliomielitis. Aunque esta última para 1981 vuelve a la baja, descendiendo a 2.4 casos por cien mil habitantes del grupo de 0-4 años, respecto a la tasa de 8.6 en 1980; mientras que la tasa de morbilidad del sarampión continúa en ascenso, al pasar de 79 en 1978 a 229 en 1981, aunque dentro de una tendencia a la baja, ya que a principios de la década de 1970 "se estimaba que ocurría en el país un promedio de un millón de casos anuales..."[22] mientras que en 1980 se registraron casi 30 mil casos.

Dentro de este panorama se ha reconocido oficialmente que hay enfermedades que todavía observan "niveles inaceptables con

---

[19] Coordinación de Servicios de Salud, *op. cit.*, p. 32.

[20] Hernando Groot, "Aedes Aegypti; una espada de Damocles sobre América tropical", *Bol of Sanit Panam*, abril de 1981, p. 369.

[21] W. F. Scherer *et al.*, "Encuestas seroepidemiológicas para determinar la presencia de anticuerpos contra arbovirus de la encefalitis del Este, el Oeste, California y San Luis, y del dengue 3 en Mesoamérica, 1961-1975", *Bol of Sanit Panam* 87(3) 1979, p. 221.

[22] Coordinación de Servicios de Salud, *op. cit.*, p. 31.

relación a nuestro grado de desarrollo", como son la poliomielitis, el tétanos, el sarampión y la tuberculosis,[23] y que algunos problemas de salud, circunscritos a una región, como el mal del pinto, la oncocercosis y el tracoma deberían erradicarse dada su "vulnerabilidad y trascendencia local",[24] en este caso se encontrarían también la brucelosis y las muertes por alacranismo ya que, por ejemplo, estas últimas llegan a ser durante los meses de verano la primera causa de muerte en un apreciable número de municipios de los estados de Morelos, Guerrero y Nayarit.

La persistencia de los daños a la salud referidos (cuyo listado no pretende ser exhaustivo) está determinada por la existencia, en su trasfondo, de un medio insalubre, de una vivienda carente de servicios indispensables como agua potable y drenaje[25] y la ausencia de educación para la salud. Además del reconocimiento oficial del deterioro de algunos programas de control como los correspondientes a paludismo, oncocercosis y lepra.[26] Sin que esto implique que haya que quitar el dedo del renglón en cuanto a acciones de vigilancia y control del saneamiento del medio, debido a que existen condiciones propicias para el desarrollo extensivo de flagelos como el dengue, la fiebre amarilla urbana, la encefalitis equina venezolana y el paludismo.[27]

5. *El carácter evitable de un número importante de estas muertes no se puede evadir,* debido a que causas de defunción controladas o desaparecidas en otros países, mantienen en México sus altas cuotas de vida. Así, las enfermedades transmisibles y carenciales causaron cuando menos el 24.5% de todas las muertes en 1978.[28]

La calidad de prevenibles de este haz de daños a la salud ha sido destacado por estudiosos y voceros de la mejor tradición sanitaria mexicana o por agudos observadores.[29] Y debe ser retomada actualmente para pugnar por el establecimiento de una

---

[23] OPS/OMS, *op. cit.*, pp. 337-339 y 343.

[24] SPP, *op. cit.*, p. I-27.

[25] *Ibid.*, p. I-22.

[26] Coordinación de Servicios de Salud, *op. cit.*, pp. 31, 209-212.

[27] SPP, *op. cit.*, p. I-28.

[28] Escuela de Salud Pública de México: ESPM '82/Mat. Inf. '17, cuadro 8.

[29] Véanse referencias, en Almada Bay, *op. cit.*, pp. 12-15; y del mismo autor, "Muertos que no hacen ruidos", en *El desafío mexicano*, México, Editorial Océano, 1982, pp. 33-34 y *Muertes evitables: los difuntos que hacen ruido*, Página Uno, suplemento de *Unomásuno*, 31 de octubre de 1982, p. 3.

estrategia que logre un sensible ahorro de muertes evitables. En esta dirección se orientó el trabajo de Coplamar donde se hace un ejercicio de estandarización con el propósito de estimar la magnitud del costo en vidas humanas que implica no haber alcanzado los niveles de mortalidad, que de acuerdo con la experiencia de otros países, se lograrían al obtener que la población mexicana actualmente marginadas satisfaciera sus necesidades esenciales.

Los resultados generales de esa estimación indica que del total de 432 mil muertes registradas en 1974, el 43% eran evitables. De éstas, el 59% fueron de menores de 5 años: "Es decir, la insatisfacción de las necesidades esenciales y la falta de acceso a adecuados servicios de salud de una parte importante de la población de México generó, en 1974, 184 mil muertes que no deberían haber ocurrido y que la sociedad tenía la obligación de evitar. De 1974 a la fecha este número debe haber aumentado. Día con día dejamos que se mueran más de 500 mexicanos..."[30]

6. *La lectura política de la gestión sanitaria del Estado mexicano apunta a que la tragedia que revelan estas cifras es la rigurosa selectividad de las muertes entre la población que vive a la intemperie social.* Ya que si nuestra unidad de análisis no es una población indistinta, sino una población sujeta a determinantes socioeconómicos y por consiguiente estructurada en clases sociales, la distribución de las muertes en la población no sigue un curso aleatorio. Estar en la base de la pirámide, ser de los de abajo, implica un elevado riesgo de morir que el país deliberadamente tolera, ya que los pobres aportan la casi totalidad de las defunciones originadas por causas evitables mediante la dotación de servicios mínimos (en educación, vivienda y salud) y una alimentación suficiente y equilibrada. Estas *muertes prevenibles* muestran una clara fractura de la sociedad mexicana e ilustran lo que en nuestro país significan los usos sociales y económicos de la muerte.

LOS RIESGOS DE LA CRISIS Y DE LA SALUD

Consenso y tensión en la literatura

El apreciable consenso que existe en la literatura especializada so-

---

[30] Coplamar, *op. cit.*, p. 65.

bre la relación inversa entre mortalidad y nivel socioeconómico resulta de la persistente observación de los diferenciales entre las clases sociales respecto a los indicadores usuales, mismos que observan un variable grado de sensibilidad y especificidad; habiéndose acumulado, al paso de los años, un vasto cuerpo de pruebas que muestra que a las clases menos favorecidas les corresponden las más elevadas tasas de mortalidad, morbilidad e incapacidad. Sin embargo, los estudios deben abocarse a lo que con acierto Hugo Behm ha señalado: "La relación de la muerte con las condiciones socioeconómicas es bien conocida, aunque el modo de acción y el peso relativo de los diversos factores intervinientes es asunto no bien dilucidado. Es conveniente, pues, analizar el conocimiento que existe sobre las características y la génesis de los diferenciales socioeconómicos de la mortalidad en América Latina, para explicar mejor la situación actual y sus perspectivas."[31]

Por otra parte, han aparecido recientemente conflictos o inconsistencia entre el acervo teórico acumulado y el comportamiento de algunos indicadores. Como es la tendencia a la baja de la mortalidad infantil observado en Latinoamérica, sobre todo en el caso de Chile, durante la década de los años setenta, a pesar del notable deterioro del nivel de vida de la clase trabajadora;[32] y lo que Pharoah y Morris llaman la anomalía detectada en la tendencia de la mortalidad posneonatal (defunciones de niños entre un mes y un año completo de edad, y cuya alta sensibilidad a los llamados factores exógenes —socioeconómicos— de la mortalidad, le ha otorgado un papel de termómetro del nivel de bienestar de una población) en Inglaterra y Gales y que consiste en que su agudo decremento registrado desde 1973 haya ocurrido en un período de recesión económica y desempleo combinado con inflación. La naturaleza del problema es aún más complicada por el hecho de que en las regiones peor calificadas en cuanto a indicadores sociales y de salud, áreas que también observan las más elevadas tasas de desempleo, son precisamente las que muestran la mejoría más notable en las tasas de mortalidad posneonatal.[33]

[31] Hugo Behm, "Determinantes económicos y sociales de la mortalidad en América Latina", Revista Centroamericana de Ciencias de la Salud, núm. 12, 1979, p. 69.

[32] A. Cristina Laurell, "Crisis y salud en América Latina", Cuadernos Políticos, núm. 33, 1982, pp. 32-45; E. Medina y Ana M. Kaempffer, "Progresos en salud. Análisis de la situación en Chile", Bol of Sanit Panam 95(1), 1983, pp. 21-32.

[33] P.O.D. Phoroah y J. N. Morris: "Postneonatal mortality", Epidemiologic Reviews, vol. 1, 1979, pp. 170-183.

El reto que para los estudiosos de la problemática de la salud presentan estos comportamientos singulares de los datos respecto a los presupuestos teóricos, debe asumirse. Así, habrá de nuevo que "ir de lo particular a lo general, de los hechos a las ideas y no —unilateralmente— a la recíproca"[34] y que se traduce en un continuo e ineludible ajuste de las categorías.

Además de considerar una probable relación cambiante entre mortalidad y morbilidad,[35] esto podría propiciar una nueva lectura de los indicadores tradicionales o la inclusión de indicadores no convencionales, en la búsqueda de la vinculación específica y diferencial entre el proceso colectivo salud-enfermedad y sus factores condicionantes en el contexto de crisis económica.

Pero aun así, esta tensión entre el conocimiento acopiado y los indicadores referidos no debe oscurecer las pruebas —aportadas por todas las opciones teóricas— de los daños a la salud que resienten los trabajadores en riesgo o en vísperas de ser despedidos, y que se extiende a quienes han experimentado una movilidad socioconómica negativa, como también acerca del deterioro biopsicosocial de los desempleados.[36] Así por ejemplo, M. Harvey Brenner ha desarrollado un modelo de acuerdo al cual ha observado que la frecuencia de los ingresos de primera vez a establecimientos psiquiátricos aumenta con el desempleo elevado y se reduce en el período de prosperidad. Registrando un incremento del consumo de alcohol entre los desempleados.[37] También se ha prestado creciente atención a la fuerte correlación observada entre desempleo e hipertensión arterial.[38]

Los riesgos de la crisis

Ante el panorama económico del país y con posibilidades de disgregación social, conviene subrayar los siguientes puntos torales:

1. *Al rezago histórico o déficit acumulado en el acceso a los servicios de salud y en el resto de las necesidades esenciales, se*

[34] Galvano della Volpe, *Rousseau y Marx*, Barcelona, Martínez Roca, 1969, p. 145.

[35] Laurell, *op. cit.*, p. 37.

[36] P. Draper *et al.*, "Micro-processors, macro-economic policy and public health", *The Lancet*, 17 de febrero de 1979, pp. 373-375.

[37] Harvey Brenner: *Estimating the social cost of national economy*, Washington, U. S. Government Printing Office, 1976.

[38] The Swedish Ministry of Health and Social Affairs, *Health in Sweden*, Stockholm, 1982, p. 19.

agregará el incremento poblacional anual correspondiente y a esto se sumarán los efectos propios de la crisis. En materia de cobertura de atención a la salud, el equipo de investigadores de Coplamar estimó para 1978 la capacidad de cobertura real —por recursos— de las instituciones de salud en 42.4% del total de la población; aun sumando el sector privado (12.3%), se tendría una población descubierta de 45.3 por ciento.[39]

Esto sería matizado por los avances en la extensión de la atención médica primaria realizados por el gobierno federal en el período 1979-1982, y debidos básicamente al Programa IMSS-CO-PLAMAR. Dicho programa contaba hasta 1983 con 31 unidades hospitalarias y 2 715 unidades de consulta externa.[40] Gracias a estas medidas, de acuerdo con el estudio de Coplamar, las cuatro regiones más marginadas mejoraron sustancialmente la capacidad de cobertura en servicios personales de salud, obedeciendo esto al incremento de médicos.[41]

2. *La demanda de servicios de las clases medias y de los grupos de trabajadores de mayores ingresos puede reorientarse, por efectos de la crisis, hacia la seguridad social en caso de contar con derechos o hacia los organismos descentralizados —de nivel de excelencia— de la SSA.* Quienes hayan perdido su empleo y sus derechos para recurrir a la seguridad social y poder adquisitivo para acceder a la medicina privada, se enfilarán seguramente a las instituciones de población abierta.

Estos hipotéticos cambios de los flujos de demanda de servicios de salud podrían ocasionar cuellos de botella y saturación de niveles de atención, y esto entre otras cosas favorecer la automedicación con medicinas de patente a fin de ahorrar el gasto de la consulta o de evitar la lista de espera para ser atendido.

3. *Si no se cuenta con un monitoreo de la demanda de servicios personales de salud y del acceso de las instituciones del sector público, se puede propiciar una reprivatización del acceso a la atención médica,* ya que en casos de urgencias y de otras necesidades sentidas en forma apremiante, la demanda, incrementada posiblemente por las circunstancias antes mencionadas, puede dirigirse a la medicina privada y dentro de ésta no necesariamente a las unidades mejor equipadas o que cuentan con el personal más calificado.

[39] Coplamar, *op. cit.*, pp. 172-175.
[40] Miguel de la Madrid H., *Primer informe de gobierno. Sector salud y seguridad social,* México, Presidencia de la República, 1983, p. 272.
[41] Coplamar, *op. cit.*, pp. 185-191.

4. *Los obstáculos al acceso de los servicios de salud "cumplen el papel equivalente al del precio de bienes y servicios como limitante de la demanda."*[42]

Los tres puntos anteriores a éste hacen pensar que resultará altamente probable que en el escenario de la crisis en México, las condiciones del acceso a los servicios públicos de salud se deterioren restringiéndolo y contribuyendo así a una reprivatización de los servicios, ya sea por el consumo directo de productos farmacéuticos como por el uso de la atención privada en cualquiera de sus otras múltiples formas.

5. *Dependiendo de las modalidades de concreción de la crisis económica en México, no hay que olvidar las lecciones de otros tiempos y lugares: el sinergismo entre la desnutrición y las enfermedades trasmisibles puede ocasionar elevaciones epidémicas de algunos rubros o el estancamiento y hasta la reversión de la tendencia a la baja de otros.* Los efectos nocivos a la salud tanto por el desempleo como por el sobretrabajo están definidos en la literatura especializada y cabe esperar que se materialicen si no hay una intervención deliberada del Estado en la materia y una mayor participación de la sociedad en la lucha por defender sus condiciones de vida y su nivel de salud.

De los recursos técnicos que puede esgrimir la sociedad civil

Frente a los contornos inciertos de la crisis en México, cabe subrayar, que entre los elementos técnicos disponibles, para alejar la aplicación de políticas monetaristas ortodoxas y al alcance de la sociedad civil, están:

1. *Las lecciones derivadas de la aplicación de políticas contraccionistas en servicios de salud,* al tenor de: a] autosuficiencia financiera de las instituciones, con miras a lograr una independencia normativa y financiera del erario público; b] restauración del sentido del costo real de los servicios mediante un rembolso parcial a los usuarios de su costo total; c] favorecer que la porción con mayores ingresos de la población trabajadora se atienda en el sector médico privado mediante seguros particulares para así poder concentrar la atención en los grupos más pobres, al mismo tiempo que se recorta el gasto público; d] esto último provocaría que la porción de la población con mayor poder adqui-

---

[42] Aldo Neri, "Salud y política social", *Desarrollo económico*, 22:85, 1982, p. 110.

sitivo tendría libertad de elegir entre diversos planes y diferentes compañías de seguros médicos, y e] se incentivaría a los trabajadores de la salud más competentes a servir en el sector privado, atraídos por mayores salarios y gratificaciones.

Este paquete que pareciera irresistible, se toparía con que: a] el Estado no puede retirar el control de costos de la atención a la salud por los intereses de los empleadores. De esta forma, y por la presión ahora de los patrones e inversionistas proliferarían, como en otros países, los "certificados de necesidad", los topes de costos por día, las auditorías administrativas y médicas, los órganos de revisión de estándares profesionales e incluso podrían ocurrir severos asaltos a la libertad clínica y al secreto médico, como ya ha sucedido en los Estados Unidos; b] la burocracia no se reduciría. Cada compañía aseguradora haría frente a los costos de promoción, a la cobranza de bonificaciones, a la atención de reclamos y al pago de demandas. Por su parte los prestadores de servicios contratarían personal de oficina extra para calcular los cargos y las comisiones y cada hospital establecería departamentos enteros para recolectar y cobrar las cuentas; c] el cambio iría en sentido opuesto a la tendencia mundial de la prestación de servicios y estaría en contradicción con los principios establecidos internacionalmente y suscritos por México. Ocurriría el absurdo de que cuando se empieza a establecer un consenso acerca de la conveniencia de establecer prioridades en salud, el Estado desmantelara las instancias para aplicarlas. El fomento que recibiría la competencia profesional fragmentada cancelaría los incipientes sistemas de referencia y entonces sí se marcharía hacia la extinción de la medicina de primer contacto.[43]

2. *La exigencia de cobertura universal de "acciones sanitarias puntuales"*,[44] que al parecer han probado ser efectivas para evitar el disparo de la mortalidad en condiciones de crisis: la aplicación completa y oportuna de los esquemas de vacunación, la rehidratación oral, la alimentación complementaria, el acceso a la atención primaria, el monitoreo del crecimiento de los infantes, la promoción de la alimentación al seno materno, la mayor escolaridad de la mujer y el espaciamiento de los nacimientos.[45]

Estas acciones son capaces de paliar la alianza siniestra de ele-

---

[43] Brian Abel-Smith, "Health care in a cold economic climate", *The Lancet*, 14 de febrero de 1981, pp. 373-376.

[44] C. Laurell, *op. cit.*, p. 37.

[45] James P. Grant, *The state of the world's children 1984*, Nueva York-Ginebra, UNICEF, 1984.

vaciones epidémicas, desnutrición y restricción del acceso a los servicios de salud en tiempos de crisis. Obviamente no habría que reducirse a prevenir la mortalidad y a contentarse con la mera sobrevivencia, sino simultáneamente emprender también esfuerzos por la calidad de vida. Pero primero es conjurar la muerte como hecho irreversible que es.

3. *El relevante crecimiento de infraestructura sanitaria* (que en términos de metros cuadrados de construcción no tiene paralelo con ningún país latinoamericano) *ocurrido en México entre 1979 y 1982, debe ser acompañado de recursos suficientes* y evaluados sus resultados de forma continua, para así garantizar que esta inversión dirigida a la población menos favorecida sea empleada eficientemente.[46]

4. *La conversión del programa IMSS-COPLAMAR de un sistema horizontal en un sistema de referencia.* En la actualidad son escasas las posibilidades de referencia en el nivel inmediato superior de atención. Éstas deben acrecentarse por medio de un sistema de referencia operativo y que contemple el seguimiento de los pacientes —de ida y vuelta a su centro primario de atención— a través de un expediente clínico único.

5. *El reconocimiento de la salud como derecho básico de la persona humana y de la colectividad* implica que se debe aceptar que la satisfacción y protección de ese derecho no pueden quedar sujetos a la suerte de las leyes del mercado.

Los parámetros disponibles: gasto público y población derechohabiente. De acuerdo a un documento interno del Banco Mundial que ofrece una revisión de las inversiones del sector salud en México, se destaca que el gasto en el sector salud es significativo (228 mil millones de pesos en 1982, que equivalen a 64 dólares per cápita y representan el 2.5% del PNB). Inclusive si se suma una estimación probable de los gastos en medicina privada —entre 1-1.5%, resultaría un gasto total de 3.5-4% del PNB, semejante en el monto al 4% del Brasil y al 4.8 de Colombia y cercano al 5.2% del Reino Unido.

La tendencia del gasto en los últimos años se puede apreciar con las siguientes cifras (en miles de millones de pesos y entre paréntesis a precios de 1980):*

---

[46] I. Almada Bay, "The mexican experience in primary care. The case of the IMSS-COPLAMAR PROGRAM", Physicians Forum Annual Meeting/ American Public Health Association, Dallas, 13 de noviembre de 1983.

* El documento de origen señala que los datos de 1980 y de 1981 son gastos ejercidos y los correspondientes a 1982 son autorizados.

	1980	1981	1982
SSA	19.5	28.5(22.6)	43.4(20.6)
IMSS	70.0	117.5(93.3)	155.4(74.0)
ISSSTE	16.6	22.4(17.8)	24.6(11.7)
IMSS/COPLAMAR	1.2	3.0(02.4)	5.4(02.6)
TOTAL	107.3	171.4(136.1)	228.8(108.9)

Como se puede apreciar el año de mayor gasto fue 1981 y declina en 1982 al nivel de 1980.

Para 1983, a precios corrientes, el total de los tres organismos recibió un incremento: IMSS, 229 mil millones que representa un aumento del 47.4%; ISSSTE, que sufrió una reducción en sus gastos de salud del 45%, al pasar de 24.6 a 11 mil millones de pesos, y SSA que se mantuvo en 46 mil millones de pesos. Estas cifras eran las iniciales para 1983 y en términos reales estuvieron mermadas por el aumento promedio del Índice Nacional de Precios al Consumidor entre 1982 y 1983 y que fue de 101.9%.[47]

El patrón de gasto en estos años continuó otorgando el 85% a medicina curativa y el 15 restante a la prevención (aunque al parecer en este último rubro no se incluye educación y promoción para la salud y acciones de control de enfermedades trasmisibles).

Las dificultades para analizar el gasto a nivel desagregado son enormes. A pesar de esto, se puede apreciar que entre el 10 y el 15% de los gastos totales en el período 1980-1982 fue de inversión; el rubro "no asignable por programas" fluctuó entre el 15% para el IMSS y el 38% para el ISSSTE en 1982.

Apreciables cantidades se destinan a administración y planeación, llegando a constituir el 20% del presupuesto del sector salud, seguridad y asistencia social en 1982. Pero si restamos los rubros no asignable por programa, prestaciones, créditos y otros semejantes y descontamos "administración de la seguridad social", los gastos administrativos constituirían el 32.4%. Lo que revela un aparato administrativo oneroso y se acerca a la regla empírica —*rule of thumb*— que se emplea en algún nivel de la administración pública federal para la programación de recursos: 1 a 1. O sea, que si se pretende extender en un millón de pesos la cobertura de un programa, hay que disponer de otro tanto para su

[47] Banco de México: "La actividad económica en 1983", *Comercio Exterior*, abril de 1984, p. 358.

administración.[48] Bajo esta gravosa proporción entre los servicios prestados y la administración no se puede llegar muy lejos en el rendimiento de la inversión destinada al sector. Esta carga constituiría un tope que desaliente nuevas inversiones —máxime en tiempos de crisis— y un nudo que frene la reorganización del sector.

Los orígenes del financiamiento del presupuesto de salud para 1982, se estimaban así:

	Gobierno federal %	Contribuciones Seguridad Social %	Cuotas de recuperación %	Total
SSA	95	—	5	100
IMSS	12	88	—	100
ISSSTE	65	35	—	100
IMSS/COPLAMAR	60	40	—	100
TOTAL	33	66	1	100

A nivel desagregado, y continuando con el documento del Banco Mundial, cabe hacer hincapié que los gastos en salud del IMSS representaban el 70% de su gasto total, dejando sólo el 30% restante para los seguros de invalidez, vejez, cesantía en edad avanzada y muerte. Dicho documento advierte que de acuerdo con la experiencia de varios países latinoamericanos, la inversión en servicios de salud más allá del 25-30% de los ingresos totales, tiene que provenir de transferencias del resto de los otros seguros, lo que puede afectar las reservas técnicas de los mismos y las obligaciones futuras de pago.

Por otra parte, el gobierno federal que según este estudio aporta el 33% del total de los recursos financieros del sector, ha restringido sus aportaciones en términos reales para 1983, como se puede apreciar en la notable reducción registrada para ese año en los presupuestos de SSA e ISSSTE. Con esta última institución, el propio gobierno federal se halla en aprietos ya que el ISSSTE le reclama saldar los pagos atrasados por aproximadamente 400 millones de dólares.[49]

[48] Comunicación personal. Subdirección de Programación de Salud y Seguridad Social, SPP.

[49] Estas notas sobre gasto están tomadas hasta aquí de The World Bank, Office Memorandum, *Mexico: Public Health Sector Investment Review,*

El análisis de las tendencias desde 1978 permite destacar los siguientes puntos:

1] Los indicadores muestran una reducción del gasto en salud a partir de 1978 como proporción del gasto del gobierno federal y del sector social. Así, por ejemplo, si sumamos los gastos de la Secretaría de Salubridad y Asistencia (SSA) y los de salud efectuados por la seguridad social y los tomamos como porcentaje de los gastos del gobierno federal, se puede apreciar la siguiente evolución:

	SSA	Seguridad Social	Total
1978	1.2	8.2	9.4
1979	1.0	7.6	8.6
1980	0.9	6.2	7.1
1981	1.0	5.9	6.9
1982	0.8	5.1	5.9

Y si hacemos lo mismo pero ahora como porcentaje del gasto del sector social, se observa la tendencia siguiente:

	SSA	Seguridad Social	Total
1978	6.4	42.9	49.4
1979	5.4	42.5	47.9
1980	5.8	39.5	45.3
1981	6.4	37.7	44.1
1982	5.7	38.2	43.9

2] Sin embargo, esto se atenúa si se advierte el comportamiento del gasto per cápita anual en salud y seguridad social, a precios constantes de 1978 y en moneda nacional:

	SSA	Seguridad Social	Total
1978	176	1 172	1 348
1979	153	1 216	1 369
1980	178	1 207	1 386
1981	199	1 179	1 379
1982	191	1 277	1 468

24 de marzo de 1982. En adelante, las notas están tomadas de OPS/OMS, *Repercusiones financieras y perspectivas a nivel nacional e internacional de las estrategias regionales y del plan de acción de salud para todos en el año 2000*, Washington, abril de 1984.

3] Pero a su vez esto último está restringido por el patrón de gasto. El componente más importante es el rubro de salarios, lo que entre otras cosas implica que hay un muy reducido margen para la expansión —inversión de capital— ya que un alto porcentaje de los presupuestos se dedica a gastos fijos para el pago de sueldos y salarios. El gasto en salud, pues, se consume en gastos operativos; al menos, así se aprecia en los siguientes datos que toman a los salarios del sector salud como porcentaje del total de sus gastos:

1978	48.3
1979	53.5
1980	54.0
1981	62.5
1982	67.0

4] Asimismo, otro aspecto del destino del gasto del sector salud que cabe destacar es lo que se refiere al ámbito o nivel de servicios en que se aplica. Si tomamos el gasto asignado a hospitales y clínicas como porcentaje de los gastos totales en salud del gobierno federal, se puede reparar en su excesiva concentración en el ámbito médico-curativo:[50]

1972	59.8
1979	90.7

En lo que se refiere a la población derechohabiente del IMSS, tanto como indicador indirecto de los niveles de empleo formal como monitor del nivel de acceso (así sea éste nominal) a la atención médica, su comportamiento observado se puede apreciar en los siguientes párrafos.

La población total de derechohabientes (asegurados permanentes y eventuales y sus familiares, más pensionados y sus familiares) observó una tasa de crecimiento medio anual de 10.7 entre 1970 y 1981, alcanzando un máximo de población del 26 916 000 derechohabientes en 1981. De éstos, sólo 7 112 500 eran asegurados —cotizantes y por tanto garantes de sus familias. Y de ellos, el 82% eran permanentes (5 825 000) y el 18% eran eventuales (1 243 100), ubicados fundamentalmente en el medio urbano: 92 y 84% respectivamente.

[50] IMF, *Government Finance Statistics Yearbook*, vol. v, 1981 y 1982. Citado en OPS/OMS, 1984, p. 46.

CUADRO 2

IMSS: ESTRUCTURA DE LA POBLACIÓN DERECHOHABIENTE*
1970-1984**

Concepto	1970	1971	1972	1973	1974	1975	1976	1977
TOTAL DE DERECHOHABIENTES	9 772.5	10 429.5	11 592.0	13 836.0	14 306.4	16 337.6	16 551.6	17 377.6
1. Asegurados	3 120.8	3 232.7	3 581.1	3 900.8	4 019.9	4 305.5	4 337.9	4 553.8
2. Familiares asegurados	6 375.6	6 896.0	7 696.0	9 616.0	9 907.1	11 602.0	11 718.7	12 263.9
3. Pensionados y familiares	276.1	300.8	314.9	319.2	377.4	430.1	495.0	559.9
1.1 Asegurados permanentes	ND	ND	ND	3 273.3	3 361.2	3 642.1	3 756.1	3 868.4
a) Urbano	ND	ND		3 010.7	3 102.1	3 323.5	3 441.5	3 537.4
b) Campo				262.6	259.1	318.6	314.7	331.0
1.2 Asegurados eventuales	ND	ND	ND	627.5	658.7	663.4	581.7	685.4
a) Urbano		ND		428.6	467.3	472.1	413.3	484.1
b) Campo				198.9	191.4	191.3	168.4	201.3
2.1 Familiares de asegurados permanentes	ND	ND	ND	8 322.0	8 543.3	10 021.2	10 337.2	10 644.6
a) Urbano				7 508.1	7 732.7	9 054.4	9 386.1	9 662.2
b) Campo				813.9	810.6	966.8	951.1	982.4
2.2 Familiares de asegurados eventuales	ND	ND	ND	1 294.0	1 365.8	1 580.8	1 381.5	1 619.3
a) Urbano				1 044.8	1 124.0	1 338.9	1 163.4	1 364.6
b) Campo	ND			249.2	241.8	241.9	218.1	254.7
3.1 Pensionados	ND	ND	ND	243.9	277.0	304.2	343.1	379.5
3.2 Familiares de pensionados	ND	ND	ND	75.3	100.4	125.9	151.9	180.4

* Miles de derechohabientes.
** Debido a reformas en la Ley del Seguro Social de 1973, no fue posible homogeneizar la información.
ND: No disponible.

Concepto	1978	1979	1980	1981	Febrero 1982	Diciembre 1982	Febrero 1984	Abril 1984
TOTAL DE DERECHOHABIENTES	19 789.2	20 987.8	24 125.2	26 916.0	26 860.4	26 884.9	27 336.5	27 646.0
1. Asegurados	5 157.0	5 499.8	6 368.9	7 112.5	7 097.2	7 036.5	7 099.6	7 208.7
2. Familiares asegurados	14 007.3	14 793.3	17 019.0	18 997.1	18 945.1	18 940.7	19 159.0	19 324.5
3. Pensionados y familiares	624.9	694.7	737.3	806.4	818.1	907.7	1 077.9	1 112.8
1.1. Asegurados permanentes	4 203.6	4 662.5	5 166.2	5 825.0	5 842.6	5 793.4	5 945.6	6 079.5
a) Urbano	3 844.3	4 317.4	4 817.9	5 386.8	5 395.5	5 348.6	5 514.9	5 650.8
b) Campo	359.3	345.1	348.3	438.2	447.1	444.8	430.7	428.7
1.2 Asegurados eventuales	953.4	837.3	1 202.7	1 287.4	1 254.6	1 243.1	1 154.0	1 129.2
a) Urbano	753.3	626.8	988.7	1 078.3	1 045.5	1 059.5	939.0	911.8
b) Campo	200.1	210.5	214.0	209.1	209.1	183.6	215.0	117.4
2.1 Familiares de asegurados permanentes	11 602.5	12 763.5	13 995.8	15 712.3	15 754.8	15 695.2	16 224.8	16 485.7
a) Urbano	10 513.7	11 718.0	12 941.6	14 380.2	14 395.6	14 339.8	14 914.0	15 181.6
b) Campo	1 088.8	1 045.5	1 054.2	1 332.1	1 359.2	1 355.4	1 310.8	1 304.1
2.2 Familiares de asegurados eventuales	2 404.8	2 029.8	3 023.2	3 284.8	3 190.3	3 245.5	2 934.3	2 838.8
a) Urbano	2 152.5	1 769.0	2 757.0	3 025.2	2 930.7	3 007.8	2 659.7	2 562.0
b) Campo	252.3	260.8	266.2	259.6	259.6	237.7	274.6	276.8
3.1 Pensionados	418.0	460.0	487.1	530.8	537.6	589.4	707.8	726.2
3.2 Familiares de pensionados	206.9	234.7	250.2	275.6	280.5	318.3	370.1	386.6

FUENTE: IMSS: Memoria Estadística 1981.
         IMSS: Informe mensual de la población derechohabiente del mes de diciembre de 1982.
         IMSS: Informe mensual de la población derechohabiente del mes de febrero de 1984.
         IMSS: Informe mensual de la población derechohabiente del mes de abril de 1984.

HNL/ES. julio 6, 1984.

Cabe recordar que en el período de crisis de 1975-1976, presentaron disminución el rubro de eventuales (que se compone de eventuales de la industria de la construcción, eventuales y temporales ordinarios y estacionales del campo) y el subgrupo de asegurados permanentes en el campo, y sólo para el año de 1976, recuperándose a partir de 1977 y alcanzando las máximas cifras históricas en 1981.

Si tomamos a los asegurados como el grupo más sensible al nivel de actividad económica, podemos apreciar de acuerdo al cuadro 2 que el número de asegurados de 1981 (7 112 500) no es superado hasta abril de 1984 (7 208 700), a pesar de que la población derechohabiente total se incrementa respecto a la de 1981 (la máxima alcanzada en la historia) desde poco antes.

En cuanto a asegurados permanentes, la cifra máxima en la historia del IMSS se había alcanzado en febrero de 1982 (5 842 600) habiendo descendido a 5 793 400 en diciembre de 1982 y vuelto a aumentar hasta alcanzar 6 079 500 en abril de 1984, gracias al incremento de los asegurados permanentes urbanos, ya que los rurales no han vuelto a recuperarse, sino por lo contrario mostrando descenso sostenido hasta abril de 1984.

El rubro que no ha vuelto a alcanzar los niveles máximos registrados es el de asegurados eventuales, incluso ha continuado su decremento hasta registrar 1 129 200 en abril de 1984, la cifra menor desde 1981.

Los datos reflejan la recesión de la industria de la construcción y de otros tipos de empleo urbano temporal, ya que es a expensas de los eventuales urbanos la merma del rubro asegurados eventuales (939 mil y 912 mil en febrero y abril de 1984 *versus* 1 045 500 y 1 059 500 en febrero y diciembre de 1982; compárese además con 1981, 1 078 300 y con 1980, 988 700, registrando por otra parte los eventuales del campo un alza que en abril de 1984 es la mayor alcanzada en la historia del IMSS (217 400). En cuanto al campo pudiera ser que las pérdidas de asegurados permanentes se compensen con los aumentos de asegurados eventuales.

La respuesta del Estado

De las acciones recientes del Estado en materia de salud, sobresalen las siguientes: 1] La incorporación del derecho de protección a la salud al artículo 4o. de la Constitución como nueva garantía social; 2] La promoción de reformas legales que sientan las bases para el establecimiento de un sistema nacional de salud y para la consolidación del sector salud conducido por la autoridad sanitaria; 3] La descentralización gradual de los servicios a población abierta; 4] La adecuación administrativa de la Secretaría de Salubridad y Asistencia; 5] La extensión de la modernización de la legislación sanitaria a todo el sistema normativo (desde la Constitución y la Ley general de salud hasta las leyes orgánicas municipales); 6] La formulación de un discurso que reconoce el rezago del sector en la prestación de servicios; los desequilibrios institucionales; las barreras de acceso geográficas y económicas; el decaimiento ocurrido en los programas contra el paludismo, la oncocercosis y la lepra; la utilización excesiva de la medicina de subespecialidades; la existencia de investigaciones enfocadas a problemas no prioritarios y la necesidad de vincular los programas de investigación hacia los grandes problemas nacionales; la pertinencia de pasar del concepto de cobertura nominal a la real; la relativa validez de las cifras de cobertura proporcionadas por las instituciones; el carácter volátil de las acciones promocionales de la salud por no estar ligadas a servicios permanentes y adecuados; la nula participación de la comunidad y su carácter de indispensable para la satisfacción de las metas del sector, etcétera.[51]

Otras demandas y propuestas

La sociedad, a través de partidos y sindicatos, podría propugnar por: 1] *La creación de la procuraduría de la salud del trabajador* como una instancia del Estado que asesore y defienda por oficio a los trabajadores en sus demandas por la prevención y, en su caso, por la reparación de los daños a la salud; 2] *La formación de una asociación para la defensa de la salud pública,* integrada por expertos y trabajadores de la salud y que luche por un programa que tenga por objeto el monitoreo de la respuesta social a la problemática de salud actual, con el propósito de configurar una salida a la crisis que tenga el menor costo social posible, y de impedir un retraimiento del Estado; 3] *La adopción por el Estado de un nuevo paradigma de la salud,* que parta de: *a)* reconocer los obstáculos

[51] Coordinación de los servicios de salud, *op. cit.*; Guillermo Soberón *et al., Derecho constitucional a la protección de la salud,* México, Miguel Ángel Porrúa, 1983; del mismo autor, "Los servicios de salud en México", *El Nacional,* 16 de mayo de 1983; Ley general de salud, *Diario Oficial de la Federación,* 7 de febrero de 1984.

sociales a la salud y su incidencia política; *b*) evitar que se compriman y conferir la más alta prioridad a las tareas y funciones de salud destinadas a la población que vive en la intemperie social; *c*) que los servicios oficiales de salud se orienten a contender con los problemas, despojándose de burocratismo y verticalidad, y *d*) que se transfieran al nivel operativo de los servicios, los empeños y avances alcanzados en el nivel normativo y del discurso.

LOS ATRIBUTOS DE LA SALUD

Desde principios de la década de los setenta ha venido ganando aceptación, de manera paulatina pero creciente, dentro y fuera del país, que la salud de la población y las prácticas concretas de la medicina no tienen una completa autonomía de la sociedad.[52] Así, investigaciones y propuestas se han dirigido a analizar el grado de autonomía y el tipo de relación que los niveles de salud del pueblo mexicano y las modalidades de la respuesta social en el país al proceso salud-enfermedad tienen con la totalidad social o con sus partes o instancias específicas. De esta forma se ha ampliado el marco referencial y el tratamiento analítico que tradicionalmente se reserva a la salud de los mexicanos y a la medicina en México.

De los nexos que han venido sobresaliendo entre los viejos perfiles y las facetas emergentes de la problemática de la salud, se encuentran los siguientes puntos que constituyen una especie de *agenda política de la salud*:

1. *Los servicios de salud forman parte integral de los salarios* y "configuran un *salario social* aportado colectivamente por el Estado o por algún otro organismo".[53] Porción diferida o no monetaria del salario real de los trabajadores que debe ser defendida e incrementada de la misma manera que las unidades monetarias del sa-

---

[52] Juan César García, *Medicina y sociedad*, UAM-X, Maestría de Medicina Social, s/f, 25 pp.; CAIM/OPS, *Informe del grupo de trabajo para investigaciones de ciencias sociales aplicadas a la salud*, del Comité Asesor sobre Investigaciones Médicas (CAIM), XIX Reunión del CAIM/OPS, San José, Costa Rica, junio de 1980; CAIM/OPS, *Bibliografía latinoamericana de ciencias sociales aplicadas a salud* (1950-1979), s/f, vi + 549 pp. Esta recolección, aún incompleta, reúne 1 387 fichas.

[53] Ian Gough, "Gastos del Estado en el capitalismo avanzado", en H. R. Sonntag y H. Valecillos (comps.), *El Estado en el capitalismo contemporáneo*, México, Siglo XXI, 4a. ed., 1982, p. 269 (cursivas en el original).

lario.[54] También es llamado salario indirecto, constituido por el precio y la calidad de los medios colectivos de consumo y de las prestaciones sociales, cuyo papel aumentó considerablemente respecto del salario directo (pagado por el empleador) en los países capitalistas europeos en el período 1950-1970.[55]

2. *Una política de prevención constituye uno de los ámbitos para afirmar relaciones sociales desalienantes.* En una acotación a J. C. Polack, Giovanni Berlinguer señala que aquél se limita a afirmar que "en la ley de la producción capitalista reside la imposibilidad de una política de prevención" cuando esta afirmación por ser sustancialmente válida "implica la recíproca: una política de prevención constituye uno de los terrenos esenciales para luchar contra la ley de producción capitalista, para afirmar relaciones sociales desalienantes".[56]

3. *Las políticas sociales son arena de lucha no dictado inapelable o definición inerte,* ya que el Estado y en concreto el sector salud son escenario donde se expresan y reflejan las contradicciones de nuestra sociedad y la prolongación donde se dirimen las demandas y reivindicaciones de los diferentes grupos sociales. Las políticas sociales son resultado y condensación de la lucha de clases en desarrollo y el conjunto de servicios sociales así obtenidos, son su fruto concreto. De esta forma la extensión y el nivel de las concesiones sociales reflejan, independientemente de la manera en que se administren, la fuerza que alcanza la clase trabajadora en bloque,[57] como a otro nivel el poder de negociación de los sindicatos se manifiesta a la hora de revisar su contrato colectivo de trabajo. De ahí que la lucha en torno al gasto social implique, entre otras cosas, impedir que se apliquen determinadas políticas sociales como un *quid pro quo* para deprimir los salarios y reducir el nivel de vida al umbral de la mera subsistencia, como también incluye la incorporación de asuntos cualitativos y políticos en las demandas por proteger y mejorar los términos y condiciones de los servicios sociales. Así, pues, en las esferas de la política social circula como fuerza fundamental la de las tensiones, enfrentamientos y luchas de clase.

[54] *Ibid.,* p. 271.

[55] Manuel Catells, "Crisis del Estado, consumo colectivo y contradicciones urbanas", en N. Poulantzas, *La crisis del Estado,* Barcelona, Fontanella, 1977, p. 210.

[56] Giovanni Berlinguer, *Medicina y política,* México, Ediciones Círculo de Estudios, 1977, p. 89.

[57] Ian Gough, *op. cit.,* pp. 269, 271 y 298.

4. *La definición de la salud como campo unificado* es asumida en grado creciente por las autoridades de organismos internacionales y algunas de las locales en Latinoamérica. Dejando atrás la división en estancos y la visión compartimentada de los problemas de la salud, se propone como *nuevo paradigma* al concepto de salud como parte del proceso global de desarrollo y de *una comprensión de la naturaleza eminentemente política de las principales soluciones del sector.* Esto ofrece un marco que incorpora la aceptación de la determinación social de la salud y de sus prácticas, exigiendo esfuerzos que faciliten el trabajo intersectorial y fomenten la preocupación por estos aspectos.[58].

5. *La salud como valor de elevado consenso.* Así como en un escenario internacional conflictivo la salud puede ser utilizada como puente y punto de partida para el entendimiento, también en un país como el nuestro marcado por las diferencias sociales y perturbado por una crisis económica sin precedente, la salud constituye uno de los pocos ámbitos sobre los que existe un notable consenso valorativo.[59] Esto empieza a ser apreciado por los partidos y organismos políticos mexicanos ya que han venido incorporando a sus pronunciamientos la temática de la salud, concientes de su elevado potencial de legitimidad y consenso.[60]

Pero este *poder de convocatoria* de la salud no se restringe a los niveles agregados, sino que penetra incluso en la vida cotidiana *cimentando solidaridades y aglutinando intereses afines.* Se ha observado cómo las redes de intercambio de bienes y servicios entre los marginados urbanos incluyen la salud y su protección como en el caso de la ayuda a los enfermos;[61] al lado de la colaboración comunitaria en acciones de higiene, vacunación y drenaje como parte de una participación política más amplia.[62]

---

[58] Carlyle Guerra de Macedo, *Declaración de Principios,* Washington, OPS/OMS, 1982, p. 6; Halfdan Mahler, "La lucha política por la salud", *Bol of Sanit Panam* 86(5) 1979, pp. 435-441; B. Mott, "Politics and international planning", *Soc. Sci. & Med.*, 8/5 D, 1974, pp. 271-274.

[59] Carlyle Guerra de Macedo, *op. cit.*, p. 7.

[60] Movimiento de Acción Popular (MAP), *Tesis y programa*, Editorial Solidaridad, México, 1981, pp. 53-57; Tatiana Coll *et al., Lucha obrera en México. La visión de sus líderes y conceptos fundamentales*, México, Editorial Popular de los Trabajadores, 1983, pp. 125-131.

[61] Larissa A. de Lomnitz, *Cómo sobreviven los marginados*, México, Siglo XXI, 1975, p. 169; Peter Heller *et al.*, "Class, familism and utilization of health services in Durango, Mexico: a replication", *Soc. Sci. & Med.* 15A (5), pp. 539-542, septiembre de 1981.

[62] Jorge Montaño, *Los pobres de la ciudad en los asentamientos espontáneos*, México, Siglo XXI, 1976, pp. 126-127.

6. *Los servicios de salud como satisfactores de una necesidad social irrenunciable.* La diversidad de canastas normativas presentadas en México incluyen en su paquete de bienes y servicios indispensables para los trabajadores y los marginados del progreso económico y social, a los servicios de salud como elemento imprescindible. Las condiciones de precariedad con que subsiste un importante segmento de la población mexicana aun antes de la crisis (Coplamar estimaba por abajo de la línea de la pobreza al 56% de los hogares)[63] obliga a considerar a los servicios de salud como parte de un paquete mínimo orientado a satisfacer las necesidades urgentes y socialmente compartidas por la mayoría de los mexicanos y que no se agotan en el ámbito de lo material sino que incluyen aspectos medulares de organización social.

7. *La salud como derecho social.* El acceso a los servicios de salud ha sido propuesto como un derecho social que no establezca distinción por razón de "etnia, sexo, edad, religión, capacidad de pago, afiliación política, situación penal, actividad productiva, clase social, nacionalidad, estado civil, y cualquier otra característica".[64] En 1948, las Naciones Unidas establecieron en la Declaración Universal de los Derechos Humanos que "Toda persona tiene el derecho a un nivel de vida adecuado para la salud y el bienestar propios y de su familia, incluyendo... atención médica... y el derecho a la protección en caso de enfermedad". Este enunciado que en un principio se estimó vacío de contenido por los círculos academicistas, ha venido inspirando luchas y definiendo una tendencia mundial por reformar el tinglado jurídico y hacer universal el acceso a los servicios de salud, y así materializar el derecho a la salud.[65]

8. *El carácter indivisible de la salud mundial* ha venido siendo reconocido y es actualmente foco de atención para investigadores y de preocupación para los gobiernos locales y organismos internacionales. La dinámica de algunos de los viejos flagelos de la humanidad que se han reactivado —como la malaria y ciertas enfermedades sexualmente trasmitidas— o la probable incidencia pandémica de otras —como fue el caso de la influenza en la década de los setenta— no respetan linderos políticos, pudiendo

[63] Coplamar, *Necesidades esenciales y estructura productiva en México*, México, Presidencia de la República, 1982, p. 46
[64] Coplamar, *Necesidades esenciales en México. Salud, situación actual y perspectivas al año 2000*, México, Siglo XXI, 1982, p. 206.
[65] Milton I. Roemer, *A world perspective on health care in the twentieth century.* J. Pub Health Policy (1)4, 1980, p. 377.

afectar a la población hasta en forma masiva. Esto ha contribuido a apreciar la interdependencia de la salud de la población mundial y la obligada complementariedad entre sí a que están obligadas las políticas nacionales de salud si pretenden tener éxito.

Máxime si se ha venido aceptando como axioma que el progreso de la salud es un reflejo de una deliberada planeación y de una estrategia política, social y económica y no un subproducto de la tecnología. Por lo que un incremento del desarrollo tecnológico y de la capacidad económica no conducen automáticamente a niveles superiores de salud. Así, en el Tercer Mundo, el interés de los gobiernos por la salud de sus pueblos debe llevarles a luchar por el establecimiento del nuevo orden económico internacional que favorezca que el crecimiento económico esté subordinado al desarrollo social de cada país e impida el drenaje de la riqueza de nuestras naciones, a expensas de la salud de la población.[66]

En este país la salud jugará un importante papel en los años por venir y en lo que resulte de esta crisis. Ya se le ha tomado como un reflejo de la desigualdad reinante en el país,[67] de la salud de las instituciones y de la vigencia de la Revolución mexicana.[68] Vayamos más lejos, puesto que la acción del Estado no parte de un vacío social,[69] la respuesta popular y las políticas de salud deberán encontrarse en el terreno de la política[70] o de otra forma la indiferencia social invalidará esta prioridad gubernamental. Incorporemos a la salud en el relanzamiento de la democratización del país y a la empresa de tomar la democracia como entusiasmo.

[66] Oscar Gish, *The relation of the New International Economic Order to Health*, J Pub Health Policy (4)2, 1983: 207-221; Federico Ortiz Quesada, *Salud en la pobreza. El proceso salud-enfermedad en el tercer mundo*, México, Nueva Imagen/CEESTEM, 1982, 96 pp.

[67] Daniel López Acuña, *La salud desigual en México*, México, Siglo XXI, 4a. ed., 1983.

[68] James J. Horn, "The mexican revolution and health care, or the health of the mexican revolution", *Latin American Perspectives*, 10:4, pp. 24-39.

[69] Mark G. Field, "The health system and the polity", *Soc. Sci. & Med.* vol. 14A, 1980, pp. 379-413.

[70] Oscar Lewis, "Medicine and politics in a mexican village", en P. Benjamin (comp.), *Health, culture and community*, Nueva York, Rusell Sage Foundation, 1955.

LA CRISIS Y LA CRIMINALIDAD

LUIS DE LA BARREDA SOLÓRZANO

I. MIEDO EN LA CIUDAD

Un fantasma recorre las calles citadinas: el fantasma del asalto. Todos tememos ser asaltados. Las estadísticas dicen que en el Distrito Federal *cada doce minutos* se denuncia un robo (muchos más quedan sin denunciarse) y cada noventa un homicidio.

Cientos y cientos de delitos se cometen diariamente. En un momento dado, a cualquiera puede tocarle ser sujeto pasivo de uno de esos delitos.

El miedo es tan viejo como la humanidad. Se suele experimentar con una mezcla de fascinación ante el riesgo. Pero preferimos el miedo —no desprovisto de romanticismo— ante un conde de Transilvania que se convierte en vampiro, que el que nos inspira un par de adolescentes de barriada, llenos de resentimiento en una sociedad que no les da trabajo y en la que el éxito vital se mide por las fiestas, las vacaciones, las modas, los automóviles y las mujeres que se conquistan. Un par de adolescentes que ahora más que nunca ven cerradas las puertas. Los Olvidados de Buñuel, pero en época de crisis. 400% se ha incrementado la delincuencia juvenil en los últimos diez meses.

Porque ésta es una de las manifestaciones de la crisis: la idea de que llegar a casa es un riesgo, la idea de que salir es un peligro, el conocimiento de que los delincuentes no sólo entran a los hogares cuando nadie está allí sino que llaman a la puerta y obligan a los moradores a entregarles dinero y objetos de valor.

Porque antes oíamos de siniestros estranguladores que asesinaban a las mujeres en los baños públicos o de la señora que entregó su mercancía para evitar que su hijita que la acompañaba fuera secuestrada por dos individuos que la esperaban a la salida de la tienda de autoservicio; pero no conocíamos a esos estranguladores, no conocíamos a esa señora. Podía tratarse de relatos fantasiosos. Hubo quien interpretó muchos de esos relatos como parte de una campaña desestabilizadora de origen oscuro.

Ahora se va cerrando el círculo de los personajes que protagonizan —como víctimas— esos relatos. Y entonces no nos queda más que creerlos.

Porque los hechos delictivos que conocíamos por lejanas referencias, hoy nos son informados de viva voz por amigos y familiares que han sufrido en carne propia el aumento de la criminalidad.

Porque todos tenemos alguna tía que fue asaltada en su propio departamento, algún amigo que en la vía pública fue semidesnudado, algún vecino que en un restaurante fue despojado de su cartera por una banda que irrumpió al lugar tranquilamente, algún primo al que en el metro y ante una multitud paralizada por el terror se le quitó el saco y se le golpeó inmisericordemente a pesar de que no opuso resistencia.

Porque los comercios han acortado sus horarios de funcionamiento y en algunas tiendas se ha clausurado la puerta y las ventas se realizan a través de rejillas de seguridad.

Porque en las gasolinerías, para que los clientes no lleven dinero en los bolsillos, ya se prevé que en lugar de numerario se pague con vales previamente adquiridos.

Porque en diversos rumbos de la ciudad los vecinos han acordado cerrar calles para restringir, vigilante de por medio, el acceso de personas y vehículos.

Porque en algunas zonas de la ciudad —como San Jerónimo o las Lomas— se compra la seguridad constituyendo y financiando grupos privados que protegen a quienes los sostienen económicamente.

Porque se sabe que algunas tiendas de abarrotes, vinaterías, farmacias, joyerías o almacenes de ropa han sido asaltados, en el transcurso de este año, más de una docena de veces.

Porque jefes policiacos y delegados políticos y asociaciones de padres de familia buscan exorcizar la criminalidad. Los vampiros se combatían con espejos, determinadas plantas, una estaca en el corazón, el degollamiento, los ajos, los crucifijos, la luz del sol, una bala de plata. La criminalidad, hoy, se quiere exorcizar mediante las redadas. Porque a partir de cierto momento, cerca de la medianoche, cualquier transeúnte es peligroso. Caras vemos y del corazón nos estremecemos. Cualquiera puede ser un siniestro criminal, un asaltante sin entrañas que sin compasión nos puede quitar la cartera, la ropa, el honor (cualquier cosa que por ello se entienda) o la vida.

II. CIFRAS [1]

¿Se puede afirmar válidamente que la crisis ha ocasionado un incremento en la criminalidad? O bien, como sostiene el criminólogo Sergio Correa,[2] ¿no se cuenta con elementos suficientes para hacer una afirmación así?

El Distrito Federal tiene, dentro de sus 1 500 kilómetros de territorio, grandes zonas marginadas —cinturones de miseria— en las que viven alrededor de dos millones de habitantes cuyas condiciones de vida, permanentemente insatisfactorias, se ven agravadas por la crisis. En efecto, para nadie es un secreto que hoy más que nunca la vivienda, el salario, la alimentación, la educación, la salud son satisfactores difíciles de alcanzar para amplias capas de la población. Así, pues, no se requiere una lucidez extraordinaria para percibir que la situación presente trae consigo un incremento en la incidencia delictiva.

En el análisis de la crisis no puede hacerse a un lado el desordenado aumento de la población. Hace apenas 43 años, el Distrito Federal aún no llegaba a los dos millones de habitantes. Diez años después (1950) la cantidad de residentes en esta capital era de un poco más de tres millones. En 1960 se rebasaba la cifra de cinco millones. Hace trece años (1970) llegábamos casi a nueve millones, y hoy —abarcando lo que se denomina el Área Metropolitana— somos más de dieciséis millones. En un lapso relativamente corto, 1940-1983, se pasó de menos de dos millones a más de dieciséis millones de habitantes.

Esta ciudad, hoy, presenta, en proporciones superlativas, marginación, contaminación, neurosis colectiva, frustración colectiva, desempleo, deficiencias en los servicios públicos, saturación de vehículos que produce un tránsito insufriblemente lento, falta de oportunidades en la educación superior, falta de opciones recreativas. Y delincuencia en aumento.

Diariamente desaparecen entre 50 y 70 automóviles. Entre 20 y 30 personas mueren al día en accidentes de tránsito o a consecuencia de lesiones producidas con armas de fuego o punzocortantes.

[1] Fuente: Dirección General de Averiguaciones Previas de la Procuraduría General de Justicia del Distrito Federal. Elaboración estadística: Lic. Susana España, jefe del Departamento de Análisis y Evaluación de la Dirección General de Organización y Métodos de la misma Procuraduría.
[2] En entrevista que publica la revista *Omnia*, México, noviembre de 1983.

Cada 24 horas se producen de 500 a 700 colisiones automovilísticas En el mismo lapso suelen ser detenidas alrededor de 150 personas armadas. Se presentan de 30 a 40 denuncias o querellas por fraudes y abusos de confianza.

En lo que va del año se tiene noticia de cerca de 90 asaltos bancarios que arrojan pérdidas de aproximadamente 300 millones de pesos. Esta clase de asaltos parece indicar que la crisis no sólo propicia una nutrida delincuencia eventual *pobrediablesca*, sino, también, el fortalecimiento del hampa urbana, del crimen profesional.

La tendencia a delinquir es ascendente, en virtud de que en el primer semestre de 1982 hubo 21 492 denuncias de robo, mientras que en los primeros seis meses de 1983 los robos denunciados fueron 36 043.

Los demás delitos de índole patrimonial también han ido en aumento. Tomando también como referencia la primera mitad de uno y otro años, el incremento se ha manifestado de la siguiente manera: los fraudes aumentaron de 910 a 1 757; los despojos, de 600 a 840; los abusos de confianza, de 572 a 778; los daños en propiedad ajena, de 8 998 a 12 087.

Como se ve, el incremento de la delincuencia de índole patrimonial, de un año a otro, es notorio. En cambio, el número de homicidios denunciados descendió: 2 771 de enero a junio de 1982 y 2 698 de enero a junio de 1983.

Ahora bien, el incremento de la delincuencia de índole patrimonial se refleja en las cifras totales: el número de denuncias presentadas ante las agencias investigadoras del Ministerio Público en los primeros seis meses del año en curso ascendió a 72 000, esto es, 37.43% más que en 1982, en cuyo primer semestre se registraron 52 392 denuncias.

Ese porcentaje, para un año de distancia, no es nada despreciable, 37.43% de incremento en un año es un indicador importante de los efectos de la crisis en la incidencia de delitos (más precisamente: de ciertos delitos).

Comparemos ahora un mes de 1983 con su similar de 1982: 9 204 delitos se denunciaron en septiembre del año pasado, mientras que en septiembre del año actual se presentaron 13 558 denuncias, lo que significa un incremento cercano al 50%.

No obstante ese incremento general, un delito gravísimo, mas no de índole patrimonial, como el homicidio, no presenta un mayúsculo incremento.

De los 13 558 delitos denunciados en el último mes de septiembre, 437 corresponden a homicidios, en tanto que durante el mes de septiembre de 1982 se denunciaron 432, es decir, sólo cinco menos que un año después.

Esos 437 homicidios representan el 3.27% del total registrado en el lapso; de los cuales en 257 casos se desconoce cómo se originaron, 103 fueron con motivo del tránsito de vehículos, 42 se cometieron con arma de fuego y 7 con arma blanca. El resto se originó en accidentes de diversa índole o por golpes.

En cambio, el incremento de robos sí es significativo: de 3 832 en septiembre del año pasado a 6 350 en septiembre de este año. De los 13 558 delitos denunciados en el último septiembre, la cantidad de robos representa un 47.57%. En otras palabras: del total de delitos denunciados en el mes de septiembre de este año, casi la mitad fueron robos. Puede decirse, en cuanto a delincuencia, que el robo es el delito que simboliza la crisis. Los objetos más robados (estadísticas también del último mes de septiembre) son: automóviles, 2 138 denuncias; objetos varios, 1 824; dinero en efectivo, 1 787; accesorios de autos 162; alhajas, 138; aparatos eléctricos, 136.

A las cifras comparativas entre homicidios y robos hay que añadir una consideración importante: prácticamente todos los homicidios se denuncian, pero una infinidad de robos (hay quien piensa que el 50%) no son denunciados.

Asimismo, los delitos de lesiones (a diferencia de los homicidios) han tenido un considerable incremento: 1 817 en septiembre de 1982 y 2 384 en septiembre de 1983. Y es que, entre otras cosas, un buen número de asaltos culmina en lesiones contra el sujeto pasivo, mientras que, afortunadamente, pocos desembocan en homicidios. El mayor número de lesiones (819 de un total de 2 384, es decir, el 34.35%) se produce por golpes. Mínimas cantidades (4.57 y 4.07%) se deben a disparo de arma de fuego y a herida punzocortante.

III. GRUPOS PARAPOLICÍACOS

Se ha vuelto un lugar común el señalamiento de que la policía resulta incapaz de evitar en una proporción razonable los hechos delictivos. No sólo eso: también es verdad difundida que algunos de los crímenes más espeluznantes han sido cometidos por agentes o ex agentes policíacos.[3] Entonces, algunos ciudadanos —con posi-

[3] Entre los crímenes cometidos por agentes o ex agentes policíacos se

bilidades económicas, por supuesto— han acudido a una suerte de autodefensa: la formación de grupos privados, compuestos de gente armada, que brindan protección a quien puede pagarla.

No hace falta una lucidez extraordinaria para advertir lo delicado que resulta el surgimiento de agrupaciones particulares para-policíacas. La policía, encargada del mantenimiento del orden público, se encuentra en contacto directo no sólo con el crimen y los criminales, sino con toda la sociedad.[4] Esta característica le confiere una importancia considerable, sobre todo en una sociedad como la nuestra, en la que los aun reducidos espacios democráticos han sido alcanzados dificultosamente y se hallan sometidos a un constante asedio. Durante la campaña electoral del actual presidente de la República, una de las demandas más reiteradas era la que exigía la transformación radical de las corporaciones policíacas. Esta transformación, hoy, se ve lejana, no obstante algunas medidas orientadas a tal fin: desaparición de la División de Investigaciones para la Prevención de la Delincuencia, mejores salarios a los agentes policíacos, preparación institucional a los aspirantes, cientos de ceses, docenas de consignaciones.

Si a pesar de todo esto, las arbitrariedades policíacas, lejos de haber sido erradicadas, parecen inevitables (como los movimientos de rotación y traslación de la tierra), no hay que hacer un gran esfuerzo de imaginación para prever lo que puede pasar con grupos que de hecho no están sujetos a control alguno. Brigadas de seguridad e institutos de protección civil (como se autodenominan algunos de esos grupos) pueden ser el origen frankesteiniano de una criminalidad peor que la que se intenta combatir. Quienes sostienen financieramente a tales agrupaciones, es obvio, no tienen la menor preocupación por la vigencia *real* de las garantías individuales concernientes a las detenciones y las consignaciones. Su interés exclusivo se enfoca a la eficacia, y para ser eficaces esos grupos no requieren preocuparse demasiado por los procedimientos.

cuentan secuestros y homicidios de niños. Y todo parece indicar que hubo participación de policías en los crímenes del río Tula. Se sabe, asimismo, de decenas de detenciones ilegales, maltratos y desapariciones de ciudadanos atribuibles a agentes policíacos. Provocó escándalo la noticia de los robos de automóviles en Estados Unidos llevados a cabo por miembros de la Dirección Federal de Seguridad. Contra el anterior jefe de la Policía del Distrito Federal existen imputaciones graves que lo señalan como homicida y narcotraficante. También ha habido participación de agentes de diversas policías en asaltos a comercios y bancos. Nadie duda de la incrustación policíaca en el hampa urbana.

[4] José María Rico, *Policía y sociedad democrática*, Madrid, Alianza Editorial, 1983.

No se ha reflexionado suficientemente sobre el significado de que el Estado abdique —parcialmente— de su función de proteger el orden público. Esa reflexión ha de tener como punto de partida el trascendental papel que en una sociedad democrática o con aspiraciones de democratizarse está llamada a desempeñar la policía.

IV. "RAZZIAS"

El general Ramón Mota, director de Policía y Tránsito en el Distrito Federal, realizó, en reciente conferencia de prensa, una curiosa defensa de las redadas, que se han intensificado al observarse el aumento de la criminalidad, y que son impugnadas por partidos políticos de izquierda y abogados liberales y democráticos. Las redadas —indicó— son un recurso preventivo que se emplea selectivamente en contra de vagos y malvivientes.

El análisis de dicha declaración no produce efectos consoladores. La redada (o "razzia", como se le conoce popularmente) consiste —nos ilustra el diccionario—[5] en un "conjunto de personas o cosas que se cogen de una vez". Una detención realizada sin que exista orden judicial, flagrancia o urgencia (esta última sólo puede presentarse donde no hay autoridad judicial), resulta violatoria del artículo 16 constitucional. Que la redada se emplee como recurso preventivo significa que se efectúan detenciones al arbitrio de los agentes policíacos, sin que previamente se haya cometido un delito, sino para evitar que se cometa. Que se utilice selectivamente quiere decir que no se nos detiene a todos, que la redada no abarca a toda la población. Que se dirija contra vagos y malvivientes le imprime un carácter intolerante y clasista. En efecto, el Código Penal para el Distrito Federal entiende que son vagos "quienes no se dediquen a un trabajo honesto sin causa justificada y tengan malos antecedentes". Como apunta Jiménez Huerta, "si se considera que entre las causas justificadas para no dedicarse a un trabajo honesto se encuentra la de tener rentas o medios de fortuna, hay que llegar a la ineluctable consecuencia de que en la ley penal se conculca el principio de que todos los ciudadanos son iguales ante la ley penal y que ésta sólo se proyecta sobre los desheredados".[6] En cuanto a los malvivientes, el código punitivo los

[5] *Pequeño Larousse Ilustrado.*
[6] Mariano Jiménez Huerta, *Derecho Penal Mexicano*, v, Editorial Porrúa, 1980, p. 271.

124   LUIS DE LA BARREDA SOLÓRZANO

define como "mendigos a quienes se aprehenda con un disfraz o
con armas, ganzúas o cualquier otro instrumento que dé motivo
para sospechar que se trata de cometer un delito". Véase el mons-
truo jurídico: se comete delito si un tercero *sospecha* que se *tratará*
de cometer un delito. Resulta escandaloso que se sancione (la sola
detención es una sanción, así sea efímera) a alguien por el hecho
de ser desocupado o pordiosero cuando el sistema no puede dar
trabajo a todos.

Las principales víctimas de la crisis son objeto de castigo sin
haber realizado una conducta antisocial, a través de lo cual, según
la certera expresión de Gladys Romero, "se logra precisamente
aquello que se debería evitar, es decir, el poner en contacto bajo
estigmas marginalizadoras a personas que, de esta manera, son introducidas en la carrera del delito antes de lo que hubiera sido dable imaginar".[7]

V. OPINIÓN PÚBLICA

"Es a nivel de opinión pública —escribe Alessandro Baratta, acaso
el más lúcido crítico de lo que se denomina el sistema penal—
(entendida en su acepción psicológico-social) que se han hecho
aquellos procesos de proyección de la culpa y del mal, en los cuales se realizan funciones simbólicas de la pena". Agrega el pena-
lista italiano: "En la opinión pública finalmente se realizan, a
través de los 'mass media' y de la imagen de criminalidad que
éstos transmiten, procesos de inducción de *alarma social*, que en
ciertos momentos de crisis del sistema de poder son directamente
manipulados por las fuerzas políticas interesadas en el curso de las
llamadas campañas de 'ley y orden' y que, también, independientemente de esas campañas limitadas en el tiempo, realizan una acción permanente de conservación del sistema de poder oscureciendo
la conciencia de clase y produciendo la falsa representación de una
solidaridad que une a todos los ciudadanos en la lucha contra el
'enemigo interno'."[8]

En México asistimos, en la actualidad, a una campaña encami-

[7] Gladys Romero, "El tratamiento del Estado peligroso", en *Revista Mexicana de Derecho Penal*, núm. 5, 1979, pp. 58-59.

[8] Baratta, Alessandro, "Criminología crítica y derecho penal", en *Revue
Internationale de Droit Pénal*, núm. 1, pp. 52-53.

nada a justificar el abandono de garantías constitucionales existentes cuya función consiste en limitar al Estado en su potestad punitiva frente a los gobernados.

En los primeros meses de este año algún periódico llegó a clamar a ocho columnas: "¡pena de muerte!".[9] Algunos programas de las series televisivas *24 Horas* y *Sesenta Minutos* hicieron creer a mucha gente que si no había un endurecimiento en la lucha contra la violencia criminal estaríamos a la puerta de un desastre.

Aun ciertos titulares de las delegaciones políticas del Distrito Federal han justificado las redadas con argumentos similares a los del director de policía y tránsito, con un añadido vergonzante: las "razzias" sólo se realizan a petición de los vecinos. ¿Pero es que a petición de particulares pueden violarse los derechos públicos subjetivos que consagra la Constitución?

VI. CONSIDERACIÓN FINAL

¿Se justifica que en momentos difíciles (parece que la crisis es difícil en todos sentidos) se abandonen los principios del derecho penal y de la política criminal forjados por la filosofía de la ilustración y el liberalismo?

Es real —no inventado por la Agencia Central de Inteligencia, como podría sostener el Partido Popular Socialista— el incremento de la criminalidad en alrededor de un 40% respecto a 1982. Es cierto que estamos viviendo en una ciudad insegura. No es mentira que las corporaciones policíacas han mostrado ineficacia tanto en la prevención como en la investigación de los delitos.

¿De allí se sigue que haya que sacrificar garantías? ¿De allí habría que suscribir el escalofriante aserto de Guillermo Urquijo[10] en el sentido de que al crimen hay que pegarle "hasta con la cubeta" (expresión boxística que significa que en el fragor de la batalla un boxeador puede transgredir las reglas deportivas)?

No es que los sucesivos gobiernos mexicanos hayan respetado íntegramente las garantías procedimentales; pero este régimen, en su inicio (se anunció así en el discurso presidencial de toma de posesión), parecía decidido a combatir todo exceso policíaco, ha-

---

[9] *El Sol de Mediodía*, 7 de enero de 1983.
[10] Intervención oral en el I Congreso Nacional de Criminología, celebrado en Monterrey, el 18 de noviembre de 1983.

ciendo suya una de las demandas populares más reiteradas durante la campaña electoral.

¿La crisis *obliga* a cambiar de postura? ¿Es imposible conciliar seguridad y garantías? ¿Han de restringirse las libertades para garantizar la seguridad? ¿Estamos dispuestos a renunciar a algunos derechos (como el de salir de casa en la noche) a cambio de una mayor seguridad? No cabe duda de que ninguna de estas preguntas puede contestarse afirmativamente si se tiene una elemental vocación democrática.

Más allá de crisis y coyunturas, estadísticamente el mayor índice de criminalidad corresponde a los países democráticos. En los regímenes autoritarios la delincuencia es menor al ser menores las libertades y mayor la represión.[11]

La crisis económica, el desempleo, son factores criminógenos que ninguna medida policial puede combatir. La delincuencia juvenil intensificada es de carácter mundial. No cabe pues, ninguna exageración sobre los problemas de seguridad que lleve a la cancelación de libertades.

---

[11] Alfonso Serrano Gómez, "Democracia y criminalidad", en *Lex*, revista del Colegio Nacional de Abogados de Panamá, septiembre-diciembre de 1978.

LA CRISIS Y LA EDUCACIÓN

GILBERTO GUEVARA NIEBLA

"La crisis impuso sobre el sistema educativo un auténtico estado de sitio." Con esta frase los profesores de primaria ingleses pretendían aludir al impacto inmovilizador que tuvo sobre la educación la política de austeridad (de anti-crisis) impuesta por el gobierno conservador de Margaret Tatcher.[1] La culminación del ciclo de vacas gordas que representó la prosperidad industrial de la posguerra para ese país y que fue acompañada con un crecimiento extraordinario del sistema educativo, dio paso inmediatamente a una política de "agresiones" financieras provenientes del mismo Estado contra la educación pública. Ante el asombro y luego el descontento del magisterio y la opinión pública, los gobernantes monetaristas decidieron en sucesivas medidas reducir abruptamente el presupuesto dedicado a educación, suprimir áreas institucionales que se estimaban como "no rentables" y liquidar la mayor parte del esfuerzo que se realizaba en materia de innovación educativa. La educación, antes concebida como un factor determinante para el crecimiento económico, pasó a ser, súbitamente, un lastre para la economía. Los tiempos, y con ellos, los discursos, habían cambiado radicalmente.[2]

Otro tanto sucedió en las experiencias nacionales del cono sur (Argentina, Chile, Uruguay) en donde se dio la combinación fatídica crisis-monetarismo. De hecho, la década de los setenta presenció una crisis fiscal sin precedentes que afectó sin excepciones a todo el mundo capitalista y que se intentó desahogar antes que nada por la vía de sacrificar las áreas del gasto público denominadas "áreas sociales" (vivienda, educación, salud). En este contexto, de contracción económica, la educación vio restringidos sus horizontes y disminuido su prestigio social: el mito optimista de

---

[1] En realidad, el estallido de la crisis fue anterior. La primera reforma educativa en respuesta a la crisis la propuso el gobierno de Callaghan, en 1976. Centre for Contemporary Cultural Studies, *Unpopular Education*, Hutchinson (in association with The Centre for Contemporary Cultural Studies), University of Birmingham, Londres, 1981.

[2] *Ibid.*, capítulo 8.

las potencialidades inmensas de la escuela fue cuestionado en mayor o menor grado por el mito pesimista de la desescolarización; las fórmulas para educar con bajos costos, adquirieron una gran popularidad frente a la educación formal tradicional que se consideró onerosa, etcétera.[3]

LA EDUCACIÓN EN LA ENCRUCIJADA

Las políticas monetaristas frente a la crisis han puesto a la educación en una encrucijada. Esta aseveración parece ser válida incluso para países como México en donde la experiencia de la crisis económica es algo reciente y en donde, paradójicamente, las perspectivas políticas monetaristas no acaban de desligarse por completo del tradicional programa de promesas de reforma social que ha identificado a los gobiernos de la Revolución mexicana.[4] La paradoja se antoja como real contradicción cuando uno compara la proclama oficial de hacer de la educación "una prioridad de gobierno"[5] o de realizar una "revolución educativa"[6] con las estadísticas que revelan que por primera vez en muchos años el gasto real en materia educativa ha disminuido (véanse cuadros 1 y 2). En realidad, la definición de prioridad dada a la educación, como diría el secretario de Educación Pública, Jesús Reyes Heroles, debe relativizarse y entenderse como prioridad "dentro de lo posible".[7] Es de presumirse, sin embargo, que las posibilidades para que la educación mantenga prioridad en el marco de un gobierno monetarista continuarán decreciendo aceleradamente. En el mismo sentido, relativo, habría que entender la promesa de "revolución educativa": una revolución dentro de la austeridad, es decir, una revolución cuyos contornos serán definidos por el apoyo financiero

[3] Otro tanto sucedía en salud, en donde se divulgó (incluso por agencias internacionales, como el BID o el Banco Mundial) el modelo barato de "medicina comunitaria". A toda esta tendencia se asocia, sin duda, el éxito resonante de la filosofía anticonstitucional de Ivan Ilich.

[4] A mi juicio existe una relación no exenta de contradicciones entre las promesas incluidas, por ejemplo, en el Plan Nacional de Desarrollo y las medidas que ha venido tomando el gobierno.

[5] Discurso de Miguel de la Madrid en su toma de posesión como presidente de la República.

[6] *El Día*, México, 1 de febrero de 1983.

[7] Jesús Reyes Heroles, *Discurso de clausura*, 15 de marzo de 1983, Cuadernos, SEP.

CUADRO 1
PARTICIPACIÓN DEL GASTO EN EDUCACIÓN PÚBLICA DENTRO
DEL GASTO SECTORIAL Y TOTAL
(*Porcientos*)

	1977	1978	1979	1980	1981	1982[e]	1983[p]
Gasto en educación/gasto sectorial	13.5	13.0	12.8	12.2	12.2	13.9	14.5
Gasto en educación/gasto total	8.7	8.4	8.3	8.8	8.7	8.6	7.6

[e] Esperado.
[p] Presupuestado.
FUENTE: SPP, "Cuenta anual de la hacienda pública federal 1978-1981" y "Presupuesto de egresos de la Federación para 1983".

que el mismo gobierno monetarista le confiera. Apoyo que irá, se supone, decreciendo paulatinamente.

AUSTERIDAD DENTRO DE LA AUSTERIDAD

Desde luego, simpatizamos con la idea de una *revolución* educativa porque pensamos que, en efecto, la sociedad mexicana reclama transformaciones radicales, pero ¿cuál revolución con sentido democrático e igualitario se entiende podría hacerse si, precisamente, lo primero que se advierte en el campo educativo es la miseria de recursos que impide una distribución equitativa de oportunidades educativas? Julio Boltvinik asombra con algunos datos provenientes del trabajo excelente de investigación sobre necesidades esenciales realizado por Coplamar.[8] "En materia educativa, decía, sería necesario atender, en el conjunto de la educación básica, a una población escolar de 20.1 millones en edades de 6 a 17 años contra un total de 18 millones alcanzado en 1981." Y en seguida agrega: "El esfuerzo adicional más importante tendría que llevarse a cabo en la educación para adultos para proporcionar educación básica completa *a más de 30 millones de adultos, lo que supone la creación y operación de un sistema de proporciones similares al de primaria y secundaria regulares ya existente, aunque de costos menores.*" Junto a todo esto, Boltvinik enfatiza la necesidad de lan-

[8] Nexos, *El desafío mexicano*, Ed. Océano, 1982, p. 23.

CUADRO 2 *

GASTO EN EDUCACIÓN, GASTO SECTORIAL, GASTO TOTAL Y PIB
A PRECIOS CONSTANTES (1970 = 100)

	1977	1978	1979	1980	1981	1982	1983**
Gasto en educación	22 572.5	24 022.5	26 582.5	27 553.3	34 117.1	37 324.7	33 788.5
Gasto sectorial	167 156.5	184 425.0	207 387.1	225 758.7	279 051.7	269 020.3	233 391.3
Gasto total	259 664.7	285 617.6	320 803.1	314 785.4	390 214.6	436 196.9	444 885.8
PIB	657 722.0	711 983	777 163	841 855	908 764.8	907 306.2	889 515.9

* Los cuadros fueron elaborados por Enrique Provencio.
** Estimado.
FUENTE: Cuadro anterior, deflactado con el índice de precios implícit. del PIB.

zar vigorosos programas destinados a combatir el fenómeno de *la deserción* (anualmente desertan de la escuela primaria aproximadamente 400 000 niños que se inscriben en ella y el índice de eficiencia es alrededor del 45%),[9] pero señala que las causas fundamentales del abandono de la escuela por los niños son, precisamente, de carácter socioeconómico. Combatir eficazmente la deserción implicaría asegurar el derecho al trabajo de la población, crear un sistema de servicios para estudiantes y, en general, satisfacer las demás necesidades básicas.

De todo lo anterior se infiere que la política monetarista supone imponer un régimen de austeridad en un sector de actividad social que jamás ha contado con recursos suficientes para cumplir cabalmente su cometido. Es decir, la austeridad se instala sobre o dentro de la austeridad.

FRACASO DE UN PROYECTO

En realidad, la crisis económica ha venido a poner de relieve el fracaso de un modelo global de desarrollo y, junto a eso, el fracaso del proyecto de educación nacional que acompañó a aquel modelo. De la misma manera que el esquema desarrollista prometió falazmente acompañar a la industrialización con democracia, satisfacción de las necesidades básicas del pueblo, empleo para todos, precios estables, autonomía nacional, etc., de la misma forma el proyecto educativo que se lanzó en los años cuarenta prometió cosas que jamás serían cumplidas, como hacer de la escuela: 1] un medio para combatir las desigualdades; 2] una palanca para afirmar nuestra autonomía científica y cultural, y 3] un factor decisivo en la construcción de una vigorosa vida democrática [10] La fuerza que alcanzaron estas promesas fue proporcional a la fuerza del anhelo popular de redención; la escuela fue presentada entonces como la vía más justa y adecuada (sustitutiva de la vía política tan empleada en el cardenismo) para satisfacer las esperanzas populares

[9] Los datos son aproximados. Véase el vol. 2, *Educación*, de la serie *Necesidades esenciales en México*, publicado por Coplamar y Siglo XXI, México, 1982, pp. 26-27.

[10] Para examinar las características de este proyecto yo remitiría al lector a los *Discursos* de Jaime Torres Bodet, México, Editorial Porrúa, 1965.

y desde entonces se conservó vivo entre el pueblo el mito de que la educación libera a los individuos de las miserias materiales.

Sólo recientemente ese mito comenzó a derrumbarse; la incorporación inopinada de masas ingentes de titulados y personas con niveles medios de escolaridad al gigantesco ejército de reserva de los desempleados mexicanos (alrededor de 10 o 12 millones) ha contribuido decisivamente a ello. Pero la toma de conciencia sobre el fracaso global del proyecto educativo oficial comienza ahora a extenderse y arraigar en amplios sectores de la opinión pública. Efectivamente, es bien conocido el hecho dramático e incontestable de la desigualdad que prevalece en la oferta de oportunidades educativas (ya desde los cincuenta, por ejemplo, se reconocía la crisis por la que atravesaba la escuela rural y las desventajas que esto ocasionaba para el campesino)[11] y la circunstancia significativa de que los desertores de la escuela son sobre todo los vástagos de las familias más desamparadas. Se sabe que las posibilidades de ascenso en el sistema escolar se relacionan estrechamente con el origen social del alumno y que las puertas de las universidades y centros de educación superior continúan estando esencialmente cerradas para los hijos de los trabajadores.[12] En fin, se sabe que el sistema educativo no ha ofrecido las mismas oportunidades a todos los mexicanos, ha sido usufructado principalmente por los sectores medios y altos de la sociedad y, por lo mismo, ha servido no para eliminar sino para reproducir y agudizar las desigualdades sociales.

LA CRISIS EDUCATIVA Y LA CRISIS CULTURAL

En más de un sentido puede afirmarse que la crisis educativa antecede a la crisis económica. Mucho antes de que se devaluara el peso los mexicanos habían advertido la devaluación de su educación pública; después de 20 años de "educación desarrollista" era evidente el fracaso de la escuela en la tarea de capacitar productivamente a la población, en la misión suprema de forjar una sólida conciencia nacional, en el encargo de crear una firme conciencia

---

[11] Antonio Barbosa H., *Cien años en la educación de México*, México, Pax-México, 1972, p. 246.

[12] Gilberto Guevara y Patricia de Leonardo, "Las antinomias del desarrollo de la UNAM", rev. *Foro Universitario*, núms. 3 y 4, México, febrero y marzo de 1981.

moral, en la responsabilidad de defender y enriquecer los valores de nuestra cultura nacional, en la función de educar políticamente a las nuevas generaciones y.hacerlas conscientes de sus obligaciones para con el pueblo. Lo mismo puede decirse de tareas más específicas como podrían ser la educación ecológica, la física, la artística, etc. Sin embargo, este fracaso genérico de la educación resultaba más ostensible en el campo mismo de la economía en donde se confirmaba que el sistema educativo había sido impotente para producir conocimientos y capacitación que pudieran servir para consolidar, por ejemplo, un aparato productivo autosuficiente capaz de garantizar la autonomía económica de la nación. Cierto, podría argüirse que esto significa atribuir a la educación pecados que no le corresponden, puesto que es sabido que la dependencia tecnológica del país comienza en las mismas empresas, pero afirmar eso sería descargar al sector de una de sus misiones prioritarias. La educación nacional no ha sabido desarrollar una moderna conciencia científica entre la población ni ha logrado nunca producir hombres altamente *creativos*, capaces de generar respuestas originales y adecuadas a los desafíos del desarrollo nacional. Pero en el terreno donde ha sido más ostensible el fracaso de la escuela, sin duda ha sido el de la cultura, donde los medios masivos de información se han revelado como una verdadera potencia. En manos de corporaciones privadas que reproducen patrones de cultura extranjeros (concretamente, los norteamericanos) los *media* han contribuido decisivamente a minar los fundamentos mismos de la cultura nacional y a difundir esquemas de conducta que inducen pasividad, individualismo, irresponsabilidad ante la nación, consumismo, despolitización, cinismo, simulación, etc. Los media han desplazado a la escuela en su función educativa y ella, por su parte. ha sido incapaz para reaccionar y revelarse como una barrera contra la influencia deleznable de estos instrumentos extranjerizantes. Hoy, el país vive una auténtica crisis cultural, crisis que ha sido retroalimentada por la ineficiencia del sistema educativo.

EL PARADIGMA LIBERAL

En la base misma del fracaso educativo del que hablamos se halla el paradigma de educación adoptado por el Estado en la década de los cuarenta: el paradigma liberal, reafirmado explícitamente por el actual gobierno.[13] En realidad, la reacción contra la antigua orientación socialista y las aspiraciones consensuales de los gobernantes, hicieron adoptar en 1945 un marco jurídico ambiguo que aspiraba a evitar querellas ideológicas y que en realidad disfrazaba un paradigma liberal de educación cuyos rasgos fundamentales eran:

a] la renuncia a atribuir objetivos sociales específicos a la educación (cosa que sí hacía la educación socialista);

b] la adopción de un concepto de neutralidad educativa;

c] la conformación del currículum sobre la base exclusiva de la cultura elaborada, excluyendo a las formas de cultura popular.

d] la sujeción del sistema educativo a la dinámica del mercado;

e] la uniformización y centralización del sistema educativo.

El paradigma liberal despojó a la educación, por así decirlo, del potencial de transformación social que había mostrado en épocas anteriores, e hizo de esta actividad una labor profesional autónoma, sin vínculos orgánicos con los intereses y las luchas de las masas populares. Organizada bajo estos principios, la educación nacional pudo adaptarse sin dificultades a las condiciones del desarrollo industrial dependiente y convertirse en una agencia eficaz de socialización y reproducción social.

LA ALIANZA EDUCATIVA Y LA POLÍTICA CLIENTELAR

Naturalmente, el proyecto educativo del Estado (la burocracia política) pudo materializarse porque se fincó en un pacto social implícito entre un conjunto de fuerzas: de un lado se hallaban los maestros normalistas (educadores públicos) agrupados en el Sindicato Nacional de Trabajadores de la Educación (SNTE); de otro, se encontraban los grupos identificados con el viejo humanismo espiritualista, y además, los grupos profesionales (núcleos gremiales); en seguida estaban los técnicos nacionalistas y, finalmente, el sector privado, que podría desglosarse en una fuerza empresarial y una fuerza clerical. Todas estas fuerzas educativas respondieron

---

[13] El presidente De la Madrid especificó en su discurso ante el XII Congreso Nacional del SNTE que el "nacionalismo revolucionario" era de filiación liberal (*El Día*, México, 1 de febrero de 1983). Después ha habido varias reiteraciones del mismo aserto.

positivamente al llamado de unidad nacional lanzado por Ávila Camacho en su tiempo y aceptaron tácitamente el pacto de coexistencia postulado por las autoridades, que de hecho, han sido en la última época las artífices de la obra educativa nacional.

Desde luego, la política clientelar y corporativa aplicada por el Estado para preservar la unidad de este bloque ha tenido un elevado costo para la nación puesto que ha impedido, desde el principio, conferir unidad funcional al esfuerzo educativo que se realiza en el país. En realidad, desde 1940 puede decirse que no ha habido en México una política educativa, en el sentido de que no se han dado orientaciones concretas capaces de unificar la acción del sistema educativo en un solo propósito; y esta política no ha sido posible, precisamente, por el tipo de pacto que fundamente la integración política del sector educativo, es decir, un pacto corporativo y clientelar que se funda en el principio de repartir el poder educativo en parcelas conforme a las fuerzas sociales que participan en él. Este principio ha garantizado la desintegración funcional del sistema, la pervivencia de concepciones educativas eclécticas y oportunistas, la existencia de divisiones, duplicaciones, derroches y el fenómeno de superposición institucional. El sistema educativo adquirió la imagen de un nudo confuso e inextricable de instituciones y dependencias que reclamaba, a ojos vista, una espada de Damocles para ser resuelto. Ese nudo institucional era, de hecho, un nudo de intereses no siempre conciliables y que fundaba su coexistencia en la separación corporativa de poderes.

GARANTÍAS DE LA ALIANZA

Hay tres elementos que funcionaron durante mucho tiempo como garantías o reforzadores de la alianza corporativa en torno a la educación:

1] La reducción de las políticas educativas a meros planes de inversión y programación escolar, es decir, la necesidad de consenso obligó a los gobernantes a poner el acento en la esfera de los medios (neutrales) y a desatender los fines (cargados de valores).

2] La dominancia de la ideología corporativista entre las fuerzas participantes de la alianza; organizaciones como el SNTE se han conformado históricamente con reclamar de vez en cuando reivindicaciones materiales o profesionales (particulares), absteniéndose de intervenir en lo político, particularmente de cuestionar el objeto mismo de su trabajo: la educación.

3] La separación entre el Estado y la sociedad civil en la gestión educativa, es decir, la eliminación de toda participación significativa de órganos de la sociedad civil (quizás con la excepción esporádica de la empresa privada) en las decisiones educativas.

CRISIS DEL SECTOR EDUCATIVO

El proyecto educativo del bloque dominante, sustentado en la alianza antes descrita, mostró sus primeros signos de deterioro desde los años cincuenta. La economía de mercado, deformada fuertemente por la condición de dependencia y la ausencia de planeación, influyeron decisivamente para generar muy pronto desarrollos desiguales y contradicciones dentro del sector. El derrumbe creciente de la escuela rural, los fenómenos agudos de centralización y burocratización, el fracaso de los programas de profesionalización del magisterio y el empantamiento de la enseñanza normal (que en cierta forma, jamás alcanzó a modernizarse y estuvo siempre atada a la tradición populista anterior), la resistencia y persistencia de estructuras educativas heredadas del cardenismo y que resultaban disfuncionales en el nuevo proyecto modernizador, las limitaciones de los recursos financieros, etc.,[14] todos estos factores fueron configurando la crisis del sector. En 1956 estalló una huelga estudiantil nacional que conmovió al sistema y cuyo sentido político fundamental fue reclamar mayor apoyo estatal para el conjunto de las instituciones populares de educación (principalmente las técnicas) que estaban en la miseria, mientras que el esfuerzo financiero oficial se recargaba parcialmente a favor de las universidades.[15] Esta protesta del sector técnico pronto fue seguida por una insurgencia magisterial de significación (1958-1960) que sacudió al SNTE y que fue resuelta con una combinación de negociación y

[14] Desgraciadamente el período ha sido muy poco estudiado. Véanse, sin embargo, Isidro Castillo, *México y su revolución educativa*, México, Pax-México, 1968; Fernando Solana *et al.*, (coords.), *Historia de la educación pública en México*, México, SEP-80, 1982, vol. 2.

[15] "La crisis de la educación en México", revista *Problemas de Latinoamérica*, 1956.

medidas de fuerza; el sentido del movimiento fue meramente económico, pero cuestionó la organización corporativa del magisterio.[16] La alianza educativa, empero, fue reestablecida. La década de los sesenta presenció la rebeldía de los sectores universitarios (profesionales, humanistas liberales y técnicos nacionalistas) que derivó en el movimiento estudiantil de 1968. El rasgo distintivo de esta revuelta fue su finalidad política, antiautoritaria, anticorporativa y democrática e incluyó un elemento básico del pacto social sellado en la década de los cuarenta entre el Estado y los grupos profesionales y humanistas: la autonomía universitaria.[17] En realidad, en la explosión de 1968, que tuvo como espacio institucional al sector educativo, se condensa el cúmulo de contradicciones generadas por el desarrollo industrial dependiente, pero expresó en lo particular los límites históricos del paradigma educativo liberal: la estrechez del mercado de trabajo, la proletarización creciente del trabajo intelectual, la ausencia de estímulos (de una demanda vigorosa) para la vida académica, el derrumbe de las expectativas de desarrollo intelectual experimentado colectivamente por los universitarios, la desvinculación de los contenidos académicos respecto de los intereses y problemas populares, elementos todos que conformaban un callejón sin salida para las universidades y, ergo, para el sistema educativo. La represión de Tlatelolco fue la primera gran ruptura en la alianza educativa e inauguró la primera crisis orgánica en el sistema. En los años setenta, el Estado dedicó enormes esfuerzos (políticos y financieros) para reestablecer el pacto social que los fusiles de Tlatelolco habían hecho añicos, pero sólo obtuvo un éxito relativo. Más tarde en el marco de las secuelas del 68, emergió el movimiento sindical universitario que incorporó a nuevos actores sociales dentro del escenario educativo (los trabajadores manuales y administrativos de las universidades y a una franja de académicos) y que planteó una nueva tensión en el sector. Esta nueva tensión pudo superarse a través de reformas legislativas (1978) que, aunque resolvían en lo fundamental el conflicto Estado-universidad, no eliminaron por completo las contradicciones internas de las universidades (sobre todo entre los viejos y los nuevos cuadros académicos). Una nueva insurgencia magisterial estalló luego (1979) incorporando a amplios contingentes del país y cuestionando la dominación corporativa en el SNTE y haciendo

---

[16] Olga Pellicer y José Luis Reyna, *Historia de la Revolución mexicana, período 1952-1960*, tomo 22, México, El Colegio de México, 1978, p. 131.

[17] Gilberto Guevara, *El saber y el poder*, México, Universidad Autónoma de Sinaloa, 1983, p. 167.

reivindicaciones de carácter gremial. La nueva insurgencia alcanzó tal fuerza que abrió un deterioro irreversible en el dominio de la burocracia sindical y conserva su vitalidad hasta el presente.

LA CRISIS ECONÓMICA Y LA POLÍTICA DE AUSTERIDAD

La crisis del proyecto educativo correspondiente al modelo de desarrollo de industrialización dependiente y la crisis de la alianza política que le daba sustento, se encuentran en la antesala de la crisis económica. Es innegable su interdependencia. Se trata, en uno y otro caso, no de un problema circunstancial que puede ser resuelto con un simple cambio de políticas; de hecho, la crisis es un fenómeno estructural que arraiga en la forma global de nuestro desarrollo. Hay quienes piensan distinto y persisten en enfatizar las cuestiones instrumentales sobre las cuestiones finalísticas del proceso social. Los actuales gobernantes, por ejemplo, persisten en concebir la crisis social del país como un epifenómeno que habrá de ser superado con medidas económicas de austeridad, principalmente, y muestran una fidelidad invariable a los esquemas clásicos del liberalismo. Los últimos cuarenta años de nuestra historia nos revelan, como hemos visto, el fracaso rotundo de una forma de desarrollo sustentada en el mercado y nuestro gobierno, empero, antes que usar otros parámetros de reflexión insiste en decirnos que las cosas han salido mal por las interferencias estatales en el libre juego del mercado. Se reivindica al mercado como regulador supremo de la vida social. Por otra parte, en materia educativa el proyecto que se propone parece ser consustancial a las premisas anteriores: reducción y control creciente del gasto educativo, racionalización del sistema eliminando sectores ineficientes, descentralización educativa, etc., un conjunto de medidas reorganizadoras del sistema que se dice encierran el principio de una "revolución educativa".

Muchos de los que laboramos en el sector educativo estaríamos de acuerdo en la necesidad de una revolución de este tipo, pero pensamos que esa revolución deberá comenzar por cuestionar los fines mismos de la educación nacional. Nosotros no queremos una educación esclavizada a un mercado deformado y controlado por el gran capital, queremos una educación orientada a transformar nuestro entorno social y a construir una sociedad democrática, autónoma e integrada. Una revolución educativa que restringe su ámbito al reino de los medios, como la que, al parecer, hoy se nos propone, no puede cumplir este cometido trascendente; por el contrario, vendrá a reforzar las tendencias negativas de la educación nacional. Por lo demás, cualquier revolución para que sea digna de ese nombre debe ser protagonizada por las masas, por los agentes mismos del proceso educativo como aconteció en la única revolución educativa que México ha experimentado: la que se inició con Vasconcelos y concluyó en el cardenismo.

LA CRISIS Y LA PRENSA

EDUARDO CLAVÉ ALMEIDA

"Cuando el periódico se convierte en un negocio industrial no es ni puede ser la libertad la condición de su éxito, sino la común a toda empresa económica: materia prima barata, fuerza motriz abundante, impuestos moderados, salarios bajos, comunicaciones eficientes, reglamentación estatal mínima, estabilidad política y social, auge económico general etcétera."

Esta apreciación de don Daniel Cosío Villegas, formulada hace ya casi treinta años,[1] es vigente no sólo desde el punto de vista de la economía sino porque menciona los tres elementos esenciales para acercarse a un análisis de la prensa: la libertad de expresión, las condiciones económicas y las relaciones con el gobierno. Conviene empezar el análisis del fenómeno en este país, con la búsqueda de la posición —al menos en el discurso— del gobierno mexicano actual con relación a lo que señalaba en 1955 el historiador mexicano.

Poco o nada ha dicho el régimen de esas condiciones económicas, ni aun cuando la crisis se presentó (probablemente antes y con mayor fuerza) en las empresas informativas y editoriales. En cambio, es ya un lugar común en toda declaración del gobierno, el "respetar", "garantizar", "proteger", etc., la libertad de expresión.

La complejísima relación económica entre el poder político y la prensa parece darse siempre de manera subrepticia, silenciosa y vergonzante para ambas partes, mientras editores y gobernantes aprovechan toda ocasión para congratularse de la libertad de prensa, como si ella fuera el punto único de la agenda de las reuniones entre periodistas y gobernantes.

El hecho de que la crisis haya coincidido con el cambio de gobierno y de que éste haya propuesto la famosa renovación moral, no ha producido hasta el momento cambio alguno ni en la oscura relación económica entre prensa y poder ni en el tradicional discurso político que tiene casi como único fundamento el concepto de "libertad".

---

[1] *Historia moderna de México, la República restaurada. Vida política,* Ed. Hermes, 1955.

Si señalo la coincidencia entre la crisis y cambio de gobierno a la hora de pensar en la prensa, es porque tanto la renovación moral como la necesidad de darle racionalidad al uso de los recursos financieros del Estado, hacían esperar un cambio en el discurso y en el modo de asignar (eludir) recursos a los diarios.

Y es que éstos, por lo menos hasta el momento en que estalla la crisis, dependen más de los recursos gubernamentales que de la fidelidad o del número de los lectores (recuérdese el caso JLP *vs. Proceso*).

Las razones de esta dependencia residen al mismo tiempo en la función de la prensa en México (más política que estrictamente informativa) y en las características de su desarrollo, en el contexto de una población en que todavía abunda el analfabetismo y donde la radio y la televisión cumplen cada día con más acuciocidad labores informativas.

No hace falta mencionar aquí las condiciones económicas que hoy prevalecen en el país. No obstante, resulta pertinente hacer primero un diagnóstico muy general de la prensa hasta antes de la crisis y detallar después algunos problemas que afrontan hoy la industria editorial en general, y en particular la industria de la prensa diaria.

No es fácil hacer un diagnóstico de la prensa en nuestro país. El Estado no sólo no ha enunciado explícitamente una política de comunicación social (lo establecido al respecto en el Plan Nacional de Desarrollo no es más que una declaración de loables principios de libertad y nacionalismo, que no se traducen en estrategias precisas y claras de desarrollo), sino que no ha fomentado ni la investigación ni la evaluación sistemática de los medios de comunicación.

Pero si en el caso del cine y de los medios electrónicos el problema de la investigación y la evaluación ha tratado de ser subsanado con la reciente creación de los institutos respectivos (a la fecha todavía sin líneas claras de acción y de competencia, efecto de su sintomática falta de recursos), en el caso de la prensa la situación es todavía más grave. No hay ninguna entidad gubernamental que tenga la función específica de enfrentar el problema. Incluso la información estadística es casi nula.

El único intento por establecer un diagnóstico general de la comunicación en México fue ahogado rápidamente y enterrado junto al cadáver del discutidísimo derecho a la información.

Durante 1981, la entonces Coordinación General de Comunicación Social de la Presidencia realizó estudios preliminares para una política de comunicación cobijada en el principio del derecho a la información. Poco tiempo duró el intento. El régimen, muy probablemente asustado por las consecuencias políticas de la inminente crisis, retrocedió varios años no sólo en el tiempo sino en la concepción de lo que debería ser el papel del Estado en el mundo de la comunicación. Para que a todos quedara claro el nuevo sentido, se designó como nuevo coordinador de comunicación a Francisco Galindo Ochoa, el triste cerebro de Díaz Ordaz para el "manejo" de la prensa en las horas más críticas del último régimen autoritario. En la Presidencia, sin embargo, se elaboraron algunos estudios de medios de comunicación que hoy, gracias al poder Xerox, sirven como fuentes estadísticas más o menos confiables.

A continuación presentamos el resumen que de la investigación correspondiente a prensa hizo la Coordinación General de Comunicación Social de la Presidencia en 1982. Esta síntesis refleja adecuadamente el estado de cosas hasta los últimos meses de la administración lopezportillista.

Entre los 330 periódicos (sin contar segundas y terceras ediciones) sólo la Organización Editorial Mexicana (OEM) constituye un auténtico oligopolio, con 58 periódicos del total. Existen otras cadenas menores, tales como *Avance* y *Novedades*, o *Somer* en el norte del país, junto a un grupo relativamente reducido de propietarios de 2, 3 o 4 periódicos cada uno y 251 periódicos de propietario individual.

A la desconcentración de capital corresponden otros fenómenos, no menos significativos. El Distrito Federal es escenario para la dispersión dentro de su propio ámbito, expresada en la edición diaria de 33 periódicos, una cifra que no tiene equivalente en ciudad alguna del mundo. Por su parte, ciudades del interior del país, capitales de estado, cuentan a veces hasta con 5 u 8 periódicos diarios concebidos como de interés informativo general, más que los que se registran en Nueva York, París o Londres.

A diferencia de Nueva York, París o Londres, empero, muchas veces tienen tirajes que no exceden los 3 mil ejemplares, y menos lectores aun. Todo indica que no se trata, en estos casos, del esquema liberal según el cual cada ciudad de relativa importancia tiene su periódico. Por el contrario, la mayoría de ellos concentrados en un par de ciudades por estado, tienden a desatender notablemente la información regional para concentrarse en la producida en la propia capital del estado y en la de origen nacional, aunque a su vez destacan aspectos notablemente distintos del acontecer en cada caso.

Esta estructura anómala, que tampoco refleja fielmente a las fuerzas locales, parece cimentarse en dos condiciones de posibilidad: a] los propios créditos estatales para papel y la misma actividad publicitaria de los organismos oficiales; b] el relativamente bajo nivel tarifario de los espacios de publicidad para la empresa privada, de modo de poder capturar en sus páginas a la pequeña y mediana industria y comercio regional.

Este funcionamiento precario de parte de la prensa diaria del interior del país se correlaciona claramente con un hecho notorio y significativo: el no ingreso del gran capital en este ámbito de comunicación masiva, y del mismo modo, de escasa vinculación con otras actividades más productivas del sistema de comunicación. Al mismo tiempo, se explican los rasgos de desigualdad extrema en la modernización tecnológica: con excepción de un grupo de periódicos del Distrito Federal, son numerosos los que se colocan en un umbral semitradicional y tantos o más los que utilizan una tecnología virtualmente obsoleta.

Si la concentración y centralización de la industria televisiva encierra el fenómeno de la uniformización del televidente, el caso de la dispersión de la prensa diaria no debe ser tomado rápidamente y, por contraposición, como alternativa superadora.

Por el contrario, si en el caso de la televisión —preponderantemente dirigido al entretenimiento— sería recomendable una diversificación mucho mayor que la actualmente existente, en el caso de la prensa diaria —predominantemente dirigida a la información— sería importante que pudiese garantizarse una cierta mayor homogeneidad o universalidad en una cierta cuota de la información que circula a través de ella.

Pero el hecho es que la dispersión de la estructura empresarial corresponde a una dispersión análoga de la información misma. La ausencia de una auténtica estructura de alimentación informativa en el país —como suele ser la agencia de noticias—, sumado a la presencia de la corrupción más o menos generalizada y a la relativamente escasa dependencia del periódico hacia sus lectores (por su mismo volumen reducido) parece llevar a la prensa diaria hacia un fenómeno singular: la selección y construcción de informaciones para el reducido grupo de lectores con poder a quienes está efectivamente dedicado el periódico.

Así, por lo común, los periódicos terminan distinguiéndose por el tipo de información que publican, destinado en última instancia a reflejar no el mismo país, sino países que muchas veces se encuentran tan distantes el uno del otro, y ambos de la realidad nacional, como para que no se reconozcan mutuamente.

El hecho consecuente es una peligrosa *fragmentación y debilitamiento de la llamada opinión pública*, ese mecanismo tradicional de retroalimentación mínima, pero efectiva, de los medios de comunicación masiva.

En la práctica, la opinión pública no existe en México, sino apenas bajo la forma de distintos sectores o corrientes de opinión claramente minoritarios respecto al conjunto.

La *segmentación informativa del país* a través de la prensa, sin embargo, sigue varios caminos. La ya mencionada dispersión de la información básica que debería tener en sus manos cualquier lector de cualquier periódico en cualquier punto del país, independientemente del lógico y natural sesgo que cada empresa quisiera darle a sus titulares, comentarios, editoriales o selección de la información complementaria, es el primero de ellos.

El segundo, es la *débil circulación nacional de la información*. Los acontecimientos significativos de un estado llegan poco frecuentemente hasta las páginas de la prensa de otro estado, así como la prensa del Distrito Federal refleja pobremente la información sobre acontecimientos del interior del país.

El tercero es la ausencia de iniciativa periodística de parte de la prensa diaria, con la excepción de algunos periódicos del D. F. Por lo común, tienden a abastecerse de la información producida por aquellas fuentes con las que tienen una relación establecida, de acuerdo a sus propios vínculos políticos o económicos. Es obvio que son los sectores y organizaciones populares quienes más se perjudican. Los organismos oficiales se convierten, aunque con muy distintos estilos, en la única fuente relativamente universal, mientras los organismos e instituciones no estatales de la sociedad adquieren una presencia sumamente irregular en cada periódico.

Este fenómeno, que no es otro que el de la desjerarquización acentuada de la información, contribuye a fomentar la indiferencia e incredulidad del lector común que, por lo demás, carece de una efectiva capacidad de presión sobre el medio ni aun dejando de comprarlo, por el propio carácter contingente de la relación que el medio establece con él.

Otro conjunto de características centrales al funcionamiento de la prensa diaria puede ser aquí mencionado.

En primer término, la subutilización frecuente de la capacidad instalada de producción. La tendencia, particularmente en los grandes periódicos, a contar con su propia maquinaria instalada, se contrapone a los escasos tirajes y suele compensarse de manera irregular, con la venta de los servicios de impresión a otras publicaciones. En cualquier caso, son numerosos los periódicos que, de alcanzar al público lector en otras magnitudes, podrían multiplicar su producción real.

En segundo lugar, cabe hacer notar el particular crecimiento de los periódicos de tipo deportivo, e incluso, de la misma información deportiva dentro de los periódicos de interés general. Coincidentemente con este desarrollo, es en el área de los periódicos deportivos donde se observa una cierta modernización de la estructura del capital y la vinculación con otros medios y otros capitales de comunicación social. La observación vale para señalar que, aparentemente en el campo de la información deportiva, la demanda del público, la recepción que hace de ella, y la relación que a través de ella entabla con el medio, parece ser significativamente distinta a los fenómenos equivalentes que se operan con otro tipo de información, particularmente de la importancia nacional.

En tercer término, es necesario subrayar la estrecha vinculación que establece la prensa diaria —a pesar o a raíz de su dispersión, por lo menos igual o mayor que la de otros medios de comunicación— con la dinámica del poder. En cierta medida incapaz de generar un auténtico poder democrático propio, la prensa diaria vive y crece en torno al poder establecido, sea éste político o económico. Su dispersión aparece como un círculo vicioso de debilidad y dependencia autorreproducida.

También debe señalarse que la dispersión opera naturalmente a la vez como marco para un notable grado de diversificación político-ideológica. Este amplio juego de tendencias en el escenario —que se ha acentuado a lo largo del presente sexenio con la aparición de varios importantes periódicos— se encuadra invariablemente en los parámetros del disenso existente dentro del aparato político y de poder nacional consagrado, ya sea dentro o fuera del oficialismo. Lo que importa es decir que no existe, pese a la amplitud del ejercicio democrático, una prensa de franca y radical oposición al régimen.

Por último, la presencia del fenómeno cooperativo en la prensa diaria marca otro signo de distinción respecto a la mayoría de los demás medios de comunicación social, si bien el cooperativismo está lejos de ocupar una porción importante en la estructura que integran los 330 periódicos de todo el país.

Hasta aquí la visión de los investigadores que laboraron en la Presidencia de la República en 1980 y 1981.[2]

---

[2] Un estudio más preciso sobre la estructura de la prensa, elaborado en la propia Coordinación de Comunicación Social de la Presidencia, fue publi-

Puede decirse que en lo correspondiente a los aspectos estructurales y cualitativos que se mencionan en el estudio, las cosas no han variado sustancialmente desde entonces.

Hay sin embargo cuestiones económicas que han cambiado a raíz de la crisis y que a la larga provocarán, de seguir la cosas como hasta hoy (septiembre de 1983), transformaciones estructurales serias y quizá muy negativas para la industria editorial y, por lo tanto, para la vida cultural.

Evidentemente el problema central gira hoy en torno de PIPSA, creada el 21 de agosto de 1935 precisamente para surtir materia prima a los editores de periódicos.

En los puntos primero y tercero del acuerdo del presidente Cárdenas se establecían las funciones de la empresa: "obtener el abaratamiento máximo del papel" y establecer "un subsidio del gobierno federal, equivalente, como máximo, al monto de los derechos de la importación que causen las diversas clases de papel que la compañía introduzca al país. Este subsidio deberá utilizarse íntegramente, para abatir el precio de papel importado".

El gobierno había cumplido, a través de PIPSA, con el objetivo de abastecer de papel periódico, sino que usualmente lo subsidiaba en diferentes proporciones; aunque recientemente PIPSA esté trabajando con una mentalidad mercantil peligrosa para las posibilidades de sobrevivencia de algunos diarios no oficialistas. El aumento de los costos de producción, incluidos los inevitables y casi desorbitados aumentos del papel ha elevado en los últimos años el precio de venta de los diarios, en un país que no se ha caracterizado nunca por sus altos tirajes periodísticos.

La crisis ha obligado a la empresa a aumentar el costo del papel hasta alcanzar los precios internacionales. Según opinión de muchos editores, la función de PIPSA ya no se está cumpliendo. Si los precios del papel producido en México tienen el mismo nivel del que se podría comprar de manera directa en el exterior, PIPSA podría convertirse tan sólo en un distribuidor que además ya en estos días, no alcanza a cubrir las necesidades del país. Varias empresas estarán dispuestas a afrontar los gastos de importar directamente, a cambio de recibir más y de mejor calidad.

Es cierto que PIPSA ha fomentado la producción nacional. No obstante, la calidad del que producen las empresas mexicanas estatales (Fábrica de Papel Tuxtepec, S. A.; Productora Nacional de

cado en la revista *Connotaciones* núm. 3 (1982) bajo el título "Industria y consumo del mensaje impreso". Sus autores son Óscar Olvera y Pablo Gómez.

Papel Destinado, y Mexicana de Papel Periódico) deja todavía mucho que desear y, según los consumidores, resulta casi del mismo precio que el importado, pero provoca pérdidas por mermas en la producción. Parece pues preciso establecer una política transparente de subsidios en este renglón y que, si bien impulse a la industria nacional, no la sobreproteja. (En la actualidad se produce en México aproximadamente 60% de la demanda.)

Por otra parte, el resto de las materias primas que la industria necesita han aumentado en proporciones cercanas a las del papel.

Los artículos de fotocomposición, fotografía y tintas han aumentado en más del 300% en el último año. Los precios del correo lo han hecho en mucho más del mil por ciento, como lo señalan Carlos Monsiváis y José Emilio Pacheco en un artículo sobre los graves problemas que afronta la industria del libro.

Además, hay que apuntar que los adeudos al extranjero que tienen las empresas que decidieron modernizarse en los últimos años, ponen en serio peligro sus finanzas. Por otra parte, la reducción del gasto publicitario de empresas privadas y del gobierno, hace posible vaticinar graves problemas para la industria de la prensa en el futuro inmediato. Los primeros signos son ya visibles. El *Diario de México* dejó de aparecer el 13 de mayo de 1983 y dos días después la empresa cerró. La revista *Razones,* que parecía marchar viento en popa, interrumpió su publicación por falta de publicidad y por la caída total de sus ventas al verse obligada a aumentar el precio de venta.

Por lo menos dos ediciones vespertinas de diarios importantes han desaparecido junto con revistas como *Respuesta* y *Hoy, El Cuento* y *Crítica y Política,* entre otras. *El Universal* suspendió "Ángulos", su suplemento dominical y, en general, todos los suplementos culturales y políticos han reducido drásticamente su número de páginas.

Es dable esperar la desaparición de más diarios, sobre todo de los pequeños de provincia, debido a problemas económicos, lo que evidentemente agudizaría la concentración de diarios en la capital y el fortalecimiento de las empresas periodísticas más grandes y ya bien consolidadas.

Se sabe, aunque no de manera oficial, que la administración ha dictado ya, a todo el aparato gobernante, los lineamientos para la inserción de publicidad en medios impresos. Se ha formulado una lista de diarios y revistas en las que se puede difundir publicidad oficial. Por otra parte, y a pesar de la renovación moral, se sigue compensando a los reporteros de cada fuente con el famoso "chayote", "sobre", "compensación", o como quiera llamársele a ese otro mecanismo de financiamiento proveniente del gobierno (y de algunas cámaras empresariales) con que cuenta la prensa diaria.

Pero si la prensa depende en buena medida de las finanzas del poder público, no es menos cierto que el gobierno depende en mayor proporción, aunque de manera más intangible, de la prensa. Sus páginas son a la vez "boletín interno" de la clase política y gran legitimador de nuestra "siempre perfectible democracia". Pero por sobre todo y ante la enorme distancia entre gobernados y gobernantes y frente a la escasa retroalimentación del propio aparato político, la prensa resulta no sólo eco triunfal sino fiel termómetro de las acciones o parálisis del gobierno.

Caja de resonancia o amplificador de voces externas, la prensa es de cualquier modo el espejo más nítido y menos cómplice del poder. Surtidora de material onírico para consumo de derechas e izquierdas, sorprende que la prensa mexicana en general no haya decidido concertarse para resolver sus problemas por lo que pierde credibilidad frente a unos lectores que, precisamente por efecto de la crisis, de la renovada renovación moral y de la revestida austeridad, resultan cada día más imprescindibles.

Es de esperar que la crisis provoque la agonía de ese axioma planteado por Monsiváis para describir a la prensa industrial con Ávila Camacho y Alemán: "Si el gobierno es el Lector Preferencial, ni quien se preocupe por los Simples Lectores." Por ello, resulta necesario, como primer paso, un reconocimiento oficial de la prensa, y, en general, de los medios de comunicación, como medios de expresión que deben dar voz a todos los sectores y clases sociales.

Si de hecho el Estado tiene que invertir en publicidad, no sólo para funcionar con mayor eficacia, sino para sostener su legitimidad, lo pertinente y lo congruente con el nuevo proyecto político que propone el régimen para salir tanto de la crisis económica como de la moral, parece precisamente el transparentar y distribuir esos gastos publicitarios oficiales que sirven más para controlar que para promover.

En la consulta popular sobre comunicación social, una de las peticiones más socorridas fue, además de la actualización de la ya obsoleta Ley de Imprenta, el establecimiento oficial de subsidios a la cultura en general y a la prensa en particular.

El Informe de la Comisión Internacional señala los posibles subsidios que, en el marco de una política cultural amplia, pueden

COMISIÓN INTERNACIONAL PARA EL ESTUDIO DE LOS PROBLEMAS
DE LA COMUNICACIÓN (COMISIÓN MACBRIDE)

Tipo de subvención	Francia	Rep. Federal de Alemania	Italia	Suecia	Noruega	Dinamarca	Finlandia	Países Bajos	Bélgica	Suiza	Austria	Irlanda	Reino Unido
Reducción del IVA	x	x	x	x	x	x	x	x	x	x	x		x
Otras reducciones fiscales	x		x						x				
Subvenciones directas	x		x	x	x				x	x	x		
Préstamos de interés moderado		x	x	x	x	x			x				
Tarifas postales especiales	x	x	x	x	x	x	x	x	x	x	x		x
Reducciones telefónicas y telegráficas	x	x	x	x	x	x	x	x	x	x	x		
Reducciones ferroviarias	x		x						x	x			
Subvención del transporte			x				x				x		
Publicidad del Estado			x		x	x	x		x				
Becas de formación e investigación				x	x		x					x	
Subvención de las agencias de prensa	x		x	x	x								
Subvención de los partidos políticos				x	x		x						
Subvenciones para la distribución en común				x	x								
Subvenciones para la producción en común				x									

FUENTE: Anthony Smith, *Subsidies and the Press in Europe, Political and Economic Planning*, vol. 43, núm. 569, Londres, 1977.

asignarse a la prensa. Ofrece también algunos ejemplos de los países en donde se aplican.

A los subsidios tradicionales que suelen darse a la prensa en México y en otras partes del mundo, habría que agregar propuestas que fincaran el subsidio no en el proceso de la producción sino en el del consumo y en el de la publicidad.

Así por ejemplo, y dentro del marco de los incentivos a la producción, cabría luchar por obtener la deducción de impuestos por gastos de publicidad para las empresas pequeñas y medianas que se anuncien en la prensa.

Enfatizar en el otorgamiento de subsidios directos, transparentes y, sobre todo institucionalizados, a las agencias nacionales de información, sobre todo las que trabajan para enlazar la provincia.

Toda la crisis económica produce un peligroso trastocamiento de los valores que cohesionan a una sociedad.

El único antídoto para este peligro parece ser una clara e intensa política cultural, lo que implica necesariamente, y a pesar de la tentación en contrario, incrementar, aun en las peores condiciones, los recursos destinados a ella.

El subsidio, cuando se aplica a la cultura —y parte importante de ella es la prensa diaria— no debiera tener, ni siquiera en las mentalidades formadas en la economía más ortodoxa, una connotación peyorativa.

CAMBIOS EN LA RADIODIFUSIÓN PARA SUPERAR LA CRISIS

FRANCISCO JOSÉ PAOLI BOLIO

I. MODELOS DE RADIODIFUSIÓN Y SU VALOR PÚBLICO

La radio es un poderoso medio de comunicación e información que nace a principios de siglo y se desarrolla con dos patrones de operación en Occidente, el europeo y el norteamericano. El primero controlado desde su nacimiento hasta nuestros días por el Estado, es utilizado fundamentalmente como un servicio público, aunque a través de él se puedan favorecer y aun impulsar actividades de aprovechamiento privado. El segundo, nacido por el impulso de las grandes empresas en gestación, conectadas con negocios colindantes (telegrafía, telefonía, difusión de música, publicidad, periódicos), es un agresivo promotor de los grandes intereses mercantiles privados de nuestro tiempo.

Tanto en el modelo europeo como en el norteamericano, el medio se usa para difundir mensajes y para divertir. La orientación y los acentos de cada uno varía considerablemente. En Europa la radio tiene un tiempo de difusión menor, menos anuncios comerciales cuando los hay y un número muy significativo de programas culturales que transmiten ideas, literatura, música e información deseada por amplios núcleos sociales y que responde a los patrones culturales de los diversos países de esa zona.

La radio norteamericana en general transmite muchas horas al día. Un buen número de estaciones importantes funciona 24 horas diarias. Su propósito fundamental es difundir anuncios comerciales; sin duda su operación contribuye en forma notable al sostenimiento del *american way of life*.

La penetración de la radiodifusión en los distintos grupos que componen las sociedades occidentales es amplísima. Junto con la televisión y el cine es de lo más influyente. A diferencia de los otros dos medios masivos poderosos y de la prensa que viene declinando en influencia social en términos comparativos, la radio puede escucharse mientras se realizan otras actividades como transportarse (en diversos medios), comer, leer, escribir, asearse, realizar trabajos diversos, etc. Además la radio es el medio masivo más barato cada vez se ha hecho más pequeño, manuable y transportable y, por si no fuera suficiente, es el más fácil de construir, operar y mantener.

La influencia permanente de la radiodifusión en sus diversas versiones, modelos y posibilidades, ha contribuido sustancialmente a la formación y al desarrollo de la cultura moderna en todos los países del orbe en las últimas seis décadas. Muchos conocimientos se difunden en forma sistemática por este medio. Un buen número de ellos forman parte de la vida cotidiana. Estos elementos influyen en las distintas formas de alimentación, educación, diversión, información, disfrute estético, actividades religiosas, políticas, deportivas, relaciones económicas y, en general, en la conducción de los grandes conjuntos sociales de nuestro tiempo. En cierta medida algunas de estas actividades dependen de la rediodifusión. Las formas culturales de nuestro tiempo, las modas, los neologismos, las expresiones novedosas que se generalizan entre la población, son impulsadas por la radiodifusión. Como diría Alfonso Reyes, la radio es un instrumento para la *Paideia*. De allí la enorme importancia de que sea vigilada como un bien público, de todos.

La conducción social de un medio cuya importancia he apuntado apresuradamente es fundamental en nuestro tiempo. A través de él se define un conjunto amplio de nuestras relaciones como seres humanos y, en consecuencia, tiene que responder a valores colectivos que procuren la protección y el desenvolvimiento de la especie humana en sus distintos ámbitos nacionales, tomando muy seriamente en cuenta las disparidades entre los distintos grupos, sectores y clases que conforman las sociedades.

II. LA RADIO EN MÉXICO

En México la radiodifusión nace en los años veinte. En 1921, siendo presidente el general Álvaro Obregón, surgió la primera estación radiofónica. Los primeros pasos para esa nueva forma de difusión de ideas se dieron por interés de individuos que conocían las técnicas desarrolladas inicialmente en los Estados Unidos. El Estado, sin embargo, acompañó las primeras experiencias de radiodifusión, con mensajes oficiales y a través del apoyo que brindó en instalaciones de la Dirección General de Telégrafos Nacionales, donde se armaron los primeros aparatos de transmisión.

La primera vez que se hizo radiodifusión en México, según registra detalladamente Felipe Gálvez,[1] fue el 27 de septiembre de 1921, con un transmisor marca *De Forest* de 20 watts, que las autoridades habían incautado a un pesquero estadounidense. En ese programa, presentado por los hermanos Adolfo Enrique y Pedro Gómez Fernández y por el empresario teatral Francisco Barra Vilela, cantaron José Mojica, quien ya era una estrella reconocida y una niña, María de los Ángeles Gómez Camacho, hija de uno de los hermanos Gómez Fernández. La emisora pionera se mantuvo haciendo transmisiones hasta principios de 1922, cuando el doctor Adolfo Enrique Gómez Fernández y su familia se fueron a vivir a Saltillo.

Además de esas primeras experiencias de difusión radiofónica, hubo otras en la capital de la República y en la ciudad de Monterrey.

La primera emisora pública fue la de la Secretaría de Guerra y Marina que era utilizada para asuntos oficiales de ese sector. La primera empresa privada del ramo que se consolidó fue la organizada por don Raúl Azcárraga, con un aparato transmisor de 50 watts. Azcárraga era un comerciante dedicado a la venta de automóviles y refacciones, que se interesó en la venta de aparatos de radio y en la radiotelefonía. La primera emisión de su difusora, que se llamó CYL, se hizo el 18 de septiembre de 1923. Por ese mismo tiempo, aunque un poco después empezó a funcionar la emisora de la empresa tabaquera "El Buen Tono", que se llamó CYB y que es la antecesora de la XEB de nuestros días.[2] El gran constructor técnico de la CYB fue don José de la Herrán, quien prestó sus servicios también a dependencias gubernamentales y a partir de 1926 comenzó a trabajar con don Emilio Azcárraga en el montaje e instalación de radiorreceptores y tocadistos que este empresario vendía. En septiembre de 1930, Emilio Azcárraga adquirió un transmisor de 5 mil watts, que empezó a transmitir el día 18 de ese mes bajo las siglas XEW

---

[1] Felipe Gálvez ha hecho una investigación amplia sobre el origen de la radiodifusión en México, que publicará próximamente la UAM-Xochimilco. Un adelanto se publicó en la revista del CONACYT, *Información Científica y Tecnológica*, vol. 6, núm. 89, correspondiente a febrero de 1984, de donde se tomaron estos datos.

[2] *Cf.* Felipe Gálvez, *op. cit.*

De entonces para acá, la radiodifusión en México se ha expandido ampliamente.

A principios de 1982, existían en nuestro país 1 022 radiodifusoras en total. De ellas sólo 64 eran consideradas culturales, pero 13 eran de onda corta, con lo cual sólo teníamos 51 estaciones culturales en el país que podían captar los aparatos usuales, es decir, el 5% del total.[3] El sistema radiofónico mexicano, desde su gestación, responde a la influencia fundamental del modelo norteamericano. Las difusoras no comerciales se desarrollan marginalmente, con años de retraso y con poca capacidad para captar grandes masas de escuchas.

Dentro de las estaciones culturales, que han crecido en forma considerable en la última década (de 1973 a 1983 pasaron de 25 a 47, según datos de Florence Toussaint), la mayoría están ligadas a instituciones oficiales. Las corrientes que más destacan entre las difusoras culturales son las universitarias, que en los estados de la República suman doce.

Es importante que las radiodifusoras culturales continúen incrementándose en los años próximos, pero no como instrumentos de una propaganda oficial pedestre, como por mucho tiempo lo fue la hora nacional de los domingos, sino haciendo un esfuerzo para que este tipo de difusión sea divertida y atraiga a las masas, al paso que refuerza valores nacionales, de justicia, confraternidad, estética, defensa de la ecología y otros importantes para el desarrollo humano. Su potencial es muy vasto. Un ejemplo de ese tipo de promociones que debiera seguirse fue la recuperación que hizo en 1979 el Estado de tres radiodifusoras importantes de la capital de la República, que pertenecían a la Organización Radio Fórmula: XERPM, XEMP y XEB una de las pioneras de los años veinte. Esas estaciones cambiaron su programación y hoy promueven valores humanos no comerciales.

Resulta alentador que se manifieste una tendencia de crecimiento de la radiodifusión cultural en México y América Latina, aunque como sostiene Fátima Fernández Christlieb, se siente todavía muy fuerte la herencia del modelo norteamericano.

La organización del Instituto Mexicano de la Radio (IMER), durante el período gubernamental del presidente De la Madrid, es un elemento importante que debe destacarse en el trazo de las polí-

---

[3] *Cf*. Reportaje de Teresa Gil en *Unomásuno*, lunes 16 de mayo de 1983. Florence Toussaint reporta en 1984 sólo 47 estaciones culturales y un total de 1 014 comerciales. *Información Científica y Tecnológica*, vol. 6, núm. 89, febrero de 1984.

ticas en relación con ese medio de difusión masiva. El Estado administra 57 radiodifusoras en el país. El IMER produce programas para esas difusoras y también para ser transmitidos por estaciones comerciales en el tiempo reservado por ley al gobierno. El IMER fue fundado en abril de 1983 y ya ha empezado a sentirse su influencia. El director del IMER, Teodoro Rentería, informó recientemente que el tiempo reservado por ley al Estado (12.5%) ya es utilizado en un 100% en la zona del Distrito Federal, que es la de mayor densidad de radiodifusión en el país, así como que en el resto del país ya se cubre el 65%. Dentro de las líneas de trabajo emprendidas por el IMER, destaca la que se relaciona con programas fronterizos para impedir o neutralizar en alguna medida la influencia norteamericana.

La importancia de la radiodifusión no escapa a los movimientos opositores. La universidad de Guerrero ha librado una batalla importante para obtener y operar una estación desde la cual difundir sus proyectos educativos y sus orientaciones políticas. El Estado se ha mostrado reacio y ha impedido el desarrollo de la radiodifusión de ese tipo.

Cada vez se ve más claramente que es importante la ampliación de los tiempos de difusión para transmitir programas que respondan a intereses de amplios grupos sociales. Un buen número de esos programas deberían encomendarse directamente a organizaciones que representaran significativamente a esos grupos (jóvenes, obreros, campesinos, intelectuales, profesionistas, cooperativistas, etc.), a fin de balancear la influencia de intereses mercantiles tan vastamente reflejada en la radiodifusión actual. Ciertamente esos grupos y organizaciones sociales deben ser responsables en el uso de un instrumento de promoción cultural y evitar la demagogia y el sectarismo.

La influencia en la promoción de la cultura del país de la radio junto con la televisión, es la mayor. Para tener una idea aproximada de la importancia de la radiodifusión, hay que revisar algunos datos. El Distrito Federal y área metropolitana, según datos preliminares del censo de 1980 tenía un total de 2 990 555 viviendas, de las cuales el 94.5% contaban con receptores de radio. El número de habitantes en los llamados radio-hogares (aquellos que disponen de receptor) era de 14 848 000, de los cuales 9 109 000 eran menores de 25 años y 5 134 000, menores de 14 años.[4]

---

[4] Cf. Alma Rosa Alva de la Selva, *Radio e ideología*, México, Ed. El Caballito, 1982.

Otro elemento que debe destacarse es la concentración de la mayoría de las difusoras en unas cuantas empresas. Raúl Cremoux sostiene que en 1982 más del 77% de ellas estaban controladas por diez empresas mercantiles de radio y televisión. Televisa tenía ese año 136 estaciones (14.56%), Acir 119 (12.74%), Ravepsa 90 (9.63%), Radiorama 78 (8.35%), Rasa 73 (7.81%). En total esas cinco empresas tenían más de la mitad de las estaciones radiodifusoras (53.11%) del país. Las siguientes cinco empresas, Radio, S. A. tenía 60 (6.42%), Firmesa 44 (4.71%), Somer 43 (4.60%), RCN 42 (4.49%) y Promorradio RPM 42 (4.49%).[5] Esta realidad oligopólica plantea una de las características fundamentales del sistema de radiodifusión. La mayor de las empresas, Televisa, es también el gran monopolio de la televisión privada en México y su influencia se extiende más allá de nuestras fronteras. La mayor influencia cultural de los hispanohablantes en los Estados Unidos la ejercen estaciones de Televisa en ese país y programas que prepara dicha empresa.

III. IDEOLOGÍA DOMINANTE EN LA RADIODIFUSIÓN

La función principal que juega la radiodifusión es la de un gran vendedor. Se pretende justificar esa tarea diciendo que es dinamizadora del comercio y de la producción, lo cual trae beneficios a la colectividad. Se trata de una concepción liberal individualista bastante ingenua. La radio educa. Es cierto que promueve el comercio, pero además crea hábitos sociales, induce al consumo de bienes superfluos y dañinos, promueve indirectamente la contaminación y la destrucción de la ecología, ataca valores sociales de grandes grupos de la población, introduciendo otros de núcleos reducidos y privilegiados de nuestra sociedad o de otras naciones que presenta como universales o "modernos". Eso es injustificable.

Es difícil que la ideología que busca legitimar socialmente una radiodifusión tan intensamente comprometida con el comercio, pueda ser vista en sus auténticas dimensiones y con todos sus efectos. La música, los programas de entretenimiento y de concurso, las radionovelas morbosas llenas de trivialidades, hacen difícil que los escuchas, vean los efectos colaterales de la radiodifusión comercial,

---

[5] Cf. *La legislación mexicana de radio y televisión*, México, Universidad Autónoma Metropolitana-Xochimilco, 1982, p. 37.

que dañan a la sociedad más que impulsarla, que la debilitan en vez de robustecerla. Sería importante que el IMER promoviera una conciencia social más alerta a través del mismo medio.

Incluso algunos daños graves como los que produce la profusa utilización de anuncios de bebidas alcohólicas o de cigarrillos, que están absolutamente prohibidas en los países desarrollados tanto en radio como en televisión, siguen viéndose y oyéndose en México.

Una estación de radio, al igual que otros medios, es tan exitosa cuantos más anuncios tiene o más caros los puede vender. El *rating* mayor —como la circulación en los periódicos— permite a los difusores radiales vender mejor sus anuncios y ganar más dinero. Así pues, no hay una preocupación central por promover los mejores valores sociales, estéticos, morales, patrióticos o culturales. Esto se ve como una pequeña obligación, no siempre cumplida con agrado, para justificar plenamente lo que se hace en el terreno de la inducción mercantil. Los programas culturales son vistos como un complemento de la promoción de ventas. Los radiodifusores no tienen la más mínima vocación de educadores, pero lo son virtualmente, aunque no estén capacitados para ello ni sus lecciones sean socialmente provechosas. Una opinión muy significativa, que pone en claro lo antes dicho, es la expresada por Jorge H. Yáñez, gerente de operación de la emisora XEW, director de la XEQ y funcionario de la División Radio de Televisa: "Básicamente nosotros dependemos de agencias de publicidad, algunas de las cuales son extranjeras y otras, menos fuertes, nacionales. Para nosotros el cliente es la agencia, no el anunciante. El *rating* es la base de nuestros movimientos. No hay otra medida que el *rating*; con él nos compra la gente de publicidad, por eso es tan importante."[6]

El lenguaje que se habla en la radiodifusión en la mayor parte de las estaciones comerciales, es descuidado e incorrecto en gran medida. Hay cada vez más la idea de que la antisolemnidad lo justifica todo. No hay que hablar petulantemente como se hace en algunas estaciones culturales para "exquisitos". Y entonces se promueven anglicismos al por mayor, palabras que designan o pretenden designar muchas cosas y que empobrecen el vocabulario (onda, chavo, chafa...).

Debe limitarse la publicidad comercial, que además es aburrida y hecha con mal gusto en general, aunque muy machacona, y condicionarse a que sea producida con mayor calidad estética, atendiendo a las realidades y a los valores nacionales. Hasta los anun-

---

[6] Citado por A. R. Alva de la Selva, *op. cit.*, p. 110.

cios comerciales europeos son mejores que los que soportamos en
México: allá hay una preocupación por decir en breve tiempo, con
la mayor elegancia y con muchas formas sugerentes, los mensajes
que se proponen.

En fin, la inspiración mayor de la radiodifusión privada en México, es la más elemental voluntad de vender productos, bienes o
servicios, a la mayor velocidad posible. Y eso debe cambiar sustancialmente.

En las prohibiciones o severas limitaciones a la publicidad de
ciertos productos, habría que incluir además de bebidas alcohólicas y tabaco, alimentos chatarra, cabarets y cantinas y otros artículos
o actividades que inducen daños a la salud o relajamiento social
excesivo. Otros productos como los cosméticos y de belleza en general, deberían también limitarse y combinarse con ideas sobre buena y equilibrada alimentación, ejercicio y limpieza elemental para
lograr una mejor apariencia.

IV. RADIODIFUSIÓN Y SUPERACIÓN DE LA CRISIS

Para que la radiodifusión contribuya a superar la crisis en nuestro
país es necesario que impulse la democratización de la sociedad,
fomente relaciones más justas y civilizadas, participe en la educación formal e informal de todos los niveles, promueva el desarrollo
de la sensibilidad estética, alimente los valores de nuestra cultura
nacional, apoye la descentralización de las actividades culturales y
educativas y propicie el conocimiento y respeto de los elementos
más característicos de las culturas regionales del país.

A fin de lograr estos propósitos es necesario tomar una serie de
medidas y promover políticas congruentes que consideren la especificidad del medio social en donde van a aplicarse, las condiciones
económicas en tiempo de crisis —que puede ser prolongada— y
las relaciones con los otros medios masivos de información. Entre
esas medidas referidas a la radiodifusión, pretendiendo ser selectivo, sugiero las siguientes:

a] La radiodifusión debe abrirse al debate público de los principales problemas que se confrontan en la sociedad mexicana del
momento. Para ello pueden utilizarse —y ampliarse— los tiempos
con los que legalmente cuenta el Estado. Esto puede lograrse con
mayor amplitud si se cambia la política de concesiones y el Estado

otorga una mayor proporción de éstas a organismos representativos de grupos sociales amplios y a instituciones educativas.

b] Es necesario desarrollar mucho más la investigación en torno de este medio masivo que tiene un potencial rico para sociedades con escasos recursos económicos como la nuestra. Si se compara la investigación que se ha hecho en torno de la radiodifusión y se contrasta con la que hay en materia de prensa, cine o televisión, se verá la enorme disparidad que existe. De todos los medios masivos en general sabemos poco, pero de la radio, sus audiencias, sus influencias, su programación, sus vicios, sus problemas, es del que menos sabemos. Y tal vez sea uno de los dos que más influyen en el conjunto de nuestra sociedad, junto con la televisión. Para promover más este medio hay que conocer mejor, con sus circunstancias.

c] La radio puede coadyuvar en el proceso de descentralización que se ha previsto por el gobierno federal y en general al proceso de democratización de la sociedad. Para este propósito, además de cambiar la política de concesiones que ha llevado a la actual situación oligopólica, hay que utilizar mejor el 12.5% del tiempo del que dispone el Estado para radiodifundir.

d] Su potencial educativo debe ser desarrollado ampliamente. En el campo puede ser mucho más eficiente y es desde luego menos caro que las telesecundarias. Podría ampliarse la programación de radioprimarias y radioalfabetizadoras.

e] Deben incrementarse notablemente los programas educativos en los términos previstos por las fracciones I y II del artículo 11 de la Ley Federal de Radio y Televisión (LFRTV).

f] Deben hacerse programas varias veces al día dedicados a los invidentes que no pueden utilizar plenamente ningún otro medio masivo de información o comunicación. Hay que consultarlos específicamente a ellos para preparar programas que les sean importantes, educativos y atractivos.

g] Es necesario incrementar los programas que orienten la alimentación, eduquen cívicamente y reproduzcan información para la salud.

h] Hay que expedir el reglamento que haga aplicable el artículo 11 de la Ley Federal de Radio y Televisión. Esta norma es la que otorga a la Secretaría de Educación Pública atribuciones en materia de radiodifusión.

i] Se deben impulsar programas que se produzcan considerando realidades y valores regionales. En general se tiende a estandarizar la producción radiofónica por razones de costo menor y a reproducir una programación "nacional", que va erosionando algunas de las mejores tradiciones regionales. La existencia de oligopolios nacionales hace más propicia esta situación. La adecuada reivindicación de lo regional, promueve idóneamente la descentralización, la alimenta con bases culturales más firmes y protege la variedad de las expresiones creadoras de la vida humana.

j] Sería importante reconsiderar el tiempo máximo de las concesiones previsto en el artículo 16 de la LFRTV. Los treinta años que establece es demasiado tiempo para mantener una concesión. En Estados Unidos las concesiones no exceden de 2.5 años.

k] La ley debe exigir en general estudios socioculturales antes de otorgar concesiones o permisos. Los otorgantes estatales deben tomar muy en serio esos estudios y someter las concesiones a ciertas condiciones de respeto a elementos sociales y culturales valiosos propios de la región donde la radiodifusión tendrá influencia. También sería conveniente que la concesión marcara obligaciones específicas de promoción cultural, cívica, sanitaria, económica, etc., a partir de las realidades que se establezcan en los estudios socioeconómicos previos al otorgamiento de concesiones radiofónicas.

l] Tanto los programas culturales y educativos en general, como las investigaciones previas al otorgamiento de concesiones y permisos, pueden encargarse a las universidades o instituciones de educación superior.

m] Debiera prohibirse, como lo está ya en muchos países, la publicidad de bebidas alcohólicas de graduación superior a los 12 grados. Para el efecto habría que modificar el artículo 68 de la LFRTV. También debería prohibirse la publicidad radiofónica de cigarrillos.

n] La Secretaría de Educación Pública debiera intervenir con mayor amplitud en las escuelas radiofónicas, para elevar su nivel académico. Las exigencias para aprobar el examen de aptitud debieran incrementarse. La aptitud a la que se refiere el artículo 84 de la LFRTV debe incluir un conocimiento aceptable de la sociedad mexicana, su historia, su cultura y del régimen legal y político al que está sujeta.

ñ] Como integrantes del Consejo Nacional de Radio y Televisión deberían agregarse dos representantes de las universidades, posiblemente a través de la ANUIES.

LA CRISIS CULTURAL Y LA LUCHA IDEOLÓGICA EN LA TELEVISIÓN

FÁTIMA FERNÁNDEZ CHRISTLIEB

La crisis de México, entendida etimológicamente como cambio o mutación, no es todavía describible en los terrenos social y político. Para quienes miden la época actual con indicadores económicos es relativamente fácil explicar de qué a qué ha pasado la sociedad mexicana en estos años, pero quienes intentamos comprender el significado de los cambios recientes en términos de expresión social y política no estamos precisamente en un momento de claridad. Hondos, desdibujados, a ratos violentos, casi siempre imperceptibles son los cambios que se están gestando a mediados de los años ochenta en México. Estamos en una situación de tránsito. No me atrevería a hacer afirmaciones contundentes ni siquiera en el limitado ámbito que se me asignó para este ensayo: el de la televisión.

¿Cómo saber qué consecuencias sociales o políticas está trayendo consigo la programación de Televisa? En cuanto a los noticieros de Canal 13, ¿qué pensará la gente de la interpretación que ahí se hace de la crisis y de la propaganda política que tan torpe y oficialistamente se le presenta a manera de noticias?, ¿la verá?, ¿o al aparecer en pantalla los voceros del gobierno cambiará el canal para ver la telenovela del 2?, los jóvenes de la capital ¿qué pensarán de programas como videocosmos y su desbordante fascinación tecnológica?, ¿quién y cómo atenderá esos mensajes inteligentes de la UTEC que no están casados con ningún canal? Y en las zonas rurales, ¿qué asociación tendrá la publicidad televisiva con las decisiones cotidianas? Las preguntas no tendrían fin y la investigación que ayudaría a responderlas parece que continúa atrapada por sesgos mercantiles o visiones reduccionistas y superideologizadas.

En suma, hablar de la televisión en la crisis, desde el punto de vista de quienes reciben los mensajes es una labor indispensable pero que requiere información y análisis que no estoy en condiciones de ofrecer. Hablar de la televisión en la crisis refiriéndome a quienes emiten los mensajes es el objetivo de este ensayo, no sin antes advertir que no tomaré la crisis desde sus primeras manifestaciones ni tampoco a partir de su estallido visible, céntraré la atención en las medidas adoptadas durante los dos primeros años del gobierno de Miguel de la Madrid.

Estas medidas son de dos tipos: las que urgía instrumentar de manera inmediata y las de mediano plazo, que constituyen lo que podría denominarse elementos de la política de comunicación social del régimen actual.

MEDIDAS INMEDIATAS

A tres cuestiones tuvo que hacer frente con premura el nuevo gobierno: primera, uso de los medios de difusión en la fase del Programa Inmediato de Reordenación Económica; segunda, actitud a seguir respecto a la fuerza política de la televisión privada; tercera, exteriorización de los principios generales de la política gubernamental en materia de comunicación social.

Hay elementos que permiten plantear la hipótesis de que el gobierno actual se inició con un proyecto de control informativo que levemente fue modificando. Uno de estos elementos lo constituyen las iniciativas presidenciales que el Ejecutivo envió a la Cámara de Diputados a escasos dos días de iniciado el sexenio. El 3 de diciembre de 1982 llega al Palacio Legislativo una propuesta para modificar el Código Civil y otra para el Penal. El primero sería reformado en sus artículos 1916 y 2116 para incluir la reparación pecuniaria cuando se provocara daño moral, entendido éste como la lesión que una persona sufre en sus "derechos de la personalidad".[1] En la exposición de motivos se menciona directamente a quienes trabajan en el sector de la comunicación social: "Lo anterior es particularmente importante en los casos en que a través de cualquier medio, incluyendo los de difusión, se ataca a una persona atribuyéndole supuestos actos, conductas o preferencias..."

El Código Penal sufriría la inclusión de un nuevo delito en su título décimo, capítulo x, artículo 221, denominado delito de deslealtad, que sería cometido por aquellos servidores públicos que sustrajesen o transmitiesen información que se encontrase bajo su

---

[1] Cámara de Diputados del Congreso de la Unión, *Proceso legislativo de la iniciativa presidencial de reformas a los artículos 1916 y 2116 del Código Civil* para el D.F. en materia común y para toda la República en materia federal, Colección Documentos, LII Legislatura, enero de 1983, p. 7.

custodia; mismo delito que cometería cualquier persona que difundiese la información anteriormente mencionada.[2]

Mucho se discutió en las cámaras, en los partidos y en la prensa sobre el sentido y alcances de las reformas propuestas por el presidente. Interpretaciones hubo muchas y divergentes entre sí, lo cierto es que tras de una protesta llevada a cabo por numerosos y variados medios de difusión, las reformas no se aprobaron como estaban redactadas en las iniciativas. Respecto al Código Civil la polémica terminó con la propuesta de añadir un artículo 1916 bis que dice: "No estará obligado a la reparación del daño moral quien ejerza sus derechos de opinión, crítica, expresión e información, en los términos y con las limitaciones de los artículos 6o. y 7o. de la Constitución...".[3] En lo que toca al Código Penal se suprimió el delito de deslealtad como tal, aunque en el título décimo, capítulo II, artículo 214, fracción IV se mantiene como delito el utilizar información o documentación a la que un servidor público tenga acceso en virtud de su empleo,[4] cuestión que también quedó contemplada en la fracción IV del art. 47 de la Ley Federal de Responsabilidades de los Servidores Públicos. Las iniciativas presidenciales anteriormente comentadas se inscriben también en el proyecto de renovación moral de la sociedad y pueden tener además una lectura desde ese ángulo.

Todo parece indicar que ante la decisión de imponer un programa de reordenación económica que previsiblemente encontraría fuerte oposición, el presidente recomendó vigilar especialmente el sector informativo. Desde la óptica de quien asume la responsabilidad de conducir al país hacia su recuperación económica, por una puerta determinada, parecería que la comunicación social no es vista más que como un conjunto de técnicas útiles para la difusión de un programa de gobierno y un modelo de sociedad; esto a la vez que se concibe a los medios informativos como instrumentos de conflicto si eventualmente actuaran como críticos u opositores a este mismo programa.

Esta concepción de los medios como meros difusores masivos a los que conviene controlar (y no como vehículos de expresión de una sociedad plural) aparece implícita a lo largo de documentos y actos de gobierno publicados y ocurridos durante 1983. Entre

---

[2] Cámara de Diputados del Congreso de la Unión, *Proceso legislativo de la iniciativa presidencial de reformas al Código Penal*, Colección Documentos, LII Legislatura, enero de 1983, p. 23.

[3] *Proceso legislativo a la iniciativa de reformas al Código Civil*, p. 102.

[4] *Proceso legislativo a la iniciativa de reformas al Código Penal*, p. 36.

éstos es pertinente mencionar el Sistema Nacional de Noticieros de Radio, diseñado para elaborar y transmitir resúmenes informativos que son enviados a las radiodifusoras del país, debiéndose transmitir con carácter de obligatorio en un grupo de ellas. Es notoria la búsqueda de legitimidad que revela este sistema de información: "Para lograr mayor credibilidad los noticieros no serán de corte oficialista, sino por el contrario profesionales en todos sus aspectos..."[5] Medidas como ésta, aunadas a la llamada "ley mordaza" (como fueron calificadas las iniciativas para la modificación de los códigos Civil y Penal), a los cambios arbitrarios de canales y horarios de transmisión de los programas de los partidos políticos, a las interferencias a radiodifusoras populares, y a la oficialización de Radio Educación, fueron ratificando a lo largo de ese año el carácter de difusores verticales que se les trató de imprimir a los medios de difusión en los inicios del presente gobierno. A esto habría que agregar que la convocatoria para los 18 foros de consulta popular publicada en febrero de 1983 no incluyó el tema de comunicación social. La razón pudo haber sido que en un principio se consideró inconveniente cuestionar el funcionamiento de Televisa, ya que resultaba una organización de gran utilidad en el Programa de Reordenación Económica dada su probada capacidad para descalificar, a través de sus noticieros, a actores sociales opositores y dada también la eficiencia mostrada durante más de treinta años para producir y difundir una programación capaz de alejar a los receptores de la problemática real del país; sin embargo, el gobierno de Miguel de la Madrid quería, como condición indispensable para coordinar al sector informativo, exteriorizar la rectoría estatal en comunicación social y obtenerla por una vía no probada por los gobiernos anteriores. Para ello llevó a cabo dos tipos de acciones: una, necesitaba el apoyo de las cámaras, la otra el apoyo popular. La primera consistió en la modificación del artículo 28 constitucional que define a la comunicación vía satélite como área estratégica y función a ser ejercida de manera exclusiva por el Estado; como es sabido, los sistemas de televisión no se conciben ya sin la presencia determinante de los satélites. La segunda consistió en la realización de un foro específico de comunicación social en el mes de mayo de 1983.

Por el hecho de tener injerencia directa en las masas, Televisa posee una fuerza política latente que aunada a su autosuficiencia económica y tecnológica, la colocan en una posición de tal rele-

───

[5] Reproducido por M.A. Granados Chapa en *Unomásuno*, 9 de marzo de 1983, p. 4.

vancia dentro del sistema político que impide su exclusión de los programas de gobierno, pero frente a la cual el Estado se ve obligado a mantener una decidida capacidad de negociación y de imposición. Es en este marco que el gobierno de Miguel de la Madrid anuncia como propio el proyecto de satélites de Televisa como veremos más adelante, y es también por esta razón, que decide finalmente abrir el foro de comunicación social con una mayor inversión y publicidad que en el resto de las consultas populares realizadas en la primera mitad de 1983.

Como era de esperarse, uno de los saldos principales de este foro fue una abierta crítica y un rechazo sistemático a la labor que realiza Televisa; el consenso en torno a esta postura podría eventualmente utilizase si el gobierno decidiera llevar a cabo alguna reforma en la televisión. Al término de los foros el gobierno no volvió a propiciar ni mucho menos realizó críticas contra la televisión privada. Otra de las demandas más reiteradas fue la participación social en los medios de difusión. Ninguna de las dos encuentra vías de instrumentación en el Plan Nacional de Desarrollo.

Con base en el artículo 20 de la Ley de Planeación, el cual señala que la consulta popular tiene el "propósito de que la población exprese sus opiniones para la elaboración, actualización y ejecución del Plan..."[6] y según lo expresado por el secretario de Programación y Presupuesto: "Los resultados que se obtengan sobre los planteamientos en materia de comunicación social y las consultas que haga la Secretaría de Gobernación serán un componente fundamental del Plan Nacional de Desarrollo."[7] Según lo anterior, las propuestas del Foro de Mayo, sobre todo aquellas que obtuvieron amplio consenso, debieron haber quedado incluidas en el PND señalándose sus formas e instancias de ejecución, cosa que no ocurre.

En el PND pueden distinguirse tres apartados diferenciados en los que se hace referencia a la comunicación social: primero, un cuerpo político; segundo, un cuerpo sectorial múltiple; tercero, un cuerpo sectorial específico. El cuerpo político corresponde al inciso 2.2.8[8] que forma parte del rubro Gobierno, incluido dentro

[6] *Diario Oficial*, 5 de enero de 1983.

[7] Discurso del Lic. Carlos Salinas de Gortari en la presentación del Plan de Restructuración del Sistema de Comunicación Social del Gobierno Federal, 24 de marzo de 1983, p. 2 (mimeo.).

[8] *Plan Nacional de Desarrollo*, SPP, edición completa, p. 54, mayo de 1983.

del capítulo dedicado a la política del Estado mexicano. La instrumentación de este primer apartado corresponde fundamentalmente a la Secretaría de Gobernación. El cuerpo sectorial múltiple está integrado por incisos de los capítulos 5, 7, 8, 9 y 10⁹ en los que se señala la función de difusores que habrá de encomendárseles a los medios de comunicación social por parte de las siguientes secretarías de Estado: Educación Pública, Agricultura y Recursos Hidráulicos, Pesca, Patrimonio y Fomento Industrial, Comercio y Turismo. Así como por el Departamento del Distrito Federal, el Consejo Nacional de Ciencia y Tecnología y los gobiernos de los estados. El cuerpo sectorial específico se encuentra en el inciso 8.13 que lleva por título "Sistema integral de comunicaciones", cuya responsabilidad recae básicamente en la Secretaría de Comunicaciones y Transportes.

El análisis de los tres apartados revela una clara separación entre el aspecto propositivo o de principios del PND y aquel operativo o de acciones. El primer aspecto se encuentra en el cuerpo político y las cuestiones que cuentan con señalamientos de instrumentación concreta están en los cuerpos sectoriales múltiple y específico. La estructuración que se dio a la comunicación social en el PND corresponde, por una parte, a lo contemplado en los documentos que se dieron a conocer durante los dos primeros años del gobierno y por otra parte está en concordancia con los actos gubernamentales llevados a cabo durante el mismo período. Los documentos a que hacemos referencia son: el discurso de toma de posesión del 1 de diciembre de 1982; la presentación de la restructuración del sistema de comunicación social del gobierno federal realizada el 24 de marzo de 1983; el acuerdo secretarial por el cual se modifica la estructura orgánica de la Dirección General de Telecomunicaciones, publicado en el *Diario Oficial* el 29 de febrero de 1984; el Programa Nacional de Comunicaciones y Transportes 1984-1988 y los informes anuales de gobierno. Es probable que los documentos que avalen la restructuración de las entidades televisivas estatales presenten un sentido semejante; este programa será dado a conocer en febrero de 1985 junto con la creación del Canal 7 estatal.

---

⁹ PND, ver incisos 5.3.5.4, p. 144; 7.1.3.2, p. 212; 7.2.4.1, p. 221; 7.2.4.2, p. 354; 8.11.4, p. 359; 9.5.3, p. 397; 10.4, p. 410.

MEDIDAS DE MEDIANO PLAZO

De diciembre de 1982 a diciembre de 1984 hay una línea de continuidad, una repetición de postulados y proyectos, que vistos a la luz de las realizaciones concretas permiten establecer que la política de comunicación social del gobierno de Miguel de la Madrid descansa en seis elementos principales:

1] Adopción de un cuerpo de principios liberales disociado de la acción gubernamental.

2] Definición implícita de los medios de difusión como sustentadores de los programas de gobierno y en el caso de la radio y la televisión además como instrumentos de distracción respecto a la problemática nacional.

3] Inafectabilidad y consideración especial para Televisa.

4] Descentralización del sistema de televisión público y privado.

5] Reivindicación de la rectoría estatal en televisión a través de la administración de la difusión vía satélite.

6] Ausencia de participación social en los medios de difusión.

Se analizan a continuación estos elementos en los documentos oficiales y en las principales realizaciones en materia de comunicación social.

1] La adopción de un cuerpo de principios que garantice la libertad de expresión y defienda la pluralidad de emisores en los medios de difusión se debe a la continuidad natural que sigue la retórica sobre libertad de expresión desde las constituciones liberales decimonónicas. Además la inclusión de estos principios en el discurso del nuevo gobierno resulta de gran utilidad frente a una opinión pública que mucho ha escuchado acerca del nuevo orden informativo internacional y del derecho a la información, de aquí que ciertos postulados no pudiesen ser cancelados súbitamente y menos cuando era previsible que fueran el sustento de la mayoría de las ponencias presentadas en el Foro de Consulta Popular de Comunicación Social, como en realidad ocurrió.[10]

Este cuerpo de principios encuentra su manifestación más explícita en los discursos de los secretarios de Estado en la presentación

[10] Revisar los volúmenes preparados por el Foro de Consulta Popular de Comunicación Social que contienen las ponencias, presentados por el secretariado Técnico General: núm. 1, mayo de 1983; núm. 2, junio de 1983; núm. 3, julio de 1983; núm. 4, julio de 1983; núm. 5, agosto de 1983; núm. 6, agosto de 1983; núm. 7, septiembre de 1983; número 8, octubre de 1983, México.

del Plan de Restructuración del Sistema de Comunicación Social del gobierno federal[11] y en el cuerpo político del PND que si bien recoge la tónica y el lenguaje que predominó en el Foro de Consulta Popular, no incluye sus principales proposiciones.

Una constante en los documentos a que hemos hecho referencia es la mención a la libertad de expresión en el marco de la legislación vigente en materia de comunicación social.[12] Si se tiene presente la polémica que se mantuvo viva durante el sexenio anterior sobre derecho a la información, en la cual Televisa sostuvo que reglamentar el artículo sexto de la Constitución significaba limitar la libertad de expresión, se podrá inferir que el actual gobierno al reiterar la importancia de las leyes vigentes se inclina a mantenerlas intactas. A este respecto es preciso recordar que en la elaboración de la legislación de radio y televisión han tenido una participación decisiva los concesionarios, de aquí que mantener la legislación vigente signifique dejar en pie disposiciones jurídicas que no garantizan la participación social en los medios de difusión.

2] Durante el primer año de gobierno los medios de comunicación cubrieron la función de sustentadores del Programa Inmediato de Reordenación Económica. La política económica derivada de los diez puntos del PIRE fue apoyada por los medios de difusión. Las líneas centrales de acción sobre todo en aquellos aspectos que inciden directamente en la economía de las clases populares fueron reiteradamente presentadas como medidas inevitables para la salida de la crisis; las diferencias con que fueron presentados estos mensajes en la televisión privada y la gubernamental ameritarían un análisis que rebasa las posibilidades de este ensayo. Lo que habría que mencionar es que en una y otra las críticas a la política gubernamental trataron cuidadosamente de ser evitadas. Las medidas legislativas que para tal efecto se habían propuesto en diciembre de 1982, si bien no se tradujeron en la inclusión del delito de deslealtad en el Código Penal y si bien el ejercicio de los derechos de opinión, crítica y expresión no se vio alterado en el Código Civil, sí colaboraron a lograr mayor control de la información, uni-

---

[11] Ponencias distribuidas en la presentación del Plan de Restructuración del Sistema de Comunicación Social del gobierno federal, 24 de marzo de 1983 en el salón Juárez de la Secretaría de Gobernación (mimeo.).

[12] Esta referencia se repite en el discurso de toma de posesión del 1 de diciembre de 1982, en la ponencia del Lic. Manuel Bartlett pronunciada el 24 de marzo de 1983 en la Secretaría de Gobernación, p. 4, y en el Primer informe de gobierno del Lic. Miguel de la Madrid, 1 de septiembre de 1983.

formidad en los noticieros y la exclusión en pantalla de relevantes conflictos laborales y políticos.

El carácter de difusores subordinados al programa económico, que se les imprimió a los medios, es particularmente claro en la definición del sistema integral de comunicaciones contenido en el PND: "Los servicios de comunicaciones, además, constituyen un instrumento indispensable para fundamentar la descentralización y el desarrollo eficiente del aparato productivo y distributivo, por lo que contribuirán en forma importante en la instrumentación de las líneas de estrategia, de cambio estructural y de reordenación económica".[13] La anterior definición de los medios como instrumentos auxiliares en la política económica contrasta con estipulaciones que, en materia de comunicación social, llegaron a hacerse durante el sexenio inmediato anterior. Si al inicio del gobierno del presidente De la Madrid los medios fueron concebidos como instrumentos verticales de difusión, al iniciarse el gobierno precedente hubo textos que en el papel los concibieron como espacios para el ejercicio de la democracia. Recuérdese al respecto que entonces se propuso "una revisión a fondo de la función social de la información escrita y de la que genera la radio, la televisión y el cine, así como una evaluación de los procedimientos y formas de organización de las entidades públicas y privadas que la producen, para que al mismo tiempo que se refuerce o garantice la libertad o el derecho de expresión de los profesionales de la información, se fomente también la expresión auténtica, la confrontación de opiniones, criterios y programas entre los partidos políticos, los sindicatos, las asociaciones de científicos, profesionales y de artistas, las agrupaciones sociales y, en general, entre todos los mexicanos".[14] El discurso político sostenido al inicio de uno y otro gobierno en materia de comunicación social, como lo ilustra el ejemplo, es diferente pese a sustentarse en bases similares. El gobierno de Miguel de la Madrid es más cauto incluso en el discurso de lo que hemos llamado cuerpo político no instrumentable del PND. El cuerpo sectorial múltiple del PND, o sea aquellos rubros que contienen referencias sobre los medios como difusores de proyectos gubernamentales a desarrollarse entre 1983 y 1988, aparecen como la definición más clara del sitio que ocupa la comunicación social en el programa general del gobierno actual. A lo largo del PND encontramos mu-

[13] PND, inciso 8.13, p. 368.
[14] *Plan Básico de Gobierno 1976-1982*, Partido Revolucionario Institucional, VIII Asamblea Nacional Ordinaria, 25 de septiembre de 1975, edición del partido, p. 12.

chas referencias a la inserción de los medios en proyectos sectoriales específicos como serían los comprendidos en los incisos 8.3 sobre
agua, 8.4 pesca y recursos del mar, 8.6 desarrollo industrial y comercio exterior, 8.10 modernización comercial y abasto, 8.11 turismo, 8.12 desarrollo tecnológico y científico.[15]

Aunado al uso que programáticamente se busca dar a los medios
de difusión y en particular a la televisión, está el uso que en la
práctica se le da desde hace décadas. El contenido de los diferentes
mensajes que se difunden a través de este medio será alejado de
los problemas nacionales; éstos son deliberadamente dejados de lado
para dar lugar a la presentación de situaciones, conflictos y escenarios que constituyen artificios respecto a lo que el país es y puede
ser. El impulso y ratificación que de estos contenidos hace el Estado
son la más elocuente definición de la televisión nacional.

3] Paralela a la crisis económica se fue gestando, durante la
década de los años setenta, una crisis en la hegemonía informativa.
La necesidad de conducción estatal en el ámbito de la difusión
masiva y particularmente en la televisión, trató de ser satisfecha
desde los años sesenta, mediante estériles recursos legislativos. Por
años se había intentado conseguir una regulación de la actividad
informativa de Televisa mediante proyectos que planteaban un
freno al crecimiento del monopolio privado, pero una vez perdida
la estabilidad financiera del país tales intentos fueron abandonados.
El Estado se propone, a partir de 1982, concentrar recursos en la
recuperación de la economía y en el control de eventuales estallidos
sociales. La época de bonanza permitió al Estado externar proyectos asistenciales en comunicación social y decretar la limitación del
ejercicio monopólico en la televisión.

La recesión mundial, la internacionalización monetaria, la necesidad de recuperación del capitalismo mexicano, obligan a invertir los proyectos, a cambiar la retórica, a dejar abierto el campo
al libre juego del mercado. En los años ochenta Televisa se ve for-
talecida por este sentido general que comienza a adquirir la actividad económica y por las necesidades de ajuste que manifiesta
el sistema político. La contracción del gasto público y la urgencia
de contener demandas sociales colaboran a que el consorcio televisivo se presente como una instancia útil, como una entidad con
la que conviene mantener relaciones estrechas dada su incidencia
en la opinión pública nacional.

No hay punto de comparación entre el Telesistema Mexicano de

[15] PND, incisos citados en la nota número 9.

principios de los años setenta con la Televisa de hoy. Aquello era una empresa que utilizaba su experiencia política con fines fundamentalmente mercantiles; ahora que éstos han logrado un cauce irreversible, el proyecto político ocupa una prioridad central. En la década de los años ochenta Televisa ha llegado a ser una empresa transnacional inserta en el nuevo patrón mundial de acumulación de capital, una versátil fuente de espectáculos de masa y una entidad política de derecha, generadora de una vasta opinión pública.

Ante el descontento popular que han generado las medidas económicas y teniendo en cuenta la penetración de la empresa televisiva en los hogares mexicanos, el gobierno ha optado por no afectar los intereses de los concesionarios y por darles un trato preferencial. El anuncio de medidas gubernamentales o las exposiciones de nuevos planes sectoriales son dados a conocer, frecuentemente, a través de entrevistas realizadas por la televisión privada.

En declaraciones públicas, los funcionarios gubernamentales tienen especial cuidado de no mencionar por su nombre a Televisa, cosa que también ocurre en los documentos oficiales, e igualmente procuran dejar claro que las restructuraciones estatales no tienen por objeto competir con la empresa privada ni dañar sus intereses. Al respecto, el secretario de Gobernación en la primera fase de la restructuración del sistema de comunicación social afirmó: "Por lo que toca a otros medios, vale la pena ser reiterativo: ratificamos que en materia de comunicación social la única política posible es la libertad, en el marco del régimen de derecho que respetaremos, defenderemos e impulsaremos celosamente porque es la base de nuestro sistema de convivencia."[16] A propósito de la segunda fase de restructuración de la televisión, el director del Instituto Mexicano de Televisión declaró: "...sin enfrentarnos de ninguna manera a otras fórmulas de programación, en virtud de que nuestro tendido de redes no sigue el mismo camino que el de las redes tradicionales de la televisión privada".[17]

En el terreno fiscal es particularmente evidente el trato preferencial que recibe Televisa. Después de quince años de vigencia del impuesto en tiempo de transmisión (12.5% del tiempo total en cada estación concesionada) resulta indiscutible que el Estado ya

[16] Palabras del Lic. Manuel Bartlett en la presentación del Plan de Restructuración del Sistema de Comunicación Social del gobierno federal, 24 de marzo de 1983 (mimeo.), p. 4.

[17] Entrevista a Pablo Marentes publicada en el periódico *Unomásuno*, el 14 de enero de 1985.

no está en las condiciones de precariedad televisiva que dieron origen a esta propuesta. El impuesto debería ser pagado en dinero y si hay necesidad de utilizar los canales privados, el Estado puede hacer uso del tiempo legal que le concede la Ley Federal de Radio y Televisión.

4] Si bien el gobierno de Miguel de la Madrid ha externado que uno de los objetivos del Sistema de Comunicación Social es la descentralización de la comunicación con el fin de revitalizar el federalismo,[18] este proyecto no guarda semejanza con otros sectores como el educativo o el de la salud que han comenzado ya a ser descentralizados. La razón por la que la comunicación social adopta modalidades específicas es que se trata de un área en la que no sólo hay predominio del capital privado, sino en la que el modelo televisivo ha sido impuesto por Televisa, logrando amplio consenso entre públicos diferentes, y lo que es más importante para el proyecto descentralizador, es que los planes de trabajo de la televisión estatal toman como brújula a Televisa. Esto último ha sido una constante desde que el Estado decidió producir televisión, de aquí que la descentralización de la televisión no pueda realizarse al margen de las iniciativas que va dictando el sector privado.

El 24 de marzo de 1983 se hizo pública la restructuración del sistema de comunicación social del gobierno federal como un proyecto descentralizador y en el Foro de Consulta Popular de Comunicación Social, en mayo del mismo año, Televisa expuso las primeras líneas de su plan de regionalización.

La primera fase de la restructuración gubernamental consistió en la integración de varios órganos rectores[19] y en la creación de tres entidades paraestatales,[20] éstas con carácter de organismos descentralizados y aquéllos dependientes de la administración central; todos relacionados con la Secretaría de Gobernación como señala el nuevo artículo 27 de la Ley Orgánica de la Administración Pública Federal.

La segunda fase se inició con la creación de un nuevo canal estatal, el 7, colocado como cabeza de red de Televisión de la República Mexicana (TRM), con el fortalecimiento de los centros

---

[18] Cf. discursos pronunciados en la presentación del Plan de Restructuración del Sistema de Comunicación Social, 24 de marzo de 1983.

[19] Véase órganos que componen el Sistema de Comunicación Social del gobierno federal en el documento presentado por el Lic. Javier Wimer el 24 de marzo de 1983, pp. 3 ss. (mimeo.).

[20] Decretos por los que se crean los institutos de Televisión, de Radio y de Cinematografía, Diario Oficial, 25 de marzo de 1983.

de producción regionales y del Canal 22 que transmite en la banda UHF, con cobertura del Valle de México.

La restructuración estatal obedeció a cuatro necesidades fundamentales: *a*] racionalización de recursos obligada por las restricciones al gasto público; *b*] mayor adecuación del sector informativo a las instancias ejecutoras de la política económica; *c*] equilibrio interno de poder entre los diversos órganos encargados de instrumentar la política de comunicación social, *d*] mejoramiento de la imagen de la televisión estatal ante la identificada y fuerte presencia de la televisión privada.

Un análisis que contemple, por una parte, los vastos organigramas de las dependencias del gobierno federal encargadas de televisión y por otra, los presupuestos de egresos destinadas a las mismas, arroja necesariamente la conclusión de que el gobierno se ve obligado a racionalizar sus recursos y a entrar en colaboración con el sector privado. Igualmente necesaria le resulta al gobierno la restructuración del sistema informativo oficial si se toma en consideración que el PND reitera la necesidad de utilizar los medios de difusión en el programa de reordenación económica. Al respecto resulta ilustrativo señalar que el Consejo de Coordinación del Sistema de Comunicación Social del gobierno federal incluye entre sus miembros a secretarios de Estado responsables de la política económica (SHCP, SPP, SEMIP, SECOFIN), hecho que no cuenta con precedentes en la trayectoria administrativa de la televisión.[21]

La restructuración del aparato de comunicación social no persigue únicamente una racionalización de recursos, una competencia más equilibrada con el sector privado y una mayor coordinación con los programas económicos, sino que busca además un equilibrio interno en el ejercicio del poder que deriva del control de los medios de difusión. Ésta ha sido una vieja práctica del sistema político mexicano. En un régimen presidencialista cuyo cambio de mando radica en la elección de uno de los miembros del gabinete, no puede ser uno de éstos quien concentre las decisiones en materia de difusión masiva, como ocurre en los países que cuentan con un ministro de información (en América Latina podría ponerse por caso a Venezuela, país que cuenta con un ministro de información y turismo, pero que a la vez posee un sistema político que permite la alternancia de partidos en el poder).

En México, el temor de que un secretario de Estado pueda uti-

[21] Véase composición del Consejo de Coordinación en la p. 4 del documento leído por el Lic. Javier Wimer, el 24 de marzo de 1983 (mimeo.).

lizar los medios para promover su propia precandidatura en los últimos años del sexenio, ha llevado a los depositarios del Poder Ejecutivo a dividir la responsabilidad de la comunicación social.

La fórmula en vigor para mantener un equilibrio de poder sobre los medios dentro del gobierno consiste en establecer una estructura centralizada con posibilidades prácticas de ser manejada flexiblemente. En la historia de la televisión mexicana no había habido un número tan alto de secretarías de Estado involucradas en la administración de la comunicación social. El órgano supremo que rige al sistema de comunicación social es el Consejo de Coordinación formado por trece personas de las cuales nueve son secretarios de Estado, incluido el gabinete económico. Si bien, de acuerdo a las fracciones xxx y xxxi recién incorporadas al artículo 27 de la Ley Orgánica de la Administración Pública Federal[22] corresponde a la Secretaría de Gobernación la formulación, regulación y conducción de la política de comunicación social y si bien la Secretaría de Comunicaciones y Transportes, de acuerdo con la fracción II del artículo 36 de la citada ley, requiere de la opinión de Gobernación para otorgar concesiones y permisos, el Ejecutivo podría contrarrestar eventualmente la concentración de poder en una secretaría a través de instancias de reciente creación: la Dirección General de Comunicación Social de la Presidencia, creada el 31 de enero de 1983 y los institutos de Radio, Televisión y Cinematografía, cuyo régimen es el de organismos públicos descentralizados con personalidad jurídica y patrimonio propios, y que si bien su operación se lleva a cabo de acuerdo con las normas que define la Secretaría de Gobernación, sus directores son nombrados y removidos directamente por el presidente de la República, al igual que el director del Canal 13. Esto último cobra relevancia si se subraya el carácter operativo y de incidencia directa que en el público tienen estos organismos.

Antes de hacer las últimas consideraciones sobre la descentralización, conviene reiterar que a diferencia de lo que acontece en los sectores educativo y de la salud, en los que el gobierno federal ha externado con mayor precisión el proyecto de descentralización, en el terreno de la comunicación social no es posible pasar a la formulación de hipótesis definitivas de trabajo por la carencia de información que las sustente, lo que no impide advertir el peligro de que los recursos y proyectos informativos locales se vean subor-

---

[22] Decreto de reformas y adiciones a la Ley Orgánica de la Administración Pública Federal, publicado en el *Diario Oficial*, el 29 de diciembre de 1982.

dinados a los proyectos de Televisa, así como las entidades educativas se verán sujetas a los recursos de cada ayuntamiento, con la diferencia de que en el caso de la televisión quien regiría el proceso sería una empresa transnacional y no las autoridades de un municipio. La descentralización permite reducir el gasto público librando a los diversos centros regionales a sus propias fuerzas; para ello algunas entidades federativas cuentan con proyectos propios, como sería por ejemplo, el caso de Tabasco o el de Quintana Roo, pero otras serían fácilmente permeables por el proyecto privado. Será hacia la segunda mitad del gobierno de Miguel de la Madrid cuando se vean los primeros resultados en este terreno. La capacidad de Televisa para influir regionalmente es grande debido a su antigua organización nacional vía la Cámara Nacional de la Industria de Radio y Televisión, a la infraestructura que tiene instalada en el interior de la República y a su plan de regionalización recién puesto en marcha.

El proyecto de Televisa para trabajar por regiones fue presentado en el Foro de Consulta Popular de Comunicación Social a través de varias ponencias y en diferentes mesas.[23] Estos documentos mantienen como constante dos postulados y un corolario: el presidente Miguel de la Madrid anunció una descentralización de la vida nacional y las culturas regionales merecen ser reforzadas, de aquí que Televisa proponga un sistema de televisión regional. Este sistema según fue anunciado en mayo de 1983, está constituido por ocho zonas en las que quedará dividida la República mexicana:

a] Valle de México; *b*] costa petrolera desde Tamaulipas hasta Tabasco; *c*] península de Yucatán; *d*] el sureste desde Guerrero hasta Chiapas; *e*] el Bajío: Guanajuato, Querétaro, San Luis Potosí y Michoacán; *f*] el occidente desde Jalisco a Sonora; *g*] zona minera e industrial del norte; *h*] zona fronteriza con los Estados Unidos.[24]

El primer paso de este proyecto de regionalización se dio en el Canal 8 del D.F. cuya nueva programación, anunciada al día siguiente de que el gobierno hacía público su plan de restructuración, fue calificada de "eminentemente cultural"[25] y fue destinada a la

[23] Véase ponencias presentadas por representantes de Televisa en el Foro de Consulta Popular de Comunicación Social en la mesa de Descentralización y Regionalización, principalmente.

[24] Tomado de la ponencia de Margarita Villaseñor, vicepresidenta de investigación de Televisa, registrada en el tema de "Soberanía e identidad nacional", presentada en Monterrey, el 2 de mayo de 1983.

[25] *Excélsior*, 2a. edición, 25 de marzo de 1983. Declaración de M. Alemán Velasco.

primera zona de la lista: el Valle de México. Los siguientes pasos del proyecto abarcan la regionalización de los centros de producción.

5] Para ubicar el quinto elemento en el que descansa la política de comunicación social del gobierno de Miguel de la Madrid, es decir para exponer por qué se da una reivindicación de la rectoría estatal a través de la administración de la difusión vía satélite, habría que recordar que en la primera semana de gobierno el presidente envió a la Cámara de Diputados una iniciativa que propuso modificaciones y adiciones a seis artículos de la Constitución (capítulo económico) entre ellos el 28; el párrafo que nos incumbe fue redactado así en el original de la iniciativa: "Son actividades estratégicas a cargo exclusivo del Estado: acuñación de moneda, correos, telégrafos, radiotelegrafía y la comunicación vía satélite..."[26] La inclusión de los satélites en las áreas que el Estado se reserva para sí resulta significativa si se tiene presente que en 1980 Televisa se erigió en promotora del proyecto de satélites Ilhuicahua (después llamado Morelos) y que el 29 de octubre de 1981 el *Diario Oficial* publicó un decreto que permitía a Televisa instalar y operar satélites; pero sobre todo la medida presidencial cobra relevancia si se recuerdan los fallidos intentos de dos administraciones por regular jurídicamente la industria televisiva. Parecería como si el gobierno de Miguel de la Madrid intentara esta vez ganar la batalla jurídica adelantándose a los avances tecnológicos en materia de televisión. En todo caso la modificación al artículo 28 de la Constitución y su ley reglamentaria[27] no sólo ponen en manos del Estado la facultad para instalar y operar el Sistema de Satélites Morelos sino que además deberán caer bajo su exclusiva jurisdicción los satélites de difusión directa que podrán ser colocados en las cuatro posiciones que adquirió México en la órbita geoestacionaria, durante la Conferencia Administrativa de la Unión Internacional de Telecomunicaciones, celebrada en Ginebra del 13 de junio al 17 de julio de 1983.[28] Una de estas posiciones es pro-

[26] Texto de la iniciativa presidencial que propone modificaciones y adiciones a los artículos 16, 25, 26, 27, 28 y 73 de la Constitución Política de los Estados Unidos Mexicanos, 23 de diciembre de 1983, fecha de la firma del dictamen y primera lectura. Véase texto definitivo en el *Diario Oficial* del 3 de febrero de 1983.

[27] *Diario Oficial*, 21 de enero de 1985.

[28] Las posiciones orbitales corresponden a los grados 136, 127, 78 y 69. *Cf.* actas finales de la Conferencia Administrativa Regional para la planificación del servicio de radiodifusión por satélite en la región 2, Ginebra, Suiza, julio de 1983.

bable que se utilice en 1988, tal como señala el Programa Nacional de Comunicaciones y Transportes.[29] Resulta pertinente mencionar que los satélites de comunicación que adquirió México para poner en órbita en mayo y noviembre de 1985 no serán utilizados únicamente para televisión, sino que podrán transmitir otro tipo de información que eventualmente podría comprometer la soberanía nacional. En este sentido la modificación constitucional al artículo 28 y las reformas al artículo 11 de la Ley de Vías Generales de Comunicación, aprobadas en diciembre de 1984, complementan al decreto que reforma y adiciona la Ley de Información Estadística y Geográfica publicada en el *Diario Oficial* el 12 de diciembre de 1983, y que hace referencia directa a la informática como elemento consustancial de la soberanía nacional.

El Plan Nacional de Desarrollo 1983-1988 incluye dentro de los lineamientos de estrategia del sistema integral de comunicaciones tanto a las telecomunicaciones como a la informática. El hecho obedece a que estos dos sectores integrados han dado ya origen en la práctica a la telemática, o sea, al procesamiento electrónico de datos a distancia, actividad que se ha convertido en un sector estratégico para el patrón de acumulación que está entrando en vigor en la economía mundial. A este respecto cabe señalar que "el impulso a la incorporación de la telemática al aparato productivo en general, se explica como un imperativo tecnológico del sistema capitalista en crisis".[30] Condición indispensable para el desarrollo de la telemática es la industria electrónica, misma que en el Plan Nacional de Desarrollo ocupa un sitio relevante. En el rubro de desarrollo industrial y comercio exterior y en el apartado que se refiere a bienes de capital, se señala la estrategia de desarrollo del sector electrónico e industrias asociadas.[31] Las razones son claras: "El tremendo desarrollo de la microelectrónica ha transformado a la electrónica en una industria de convergencia que emite radiaciones de innovación tecnológica; con lo cual impulsa el avance tecnológico de otras industrias, pero incentivando a la vez su fusión, especialmente la industria de la informática y las comunicaciones. En el futuro, estas tres industrias tenderán a fusionarse y a formar

[29] Poder Ejecutivo Federal, *Programa Nacional de Comunicaciones y Transportes 1984-1988*, cuadro IV.1

[30] Guillermo Anaya Prats, "Actividad financiera y telemática. Una primera aproximación al caso de México", en *La banca: pasado y presente* (Problemas financieros mexicanos) CIDE, Colección Economía, Ensayos núm. 5, México, 1983, pp. 312-313.

[31] PND, inciso 8.6.5.2, p. 320.

un enorme complejo industrial de gran dinamismo económico. El calificativo de enorme no resulta ni gratuito ni desmesurado. En efecto, no es exagerado afirmar que en los próximos años, el principal polo en torno al cual se reorganizará la estructura productiva de los países industrializados será el complejo industrial de la telemática."[32] De aquí que las telecomunicaciones no sólo sean concebidas por el actual gobierno como un avance en el terreno de la rectoría estatal en televisión sino que sean la vinculación permanente de este sector con el aparato productivo.

6] De lo hasta aquí expuesto puede colegirse que en el proyecto televisivo del gobierno de Miguel de la Madrid corren simultáneamente tres líneas complementarias: primera, el fortalecimiento de los medios estatales como medios gubernamentales; segunda, el impulso al proyecto de expansión de Televisa, y tercera, el veto a toda participación social en el sistema de televisión nacional: las restructuraciones llevadas a cabo no contemplan instancia alguna para la participación de los ciudadanos organizados.

Puede decirse que en comunicación social el gobierno de Miguel de la Madrid ha elegido como respaldo al sector empresarial privado y ha descartado por completo las bases tradicionales de apoyo del Estado mexicano. En esta elección parece no estar presente únicamente la emergencia de una crisis económica sino un proyecto de sociedad. La decisión es grave y las consecuencias impredecibles. Televisa no es una empresa mexicana más, es un consorcio transnacional perfectamente imbricado en la cultura, en la educación, en la política, en el espectáculo, en la economía, en las relaciones exteriores de México.

Ya en 1980 Televisa sabía bien la fuerza que a través de los años había adquirido. En ese año expuso sin reservas, en la Cámara de Diputados, la lista de actividades a las que se dedica y las empresas que posee,[33] justamente en momentos en que el Poder Legislativo buscaba la forma de reglamentar el artículo 6o. de la Constitución para garantizar a los ciudadanos el derecho a la información. La actitud desafiante del consorcio obedecía a la certeza de que en la década de los ochenta había dado el salto definitivo a

---

[32] Anaya Prats, *op. cit.*, p. 315.

[33] Además de una lista de empresas en el área de espectáculos y deportes fueron mencionadas sociedades anónimas ubicadas en la rama turística, de servicios, inmobiliaria, cultural, de exportación, de publicaciones, etc. El documento fue leído por el Lic. Humberto Barbosa López, en la Cámara de Diputados, el 10 de abril de 1980 durante las audiencias públicas sobre el derecho a la información.

las zonas neurálgicas del Estado. Hoy, existe un poder privado autónomo dentro del Estado mexicano que cohabita con los poderes públicos con anuencia de éstos. Es ingenuo afirmar que una vez que la economía del país comience a recuperarse se instrumentará una política nacionalista en materia de comunicación social; esto no será posible, las decisiones de ahora impedirán dar tales pasos en el futuro. No es un problema de televisión lo que está en juego, es un asunto de soberanía nacional. Demasiado clara ha sido la posición de Televisa en los conflictos internacionales. No necesitamos preguntarnos cómo actuaría ante una eventual agresión de Estados Unidos contra México.

La historia del último siglo muestra con toda nitidez la firme y paulatina expansión de Televisa. De ser un consorcio que en sus orígenes echó a andar el modelo radiofónico norteamericano de la RCA y de la CBS a través de la XEW y de la XEQ, pasó a conquistar más tarde el entonces nuevo invento de la televisión y encontró la fórmula para llevar a ella lo que había sido un triunfo de la radio: la apropiación de la música popular mexicana y del melodrama al que supo darle forma de telenovela y explotar así comercialmente la sensibilidad de las culturas latinoamericanas. A esto le añadió, con éxito, las series y programas extranjeros y logró que una generación de mexicanos los mire como suyos. En cuestión de apropiación de contenidos la historia es particularmente mostrativa: en los años treinta fue el melodrama, en los cincuenta las series norteamericanas, en los setenta rasgos de la cultura mexicana, en los ochenta lecciones universitarias y hasta temas de la propia izquierda.

Por décadas Televisa no tuvo mensaje, se adueñó de lenguajes ajenos y encontró la manera de venderlos. Hoy, en el marco de una televisión estatal autocensurada puede llevar hasta sus estudios a dirigentes de organizaciones de izquierda, quienes alegando ventajas de cobertura y falta de otros espacios, hablan del centenario de Marx o de la nacionalización de la banca, aceptando convertirse así en el nuevo elemento de apropiación y venta de Televisa, y lo mismo sucede con los secretarios de Estado que exponen en Canal 2 y en exclusiva sus programas sectoriales. Análisis aparte merecería el caso de la UNAM que hasta enero de 1985 continuaba alimentando la programación matutina de Televisa. Televisa parece haber permeado hasta las conciencias más nacionalistas del país.

En estos años ochenta, pese a la crisis, el consorcio no requiere de mayor esfuerzo para expandirse económicamente, sus anunciantes continuarán pagando las tarifas que se les exijan y en los Estados Unidos sus programas, aquí confeccionados con pocos pesos, son explotados allá en dólares a través de Univisión. Hemos llegado al momento en que, para Televisa, las clases trabajadoras de México no son sólo importantes como mercado sino también como objetivo político. La empresa televisiva se nutre de los consorcios nacionales y transnacionales que le compran tiempo, de las clases medias urbanas que instalarán cuanto aditamento sea necesario para la recepción de señales vía satélite y de la explotación comercial de programas en el extranjero. Si Televisa se empeña en llegar hasta el municipio más recóndito y pauperizado del país es por motivos hegemónicos que van mucho más allá del ámbito televisivo y por la misma razón hace proyectos para bañar tierras latinoamericanas con la señal de sus satélites. Sobre esta cuestión no está de más mencionar que la empresa encontró rápidamente la fórmula para sortear las modificaciones al artículo 28 constitucional que le impiden instalar y operar satélites: está solicitando una posición orbital norteamericana a través de su cadena en los Estados Unidos.[34]

Ante este panorama, el gobierno de México centra sus esfuerzos en crear redes estatales de televisión, con 35 años de retraso, sin parecer percatarse de que Televisa lleva ese mismo tiempo labrando, pacientemente, ese consenso concreto, efectivo y factual (como diría Habermas) que en momentos de definición pondría a las masas de su lado.

No debería ser la órbita geoestacionaria hacia donde mirara el Estado mexicano en estos momentos, sino hacia algo más terrestre y cercano: sus tradicionales bases sociales de apoyo que están completamente marginadas de la televisión.

---

[34] *Telcom Highlights*, 22 de agosto de 1984, p. 11.

LA CRISIS CULTURAL Y LA LUCHA IDEOLÓGICA EN LA CIENCIA

RUY PÉREZ TAMAYO

INTRODUCCIÓN

Me felicito de que la Ciencia haya sido incluida en la imponente lista de 40 aspectos diferentes de la vida de México que se encuentran en crisis, pero resiento que haya aparecido inmediatamente después de la TV y el radio (por lo menos, en el contenido provisional de este volumen), como si fuera otro medio de comunicación. En cambio, no me extraña que la Ciencia haya precedido en la lista mencionada a la Tecnología, ya que la asociación de ambas se ha convertido en un *cliché* en muchas partes del mundo occidental, incluyendo a México. Como científico mexicano, hubiera preferido la vecindad con la educación o con la cultura, o hasta con la modernización de la vida. Pero junto a la educación quedaron la prensa y una perspectiva general, mientras que ni la cultura ni la modernización de la vida figuraban en el plan provisional de este libro. Quizá no califican como problemas o alternativas, o a la mejor no se encuentran en crisis en México...

La palabra "crisis" significa *Mutación considerable que acaece en una enfermedad, ya sea para mejorarse, ya para agravarse el enfermo.* (Diccionario de la Real Academia Española, 1977). Su uso en relación con la Ciencia en México es particularmente apropiado, pues señala que la actividad científica ya se encontraba enferma al ocurrir la crisis. Naturalmente, para todos los científicos mexicanos y el público general esto no es noticia, ya que los primeros tenemos muchos años de vivirlo en carne propia y hemos generado artículos, declaraciones, simposia y hasta libros dedicados a denunciar el triste estado de la Ciencia en el país.[1] En cambio, para algunas autoridades el problema no parece existir, a juzgar

[1] Ruy Pérez Tamayo, "Ciencia, paciencia y conciencia en México", en L. Cañedo, L. Estrada (comps.), *La ciencia en México*, México, FCE, 1976, pp. 26-42; del mismo autor, "La investigación médica en los últimos 40 años en México", en B. Sepúlveda (comp.), *40 años de medicina en México*, México, El Colegio Nacional, 1983 (en prensa).

por el optimismo (cuando no el cinismo) de sus expresiones al respecto.

En estas líneas voy a presentar un resumen de la crisis de la Ciencia en México, con especial atención a sus causas y a su magnitud. Aclaro que mi experiencia personal está limitada a un solo aspecto de las ciencias naturales, que es la investigación biomédica. Sin embargo, a través de lecturas y conversaciones con colegas expertos en distintas áreas de la ciencia me he convencido de que la situación no es muy diferente en esos otros campos del quehacer científico. Al final he incluido algunas alternativas de solución que me parecen viables, aunque desde luego no son ni fáciles ni a corto plazo.

LA ENFERMEDAD DE LA CIENCIA

En varias ocasiones he examinado los diferentes problemas que afectaban a la Ciencia en México hasta antes de la crisis actual. A continuación incluyo una breve lista de los principales, con comentarios resumidos para cada uno.

1. *Escasez de investigadores científicos*. Entre 1971 y 1975, México contaba con 1.2 personas trabajando en el sistema de investigación y desarrollo (ID) por cada 10 000 habitantes, mientras que en Alemania había 20, en Japón 36, en Israel 40, y en los Estados Unidos 42, también por cada 10 000 habitantes. El dato mencionado para México incluye personal administrativo, técnico y de intendencia; si se considera sólo a los científicos, la cifra probablemente sería de 0.6 personas por cada 10 000 habitantes, o menos.[2]

2. *Limitación de fondos dedicados a ID*. Según datos de CONACYT, a fines del sexenio pasado México estaba invirtiendo el 0.61% del producto nacional bruto en ID, mientras Alemania invertía el 2.2%, los Estados Unidos una cifra igual, Inglaterra el 2.0%, Japón el 1.9%, y la URSS el 3.6%. Naturalmente, éstas son cifras globales y no traducen otro aspecto del problema, que es la *calidad* de la inversión. En México, en el sexenio pasado se invirtió una cifra desconocida (pero seguramente considerable, a juzgar por las computadoras y edificios que están a la vista, más el exceso desen-

[2] L.S. García Colín, *El sistema nacional de investigación y desarrollo: su relación con la investigación científica y la educación superior*, México, Universidad Autónoma Metropolitana, 1982.

frenado del personal administrativo, que ya no está a la vista) del presupuesto de CONACYT en... CONACYT.[3]

3. *Incomunicación entre los productores y los usuarios del conocimiento.* La casi absoluta ausencia de comunicación entre la comunidad científica y los usuarios potenciales del conocimiento puede medirse de dos maneras:

a] La fracción del presupuesto invertido en ID que proviene de la iniciativa privada, en comparación con la que proviene del gobierno. En este renglón, en México la industria proporciona el 5% y el gobierno el 95% del gasto en ID, mientras en Japón la industria provee el 56% y el gobierno el 44% restante, en Inglaterra la industria aporta el 41% y el gobierno el 55%, y en Alemania la industria paga el 51% y el gobierno el 47%.[3 bis]

b] La distribución de los científicos en las distintas instituciones, divididas (con este propósito) en universidades, gobierno e industria. En México las cifras (para 1974) son 39, 54 y 7, respectivamente, mientras que en Alemania (para 1971) son 20, 13 y 67, para Japón (1974) son 33, 12 y 55, y para Estados Unidos (1974) son 15, 17 y 68. Es claro que en los países desarrollados la industria apoya fuertemente a la ciencia y emplea a una proporción considerable de los científicos, mientras que en México los datos son completamente opuestos.[4]

4. *El pantano de la infraestructura.* En un artículo admirable, tanto por su brevedad como por su contenido, Alarcón-Segovia[5] resume 10 problemas graves para la investigación científica, anteriores a (e independientes de) la crisis actual. Estos problemas son: la burocracia, la aduana, los impuestos, el Instituto Nacional de Investigaciones Nucleares (ININ), la energía eléctrica, los teléfonos, los representantes comerciales, el correo, el mantenimiento del equipo y los planes "sexenales". Todos estos problemas existían antes de septiembre de 1982; en diferentes ocasiones, con mayor o menor indignación y/o urgencia, muchos de nosotros (los científicos) los hemos descrito, denunciado y hasta maldecido. La respuesta (con una sola excepción, el valiente esfuerzo del Lic. Gerardo Bueno Zirión, entonces director general de CONACYT, por romper la hegemonía de la *Cosa Nostra* mexicana, o sea el poder casi omnímodo de los aduaneros en este país) ha sido un estruen-

[3] Ruy Pérez Tamayo, "¿CONACYT o Kafkacyt?", *Nexos* 45: 23-31, 1981.
[3 bis] *Ibid.*
[4] L.S. García Colín, *op. cit.*
[5] D. Alarcón-Segovia, J. Alcocer Varela, "Investigación clínica", *Ciencia y Desarrollo* 9: 73-74, 1983.

doso silencio. Tal parece que las raíces de todos estos males tienen un arraigo más profundo que la tibia e incierta promesa de la ciencia. De todos modos, un gobierno que pretende basarse en la honradez y que (dizque) lucha contra la corrupción vería su credibilidad aumentada en grado no despreciable si durante los próximos meses los pobrecitos ciudadanos mexicanos forzados a tratar con la aduana se encontraran con que los aduaneros ya no son asaltantes de caminos con licencia oficial, sino empleados federales interesados en servir al público usuario en la forma más eficiente y cortés posible.

Alarcón-Segovia toca otros aspectos que también agobian a los científicos, entre ellos la tragedia de los teléfonos, cuyo pésimo servicio nos transforma en fenocopias criollas del Conde de Montecristo, igualmente incomunicado con el mundo exterior durante su prisión; la extorsión inicua que sufrimos los investigadores en manos de ese voraz dinosaurio conocido como el Instituto de Investigaciones Nucleares y cuyo alimento predilecto es el exiguo presupuesto de los científicos; la inestabilidad de nuestros proyectos de investigación a largo plazo, que deben ser "reconsiderados" cada seis años a la luz de las nuevas, certeras e inconmensurables ideas de las más altas autoridades; el sacrificio que realizan los representantes nacionales de casas extranjeras fabricantes de equipo y materiales necesarios para la investigación, otra vez con nuestros limitados recursos económicos; el deprimente desempeño del correo mexicano, que se ha transformado en un competidor de la Lotería Nacional, en vista de que "todo se basa en su suerte".

Quizá el punto más importante para la ciencia mexicana en este contexto sea que los problemas derivados de la infraestructura del país ya existían antes de la crisis actual. Su presencia es independiente de las nuevas dificultades creadas por la crisis; además, afectan a muchas otras actividades de todos tipos, como la industria, el comercio, la banca, las bellas artes, la educación, etc. El esfuerzo necesario para resolver tales problemas de infraestructura incluye en primerísimo lugar el reconocimiento de su existencia. Si las autoridades competentes se niegan a aceptar que las aduanas son otras tantas cuevas de Alí Babá y sus 40 Ladrones, que el correo es una catástrofe nacional, que los representantes de casas comerciales extorsionan a su arbitrio a los usuarios de sus productos, que el ININ encarece de manera indecente la importación de material radioactivo, etc., será totalmente imposible dar el siguiente paso, que es iniciar un programa de reorganización de tales instituciones y estructuras dirigido a disminuir su arbitrariedad y aumentar su eficiencia.

5. *Sueldos y estímulos académicos y económicos.* La remuneración de los científicos ha mejorado un poco en los últimos años, aunque todavía está muy por debajo de la que perciben los administradores y los burócratas de la investigación. Este factor influye de manera difícil de cuantificar, pero seguramente no despreciable, en dos aspectos que contribuyen a mantener escasas las filas de los investigadores:

a] la carrera de investigador científico es poco atractiva para gran número de jóvenes, quienes desean que sus esfuerzos profesionales se vean compensados de tal modo que puedan tener y mantener una familia un poco por encima de la desnutrición crónica.

b] Existe una clara tendencia entre los investigadores científicos a aceptar nombramientos administrativos en cuanto se presenta la oportunidad, probablemente cansados de estar viviendo en condiciones económicas paupérrimas. A estas dos fuentes de pérdida de personal científico (los que no ingresan y los que se escapan a la administración) hay que agregar a los investigadores que salen del país en busca de posiciones académicas mejor remuneradas. La famosa "fuga de cerebros" tiene por lo menos los 3 componentes mencionados arriba y aunque generalmente no se toma en cuenta, el factor económico desempeña un papel importante en el número de científicos activos con que cuenta el país. Ignoro las razones históricas que pudieran esgrimirse para justificar que los sueldos de los hombres de ciencia sean tradicionalmente de hambre; la reacción de la mayoría de los científicos ante frases como "el apostolado de la ciencia" o "la pasión desinteresada por la verdad" es de risa o de indignación, o las dos cosas juntas. Hacer buena ciencia cuesta mucho trabajo, muchos años de dedicación obsesiva a un solo problema; no intento comparar la actividad de un científico con la de un gerente de banco, de un torero o de un secretario de Estado, pero me rehúso a aceptar que las diferencias deban traducirse en forma tan desigual en sus respectivas remuneraciones.

6. *Falta de relación entre administradores de la ciencia y los científicos.* La ciencia en México ya estaba muy enferma antes de la crisis actual. Todos los autores que se han ocupado del tema en las últimas dos décadas han llegado al mismo diagnóstico. Sus publicaciones han sido difundidas por distintos medios, su conclusiones son fácilmente accesibles a cualquier funcionario interesado, sus recomendaciones han sido reiteradas una y otra vez. Sin embargo,

se ha hecho muy poco caso a toda esta información. Las autoridades han desarrollado programas, han hecho inversiones, han firmado convenios y han tomado acuerdos como si los científicos y sus problemas no existieran. El divorcio entre los administradores de la ciencia y los investigadores científicos ha sido mayor o menor en los últimos 20 años, pero siempre ha existido. Quizá el ejemplo más flagrante del desprecio y/o desinterés de las autoridades políticas en la ciencia y los científicos de México fue el nombramiento del director general del CONACYT en el sexenio próximo pasado. El resultado fueron 6 años de falta de comunicación, de "diálogo de sordos" entre CONACYT y la mayor parte de la comunidad científica mexicana.

LA CRISIS EN LA ENFERMEDAD DE LA CIENCIA

Con la catástrofe económica iniciada en septiembre de 1982, varios de los problemas anteriores se agravaron y surgieron otros nuevos. Desde luego, la ausencia de divisas y el cierre de las fronteras a la importación de equipos y materiales de procedencia extranjera imposibilita continuar trabajando en los proyectos que requieren tales insumos. En algunos casos ha sido posible sustituir ciertas sustancias importadas por otras de fabricación nacional; en otros casos (como la alimentación de los animales de laboratorio) se han iniciado programas de emergencia con la colaboración de varias instituciones para tratar de resolver el problema. Pero el grado de dependencia del extranjero era tan grande que en no pocos campos de la ciencia se van a tener que cambiar los programas de investigación por completo y muchos procedimientos y métodos específicos de análisis ya no van a poder hacerse. Todo esto contribuye a la tragedia de la ciencia en México, pero los problemas no son nuevos; simplemente, se han exagerado y se han hecho mucho más aparentes.

La mayor parte de los grupos de científicos mexicanos que han alcanzado un nivel satisfactorio de productividad están acostumbrados a enfrentarse a la adversidad; de hecho, su misma supervivencia es prueba de su capacidad para "capotear temporales".[6] La que ahora se cierne sobre nosotros es una más, quizá la más

_____
[6] D. Alarcón-Segovia, J. Alcocer Varela, *op. cit.*

grave, de una serie más o menos sexenal de tormentas. La gravedad se basa no sólo en la magnitud del empobrecimiento repentino sino en los pronósticos de su duración, que amenaza con ser de varios años. Ya han empezado a aparecer opiniones de distintos científicos sobre lo que puede y debe hacerse para enfrentarse a la crisis.[7] En todos los casos el mensaje es el mismo: el objetivo prioritario de la ciencia mexicana es *sobrevivir*. Las aspiraciones de crecimiento en número, de diversificación en áreas, de establecimiento de programas interinstitucionales, de promoción de "escuelas" de pensamiento con carácter competitivo a nivel internacional, se posponen para mejores épocas; lo que hay que cuidar con la mayor dedicación y esmero es que no se extinga la misma vida de la ciencia mexicana. Este problema es nuevo y requiere toda nuestra atención.

La amenaza a la supervivencia de la investigación científica en México proviene de tres condiciones que ya se están dando y que debemos combatir a toda costa: a] la reducción drástica en el número de científicos jóvenes o no tan jóvenes que viajan al extranjero a profundizar sus conocimientos y a adquirir nuevos conceptos y técnicas para regresar a seguir trabajando en nuestro país; b] la suspensión de muchas de las suscripciones de publicaciones periódicas y la incapacidad para seguir adquiriendo libros técnicos y científicos, lo que interrumpe de manera irreparable el flujo de información necesario para todo investigador científico; c] la actitud pasiva y un poco doliente de las autoridades ante la crisis, que resulta en la contracción de todos sus programas y que no promueve el desarrollo de alternativas viables para defender a la ciencia y a los científicos y evitar su desaparición.

ALGUNAS ALTERNATIVAS ANTE LA CRISIS DE LA ENFERMEDAD
DE LA CIENCIA

1. Para combatir la escasez de investigadores científicos es necesario establecer un ambicioso programa basado en tres puntos: a] hacer más atractiva la profesión de la ciencia, por lo menos igualando la remuneración de los investigadores a la de los banqueros;

[7] A. Martínez Palomo, "La crisis: un desafío para la medicina en México", *Ciencia y Desarrollo* 9: 71-73, 1983; Ruy Pérez Tamayo, "Investigación en la austeridad", *Nexos* 67: 11-13, 1983.

b] crear las fuentes de trabajo para emplear a los investigadores que han terminado la parte formal de su educación (maestría y/o doctorado); c] enviar al extranjero sólo a los estudiantes mejor capacitados para adquirir y traer a México el máximo de información en su especialidad.

Un programa de este tipo no es utópico ni mucho menos; de hecho, las tres acciones propuestas ya se están llevando a cabo, aunque de manera no claramente integrada. Por ejemplo, en el sector salud se está llevando a cabo un estudio para retabular los ingresos de los investigadores de tiempo completo de acuerdo con sus méritos académicos y sobre una base económica comparable a la de los investigadores de la UNAM; si esto se hiciera a nivel nacional, con todos los científicos de las diversas disciplinas, seguramente causaría un impacto favorable en la juventud estudiosa y un número mayor de los mejores estudiantes aspirarían a hacer una carrera dentro de la ciencia. Con respecto al segundo punto, algunas fuentes de trabajo para investigadores ya están siendo creadas (otra vez en el sector salud) a través del Programa Universitario de Investigación Clínica (PUIC), que está estableciendo unidades de investigación biomédica en las instituciones hospitalarias que no cuentan con ellas y están dispuestas a colaborar con la UNAM en este proyecto;[8] si este tipo de programa se implementara en otras áreas de la ciencia, no sólo se abrirían más fuentes de trabajo sino que se establecerían relaciones más positivas con la industria y muchas dependencias gubernamentales. Finalmente, el programa de becas de CONACYT ha sufrido una favorable metamorfosis: de ser un instrumento demagógico, sin plan definido para conceder las becas y sin ningún sistema para reincorporar a los becarios, una vez que regresaban a México, se ha transformado en un esfuerzo altamente selectivo, basado exclusivamente en la *calidad* de los becarios, en la excelencia de los sitios a donde se les envía, y en la seguridad (hasta donde es humanamente posible) de que regresarán a instituciones mexicanas donde sus servicios son requeridos y apreciados.[9]

Hacer buena ciencia nunca ha sido asunto de multitudes; México se verá mucho más favorecido si en lugar de conceder 26 000 becas sin ton ni son por sexenio, se conceden sólo 260, o sólo 26, pero a otros tantos candidatos rigurosamente seleccionados, en áreas

---

[8] A. Velázquez Arellano, "La formación de recursos humanos para la atención de la salud", *Ciencia y Desarrollo* 9: 79-80, 1983.

[9] D. Barnés, comunicación personal, 1983.

estratégicas de la ciencia, y que tienen garantizado su regreso y su aprovechamiento.

Finalmente, la escasez de buenos investigadores científicos mexicanos también podría combatirse con un programa agresivo de profesores invitados. Traer a México a un experto en alguna rama de la ciencia para que conviva, trabaje y enseñe durante uno o más meses a dos docenas de estudiantes mexicanos es mucho menos caro y mucho más eficiente que enviar a estos estudiantes al extranjero. Con satisfacción debo decir que en el actual CONACYT este tipo de solicitud se atiende con interés, generosidad, cortesía y eficiencia.

En resumen, tengo la impresión de que el problema crónico de la escasez de investigadores científicos en México está empezando a resolverse con medidas racionales y al alcance de nuestras posibilidades, con la participación de varias instituciones (la UNAM, la SSA, CONACYT) y de la juventud estudiosa del país. Incidentalmente, arriba señalé que era necesario establecer un programa basado en los tres puntos descritos; quizá sea mejor no hacer tal programa y seguir como vamos. El establecimiento oficial del programa traería implícito el peligro inminente de su burocratización, lo que daría completamente al traste con él.

2. La limitación en los fondos invertidos en ID es un problema compartido con el resto de las actividades del país. La estupidez y la corrupción del sistema político mexicano, combinadas con la situación económica de la mayor parte de los países del Tercer Mundo, han resultado en esta grave crisis que nos aplasta. Pero en las catástrofes siempre existen prioridades: "...¡Las mujeres y los niños primero!" prevalece cuando el barco se hunde; "Cuando la leche es poca, al niño le toca", adornó muchas sufridas bardas mexicanas a principios del sexenio pasado. En nuestro propio organismo existen complicados sistemas homeostáticos que aseguran un flujo sanguíneo adecuado al cerebro en diversas situaciones patológicas en que se pierde sangre (hemorragia, choque circulatorio); de hecho, en varios de estos problemas la muerte del paciente se debe a que otros órganos (específicamente, los riñones) no están protegidos por tales mecanismos homeostáticos contra la disminución del volumen sanguíneo. Todo lo anterior nos lleva a la pregunta siguiente: ¿qué prioridad tiene la ciencia en México? En épocas de austeridad, cuando lo "urgente" ha sido atendido antes que lo "importante", la ciencia se ha encontrado clasificada en esta última categoría, junto con las bellas artes y la educación superior.

En cambio, los militares siempre han sido considerados como urgentes, en la misma categoría que las mujeres y los niños cuando la embarcación hace agua.

Es obvio que aquí el problema es de concepto, de visión del futuro, de filosofía de la vida. En mi humilde opinión, la ciencia es primero. Antes que las paraestatales, antes que la deuda externa, *mucho* antes que los militares. Si lo que deseamos es incorporarnos al mundo moderno, nuestra única llave es la ciencia; las paraestatales nos garantizan la existencia indefinida en donde estamos hoy, la deuda externa nos retrasa al siglo xix, los militares nos conducen al medievo. En condiciones de emergencia, el cerebro de la sociedad moderna es la ciencia; por lo tanto, es lo que tiene la más alta prioridad, lo que debe protegerse antes que nada, lo que constituye nuestra única opción al futuro. En este último cuarto del siglo xx, cuando a cualquier país del mundo occidental le llega el momento de restructurar su economía en función de la realidad internacional, su prioridad más alta debería ser el desarrollo de la ciencia, ya que es la única actividad que puede sacarlo del agujero y proyectarlo hacia adelante. La medida en que esto no se hace y el sitio al que se pospone la prioridad del desarrollo científico reflejan fielmente el devenir histórico: en este contexto, compárese la evolución de Japón y de Irán en los últimos 40 años. Ambos países poseen una hermosísima, rica y profunda tradición, ambos han sufrido terribles plagas económico-políticas (el Japón, la segunda guerra mundial; Irán, el gobierno del Shah) pero para su recuperación cada país escogió un modelo diferente: Japón se decidió por la ciencia, Irán por la religión. Los resultados no pueden ser más elocuentes: la vida cotidiana del ciudadano japonés promedio es muy diferente de la vida del ciudadano iraní promedio.

Todo lo anterior se refiere al gasto mexicano en ID. Siempre ha sido ridículo, característico de país del Tercer Mundo, relegado a un sitio secundario por otras prioridades, políticamente más importantes en su momento histórico. Éste ha sido un error trágico, cuyas consecuencias estamos viviendo hoy. Los mexicanos ya hemos pagado el tributo filosófico, poético y anticientífico exigido por nuestros conquistadores y progenitores, los hijos de la Madre Patria. Al cabo de 400 años de haber sido creados por Hernán Cortés y la Malinche, los mexicanos hemos adquirido el derecho de dejar de ser meros apéndices de la cultura española, hemos conquistado la capacidad para autodefinirnos dentro del contexto del mundo occidental moderno. Sin falsas timideces, sin resabios medievales, aceptemos que somos capaces de un destino iluminado, que nuestra hermosa raza nueva no pertenece al pasado, que en lugar de asomarnos al siglo XXI vestidos con la enmohecida armadura española y coronados con el tocado del Caballero Águila Azteca, lo hagamos con la computadora en la mano y con la conciencia ingenua y despierta del que apenas está empezando a vivir. En este contexto, el reconocimiento de la más alta prioridad a la investigación científica es automático; cualquier desviación representa una claudicación frente a fuerzas del pasado, frente a emisarios de tiempos caducos, concluidos, terminados, representa el culto vivo a las pirámides.

CODA

En un escrito reciente, sugería que los investigadores científicos mexicanos podíamos responder a la crisis actual con tres actitudes: *a]* disminuir el número pero aumentar la calidad de cada uno de nuestros experimentos; *b]* rediseñar nuestros intereses de manera que nos enfrentemos a problemas científicos que podamos resolver con los elementos que nos van quedando; *c]* ponerle buena cara al mal tiempo, o sea enfrentarnos a la adversidad con optimismo. Este último punto lo defendí no sobre la base de la eficiencia científica, sino de la satisfacción humana.[10] Mi argumento era bien sencillo: lleguemos todos los días a nuestros laboratorios con una sonrisa. Esto tendrá muy poca influencia en la solución de los problemas que me esperan, pero será fundamental y definitivo en la manera como voy a enfrentarme a ellos.

REFERENCIAS

Alarcón-Segovia, D., Alcocer Varela, J., "Investigación clínica", *Ciencia y Desarrollo* 9: 73-74, 1983.
Barnés D., comunicación personal, 1983.
García Colín, L.S., *El sistema nacional de investigación y desarrollo: su relación con la investigación científica y la educación superior,* México, Universidad Autónoma Metropolitana, 1982.

[10] Ruy Pérez-Tamayo, "Investigación en la austeridad", *op. cit.*

Martínez Palomo, A., "La crisis: un desafío para la medicina en México", *Ciencia y Desarrollo* 9: 71-73, 1983.

Pérez Tamayo, R., "Ciencia, paciencia y conciencia en México", en *La ciencia en México* (Cañedo, L. Estrada, L., comps.), México, Fondo de Cultura Económica, 1976, pp. 26-42.

Pérez Tamayo, R., *En defensa de la ciencia*, México, Editorial Limusa, 1979.

Pérez Tamayo, R., *Serendipia. Ensayos sobre ciencia, medicina y otros sueños*, México, Siglo XXI, 1980.

Pérez Tamayo, R., "Ciencia y desarrollo en México", *Nexos* 14: 29-33, 1979.

Pérez Tamayo, R., "¿CONACYT o Kafkacyt?", *Nexos* 45: 23-31, 1981.

Pérez Tamayo, R. (comp.), *La investigación biomédica en México: pasado, presente y futuro*, México, CONACYT, 1982.

Pérez Tamayo, R., "La investigación biomédica, introducción", en *Problemas de la medicina en México* (Sepúlveda, B., comp.), México, El Colegio Nacional, 1982, pp. 197-230.

Pérez Tamayo, R., "La investigación médica en los últimos 40 años en México", en *40 años de medicina en México* (Sepúlveda, B., comp.), México, El Colegio Nacional, 1983 (en prensa).

Pérez Tamayo, R., "Investigación en la austeridad", *Nexos* 67: 11-13, 1983.

Velázquez Arellano, A., "La formación de recursos humanos para la atención de la salud", *Ciencia y Desarrollo* 9: 79-80, 1983.

TECNOLOGÍA, CULTURA, RECURSOS: HACIA UNA PERSPECTIVA NO ECONOMICISTA DE DESARROLLO

ENRIQUE LEFF

Las preocupaciones con respecto al papel que desempeña la tecnología en el desarrollo de México surgieron con los diferentes estudios que, enmarcados dentro de las teorías de la dependencia, analizaban las condiciones particulares de la dependencia tecnológica como un obstáculo para el crecimiento económico de los países subdesarrollados. El peso creciente de los costos directos e indirectos de la importación de bienes tecnológicos sobre la balanza comercial del país, así como las restricciones para la explotación productiva de las tecnologías patentadas, llevaron durante la década pasada a la promulgación de una serie de medidas legales tendientes a registrar, normar y controlar los efectos negativos de las prácticas del comercio y utilización de la tecnología extranjera en la economía mexicana. Sin embargo, las legislaciones en torno al registro nacional de transferencia de tecnología a las inversiones extranjeras y al uso y explotación de patentes y marcas industriales, fueron elaboradas con la flexibilidad suficiente para permitir un amplio margen de negociación entre los poderes empresariales nacionales y extranjeros, y las agencias gubernamentales encargadas de aplicarlas.

Al tiempo que se implementaban estos mecanismos, los planteamientos esgrimidos en los foros internacionales en torno a los requerimientos tecnológicos del desarrollo, se fueron desplazando de los problemas asociados con las condiciones del proceso de transferencia de tecnologías extranjeras hacia las necesidades de generar un proceso innovativo orientado a fortalecer la autodeterminación tecnológica de las naciones subdesarrolladas y el autovalimiento tecnológico de las comunidades rurales, dentro de una perspectiva más autónoma y menos dependiente de su proceso de desarrollo.

Sin embargo, esta nueva conciencia sobre la dependencia tecnológica, generada como respuesta a los efectos de una división internacional del trabajo sujeta a las condiciones de rentabilidad de los capitales multinacionales, no se vio reflejada en las acciones concretas de la gestión gubernamental de nuestro desarrollo. La política en materia científica y tecnológica del sexenio pasado, a pesar de los recursos financieros con los que pudo contar, no fueron concebidas para estimular un proceso de innovaciones tendiente a integrar un aparato productivo nacional, capaz de transformar en riqueza interna a los recursos potenciales del país, y de generar una capacidad suficiente de conocimientos para poder autodeterminar el desarrollo económico sostenido de México.

Ante la inminencia de la crisis económica de los años setenta, los gestores de nuestro desarrollo científico y económico optaron por la vía de solución más fácil y certera para su plazo sexenal de operaciones: aceptar el subdesarrollo científico y tecnológico como un hecho constitutivo e irreversible de nuestro proceso histórico, para promover el "progreso" de México sobre la base de la explotación de los abundantes recursos petrolíferos recién descubiertos y de su intercambio por los requerimientos tecnológicos provenientes del exterior.

Esta política de invalidación científica y política ha frenado la creación de ciertas condiciones necesarias para abrir nuevas opciones para un desarrollo menos dependiente, por la miopía de una estrategia económica coyuntural y de corto plazo. La disminución de los precios internacionales del petróleo no era visible dentro de un horizonte de previsión que se perdía en la marea eufórica del progreso. No sólo la fuerte devaluación del peso mexicano ha encarecido el suministro de tecnologías extranjeras, sino que el incremento de la deuda externa del país ha profundizado las raíces de nuestro desarrollo dependiente.

De esta forma, las recientes políticas del Estado han reforzado las causas históricas del subdesarrollo caracterizadas por la explotación irracional de nuestros recursos naturales, la desintegración interna del proceso productivo del país, la incipiente capacidad de producción de bienes de capital y la falta de soporte de un sistema científico y tecnológico propio. Este desarraigado proceso de desarrollo ha arrastrado consigo la difusión de modelos tecnológicos y de patrones de consumo propios de los países altamente industrializados, que una vez demostrados, gustados y asimilados, se han convertido en "valores de uso culturalmente necesarios", en demandas legitimadas de la sociedad civil. Así se ha acentuado la contradicción entre la capacidad de producción y los patrones de consumo, al favorecer la transmisión hacia las clases medias de modelos ideológicos propios de sociedades opulentas antes de que las fuerzas productivas del país hayan alcanzado el desarrollo interno suficiente para satisfacer siquiera las necesidades fundamentales de los grupos mayoritarios de la población.

Muchos de estos patrones de consumo están asociados con procesos productivos fundados en el alto consumo de energía, induciendo una depleción de los recursos no renovables, así como la explotación irracional y muchas veces devastadora de la capacidad productiva de recursos de los ecosistemas del territorio nacional. La actual crisis financiera, enmarcada dentro de las condiciones de sujeción de nuestra economía al capital internacional, viene a agravar esta situación. El pago de la deuda externa y la necesidad de inyectar nuevos recursos financieros para mantener la dinámica del proceso productivo, va atado a la adopción de tecnologías y de procesos para la extracción y transformación de los recursos naturales del país que a la vez que degradan la calidad del ambiente, inducen presiones sobre los ritmos y tasas de explotación de los recursos. La intensidad de éstos frecuentemente rebasan los límites de un aprovechamiento cauteloso y planificado de los recursos naturales, capaz de asegurar la conservación de ciertos niveles de productividad, así como sus condiciones de regeneración para un proceso de desarrollo a largo plazo.

Estos problemas son minimizados más por la confianza fundada en un cierto "oportunismo tecnocrático", que por la capacidad real de la sociedad y de las instituciones del país para generar una gestión racional de su proceso de desarrollo. Este optimismo ya no sólo se apoya en la abundancia de recursos naturales de México, sino en la esperanza de incorporar en la administración económica del progreso los beneficios de la era de la electrónica y la automatización. Sin embargo, existen suficientes razones para dudar que estos avances tecnológicos puedan resolver los problemas de pobreza, de distribución desigual de los recursos y de la riqueza, de marginación económica y política, sin que antes se produzca toda una serie de transformaciones sociales e institucionales en el país. Más aún, resulta difícil imaginar su implantación y funcionamiento (dentro de ciertos principios de autodeterminación tecnológica), sin antes haber alcanzado un nivel suficiente de capacitación científica y tecnológica de los cuadros profesionales y sin haber elevado el nivel cultural y científico de la población en general, de manera que ésta pueda participar en la gestión social de sus recursos y en un desarrollo compartido de la vida económica de México.

Los beneficios del progreso tecnológico logrado a través de la división internacional del trabajo no sólo dependen de las condi-

ciones de adquisición de los conocimientos ya incorporados en los
bienes de capital, o en la forma de patentes de procesos productivos y de productos para el consumo. La tecnología debe concebirse
como un proceso dinámico de organización social para la producción de conocimientos, saberes y habilidades, orientados hacia el
aprovechamiento racional de los recursos de cada país y de cada
región; proceso que debe generar los medios de producción adecuados para la transformación de dichos recursos y hacia la elaboración de los bienes de consumo para satisfacer las necesidades fundamentales de los diferentes grupos sociales de la población. En
este sentido, todo proceso de autogestión tecnológica funciona no
sólo como un eje integrador de la economía de un país, sino también como un proceso de cohesión cultural, generando formas de
trabajo, de organización productiva y de participación social para
el aprovechamiento racional de los recursos, a la vez que produce
los medios de realización y de satisfacción para sus pobladores.

Desde sus orígenes culturales, las habilidades técnicas y los saberes prácticos de los hombres estuvieron asociados con el reconocimiento y el aprovechamiento étnico de sus recursos económicos. De
esta forma, el "know-how", el saber cómo utilizar su medio ambiente para construir sus herramientas y satisfacer sus necesidades
de consumo, se convirtió en un proceso integrador de la organización cultural de las civilizaciones, y constitutivo de la subjetividad
de los individuos a través de sus papeles sociales y de sus funciones
productivas. En este sentido, el ser de los hombres se fue fundando
en su saber, y particularmente en su saber hacer práctico. Ciertamente, la propiedad de ese saber, al igual que los papeles sociales
correspondientes, se convirtieron en fuente de privilegios económicos y de jerarquías sociales; pero el basamento ecológico de los
procesos productivos permitió también el surgimiento de diversas
opciones tecnológicas, generando un proceso de desarrollo cultural
integrado a las condiciones geográficas de cada región y a la variedad ecológica de su ambiente a partir de los diferentes estilos
étnicos de aprovechamiento de sus recursos.

Las formas de progreso tecnológico generados por la expansión
económica internacional, fueron destruyendo la diversidad natural
del paisaje y la autonomía cultural de pueblos y naciones, para
integrarlas a los patrones productivos ideológicos y de consumo de
la producción capitalista. Junto con el despojo de las tierras de los
campesinos, la separación de los trabajadores de sus medios de producción y la destrucción de las formas culturales de aprovechamiento de sus recursos, las comunidades han ido perdiendo sus

conocimientos y sus técnicas tradicionales, su maestría en diversas artes y oficios productivos. La retribución salarial del trabajador, la manipulación de su deseo para incorporarlo a una ideología consumista, progresista o nacionalista, difícilmente puede compensar su desarraigo cultural y su extrañamiento tecnológico.

Los efectos de este proceso de alienación tecnológica rebasan la problemática psicológica de identidad de los sujetos a través de sus prácticas productivas, o la problemática cultural de cohesión social de las comunidades, para alcanzar repercusiones de carácter económico a nivel nacional. Problemas que van más allá de los crecientes costos de la importación tecnológica, de la inadecuación de dichos patrones tecnológicos a las condiciones ecológicas, de disponibilidad de capitales o de calificación de la fuerza de trabajo en el país. Dada la creciente sofisticación de los bienes tecnológicos importados y frente a la debilidad del sistema nacional de ciencia y tecnología para asimilarlos, la dependencia tecnológica afecta las capacidades no sólo de operación, mantenimiento y reequipamiento de nuestros procesos productivos, sino también las capacidades reales de decisión y gestión del desarrollo económico y social del país. De esta forma, la dependencia tecnológica afecta nuestra soberanía nacional. No sólo se enfrentan los técnicos e ingenieros mexicanos con los problemas de adaptar, instalar, asimilar y operar las tecnologías importadas —de los que depende la eficiencia del aparato productivo mexicano—, sino que se encuentran incapacitados para generar un proceso de innovaciones propias que permita ir desujetando a las actividades productivas de las condiciones políticas y económicas impuestas desde fuera, haciéndolas menos dependientes de las habilidades técnicas y administrativas del extranjero.

Hace apenas dos décadas que los efectos del proceso de crecimiento económico sobre el agotamiento de los recursos naturales y los altos niveles de contaminación del ambiente, se convirtieron en una preocupación teórica y pública. De esta forma comenzó a ser cuestionada, ya no sólo desde una perspectiva histórica y sociopolítica, sino también ecológica, la capacidad de sobrevivencia de un modelo de crecimiento económico legitimado teórica e ideológicamente como la vía necesaria para el desarrollo de las fuerzas productivas de la humanidad. Este modelo no sólo ha pretendido resolver las necesidades de consumo y disolver las desigualdades sociales de las naciones altamente industrializadas, sino también sacar del subdesarrollo a los pueblos sometidos y explotados por el orden económico mundial. Proceso ideológico en el que la racionalidad tecnológica impuesta por las condiciones de la acumulación de capital, de producción de excedentes económicos y de generación de ganancias, se convirtieron en "razón de fuerza mayor" para la toma de decisiones, dentro de las políticas nacionales e internacionales de desarrollo.

A las críticas sobre la inequitativa repartición de los beneficios de tal proceso de crecimiento económico se añadió una toma de conciencia sobre la explotación irracional, la destrucción y el despilfarro de recursos, así como sobre la desigual distribución social de sus costos ecológicos entre clases, regiones y naciones. De allí han surgido nuevas perspectivas para generar estrategias productivas basadas en el aprovechamiento integrado de los recursos y estilos de desarrollo fundados en una relación más armoniosa entre la tecnología y el medio ambiente.

Los principios de esta alternativa para el desarrollo se fundan en el aprovechamiento de la capacidad fotosintetizadora de los ecosistemas como un potencial productivo de recursos bióticos. A este proceso productivo ecosistémico se articula la innovación de una tecnoestructura, que además de reducir o eliminar la contaminación ambiental a través del reciclado y reutilización de residuos y desechos, sea capaz de sustituir el uso de recursos no renovables y limitados por recursos renovables, así como de conservar los mecanismos ecosistémicos regeneradores de los recursos necesarios para un desarrollo a largo plazo. Al mismo tiempo, esta perspectiva ambientalista del desarrollo fomenta el respecto de la diversidad étnica y de los valores culturales de las comunidades y promueve un proceso de participación popular para el acceso, reconocimiento y aprovechamiento de sus recursos; de esta forma se orienta hacia la generación y gestión de nuevas técnicas productivas, adaptadas a las condiciones ecológicas de su entorno y asimilables a las prácticas productivas de los pueblos. Sin propugnar por una autarquía tecnológica de las naciones o de las comunidades, y en oposición con las propuestas de un retorno a las prácticas productivas de las sociedades tradicionales, las estrategias del ecodesarrollo se inscriben en un proceso de desarrollo socioeconómico a partir del aprovechamiento integrado de los recursos y de las fuerzas productivas de cada comunidad, enriqueciendo sus conocimientos, sus capacidades y sus medios de producción, mediante la aplicación de los avances científicos y las innovaciones tecnológicas modernas. De esta manera se induce un proceso de cambios sociales y productivos orientados hacia la independencia cultural, el autovalimiento tecnológico y la desconcentración económica, tendiente a mejorar los niveles de subsistencia de las comunidades y a satisfacer sus necesidades fundamentales.[1]

Ciertamente, la implementación de estos principios para la construcción de un estilo alternativo de desarrollo, ha sido una opción difícil de concretarse dentro de la inercia de las ideologías teóricas que determinan una toma de decisiones en materia de política económica, sujeta a las rigideces de las tecnoestructuras operantes, de los intereses creados y de las relaciones de poder que dominan la organización productiva del país.

Sin embargo, la aplicación de los instrumentos de política y las teorías económicas prevalecientes para solucionar la crisis económica de los años setenta, no ha hecho sino profundizarla. Cada vez se manifiesta con mayor evidencia la necesidad de generar nuevos paradigmas teóricos para comprender la interdependencia entre los procesos económicos de producción y distribución de la riqueza, los procesos ecosistémicos generadores y regeneradores de los recursos naturales, y los procesos tecnológicos necesarios para su transformación y para el desarrollo de las fuerzas productivas de la sociedad.

Los desarrollos conceptuales sobre la articulación entre naturaleza, cultura y sociedad, y sobre las condiciones ambientales del proceso de desarrollo, deben incidir en una reorientación de las políticas económicas, de las prácticas de planificación del desarrollo y de gestión de los recursos del país, y en la reorganización de las actividades productivas a nivel comunitario y nacional, fundadas en procesos de trabajo que permitan una *regeneración innovativa de los recursos productivos*, y que incorporen formas democráticas de participación en las actividades productivas, de acceso a los recursos y de repartición de la riqueza social.

La actual crisis económica mundial viene a agravar las tradicionales condiciones de la dependencia económica y tecnológica de nuestro desarrollo. A los problemas derivados del intercambio desigual entre materias primas y bienes tecnológicos, de la explotación irracional de los recursos del país por la aplicación de modelos tecnológicos inadecuados y de las prácticas de empresas multinacionales, se suman ahora los efectos de la internalización del proceso inflacionario mundial, de la devaluación de la moneda, y de una descapitalización creciente de la economía nacional, que obstaculiza más el aprovechamiento de los recursos potenciales para generar un proceso de desarrollo autodeterminado.

---

[1] I. Sachs, *Ecodesarrollo, desarrollo sin destrucción*, México, El Colegio de México, 1982.

Ante esta situación, muchos de los principios para una organización social y productiva asociados con la planificación ambiental del desarrollo, fundados en el manejo integrado de los recursos del país, deja de ser una utopía inverosímil para convertirse en una alternativa necesaria, cuyas fórmulas operacionales es necesario inventar, desarrollar e implementar, para generar formas ecológicamente más racionales así como socialmente más igualitarias y sostenidas de producción.

Las estrategias tecnológicas implícitas en este proceso ideológico y tecnológico de cambios sociales y productivos, van más allá de una serie de medidas de política económica para reducir los costos de importación de tecnologías o para cerrar la brecha tecnológica dentro de los patrones impuestos por los modelos de progreso imperantes: éstas se insertan dentro de la construcción de una racionalidad productiva alternativa y en un proyecto diferente de desarrollo. Es en esta perspectiva que he propuesto algunos principios conceptuales para generar una estrategia de desarrollo fundada en el manejo integrado de los recursos naturales, tecnológicos y culturales de México.[2]

La construcción de esta racionalidad productiva alternativa se funda en el remplazamiento de los procesos de crecimiento económico basados en la productividad económica del capital, por una nueva concepción de la productividad social, entendida como una *productividad ecotecnológica culturalmente apropiada*, sustentada por la articulación de tres procesos o niveles interdependientes:

a] Un nivel de *productividad cultural*, que se constituye a partir del saber cultural de las comunidades sobre las condiciones de fertilidad de sus tierras, así como de la regeneración y del uso productivo de los recursos de sus ecosistemas a través de sus prácticas productivas. En este sentido, el estilo etnológico de desarrollo de las poblaciones, la percepción cultural de su ambiente, las condiciones sociales de aplicación de sus medios técnicos de producción y sus patrones de consumo, norman las formas de aprovechamiento y la productividad de sus recursos potenciales.

La división social del trabajo, la distribución del tiempo disponible entre las diversas actividades productivas y sus funciones culturales, así como la eficiencia productiva de sus procesos de trabajo, contribuyen a establecer este nivel de productividad.

En muchos casos, las prácticas tradicionales de las comunidades

---

[2] E. Leff, "Racionalidad ecotecnológica y manejo integrado de recursos: hacia una sociedad neguentrópica", en *Revista Interamericana de Planificación*, vol. xviii, núm. 69, marzo de 1984.

han asimilado las condiciones de un aprovechamiento ecológicamente racional de sus recursos y de desarrollo de sus fuerzas productivas. Empero, la racionalidad productiva de estas prácticas no está inscrita directamente dentro de las propiedades técnicas de sus medios de producción, sino que depende de las condiciones sociales sobre sus formas, ritmos e intensidad de aplicación, sujetas a las funciones culturales de sus prácticas productivas y a su estilo étnico de vida. Sin embargo, no sólo los saberes técnicos y las habilidades productivas, sino también las creencias religiosas, las normas morales y los valores éticos que caracterizan a las formaciones ideológicas de los pueblos, han sido transformados en el curso de su historia de dominación cultural y de explotación económica, determinando la organización productiva actual de las comunidades y condicionando tanto su capacidad como su disposición concreta para incorporar nuevos conocimientos tecnológicos y científicos a sus prácticas tradicionales.

La autonomía cultural de las comunidades contribuye a la conservación y al mejoramiento del potencial productivo de su ambiente, al mismo tiempo que el acceso social y la participación colectiva de los productores en la gestión y manejo de sus recursos favorece una mayor apropiación y una mejor distribución interna de la riqueza generada. De esta forma, a través de la satisfacción de las necesidades básicas y de las demandas culturales de la población, así como del mejoramiento de su calidad de vida, se establecen sus formas y niveles de productividad social.

b] Un nivel de *productividad ecológica*, generado por el potencial ecosistémico de producción de biomasa a partir de la eficiencia de los procesos fotosintéticos de captación y transformación de la energía solar por las especies vegetales de la región. El mantenimiento y elevación de este nivel productivo depende de la conservación de la fertilidad de los suelos y de ciertas estructuras funcionales básicas del ecosistema que garantizan sus condiciones de estabilidad, así como la regeneración de sus recursos a largo plazo. A partir de estas condiciones básicas, la productividad primaria de los ecosistemas puede modificarse a través de un proceso cultural de *regeneración selectiva* de sus especies bióticas mediante la aplicación de una *tecnología ecológica* para incrementar la producción de los valores de uso culturalmente necesarios para la población.

La productividad primaria de los ecosistemas, considerada desde esta perspectiva del desarrollo de las fuerzas productivas de la población, no se refiere a las tasas de formación de materia vegetal

indiferenciada generada por la fertilidad natural de los suelos y
por los procesos de evolución o sucesión ecológica, sino a la eficiencia fotosintética de ciertos arreglos ecológicos (de las poblaciones vegetales, de sus ciclos de nutrientes, agua y energía, de sus
condiciones de asimilación ecológica de los desechos de las actividades agropecuarias e industriales, etc.) para el aprovechamiento
selectivo de ciertos recursos.

Este potencial ecosistémico primario está asociado con numerosos
procesos de productividad biológica secundaria, así como con los
procesos de transformación tecnológica de sus recursos. Los primeros se fundan en la transformación de una parte de los recursos
florísticos por medio de las comunidades faunísticas del ecosistema.
La productividad biológica resultante de la integración de los procesos primarios y secundarios dependerá de las variadas asociaciones posibles de un uso múltiple de los recursos vegetales y de cultivos combinados, con diferentes formas de ganadería, acuacultura,
pesquerías, de cultivos de pequeños vertebrados y de manejo de
animales silvestres.

El nivel de productividad ecológica se establece también por el
efecto de las actividades de transformación agroindustrial de los
recursos del ecosistema, por la incorporación de insumos industriales externos y por la aplicación de procesos biotecnológicos para
incrementar la tasa de formación de recursos. El tipo de recursos
transformado, su aprovechamiento más o menos integral, la localización escala de las plantas industriales, la capacidad tecnológica
para la recirculación productiva de subproductos y residuos, esta-
blecerán la cantidad y calidad de desechos que deberá absorber el
ecosistema, afectando positiva o negativamente su productividad.
A su vez, las características específicas de cada ecosistema establecen sus capacidades y limitaciones para incrementar su productividad mediante la incorporación de subsidios energéticos y de
nutrientes externos. La tasa de crecimiento de las especies del ecosistema y la eficiencia de sus transformaciones biológicas se han
visto fuertemente incrementadas mediante la aplicación de tecnologías genéticas y de procesos biotecnológicos modernos.

De esta forma, la distribución espacial de los recursos naturales
y de sus procesos diversos de transformación dentro de las estructuras funcionales de cada ecosistema específico, establece un sistema de intercambios y balances de materia y energía, de captación,
aprovechamiento y transformación de recursos, que determinan un
nivel dinámico de productividad ecológica.

c] Un nivel de *productividad tecnológica*, fundado en la eficiencia de un conjunto de procesos mecánicos, químicos, bioquímicos y termodinámicos de transformación de un sistema de recursos naturales, para generar los bienes de consumo de la población. La interdependencia de este nivel de productividad con los niveles ecológicos y cultural, norma y orienta un proceso prospectivo de innovaciones tecnológicas. Por una parte, lleva al diseño de productos que mejoren la calidad del consumo a partir del aprovechamiento de los recursos potenciales del ecosistema, del descubrimiento de nuevas propiedades, elementos y estructuras. Asimismo, promueve la innovación de bienes de producción más durables, tendiente a conservar los recursos no renovables limitados, y a sustituirlos por materias primas de carácter renovable; orienta las innovaciones tecnológicas de transformación hacia procesos productivos capaces de utilizar fuentes inagotables de energía, de reprocesar sus subproductos, y de generar desechos ecológicamente asimilables.

Esta orientación normativa del progreso técnico tiende hacia la construcción de una tecnoestructura sin residuos (anticontaminante), fundada en la integración ecotecnológica de los procesos productivos, y en las complementariedades de las actividades agroindustriales. Además de mejorar la calidad del ambiente, promueve un *sistema tecnológico adecuado* para la transformación integral de cada recurso en particular, y para el aprovechamiento múltiple del sistema de recursos productivos del ecosistema. A su vez, estimula la creación de un *sistema tecnológico apropiado*, entendido como el conjunto de técnicas y procesos productivos capaces de ser asimilados al sistema de conocimientos y habilidades de las comunidades.

Los procesos productivos así generados no sólo tendrían el objetivo de conformar medios de producción racionalmente construidos en función de una dotación de recursos y de la planeación de su uso para un proceso sostenido de desarrollo. Se trata también de innovar actividades productivas y procesos de trabajo que induzcan formas de satisfacción subjetiva y que favorezcan la participación colectiva y la gestión comunitaria de la población en la generación de formas de organización productiva orientadas hacia el aprovechamiento integrado de sus recursos naturales, culturales y tecnológicos.

Las relaciones sistémicas que se establecen entre un sistema de recursos naturales, un sistema tecnológico para su transformación y un sistema normativo de valores culturales, guían así la innovación de nuevos estilos tecnológicos e introducen nuevos criterios para la selección y para la evaluación social de las tecnologías, dejando atrás la simple controversia entre técnicas intensivas en capital o en mano de obra dentro de las teorías económicas convencionales. De esta manera, el paradigma ecotecnológico conduce hacia la adopción de combinaciones tecnológicas más complejas que las opciones que ofrece un utópico retorno al empleo de las técnicas tradicionales, el mundo idílico construido con técnicas suaves y de escala reducida, o el desigual e inestable equilibrio social fundado en la innovación de tecnologías intermedias en función de la disponibilidad relativa de capital y fuerza de trabajo.

La construcción de una racionalidad ecotecnológica de producción no sólo cobra sentido a partir de los principios de igualdad social, de respeto a los valores culturales y a la pluralidad étnica de los pueblos, o por la necesidad de asegurar la conservación y la capacidad de regeneración de los recursos para las generaciones futuras. Está además sustentado en el potencial real de los procesos ecosistémicos. La productividad natural alcanza tasas de formación de biomasa hasta del 10% anual en los ecosistemas tropicales, y ésta, a través de los procesos ecológicos y tecnológicos arriba expuestos, puede generar altos niveles en la producción de valores de uso, a la vez que reduce en forma significativa los costos energéticos, ecológicos y sociales que exige el mantenimiento de una racionalidad económica regida por la lógica de la productividad del capital y la conservación de sus tasas de ganancia.[3] A su vez, un estilo de desarrollo fundado en una racionalidad ecotecnológica de producción, tiende a revertir el proceso de separación entre el campo y la ciudad, y a replantear el conflicto entre crecimiento y distribución, entre centralización económica y marginación social, entre la concentración del poder y la gestión democrática de la vida social y productiva de los pueblos.

Este proceso induciría a su vez un conjunto de efectos generadores de una mayor cohesión social, integración cultural, autosuficiencia y autodeterminación tecnológica, haciendo menos dependiente y vulnerable al país frente a las crisis económicas externas en el proceso de su desarrollo futuro.

[3] E. Leff, "Hacia un proyecto de ecodesarrollo", en *Comercio Exterior*, vol. XXV, núm. 1, México, 1975.

SEGUNDA PARTE

LAS ALTERNATIVAS ANTE LA CRISIS

EFECTOS POLÍTICOS DE LA CRISIS

CARLOS PEREYRA

1. Una crisis económica jamás tiene efectos políticos predeterminables, aun si adopta modalidades semejantes en diversas sociedades. Si bien hay cierta regularidad en las formas a través de las cuales la crisis repercute en el conjunto de la población, su impacto político experimenta, en cambio, sensibles variaciones. Las sociedades latinoamericanas enfrentan en la actual crisis una multiplicidad de circunstancias más o menos comunes: abrumadora deuda exterior, nulo crecimiento o caída del producto interno bruto, devaluación progresiva de la moneda nacional, corrosiva escalada inflacionaria, ampliación del desempleo abierto... la enumeración puede continuar sin mayor dificultad, a pesar de las diferencias evidentes derivadas del tamaño y características de las economías latinoamericanas, la especificidad de la inserción de cada una de ellas en el mercado internacional, las vicisitudes de su desarrollo previo y los particulares mecanismos de política económica utilizados en cada caso. Las repercusiones políticas de la crisis, sin embargo, muestran notoria desemejanza incluso allí donde las medidas gubernamentales han quedado marcadas por exigencias casi idénticas del Fondo Monetario Internacional y éstas contribuyen a equiparar los condicionamientos económicos de la vida política en los diversos países del subcontinente.

Nada tiene de extraño el desigual impacto político de la crisis pues, como es obvio, ésta no opera en un espacio vacío donde las consecuencias estarían determinadas de manera unívoca por la causalidad económica, sino en una dimensión plena donde lo político funciona ya con su propia constitución, por lo que aquella causalidad se entrevera con la dinámica inherente a ésta. La crisis no tiene un significado político en sí misma, pues sus formas de incidencia son definidas también por las peculiaridades del sistema político afectado y por los dispositivos ideológicos a través de los cuales los agentes sociales viven la crisis. Contra la idea tan difundida como errónea de que las clases sociales reaccionan a los estímulos de la economía de modo predeterminado por su lugar en las relaciones de producción, la crisis en curso confirma lo que experiencias históricas anteriores ya habían mostrado en el sentido de que son los mecanismos ideológico-políticos existentes los que le confieren su verdadera significación. Este reconocimiento no lleva, por supuesto, a ignorar las alteraciones que la crisis impone en el funcionamiento de tales mecanismos.

La crisis económica alcanza en México niveles de profundidad desconocidos en la historia contemporánea del país, generando trastornos de gravedad todavía insospechada para el sistema de gobierno más sólido que se ha erigido en el capitalismo dependiente de América Latina. Esta hipótesis no tiene fácil comprobación empírica pues hasta el momento no se han producido movimientos sociales cuya envergadura cancele cualquier duda sobre la erosión sufrida por el aparato gobernante. Sin embargo, un examen más detenido de la situación a la que ha conducido el desplome de la economía, deja entrever que están en proceso modificaciones decisivas tanto en el comportamiento y estructura del gobierno como en las relaciones de éste con los diversos sectores de la sociedad. Tales modificaciones tienen como denominador común el abandono cada vez más acentuado de los rasgos peculiares del *Estado de la Revolución mexicana*. En efecto, la crisis ha puesto en jaque la forma tradicional de ejercicio del poder político en el México posrevolucionario, caracterizada por la estrecha vinculación de éste con la población trabajadora. *La política de masas* —como ha sido denominada— del gobierno mexicano pasa por una de sus etapas de mayor quiebra, pues ahora se vuelve evidente como nunca antes la incapacidad del partido oficial para articular y canalizar las demandas sociales.

Si ya durante el prolongado período de auge (1940-1975) se delineaba con creciente claridad que la expansión económica del país se desplegaba de manera paralela a la progresiva liquidación del contenido nacional-popular inscrito en el proyecto histórico de la Revolución mexicana, la actual crisis ha precipitado el proceso a través del cual tienden a desaparecer hasta los menores vestigios de aquel contenido. Los viejos propósitos de lograr la *justicia social* se desvanecieron en la nada y llegó el momento en que el propio discurso oficial renunció a utilizar el tradicional eslogan. La economía mexicana no es menos dependiente que otras de América Latina y las autoridades no pueden presentar un solo renglón (distribución del ingreso, vivienda, educación, salud, alimentación, etc.) donde un análisis comparado con otros países del subcontinente —de desarrollo semejante e inclusive algunos de menor desarrollo— arroje cifras favorables para México. Si hace ya largo tiempo todo parecía indicar que el proyecto histórico fundacional del Estado mexicano se diluía en el olvido, la manera gubernamental de administrar la crisis confirma que el poder político no reconoce ya —más allá de la retórica— compromiso alguno con ese proyecto originario. Llega a su fin la forma específica que la revolución de 1910 impuso al Estado mexicano.

II. El paulatino distanciamiento del gobierno y las organizaciones sindicales encuadradas en el PRI es, tal vez, el efecto político más significativo de la crisis cuya fase desquiciante comenzó en 1982. Ya en la etapa recesiva anterior (1976-1977), la dirigencia sindical agrupada en el Congreso del Trabajo bajo el liderazgo de la Confederación de Trabajadores de México, elaboró una serie de documentos en los que se reiteraba la exigencia de una *reforma económica* capaz de revertir las consecuencias antipopulares del crecimiento capitalista observado en el país. Por primera vez en mucho tiempo, el sindicalismo priísta consideraba necesario presentar un programa de política económica sensiblemente distinto al emanado del gobierno. Esa propuesta incorporó diversos objetivos programáticos planteados por tendencias sindicales democráticas ajenas al partido oficial. La preocupación por formular una alternativa programática propia, aparecía como un viraje considerable frente al prolongado período durante el cual la dirigencia sindical priísta asumió de manera dócil y pasiva las iniciativas de la política gubernamental. En efecto, la estructura corporativa del sindicalismo mexicano y las circunstancias creadas por el crecimiento económico acelerado e ininterrumpido, se conjugaron para que por largos decenios la presencia política del sindicalismo no fuera más allá de la adhesión incondicional al gobierno.

La etapa recesiva de 1976-1977 cedió paso muy pronto a un nuevo período de crecimiento espectacular impulsado por el auge petrolero y el discurso crítico del sindicalismo priísta se desdibujó con rapidez, a pesar de que fueron años (de 1977 en adelante) en que descendió la participación del trabajo en la distribución del producto y los salarios perdieron aceleradamente capacidad adquisitiva ante los brutales embates inflacionarios. Cuando estalló de nuevo la crisis en 1982, pasó inadvertido el esfuerzo sindical por recuperar su propuesta programática. El sindicalismo priísta, sin embargo, elevó la agresividad de su discurso y casi no transcurre semana sin que haya declaraciones virulentas de uno u otro jerarca de la burocracia sindical cetemista. A mediados de 1983, en una decisión que tiene escasos precedentes, la CTM promovió huelgas simultáneas en diversas ramas para apoyar su demanda de un aumento salarial de emergencia. En cualquier caso, en todo el período siguió siendo evidente el desfase entre las proclamas discursivas y las precarias acciones organizadas en apoyo de tales proclamas. La congruencia que había entre la pasividad política del sindicalismo priísta y su aceptación acrítica de las directrices gubernamentales, se ha transformado en una flagrante incongruencia, difícil de sostener en forma indefinida, ahora que a las discrepancias declarativas las acompaña la misma pasividad política.

A finales de 1983 el Congreso del Trabajo publicó otro documento señalando la "necesidad de cambiar el modelo de acumulación privilegiante de la iniciativa privada en favor de los sectores público y social de la economía, para hacer una realidad nuestra vía de desenvolvimiento histórico y alcanzar el proyecto nacional contenido en nuestra Constitución". El insistente llamado a reorientar el rumbo del país se apoya en el convencimiento de que "la situación económica actual acentúa la desigualdad y la marginación y genera una tendencia que podría poner en riesgo la estabilidad política, la paz social, y por lo tanto, el orden constitucional". Frente al progresivo abandono gubernamental de los postulados y programa de la Revolución mexicana en los que se sustenta el Estado moderno en nuestro país, el Congreso del Trabajo se proclama a sí mismo defensor del legado histórico en que descansa la institucionalidad republicana: "La clase trabajadora, hoy más unida que nunca, cree firmemente en la Revolución mexicana. Si por incapacidad, infidelidad, incumplimiento o deshonestidad, la revolución ha sufrido desviaciones, ello ha ocurrido en contra de los principios, programas y objetivos de la revolución."

Ahora bien, el distanciamiento del gobierno y el sindicalismo priísta sólo puede darse dentro de límites, en definitiva, harto estrechos. En efecto, el autodenominado *movimiento obrero organizado* se debate en contradicciones que lo ahogan sin remedio. Por un lado, es incapaz de influir en las decisiones gubernamentales sin movilizar la fuerza social de los trabajadores, pero, por otro lado, es incapaz de impulsar esa movilización sin abrir las puertas a un proceso de democratización interna de las organizaciones sindicales. Más aún, no puede tolerar dicha democratización porque ésta pondría en peligro su organicidad corporativa y con toda probabilidad representaría el fin de la dirigencia sindical tradicional. En la medida en que la fortaleza de esta dirigencia no radica tanto en su legitimidad ante la base agremiada como en el apoyo del gobierno, está obligada a someterse una y otra vez a las decisiones oficiales, aunque éstas desemboquen en el empeoramiento de las condiciones de vida de los trabajadores. La estructura sindical corporativa es empujada, pues, a la aceptación recurrente de políticas contrarias a su programa declarativo y no puede hacer nada para evitarlo porque cualquier iniciativa significaría la pérdida del respaldo de la cúspide gubernamental o el desbordamiento de la base social.

Tal es el resultado previsible de la llamada *alianza histórica* del movimiento obrero con el Estado, cuyo contenido esencial no es otro que el encuadramiento subordinado de las organizaciones sociales en el partido del Estado. Por lo demás, a pesar de la palabrería en torno a la unidad de la clase trabajadora, ésta se encuentra dispersa en miles de sindicatos y media decena o más de centrales, cuya adscripción al PRI no disminuye las rivalidades y antagonismos internos que hasta la fecha han trabado la formación de sindicatos nacionales de industria, para no hablar ya de la tantas veces anunciada y otras tantas veces postergada *central única*.

Así pues, aunque es muy improbable que la crisis ponga fin a la vinculación subordinada de las organizaciones sindicales al gobierno, sí ha generado (y todo parece indicar que esta tendencia se acentuará en el futuro próximo) un creciente divorcio entre las medidas demandadas por la dirigencia sindical y las decisiones adoptadas por el poder político. Sería demasiado aventurado sugerir que esta situación desembocará en la ruptura de la (mal) llamada *alianza histórica del movimiento obrero con el Estado*, pero cabe plantear la sospecha de que la tajante incompatibilidad entre los fines declarados del sindicalismo y la política oficial que éste se ve obligado a respaldar, terminará por debilitar fuertemente la legitimidad —cuya solidez nunca ha sido, por cierto, impresionante— de la estructura sindical encuadrada en el PRI.

III. El agudo descenso de la credibilidad de los procesos electorales es otro efecto político significativo de la actual crisis. En México ha sido siempre muy restringido el papel de las elecciones como fuente de legitimación del poder político. En los primeros años del Estado posrevolucionario, los fraudes electorales eran fenómeno común y corriente, pero tanto las víctimas del fraude como sus beneficiarios se reivindicaban por igual como agrupamientos inscritos en el gran cauce de la Revolución. Quienes obtenían el triunfo en las urnas, con frecuencia recurrían a maniobras en las que no era excepcional la violencia y el robo de boletas. En cualquier caso, se trataba de conflictos con alcance regional limitado ya que la legitimidad del aparato gobernante provenía en lo fundamental de su origen revolucionario y del programa de restructuración global de la sociedad en el que se encontraba empeñado. Cuando esta fuente de legitimidad empezó a perder vigor, las elecciones no se convirtieron tampoco en la matriz básica de la legitimidad gubernamental y ésta descansó, más bien, en el impetuoso crecimiento económico que la sociedad experimentó al amparo de los sucesivos *gobiernos-emanados-de-la-revolución*. Si bien es tradicional en México la espeluznante desigualdad en la distribución de la riqueza, ese impetuoso crecimiento posibilitó alguna mejora en las condiciones de vida de, la población toda. A últimas fechas, sin embargo, la legitimidad gubernamental ya no puede descansar en la fidelidad de la política oficial al programa original de la Revolución, así como tampoco puede fundarse en la sensación generalizada de que el país avanza por una vía que permite a los miembros de la sociedad satisfacer cada vez en mayor medida sus necesidades elementales.

Perdidas estas dos fuentes de legitimidad, pareció indispensable una reforma política capaz de conferirle a los procesos electorales alguna credibilidad. Esta necesidad se hizo sentir con máxima fuerza cuando en las elecciones presidenciales de 1976, los ciudadanos se quedaron sin opción de voto pues la candidatura priísta fue la única que se presentó. El sistema político mexicano había funcionado durante largos decenios a través de mecanismos en los que las elecciones desempeñaron un papel insignificante, hasta llegado el punto donde era preciso dar mayor sentido a los procesos electorales para encontrar formas alternativas de legitimación. La *reforma política* aprobada en 1977 amplió, en efecto, el espectro de partidos con presencia legal reconocida y estableció un marco más propicio para la democratización de las relaciones políticas en el país. A pesar de que la reforma dejó intocado el absoluto control gubernamental de los procesos electorales, fue un paso sustancial en la senda del respeto al pluralismo político y consolidó las condiciones para el ejercicio del pluralismo ideológico. Una reforma pensada para fortalecer el sistema de gobierno y confinar a la oposición en el rango de minoría perpetua, tenía, no obstante, la virtud de regularizar la confrontación política y, sobre todo, de colocar a los partidos de cara a la sociedad y, a la vez, poner frente a ésta una diversidad de opciones.

El partido del Estado no corría mayores riesgos con la reforma política, no sólo por el estricto control que el gobierno ejerce en todo el proceso electoral, desde el empadronamiento de los ciudadanos hasta el recuento de los votos, sino también porque la integración de los organismos sociales en el partido oficial y las insuficiencias propias de una oposición (tanto en la derecha como en la izquierda) desplazada por el desarrollo histórico del país a una función meramente denunciatoria, garantizaban para el PRI el monopolio casi exclusivo de la acción política. En efecto, la reforma política no representó amenaza alguna para la sobrevivencia del corporativismo y, a la vez, haría falta un tiempo relativamente largo para que los partidos opositores pudieran formular una plataforma política propia y lograran articularse con el movimiento social. En el corto plazo, la ampliación de los espacios democráticos se concretaría en el acceso de más partidos a la Cámara de Diputados y en el eventual triunfo de la oposición en ciertas elecciones municipales. Así pues, todo parecía indicar que la vigorización del sistema político significaría más el fortalecimiento del sistema de gobierno que una fuente de peligro para la conservación del poder priísta.

Esta dinámica previsible se vio afectada muy pronto, sin embargo, por el estallido de la crisis. Si bien todavía las elecciones federales de 1982 arrojaron resultados muy favorables para el PRI (hasta donde las manipuladas cifras del recuento oficial permiten sostener tal afirmación), ya en las primeras elecciones estatales de 1983 se presentaron severas derrotas para el oficialismo en Chihuahua y en Durango. Después de esto, en casi todas las elecciones estatales subsiguientes, los triunfos del PRI —sobre todo en los centros urbanos— han sido con frecuencia producto de fraudes donde la dificultad de su documentación no reduce la certeza de que existieron. De esta manera, el lugar común de que en México "el PRI siempre gana" comienza a ser abandonado y empieza a generalizarse la impresión de que el PRI "siempre hace fraude". No sólo hay varias evidencias de que en las principales ciudades donde se eligieron autoridades en 1983 el partido del Estado perdió los comicios, aunque las cifras oficiales digan lo contrario, sino que tales evidencias se refuerzan con los nuevos mecanismos legales aprobados en diversas entidades del país sin otra finalidad que impedir a la oposición su presencia en las urnas para vigilar el desarrollo de la votación. La sociedad mexicana se acerca a una nueva situación en la cual las elecciones continúan no siendo fuente de legitimación, pero con la novedad de que comienzan a ser instancias confirmatorias de la ilegitimidad priísta. En 1983 la reforma política dio otro paso con la modificación constitucional tendiente a establecer la representación proporcional en los ayuntamientos, pero la crisis ha impuesto límites rígidos en la vigencia efectiva de la democracia electoral.

IV. El exacerbado presidencialismo característico del sistema mexicano de gobierno es una de las instituciones más deterioradas en la historia reciente del país. En los círculos empresariales y entre los sectores medios conservadores alcanzó rápida difusión la expresión *docena trágica* para aludir a los doce años comprendidos en los últimos dos sexenios dirigidos por Luis Echeverría y José López Portillo. Nunca desde 1940 la derecha social, agrupada en confederaciones patronales, de industriales, comerciantes y propietarios de predios agrícolas, consejos empresariales y de hombres de negocios, asociaciones de padres de familia, con el notorio apoyo de Televisa y de la jerarquía católica así como de la derecha política organizada en el PAN y el PDM, había logrado imponer con tanta fuerza una versión simplista de los hechos donde todos los males que acarrea la crisis a la sociedad tienen un solo *responsable-culpable*: el mandatario saliente. Tanto en 1976 como en 1982 todo ocurría como si la crítica situación económica fuera consecuencia de la acción individual de Echeverría y López Portillo respectivamente. Ambos sexenios terminaron con decretos presidenciales mediante los cuales el gobierno procuró hacer frente a las dificultades económicas y sociales con medidas de corte nacional-popular: una importante expropiación de tierras agrícolas decidida por Luis Echeverría días antes de ceder la Presidencia al nuevo titular del Ejecutivo y la nacionalización de la banca privada decretada por López Portillo tres meses antes de la sucesión. En ambos casos, tales medidas tardías no lograron recuperar con solidez el contenido nacional-popular del programa de la Revolución y, en cambio, sí estimularon la contraofensiva ideológica de la derecha social.

Agotada la retórica gubernamental y debilitada la capacidad priísta de movilización popular, los últimos años crearon una atmósfera política alimentada por la crisis, en la que el discurso oficial es cada vez más ineficaz para organizar la percepción social de las cosas. En una sociedad escasamente politizada donde no encuentran fácil cabida las explicaciones estructurales de la crisis, resultó sencillo para la derecha imponer su propio discurso. Un solo concepto, *corrupción*, se convirtió en clave decisiva para otorgar sentido a las circunstancias que vive el país. Devaluación del peso, aumento de precios, déficit en la balanza de pagos, deuda externa... todo es vivido por los mexicanos *ilustrados* como consecuencia fatal de la corrupción de los funcionarios públicos. En una situación donde casi no hay una sola dimensión de la estructura económica y del sistema de gobierno que pueda quedar exenta de profundas reformas, el énfasis de la nueva administración en la *renovación moral* vino a confirmar la interpretación de la derecha: la crisis es resultado de la corrupción. Toda vez que se trata de un fenómeno que invade y corroe de arriba abajo el aparato administrativo y gobernante, la credibilidad de ese discurso es mayúscula.

Incapaz el gobierno mexicano de exhibir y combatir las causas profundas de la crisis, comprometidos a fondo muchos de sus funcionarios con la perspectiva empresarial, a veces por afinidad ideológica pero también con frecuencia por su doble ubicación, desde el sexenio anterior y con mayor constancia a raíz de la crisis iniciada en 1982 el discurso oficial identificó en el *populismo* la otra deficiencia central (junto a la corrupción) de la política gubernamental. La oscura noción de *populismo* ha sido utilizada para combatir hasta los vestigios más insignificantes de la tradicional política priísta atenta a las demandas populares, así como para desmantelar las escasas instituciones a través de las cuales en México se concreta el *Estado benefactor*. La quiebra del *Estado de la Revolución mexicana* se realiza en nombre de la lucha contra el populismo. Los devaneos populistas de dos mandatarios sucesivos le significaron al presidencialismo su mayor desprestigio en 40 años ante la iniciativa privada y los sectores medios. El binomio *corrupción-populismo* ha sido colocado en el centro del discurso que organiza la percepción social de vastos sectores de la sociedad mexicana. Ello ha desembocado en un fuerte deterioro de la institución presidencial, ya que ésta aparece a lo largo de esos 12 años como la fuente originaria de ambos pecados. El esfuerzo del actual sexenio por hacer suyo este enfoque de la derecha no es resultado sólo de coincidencias ideológicas básicas, sino también síntoma de la preocupación gubernamental por el menoscabo observable en la imagen de la figura presidencial.

v. El problema político fundamental de la sociedad mexicana proviene de los probables efectos negativos de la crisis en la línea de la democratización. En el último decenio el país vivió la considerable extensión de los márgenes donde es factible el despliegue del pensamiento crítico y de la acción partidaria. A pesar de que en amplias zonas de la vida social, sobre todo en el ámbito rural, subsisten fuertes obstáculos para el desarrollo de la actividad organizada y es frecuente el encarcelamiento y asesinato de dirigentes campesinos, no pueden subestimarse los avances habidos en México en la ruta de la democracia política. En el tiempo transcurrido desde el agudizamiento de la actual fase crítica, el gobierno ha reiterado en diversas ocasiones su disposición a preservar los espacios democráticos conquistados. Además de los pronunciamientos, ha sido significativa la preocupación por mantener intocado el derecho, por ejemplo, a la manifestación pública. No obstante que en el México agrario perdura una prolongada tradición de barbarie y que ésta se expresa a veces también en el tratamiento de ciertos conflictos urbanos (huelgas y asentamientos humanos irregulares), la violencia represiva dista mucho de ser la forma predominante en la relación de las autoridades con los gobernados. No cabe, sin embargo, ninguna confianza ingenua respecto a la solidez de las instituciones democráticas.

Por un lado, la reforma política no logró disolver los núcleos duros de encono social. En tanto la reforma política no fue acompañada de un programa siquiera mínimo de reformas económicas y sociales, quedó aislada como un intersticio de tolerancia insuficiente para atraer a quienes viven fuera de la lógica de confrontación partidaria. Para una enorme mayoría de personas inconformes con su situación, el registro de partidos, su presencia en las elecciones así como en el parlamento y en los cabildos, no modifica un ápice las circunstancias en que transcurre su vida cotidiana. Si algo cambió para el ínfimo número de militantes de los diversos partidos y para los reducidos sectores donde éstos ejercen influencia, todo sigue igual para una densa masa cuyos vínculos con el sistema político son más que distantes. La reforma política, desconectada de otras modalidades de la reforma social, tiende a quedar confinada en un reducto insignificante. No es tanto el alcance limitado de la reforma política, como su falta de conexión con el resto de la vida social lo que amenaza con agotar en breve lapso su capacidad de airear la atmósfera nacional. Máxime cuando el impacto abrumador de la crisis apresura el desgaste de los mecanismos institucionales.

Por otro lado, la reforma política se monta sobre una realidad social en la que el juego democrático tiene una presencia casi nula. Así, por ejemplo, en las organizaciones sociales —sindicatos, centrales, ejidos, ligas de comunidades agrarias, etc.— son frecuentes los mecanismos de elección indirecta donde todo está dispuesto para facilitar la manipulación desde arriba y es muy excepcional tanto la participación efectiva de los agremiados como el respeto a corrientes y tendencias con planteamientos distintos a los de la burocracia dirigente. La adscripción de los organismos sociales al partido del Estado constituye una camisa de fuerza para las perspectivas de democratización. Lo que en condiciones normales sería una simple pugna por la dirección de un sindicato, por ejemplo, en México se convierte de manera automática en un enfrentamiento con el partido oficial y con el gobierno mismo, en virtud de los dispositivos que hacen de los agrupamientos naturales de los trabajadores una prolongación del aparato estatal. La crisis, y sobre todo la política gubernamental para superarla, amplía los motivos de discrepancia de los organismos sociales con la línea oficial, pero en circunstancias donde los conflictos no encuentran fácil salida institucional.

VI. La crisis económica no se ha traducido en crisis política. No se han presentado movimientos sociales de impugnación al sistema de gobierno establecido. No hay, en rigor, ninguna situación que lleve a concluir la imposibilidad para el régimen de seguir funcionando como lo ha hecho hasta ahora. No obstante las dificultades impuestas a la población por la política de austeridad y el agravamiento que implica en las de por sí lamentables condiciones de vida de vastos sectores de la sociedad, resulta muy difícil localizar síntomas de que se avecina una crisis política. Ello no significa, por supuesto, que no se pueda hablar del elevado costo político de la crisis. La confianza de los mexicanos en el gobierno ha descendido en el curso de estos años a niveles ínfimos. La credibilidad gubernamental ha sufrido graves trastornos, sobre todo porque la crisis estalló después de un período (1978-1980) durante el cual se le anunció al país una etapa de abundancia y prosperidad que derivaría del auge petrolero. Una sociedad ilusionada por su imprevista riqueza y plena de expectativas, se encontró de pronto sacudida por factores que no esperaba: una descomunal deuda externa, vorágine inflacionaria, caída del producto nacional, pérdida del poder adquisitivo de los ingresos, devaluación de la moneda, incremento del desempleo, recorte del gasto público, empresas en dificultades financieras, descenso de la inversión privada, etcétera.

Si la hipótesis de la crisis política parece insostenible, en cambio todo sugiere que en el país se gestan los inicios de una crisis de hegemonía priísta. Durante largo tiempo los gobiernos del PRI se beneficiaron de un amplio consenso compartido virtualmente por todos los sectores de la sociedad. A pesar de conflictos más o menos agudos que se suscitaron en diversos momentos de la historia reciente de México, lo cierto es que clase obrera organizada, campesinado, sectores medios, propietarios e inclusive grupos marginados de la población, o bien adhieren en forma enérgica a la política gubernamental o, cuando menos, aceptan de manera pasiva las decisiones oficiales pero, en cualquier caso, la acción del PRI se desenvuelve en forma casi incontrastada. No sólo porque se trata prácticamente de un sistema político de partido único (no obstante el reconocimiento legal de una pluralidad de agrupamientos partidarios), pues en su forma actual el Estado mexicano es incompatible con un partido gobernante distinto del PRI, ni tampoco sólo porque este partido encuadra de manera corporativa a gran cantidad de organismos sociales, sino también porque los diversos segmentos de la sociedad reconocen en el programa priísta y en la política gubernamental las vías idóneas para lograr la satisfacción de sus demandas y la atención a sus intereses. La hegemonía del PRI consiste, precisamente, en su capacidad para articular en torno suyo la iniciativa social, al punto de que los vínculos de los diversos sectores de la sociedad con otros partidos son casi inexistentes. La crisis ha precipitado lo que era un deterioro paulatino de esta situación.

En efecto, en el campo han surgido a últimas fechas docenas de agrupaciones que no reconocen el liderazgo priísta. A diferencia de experiencias anteriores, cuando organismos semejantes terminaban en breve lapso incorporándose al partido del Estado, ahora es más profunda su animadversión al oficialismo y, no obstante el paso del tiempo, mantienen su independencia orgánica, política e ideológica. Hay, sin duda, razones objetivas para ello: millones de campesinos sin tierra pierden cada vez más la esperanza de una *reforma agraria* que ha renunciado a redistribuir la propiedad del suelo; las comunidades indígenas no encuentran en las autoridades una defensa de sus formas culturales, incluida la forma de tenencia de la tierra. Antes bien, tales autoridades coadyuvan con frecuencia a la liquidación de las culturas indígenas, sin mayor preocupación por los mecanismos de verdadero etnocidio de los que se echa mano. El PRI no promueve y, por el contrario, bloquea la sindicalización del proletariado agrícola; los ejidatarios son empujados a formas subordinadas de asociación con los propietarios y resienten la caída de los precios reales de sus productos; el problema del subempleo rural no recibe solución y tampoco hay atención adecuada a quienes cruzan la frontera norte y tropiezan con el endurecimiento de la política estadunidense respecto a las corrientes migratorias. En el ámbito urbano, la lucha para regularizar asentamientos humanos ha dejado de ser fuente de clientela para al PRI como era tradicionalmente. También aquí han surgido en los últimos años numerosas organizaciones sin vínculo alguno con el partido del Estado y, más bien, contrapuestas a éste. En las principales ciudades del país el movimiento de los colonos no se despliega por canales del partido oficial, sino fuera de ellos y en frecuente choque con las autoridades respectivas.

Las tendencias conservadoras predominantes en los sectores medios fueron contrarrestadas durante largo tiempo porque el crecimiento económico hacía posible niveles cada vez mayores de consumo y condiciones idóneas para el *ascenso social*. Es en este sector, sin embargo, donde el antigobiernismo de derecha se ha extendido con sorprendente velocidad. La crisis impulsó en este segmento de la sociedad más que en ninguno otro, un abrupto distanciamiento respecto de la política priísta. Despojados los sectores medios de sus ahorros en dólares, los cuales fueron convertidos a moneda nacional en 1982, restringida su capacidad de comprar bienes importados y de viajar al exterior, afectados también en su poder adquisitivo por la inflación, preocupados por su seguridad personal debido al incremento en el número de robos y asaltos, esos sectores medios no encuentran otro culpable de la situación más que el gobierno. Atrapados por una campaña publicitaria de corte empresarial ampliamente propalada por los medios electrónicos de comunicación y desprovistos de elementos teóricos para entender las causas estructurales de la crisis, han terminado por creer que todo tiene origen en la corrupción de los funcionarios públicos y en el ejercicio caprichoso del poder desde la Presidencia. El antigobiernismo de derecha ha sido alimentado por ciertas formas de periodismo donde el análisis político es sustituido por la denuncia escandalosa. La credibilidad priísta en los sectores medios se desplomó en pocos años inclusive entre los empleados públicos.

La hostilidad casi instintiva de la burguesía al *Estado de la Revolución mexicana* se vio atenuada casi por completo desde que en 1940 la política económica de los sucesivos gobiernos estableció condiciones espléndidas para la acumulación de capital. El intento, a finales del régimen cardenista de animar al Partido de Acción Nacional (PAN) fue prácticamente abandonado cuando se hicieron evidentes las ventajas que el capital derivaba de la conducción priísta de la cosa pública. A partir de 1970, sin embargo, cuando los primeros síntomas de agotamiento del patrón de acumulación condujeron al gobierno a diversas intentonas reformistas, comenzó a revivir esa antigua hostilidad. El sexenio de Luis Echeverría transcurrió entre diversos forcejeos con la burguesía, nacidos casi todos de proyectos reformistas. El gobierno de López Portillo se desenvolvió en el marco del esfuerzo continuado para restablecer las relaciones de cordialidad empañadas en la primera mitad de los setenta. La nacionalización de la banca al calor de la crisis, sin embargo, confirmó para la burguesía que no puede tener confianza profunda en las decisiones del *Estado de la Revolución mexicana*. Desde entonces, no obstante los renovados esfuerzos para crear una atmósfera de confianza, hay pruebas constantes de que las clases propietarias están dispuestas a impulsar otros partidos políticos. No se trata de la ruptura con el PRI, pero sí de colocarlo en un contexto de relaciones políticas que vuelva imposible otra sorpresa como la que significó la expropiación de los bancos privados.

Es todavía temprano para afirmar con fundamento que la crisis desembocará en el resquebrajamiento de la hegemonía priísta. No hay duda de que todavía es considerable la capacidad de convocatoria del partido oficial y, sobre todo, sigue siendo cierto que las demás fuerzas políticas están lejos de poder articular la iniciativa social. En cualquier caso, la crisis ha puesto en el primer plano numerosos signos anunciadores de que comienza a gestarse la quiebra de la hegemonía priísta. En un Estado que prácticamente cancela las posibilidades de alternancia en el poder y en un sistema político que obstaculiza al máximo los vínculos de los partidos de oposición con el movimiento social, todo parece presagiar el desarrollo de un proceso lento de descomposición evitable sólo si revierte el deterioro de la economía y se amplían los márgenes de participación democrática. Ambas condiciones son de difícil cumplimiento.

LAS CLASES MEDIAS MEXICANAS Y LA COYUNTURA ECONÓMICA ACTUAL

SOLEDAD LOAEZA

Hace más de cuarenta años se inició en México un acelerado proceso de industrialización que fue la base del llamado *milagro mexicano*. La combinación de rápido crecimiento económico[1] y estabilidad social pudo mantenerse a lo largo de un período muy prolongado (1940-1982) dentro de un marco político formalmente democrático, aunque en la realidad el rasgo dominante de esta estructura institucional ha sido la concentración del poder político y económico.[2] Uno de los logros más sobresalientes de esta experiencia particular fue la expansión de los grupos sociales situados entre los *muy ricos* y los *muy pobres*. Este fenómeno ha servido para enmascarar una estructura económica profundamente inequitativa, la esencia autoritaria del sistema político, y también ha contribuido a la creciente estratificación de la estructura social.

Lo anterior significa que el desarrollo de las clases medias en México pudo haber acarreado estabilidad, pero desde luego no ha significado democracia. De suerte que al menos en este caso no se ha producido la relación directa que la teoría clásica de la modernización gustaba de establecer entre clases medias y democracia.

Actualmente el país atraviesa por una situación inédita en la que convergen recesión económica, inflación y descrédito de las instituciones políticas. Esta coincidencia constituye un cuadro social sin precedentes en el México contemporáneo y ofrece una buena oportunidad para analizar a las clases medias y descubrir algunas

[1] Tomando 1940 como el año de partida se observa que de entonces a la fecha (1983) el producto interno bruto creció a una tasa promedio anual de 6.3%. Carlos Bazdresch, "Distribución y crecimiento", *Diálogos*, 110, marzo-abril de 1983, pp. 47-54.

[2] La concentración del ingreso en México es una de las más elevadas del mundo. En 1977 el 5% de las familias con ingresos más altos recibía el 25% del ingreso, mientras que el 40% de las familias con ingresos más bajos no alcanzaban a recibir el 12%. Véase Gabriel Vera, Carlos Basdresch y Graciela Ruiz, "Algunos hechos sobre la distribución del ingreso en México", *Diálogos*, 110, marzo-abril de 1983, pp. 34-41.

de las contradicciones que se desarrollan en su interior y en su relación con el sistema político.

LAS CARACTERÍSTICAS SOCIOLÓGICAS DE LAS CLASES MEDIAS MEXICANAS

Las clases medias mexicanas muestran muchos de los rasgos que caracterizan a sus homólogos en otras sociedades. Estas similitudes derivan de la identidad de posición socioeconómica; sin embargo, las particularidades estructurales de la sociedad y del sistema político mexicanos definen una personalidad propia.

A pesar de que existen desacuerdos muy importantes en cuanto a los criterios de definición de los *grupos intermedios*, de las discusiones metodológicas en torno al tema podemos derivar algunos elementos comunes que permiten establecer dos condiciones necesarias, aunque no suficientes, para la identificación de una categoría sociológica denominada "clase media": el trabajo no manual y el medio urbano.

En todos los casos el primer rasgo que distingue a los grupos que ocupan una posición intermedia en la estructura económica consiste en que realizan un trabajo no manual. Este criterio de diferenciación incluye una gran variedad de categorías que a su vez se dividen entre asalariadas y no asalariadas, o si se quiere entre dependientes y autónomas. Las primeras agrupan a empleados, maestros, funcionarios, cuadros medios del ejército, cuya base de identidad es el hecho de que sus ingresos provienen de un salario —independientemente de las variaciones que registren entre sí. Entre las categorías de no asalariados se incluyen las profesiones liberales, los pequeños y medianos comerciantes e industriales, los pequeños propietarios y los artesanos. Por lo tanto, en el interior de las clases medias existe, una diversidad de situaciones en términos de ingresos, de calificación profesional y de estatus social.[3]

El hecho de que la economía mexicana haya vivido cuarenta años de crecimiento sostenido acentuó la heterogeneidad interna de estos grupos. Además el desarrollo de una estructura del empleo

---

[3] "La noción de una clase media sola y única parece sociológicamente absurda." (Nonna Mayer y Francoise Vincent-Sautarel, *Les classes moyennes et la politique enjeu*, Association Francaise de Science Politique, Mesa redonda del 27-28-29 de noviembre de 1980, París, mimeo., p. 3.)

más compleja, así como el proceso de urbanización y la ampliación de los servicios de educación y salud, permiten suponer que se produjo un importante proceso de movilidad social,[4] y un consecuente aumento de las clases medias en números absolutos y relativos.

Los pocos estudios que se han hecho sobre la composición interna de las clases medias,[5] indican una tendencia constante al predominio numérico de los asalariados; tendencia que se explica tanto por la concentración del ingreso como por la amplitud de las actividades del Estado. La participación pública en obras de infraestructura, en industrias estratégicas y en obras de servicio social —específicamente la educación y la salud— ha disminuido el peso de las categorías autónomas por excelencia, las profesiones liberales. El ejercicio plenamente independiente de una profesión liberal ha sido poco frecuente en los años de crecimiento. Raros han sido los médicos dedicados exclusivamente a la praxis privada, de la misma manera en que existe un amplio número de ingenieros y de arquitectos vinculados con las actividades del Estado, ya sea a través de contratos o de un empleo específico, para no mencionar el caso obvio de los abogados que se convirtieron en el núcleo de la burocracia. Esta particularidad nos conduce, por otro lado, a destacar el hecho de que en más de un sentido el Estado mexicano ha sido el principal promotor de estos grupos.[6]

La segunda condición necesaria que se destaca de las discusiones generales acerca de las clases medias es su localización en el medio urbano. Ciertamente la estructura social del campo también incluye sectores intermedios, pero, y sobre todo en el caso de un país como México, la oposición campo/ciudad se impone sobre cualquier otro criterio de diferenciación.[7] En el campo mexicano los grupos

[4] Este proceso de movilidad social se vio contrarrestado por una tasa anual de crecimiento de la población de más del 3%. En 1940 había 20 millones de mexicanos, actualmente esa cifra asciende a más de 70 millones.

[5] Véase por ejemplo, José Calixto Rangel Contla, *La pequeña burguesía en la sociedad mexicana. 1895 a 1960,* México, Instituto de Investigaciones Sociales, UNAM, 1972.

[6] Esta tendencia histórica podría ser revertida en el mediano plazo, porque uno de los puntos centrales del gobierno actual del presidente Miguel de la Madrid (1982-1988) es precisamente la reducción de las actividades del Estado. De cumplirse este objetivo podría modificarse la relación entre sectores dependientes y autónomos; las filas de estos últimos se verían engrosadas por la disminución de oportunidades de empleo en la burocracia estatal.

[7] "... existe una diferencia fundamental entre los grupos rurales en su conjunto y los grupos urbanos, estos grupos se oponen entre sí por su tipo de vida como si se tratara de dos civilizaciones diferentes. La civilización

intermedios han sido muy débiles antes y después de la Revolución de 1910; primero porque la estructura de propiedad estaba dominada por el latifundio y después por la atomización de la propiedad.[8] Por otra parte, las categorías profesionales que han sido identificadas como de clase media acentúan el carácter propiamente urbano de estos grupos. Desde 1940 hasta la fecha México ha registrado un impresionante crecimiento de la población urbana; mientras que en ese año la quinta parte de los mexicanos nada más habitaba en ciudades de más de cinco mil habitantes, actualmente esa proporción asciende a las dos terceras partes del total y se concentra principalmente en tres ciudades: México, Guadalajara y Monterrey.

LAS CLASES MEDIAS, GRUPO PRIVILEGIADO DE LA SOCIEDAD MEXICANA

Las dos condiciones necesarias que hemos establecido para delimitar a las clases medias —grupos cuya fuente de ingresos es el trabajo no manual y cuyo medio natural es la ciudad—, conducen a la conclusión de que el tamaño de estos grupos es una variable del desarrollo económico. El tipo de actividades que desempeñan los concentra en el sector servicios de la economía, y el ritmo de crecimiento de este sector podría entonces ser considerado como un indicador adecuado del ritmo de expansión de las clases medias. En 1980 el sector servicios representaba más del 57% del producto nacional bruto, mientras que a la industria le correspondía el 33% y a la agricultura menos del 10%. Independientemente de la debili-

rural podría estudiarse por sí misma y distinguir las clases sociales que (...) la constituyen. Este trabajo sería mucho más difícil que si se tratara de los medios urbanos, porque en la conciencia campesina parece predominar el sentimiento de que se es un campesino distinto del habitante de las ciudades, sobre la idea de que se está en un nivel social más o menos elevado. Esta razón basta para que consideremos a las clases medias solamente en el marco de la civilización urbana". (Maurice Halbwachs, "Les caractéristiques des classes moyennes", en Raymon Aron, Maurice Halbwachs, E. Vermeil, *Inventaries III. Classes moyennes,* París, Lib. Félix Alcan, 1939, pp. 28-52.)

[8] Véase Juan Felipe Leal, "Las clases sociales en México, 1880-1910", en *Revista Mexicana de Ciencia Política,* julio-septiembre de 1967, vol. 16-17, núm. 65, pp. 44-57; Sergio Reyes Osorio, "El desarrollo polarizado de la agricultura mexicana", *Comercio Exterior,* 19, marzo de 1969, pp. 234-235.

dad de la estructura productiva que revela esta distorsión, lo que en este caso nos interesa destacar es que, consecuentemente, el sector servicios empleaba al 48% de la población económicamente activa, mientras que la industria y la agricultura empleaban apenas un poco más del 25%, respectivamente. Sin embargo, como este fenómeno no es el resultado de una auténtica modernización de la estructura económica, sino que es producto de una terciarización prematura y, por lo tanto, expresión de un grave desequilibrio estructural, aporta solamente información indirecta respecto al tamaño relativo de las clases medias en comparación con las llamadas clases mayoritarias.[9] Ni todo aquel que está empleado en el sector servicios ni todos los habitantes de las ciudades son necesariamente miembros de las clases medias, el caso obvio de las limitaciones de este tipo de información es el servicio doméstico, que es población mayoritariamente urbana que los censos registran en el sector servicios pero que realiza un trabajo manual

Para obtener una idea más o menos precisa de la talla de estos grupos en el conjunto de la sociedad mexicana, hay que tener presente que en este contexto de profunda desigualdad las clases medias son grupos privilegiados, y en consecuencia relativamente limitados. Cualquier evaluación sólo puede ser aproximativa. No obstante podemos introducir una tercera condición para ayudarnos a perfilar a las clases medias, condición que además de necesaria es suficiente: el nivel de escolaridad.

La variable educativa tiene la virtud de que conjuga criterios objetivos y subjetivos de la determinación de clase. En México el capital de instrucción constituye una variable central en la explicación de las variaciones en los niveles de ingreso personal, en virtud de que entre escolaridad e ingreso ha existido, al menos hasta ahora, una relación positiva directa.[10] Lo anterior significa que la variable

---

[9] El primer intento que se hizo de medir cuantitativamente a las clases medias fue de José Iturraga en *La estructura social y cultural de México,* México, Fondo de Cultura Económica, 1951. A pesar de que el autor nunca precisó los criterios que utilizó para elaborar un cuadro de evolución porcentual de la estructura de clases en México entre 1895 y 1940 (según el cual en ese lapso las clases medias se duplicaron del 8 al 16% de la población total), sus cálculos han servido para nuevas elaboraciones como las de James W. Wilkie, *The Mexican Revolution. Federal expenditure and social change since 1910.* Berkeley y Los Ángeles, University of California Press, 1970; Howard Cline, *Mexico: Revolution to evolution,* Londres, Oxford University Press, 1961; y, Roger Hansen, *La política del desarrollo mexicano,* México, Siglo XXI, 1971.

[10] Véase Coplamar, *Necesidades esenciales en México. Educación,* Mé-

educativa también refleja la desigualdad característica de la sociedad mexicana, desigualdad que es correlativa a la posición privilegiada de las clases medias y que ha incidido de manera decisiva en la configuración de sus actitudes.

Ahora bien, mientras que los criterios objetivos de determinación de clase definen la posición en la estructura productiva, los criterios subjetivos se refieren a la posición en la pirámide del prestigio social, definen la condición de clase, esto es, el conjunto de actitudes de comportamientos y de representaciones observables en un individuo o grupo determinado.[11] Es decir, además de las variables socioeconómicas que definen la pertenencia de clase, en esta definición también interviene la idea que cada individuo tiene de su posición en la estructura social, y esta apreciación subjetiva[12] está asociada a la adopción de una serie de ritos y de símbolos que se identifican con esa pertenencia. Este marco de referencia de diferenciación simbólica adquiere singular importancia para las clases medias cuya especificidad se expresa con mucho como una identidad cultural.

Las actividades que han sido definidas como de clase media suponen que quien las desempeña posee atributos que se derivan del capital de instrucción y que van desde el conocimiento y aplicación de ciertas *técnicas* —que pueden ser las más sofisticadas de la energía nuclear o los ejercicios más simples de contabilidad— hasta el empleo de cierto lenguaje y el ejercicio de ciertas normas y patrones de consumo y de comportamiento que se identifican con un nivel *elevado* de educación.

Ahora bien, lo que se considera un nivel *elevado* de educación varía de situación a situación y de país a país. Mientras que en México el certificado de estudios primarios (seis años de escolaridad) podía, por lo menos hasta hace poco, asegurar el acceso a una actividad en el sector servicios, digamos como empleado de comercio, en las sociedades desarrolladas las condiciones para obtener un empleo similar elevan el mínimo educativo a nueve o tal vez doce años de escolaridad.

A pesar de los esfuerzos que tradicionalmente ha hecho el Estado

xico, Siglo XXI, 1982, p. 18. Véase también, Juan Díez-Canedo, "La distribución del ingreso como reflejo de la sociedad mexicana", *Diálogos,* 110, marzo-abril de 1983, pp. 26-28.

[11] Bernard Lacroix y Michel Dobry, "A la recherche d'un cadre théorique pour l'analyse politique des classes moyennes", *Annales de la Faculté de Droit de Clermont-Ferrand,* París, LGDJ, pp. 381-409.

[12] Véase Raymond Aron, *La lutte des classes. Nouvelles elcons sur les sociétes industrielles,* París, Gallimard, 1964, pp. 57-73.

mexicano por asegurar el mínimo de seis años de escolaridad de toda la población, persisten rezagos muy importantes en ese terreno.[13] Por ejemplo, en la ciudad de México, el gran centro urbano del país donde se concentran las actividades administrativas, políticas y culturales más importantes, en 1980 menos del 40% de los jefes de hogar había completado el ciclo primario de educación.[14] La escasez de recursos materiales, el crecimiento demográfico y en general los obstáculos que plantea el subdesarrollo, mantienen el carácter de privilegio de la educación, sobre todo en los ciclos medio y superior —los cuales además se han desarrollado fundamentalmente en las ciudades.

En México el sistema educativo tiene la forma de un embudo cuya amplia base está constituida por el ciclo primario, pero la estructura se va estrechando conforme se asciende a los niveles medio y superior.[15] La deserción escolar es muy elevada en el ciclo primario, de manera que la educación media constituye un coto cerrado para los más desfavorecidos. En estas condicones se acentúa el carácter de privilegio que tiene en México la condición de clase media, privilegio al que se asocian ciertas ventajas, como por ejemplo el acceso a actividades culturales y aun políticas. (A diferencia de las sociedades desarrolladas donde las distancias interclasistas son menores y, en consecuencia, la pertenencia a las clases medias no es un privilegio.)

Hasta este punto sólo hemos manejado criterios discriminatorios para precisar el perfil cualitativo, aunque no cuantitativo, de las clases medias. Sabemos que son los grupos urbanos que trabajan mayoritariamente en el sector servicios, y cuyo nivel de escolaridad es superior al del grueso de la población. Medir cuantitativamente a estos grupos, sin embargo, plantea graves dificultades porque, como ya se ha dicho más arriba, la pertenencia a las clases medias es en buena medida resultado de una autodefinición. Existe un problema

[13] "La educación primaria (6.5 millones en 1964, casi 9 en 1970 y 18 en 1980) cubre el medio urbano y a las concentraciones rurales, pero su ampliación se detiene frente a la población campesina dispersa." (Olac Fuentes Molinar, "Educación pública y sociedad", en Pablo González Casanova y Enrique Florescano (coords.), *México, hoy,* México, Siglo XXI, 1979, p. 230.)

[14] Coplamar, *op. cit.,* p. 25.

[15] "... de los 16.8 millones de personas que tenían más de 24 años en 1970, el 38% nunca había asistido a la escuela, 29% había cursado entre 1 y 3 años de primaria y 24% entre 4 y 6% tenía estudios de nivel medio y sólo el 3% había llegado a acreditar un grado universitario", Fuentes Molinar, *art. cit.,* p. 231.

adicional que se deriva también de la naturaleza misma de estos grupos. Su posición hace de ellos una franja social abierta en los dos extremos y, en consecuencia, conjuntos fluidos que muestran una gran sensibilidad a los efectos del cambio social y económico. Esta característica de fluidez, que se identifica con la flexibilidad de un sistema social y que sustenta el mito de la clase media como "pasarela" de las sociedades democráticas, se acentuó en México durante los años de crecimiento y ha apoyado la retórica oficial que sostiene que en este país ha regido la igualdad de oportunidades. Podría inclusive afirmarse que en los años de expansión las clases medias estuvieron en un proceso permanente de cambio en cuanto a sus actividades y composición.

Desde esta perspectiva las clases medias aparecen como los grupos sociales más directamente asociados con la movilidad social; la tradición las ha considerado como campo de absorción de los elementos más avanzados de las clases populares y como fuente de exportación de nuevos integrantes a los niveles superiores de la jerarquía social —o viceversa. De ahí el vínculo simbólico que se ha creado entre clases medias y democracia.

LA FUNCIÓN POLÍTICA DE LAS CLASES MEDIAS EN MÉXICO

El capital de instrucción que define sociológicamente a las clases medias también ha determinado la función política que desempeñan, en virtud de que la educación les asegura una importante ventaja comparativa en cuestiones de organización y de administración. Más todavía, en la búsqueda de la seguridad las clases medias mexicanas han definido los perfiles de una identidad que se funda en un cuerpo de creencias, de símbolos y de actitudes que constituyen una subcultura y un código de comportamiento específico de estos grupos; gracias a ello las clases medias gozan de una coherencia y consistencia que contrarrestan su heterogeneidad objetiva. La relativa homogeneidad axiológica que se deriva de esta particularidad ha servido para suavizar los efectos de la fragmentación interna y sedimenta una identidad política propia —aun cuando en momentos de crisis aparezcan desgarramientos ideológicos.

El individualismo y la defensa de la propiedad privada asociados a una ética meritocrática, son dos de los valores centrales de esta subcultura. La revolución mexicana logró reconciliar estos valores con objetivos de liberación social en una fórmula que expresaba la alianza entre sectores progresistas y nacionalistas de las clases medias y grupos de obreros y de campesinos.[16] Sin embargo, la modernización también ha ampliado y profundizado la influencia de la sociedad norteamericana entre las clases medias mexicanas en detrimento del nacionalismo y de la tradición popular de que son en más de un sentido beneficiarias.

La posición estratégica de las clases medias mexicanas en la estructura del poder político se funda en que gracias a su capital de instrucción han sido los grupos que tradicionalmente mayor capacidad e interés han mostrado para participar en política; y ya sea desde el poder o en la oposición, han influido de manera determinante en la configuración de las instituciones políticas.[17] Desde esta perspectiva las clases medias cumplen una función de mediación entre el sistema político y el sistema social,[18] a través de las justificaciones o de la legitimación que pueden ofrecer para sustentar —o en su caso subvertir— la estructura de autoridad. Esto significa que entre clases medias y consenso político de largo plazo existe un vínculo directo.

Tan es así que a lo largo de la historia del México independiente encontramos numerosos ejemplos de movimientos de reivindicación democrática encabezados por grupos de clase media, de la misma

[16] Véase Arnaldo Córdova, *La ideología de la Revolución mexicana. La formación del nuevo régimen,* México, Ediciones Era-Instituto de Investigaciones Sociales, UNAM, 1973.

[17] En ese sentido tendrían similitudes muy grandes con sus homólogos en otros países latinoamericanos "... (las clases medias) han derivado mucha más fuerza a partir de su nivel de organización política y de su eficacia para hacerlo, así como de su capacidad para elaborar ideologías, para crear partidos políticos, para formar alianzas y para recurrir a medios de acción política que el Estado les ha prestado, que de controles sociales o económicos de los que dispone en tanto que clase". (Jorge Graciarena, *Poder y clases sociales en el desarrollo de América Latina,* Buenos Aires, Paidós, 1962, p. 174.)

[18] Esta función de mediación no es precisamente la de "tercera fuerza" que los autores liberales y los análisis clásicos de la modernización le atribuyen a los sectores medios. Desde esta perspectiva las clases medias aparecen como un factor de equilibrio en una estructura dominada por el antagonismo esencial que opone la burguesía al proletariado. La función de mediación que aquí proponemos se refiere más al hecho de que el capital de instrucción que poseen las clases medias les ha permitido apropiarse el derecho a la interpretación de la realidad y que, gracias a la posición estratégica que ocupan en una sociedad donde la educación sigue siendo un bien escaso, han impuesto su experiencia como si fuera la del conjunto de la sociedad.

manera que los períodos de estabilización de largo plazo se inician siempre a partir de la reconciliación entre la élite política y las clases medias, o con la victoria final de una facción de estos grupos sobre otra.

La Revolución de 1910 produjo muchos cambios que afectaron la posición de las clases medias. Durante el período radical del presidente Lázaro Cárdenas (1934-1940) su legitimidad social se vio seriamente amenazada por la importancia que el Estado atribuyó a los grupos populares. Sin embargo, en 1940 el presidente Manuel Ávila Camacho se propuso como objetivo central el crecimiento económico, al hacerlo inició lo que ha dado en considerarse el viraje thermidoriano de la Revolución mexicana, y también sentó las bases de un consenso con las clases medias que habían sido el corazón de la resistencia anticardenista. Con la modernización como pretexto y su capital de instrucción como arma fundamental, las clases medias lograron finalmente imponer su subcultura de clase como el cuadro de valores dominante en la sociedad. Gracias a la educación pudieron afianzarse en la estructura del poder político,[19] y gracias a su relación simbólica con la democracia su consolidación ha sido vista más como evidencia legitimadora del statu quo que como síntoma de estratificación social. De hecho la expansión de estos grupos ha sido uno de los neutralizadores más eficaces de la protesta social. De ahí que de alguna manera el Estado mexicano se haya convertido en rehén de estos grupos.

Para muchos el modelo mexicano confirmaba hasta hace poco la validez del axioma autoritario: crecer primero para participar después. Uno de los puntales de la estabilidad mexicana durante los años de crecimiento fue la no participación y la consecuente autonomía relativa de las instituciones políticas, que es condición necesaria para el ejercicio desahogado de un poder autoritario. El símbolo paradigmático de esta solución es el Partido Revolucionario Institucional que desde 1929, aunque con otros nombres, ha monopolizado el poder político y ha controlado la participación, sin por lo tanto ser un partido único. El PRI ha sido, sobre todo después de 1940, fundamentalmente una maquinaria electoral y una instancia de gestión administrativa, antes que un aparato de movilización y de penetración ideológica.

---

[19] Los estudios que se han hecho sobre el origen social de las élites mexicanas demuestran que las clases medias son el terreno privilegiado de reclutamiento de los líderes políticos. Véase Peter H. Smith, *Los laberintos del poder. El reclutamiento de las élites políticas en México*, México, El Colegio de México, 1981.

Las clases medias, no desafiaron estructura tan altamente concentradora de poder, sino que estuvieron dispuestas a posponer sus demandas de participación política a cambio de disfrutar las ventajas del desarrollo económico. Al hacerlo legitimaron y apoyaron el autoritarismo, sancionando con su expansión y reproducción las pretensiones democráticas del sistema político. No fue sino hasta 1968 que el movimiento estudiantil expresó las tensiones que el desarrollo desigual generaba en el seno de la sociedad; en ese momento se produjo una crisis en el consenso al cual había llegado el Estado y las clases medias en 1940. Muchas son las interpretaciones que se han hecho del movimiento de 1968, pero es muy probable que en el largo plazo aparezca como una típica protesta de clase media cuyo objetivo era el mismo que tradicionalmente ha impulsado a estos grupos a lanzarse a la lucha política: la defensa de la participación, misma que estaba amenazada por un proceso creciente de estratificación social. Los pocos estudios que se han hecho sobre el comportamiento político de las clases medias en México,[20] demuestran que estos grupos se movilizan ante la amenaza de que desaparezcan los canales de movilidad social, y más concretamente ante la ausencia de dichos canales. Es decir que para estos grupos el interés básico es el mantenimiento de la flexibilidad de la estructura social.

El comportamiento de los gobiernos de Luis Echeverría Álvarez (1970-1976) y de José López Portillo (1976-1982) puede ser considerado como una prueba de la importancia estratégica que el Estado le ha atribuido a las clases medias, porque muchas decisiones centrales se explican por el deseo de paliar las secuelas del 68. Esos doce años fueron para estos grupos sociales una época de prosperidad sin precedentes en términos de participación política y económica. Ambos gobiernos promovieron un reformismo centrado en el desarrollo de partidos y de sindicatos (en particular universitarios) relativamente independientes del poder, y al hacerlo ampliaron considerablemente el campo de la participación política. Tanto Echeverría como López Portillo impulsaron el crecimiento económico (entre 1972 y 1982 se registraron tasas máximas de crecimiento entre el 7.6% y el 9.2%), pero sin corregir los desequi-

[20] Véase A. Córdova, *op. cit.*; Friedrich Katz, *The secret war in Mexico. Europe, the United States and the Mexican Revolution,* Chicago, III., The Chicago University Press, 1981; Luis Villoro, *La revolución de Independencia. En ensayo de interpretación histórica,* México, UNAM, 1953; Sergio Zermeño, *México: una democracia utópica. El movimiento estudiantil de 1968,* México, Siglo XXI, 1978.

232   SOLEDAD LOAEZA

librios de la estructura productiva. Estas políticas expansionistas favorecieron en primer lugar a las concentraciones urbanas, y a las clases medias en particular.[21] Hubo una cierta redistribución del ingreso que también las favoreció, y el crecimiento de las actividades del Estado y una notable ampliación del presupuesto destinado a la educación superior mantuvieron la flexibilidad de la estructura social. Este período de auge creó en estos grupos hábitos y expectativas que se convirtieron en derechos adquiridos. Sin embargo, hacia 1981 la caída del precio internacional del petróleo fue el primer augurio de que el período de crecimiento sostenido había llegado a su fin.

El deterioro de la economía internacional, las dificultades económicas de los dos últimos años del lopezportillismo que culminaron con dos violentas devaluaciones de más del 150% del peso, la aceleración de la inflación y la sorpresiva nacionalización de la banca que llevó a cabo López Portillo el 1 de septiembre de 1982, sentaron las bases del repudio de las clases medias hacia las piezas centrales del sistema político: el presidencialismo, el partido oficial, la clase política, la tradicional alianza entre el Estado y las clases populares, la no participación.

LAS CLASES MEDIAS Y LA CRISIS ECONÓMICA ACTUAL

La estrecha relación causal que existe entre el modelo particular de crecimiento de México y la expansión de las clases medias bastaría para explicar las tensiones que ha producido la crisis económica por la que atraviesa actualmente el país,[22] en el seno de estos grupos y entre ellos el sistema que los ha apadrinado. La experiencia de prosperidad sumada a una biografía que desde los años cuarenta está inscrita en los registros del crecimiento económico, explica las reacciones de descontento y de desapego de las clases

---

[21] Coplamar, *Macroeconomía de las necesidades esenciales en México*, México, Siglo XXI, 1983, p. 16.

[22] "... El retroceso del producto real por habitante del orden de 3% en 1982, de entre 5% y 8% en 1983 y la previsión de una reducción adicional de entre 1.5% y 2.5% en 1984, representa la experiencia de contracción económica más severa desde la depresión de los años treinta". (Jaime Ros, *Crisis económica y política de estabilización en México*, enero de 1984, trabajo inédito.)

medias ante el deterioro de la economía. Durante los años de expansión la legitimidad del sistema político mexicano se nutrió más
que de votos y de procesos democráticos, de la eficacia de las instituciones para promover el desarrollo económico; la bancarrota[23]
y la recesión han puesto en entredicho esta capacidad y han precipitado en la conciencia de las clases medias el cuestionamiento del
milagro mexicano.

A diferencia de lo que sucedía tradicionalmente, el cambio de
poderes en diciembre de 1982 no restableció la confianza de las
clases medias en las instituciones vigentes. El gobierno del presidente
Miguel de la Madrid, no ha logrado superar esta hostilidad pese
a que su línea programática congenia en lo esencial con las demandas de estos grupos: la defensa del individuo, de la propiedad privada, la imposición de límites a la autoridad y al intervencionismo
estatal, el control sobre las demandas populares.

Pese a que el riguroso programa de estabilización económica ha
afectado directamente los intereses de las clases medias su descontento ha sido para el gobierno delamadridista un elemento de juicio
y de cálculo político muy presente en los dos últimos años —en detrimento inclusive de la atención que exigen otros grupos sociales,
específicamente obreros y campesinos. Las reacciones de estos grupos han sido vistas, sin duda equivocadamente, como termómetro
de la tolerancia social al autoritarismo. En su desapego el PRI ha
identificado a su principal desertor y adversario, y no deja de sor-
prender la mutua desconfianza que han manifestado tenerse clases
medias y gobierno. Aun cuando México no ha vivido una experiencia de radicalización derechista de estos grupos sociales comparable a la que en un momento dado se ha producido en Chile, en
Argentina o en Uruguay, existe el temor de que se produzca ese
fenómeno.

Hasta ahora las inquietudes que en muchos despierta el potencial de movilización de las clases medias no han correspondido a
la realidad. Es cierto que uno de los efectos sociales más inmediatos
de la crisis económica fue un estado relativamente generalizado de
alerta política, notorio en particular entre las clases medias, pero
hasta ahora la politización sólo se ha expresado a través de canales
institucionales. Ni se han creado nuevos partidos políticos, ni se
ha recurrido a la participación extraparlamentaria. De suerte que
se trata de una politización limitada que se ha mantenido dentro

[23] En 1982 la deuda externa de México se calculaba en 80 mil millones
de dólares.

de los cauces de un sistema que sigue siendo esencialmente autoritario y en el cual el voto es la expresión máxima de participación tolerada. La politización de las clases medias ha aportado más beneficios que perjuicios contrariamente a lo que muchos vaticinaron, en la medida en que ha absorbido el *descontento social* y por lo tanto ha estabilizado una situación política fluida.

El indicador más importante y palpable de la politización de las clases medias fue el triunfo de la oposición conservadora tradicional —el Partido Acción Nacional fundado en 1939 como reacción a las políticas populares de Lázaro Cárdenas— en las elecciones municipales que se celebraron en los últimos meses de 1983 y primeros de 1984, en algunos de los estados más desarrollados de la República: Chihuahua, Sonora, Sinaloa, Puebla y Baja California.

En México los procesos electorales nunca han tenido el sentido auténtico de expresión de una preferencia política, sino que han servido para refrendar las decisiones de la élite, de manera que tienen un fuerte sabor plebiscitario. Tan es así que los análisis que se han hecho de comportamiento electoral han demostrado que la abstención era también la única forma eficaz de protesta electoral contra un sistema afecto a mantener las formas democráticas.[24] Los triunfos recientes de Acción Nacional se produjeron en los estados tradicionalmente abstencionistas, luego de que el partido movilizó a los electores con temas especialmente dirigidos a la sensibilidad de las clases medias: el autoritarismo estatal, la corrupción administrativa y política, y la ineficacia gubernamental. Temas constantes en el discurso histórico del PAN, y cuya actualidad había sido sancionada por el propio Miguel de la Madrid en su campaña como candidato del partido oficial a la presidencia de la República.

De estos hechos puede derivarse una conclusión importante, que el grueso de las clases medias percibe dos opciones para su futuro inmediato: el mantenimiento del *statu quo* (voto priísta que se plantea —exageradamente sin duda— como alternativa al fascismo, o voto panista que es una expresión de rechazo más que un voto positivo), o el cambio relativo que podría significar un PAN fortalecido por el desprestigio de la élite política y por el *aggiornamento* del liberalismo democrático. Lo que vale la pena destacar, además, es el hecho de que aun para expresar rechazo se prefiere a la

---

[24] Vale la pena recordar una de las frases más repetidas durante la campaña electoral de Luis Echeverría: "Preferimos un voto en contra a una abstención." Para análisis de resultados electorales, véase Rafael Segovia, "La reforma política: el Ejecutivo federal, el PRI y las elecciones federales de 1979", *Foro Internacional*, vol. xx, núm. 79, pp. 397-410.

derecha antes que a la izquierda amplia que representa el Partido Socialista Unificado de México (PSUM), lc cual nos habla de las actitudes profundamente conservadoras que nutre la condición de clase media, cuando ésta es todavía una condición de privilegio.

Los paralelismos históricos son muchas veces equívocos y nunca son exactos. La politización de las clases medias —limitada y contenida como ha sido— ha producido un efecto óptico que llevó a muchos a hablar con gran liberalidad de "cacerolismo" y hasta de "poujadismo" a la mexicana, términos que calificaban sin definir el descontento de estos grupos, y que aludían a una polarización inexistente en la sociedad mexicana.

Para muchos observadores las victorias electorales de Acción Nacional, el ánimo participativo de los dirigentes empresariales y eclesiásticos en cuanto tales, no son más que los prolegómenos de una peligrosa alianza de derecha que incluiría a las clases medias. Sin embargo, en México no se ha producido, al menos hasta ahora, la fórmula: clases medias-inflación-proletarización-fascistización. Para las clases medias mexicanas la tentación de la derecha ha adquirido apenas el vago perfil de una postura indecisa en muchos aspectos, aunque determinante en su antiestatismo y en su apoyo al mantenimiento del orden interno.

Distintos elementos explican la moderación de las clases medias, desde el rezago natural que normalmente media entre una decisión gubernamental y la reacción social que provoca, hasta la naturaleza misma del mensaje del presidente en turno. Como ya se ha señalado más arriba, De la Madrid representa una posición cercana a las preferencias políticas de las clases medias; más aún, al asumir el poder hizo cuanto pudo por identificarse con sus protestas. Siguiendo el dicho anglosajón: "If you can't beat them, join them", y la tradición parricida de la política mexicana, el nuevo gobierno se sumó a las críticas antigobiernistas más recurrentes en 1982, en busca de un apoyo personalizado que garantizara la continuidad a través del distanciamiento público, y casi oficial, entre él mismo y su predecesor, que también lo había designado candidato a la presidencia de la República. Por otra parte, sectores muy numerosos de las clases medias había invertido sus ahorros en dólares en los últimos años del auge lopezportillista, y además el gobierno actual ha mantenido tasas muy elevadas de interés bancario; ambas circunstancias los han protegido contra la inflación, de la misma manera que la herencia del reformismo político ha facilitado la absorción de la protesta. No obstante, es probable que de mantenerse el crecimiento de precios, la recesión y el desempleo, este capital de resistencia se agote en un plazo relativamente breve.

Dos elementos podrían, sin embargo, precipitar las tendencias de las clases medias a mostrarse autoritarias ante las clases populares y a apoyar la represión de sus demandas. El primero de ellos es la conciencia del privilegio y el segundo, muy vinculado con el anterior, la inseguridad.

Desde sus inicios el actual gobierno hizo especial hincapié en las dificultades económicas en que se encontraba el país a fines de 1982 y en las que se avecinaban. La descripción de las desastrosas condiciones de la economía después de tres años de crecimiento rápido y desordenado, los efectos psicológicos de la sorpresiva nacionalización bancaria, las consecutivas devaluaciones y la agudización del proceso inflacionario, enfrentaron a la sociedad mexicana con la realidad de sus profundos desequilibrios. Súbitamente las clases medias parecieron cobrar conciencia de que el auge petrolero que tanto las había favorecido había agravado las desigualdades y —según su razonamiento— en esas condiciones la disminución constante del poder adquisitivo de las clases populares y el creciente desempleo sólo podrían producir un estallido social, el fin de la disciplina autoritaria que combina represión con expectativas de mejoramiento. El miedo ante la perspectiva de una explosión del descontento popular estuvo detrás del resignado apoyo que le dieron al gobierno actual, y el miedo igualmente inspira —y sin mayor reflexión— su cólera ante un sistema que pone en peligro las posiciones adquiridas, porque no tiene la capacidad de satisfacer —o de controlar— las demandas populares; pero el miedo es también el factor que explica que las clases medias hayan canalizado su protesta a través de vías institucionales.

A lo largo de 1983 circularon los más increíbles rumores acerca de asaltos, secuestros, asesinatos y violaciones criminales contra la propiedad privada. La seguridad se convirtió en una de las demandas primordiales de los muy ricos y de los no tan ricos. De agravarse estos temores podrían conducir a un endurecimiento de las actitudes de las clases medias contra las protestas que pudieran organizar sindicatos y partidos de izquierda. Sin embargo, la verdadera amenaza contra las clases medias, contra sus expectativas —entre las cuales el acceso o el mantenimiento de la propiedad privada es desde luego central—, no proviene tanto de la ira popular como del continuo deterioro de la economía.

El axioma de que la existencia de que una clase media vigorosa es condición suficiente para el desarrollo de una democracia saludable ha sido superado. Lo que parece confirmarse en estos momentos en México es que mientras más sólida sea la presencia de las clases medias en una determinada sociedad, mayor será la resistencia al cambio, sea cual fuere el sistema político. A pesar de que en situaciones de crisis afloran las rupturas ideológicas que subyacen en el seno de las clases medias mexicanas, por ahora se mantienen unánimes en cuanto a la necesidad de evitar el estallido social. La variable que determina esta coincidencia es la incertidumbre. Incertidumbre en cuanto a la capacidad de la élite para resolver la crisis económica; incertidumbre en cuanto a la capacidad del sistema para absorber sus efectos sociales y, por último, incertidumbre en cuanto al sentido y al ritmo de los acontecimientos futuros.

En estas circunstancias la estabilidad se ha convertido en un valor esencial, más aún cuando están tan cerca los conflictos centroamericanos, vecindad que agrava los sentimientos de inseguridad. En estos momentos las clases medias mexicanas enfrentan la profunda contradicción que supone querer que todo cambie para que todo permanezca igual.

PODER Y PRESIONES DE LA IGLESIA

ÓSCAR GONZÁLEZ GARY

I. INTRODUCCIÓN: LA CONCIENCIA DE LA CRISIS

Unidad y división, reconciliación y conflicto son realidades humanas que recorren la historia de los hombres y también la historia de la Iglesia. Son realidades que expresan diversos procesos que atraviesan al conjunto de la sociedad y de la realidad. Pero son en primer lugar realidades históricas que no se pueden negar. Lo que pretendo en este artículo es analizar el comportamiento general de la Iglesia católica de México ante y en la crisis de México. Si hago hincapié en lo que de conflicto y división existe en la Iglesia, es para desideologizar una comprensión teológica y sociológica muy difundida en nuestro medio. En unos casos se reduce la realidad de la Iglesia a su dimensión puramente social o política, no respetándose su autonomía o realidad específica (su dimensión teológica); en otros casos se analiza la Iglesia en sí misma, sin considerar los necesarios condicionamientos de orden social y político. Existen análisis globales sobre la Iglesia, que no toman en cuenta lo económico y lo político; y abundan también estudios de tipo histórico, económico o sociopolítico, de la realidad nacional pero que no consideran a la Iglesia en su articulación estructural con la religión y los movimientos sociales del país.

La Iglesia es una institución social que está inmersa en la sociedad global. De este hecho se derivan varias características. Una de ellas es su constante interacción con la sociedad global y con los diferentes grupos sociales que la conforman,[1] esta interacción le permite participar en todos los procesos económicos, políticos y culturales de su tiempo. La Iglesia no transcurre en un vacío social, así como tampoco es una institución absolutamente monolítica. Los conflictos y contradicciones económicas y sociopolíticas atraviesan ciertamente

[1] P. Arias, A. Castillo y C. López, *Radiografía de la Iglesia católica en México* (1970-1978), México, Instituto de Investigaciones Sociales, UNAM, Cuaderno de Investigación Social núm. 5, 1981, p. 8.

a la Iglesia institucional, y muchos problemas que ella vive hoy encuentran en esas contradicciones su última explicación histórica; pero también es cierto que la Iglesia vive esas contradicciones de una manera propia y específica (autonomía relativa de la Iglesia). A partir de su identidad propia participa en los procesos económicos, políticos y culturales de su tiempo, reproduciéndose institucionalmente.[2] No podemos así aplicarle mecánicamente el análisis sociológico, sin considerar que estos elementos son procesados y asimilados en la conciencia eclesial en términos propios, que sólo se hacen inteligibles a partir de la fe.[3]

Al abordar el tema de la incidencia de la Iglesia en la dinámica de la crisis de México, se pretende superar las deficiencias de los trabajos más comunes, combinando en forma dialéctica tanto el principio de la determinación social de la Iglesia, como el principio de su autonomía relativa. También se tuvo cuidado de analizar la Iglesia institucional tanto en sus niveles jerárquicos como de base, y no interpretar la Iglesia jerárquica únicamente a partir de lo que ella dice de sí misma en los documentos oficiales, sino también a partir de su práctica social. Obviamente, los documentos influyen como tales en los procesos sociales y eclesiales; pero no se puede, a partir de ellos, deducir un análisis sobre la realidad histórica de la Iglesia en México.

Cuando no se hace un estudio concreto de la historia se impone sobre nuestra realidad la teoría extranjera y no se hace un análisis de clase de la institución religiosa, se da el caso de historiadores marxistas que escriben la historia de la Iglesia a partir de las declaraciones y actos de las figuras prominentes de la jerarquía episcopal, esto es, en base a la historia de los personajes de la clase dominante, sin advertir la lucha de clases dentro de la institución. La jerarquía no representa a toda la Iglesia, de la misma manera que la burguesía no representa a toda la sociedad, por lo cual, a la hora de hacer análisis de la participación de la Iglesia en la crisis social y estructural de México no se podrá decir que *todos* los clérigos mexicanos son reaccionarios.[4]

El inesperado papel del cristianismo (Iglesia y religión popular) en Centroamérica, como fuerza inspiradora y movilizadora de las

---

[2] *Ibid.*, p. 103.

[3] Tal es la opinión del teólogo chileno Pablo Richard en la introducción al libro *La Iglesia de los pobres en América Central,* San José, *DEI,* 1982, p. 15.

[4] *Cf.* S. Silva Gotay, *El pensamiento cristiano revolucionario en América Latina y el Caribe,* Salamanca, Sígueme, 1981, pp. 350-351.

luchas nacionales y populares de liberación, está todavía muy lejos de desarrollarse en México, donde la Iglesia institucional cumple predominantemente un papel tradicional, de carácter alienante y desmovilizador. Al actuar como un típico grupo de presión y una estructura de poder en la sociedad mexicana, la Iglesia católica ha jugado el papel de aparato ideológico para la conservación de una cultura tradicional sustentadora de los intereses minoritarios de las clases dominantes.[5] Ha sido más un "opio" de las mayorías explotadas de México, que una fuerza crítica que trabaje para ponerlas de pie y afrontar las raíces y los mecanismos de la crisis que las golpea sistemáticamente.

Sin embargo, durante las últimas dos o tres décadas, este papel político y social de la Iglesia ha sufrido —como efecto de la crisis social misma— un serio resquebrajamiento. "Al interior de ella subsisten divergencias que se enfrentan, se conjugan o se mezclan a la luz de prácticas eclesiales diferentes y de situaciones políticas concretas que, reflejan pugnas y conflictos de fuerzas sociales", afirma Ramón Kuri.[6]

Estas divergencias, al mismo tiempo que ponen en evidencia la diversidad de corrientes que atraviesan la Iglesia, son resultado de una crisis amplia, histórica y recurrente que proviene de su inserción en una estructura de dominación con intereses y valores polarizados. Así las cosas, la Iglesia institucional siente y vive la crisis del modelo de desarrollo, del capitalismo dependiente y del neocolonialismo en México, como si fuera su propia crisis. En su interior se detecta una preocupación general por la crisis de México, que es vista con distintas y contrapuestas ópticas en todos sus niveles jerárquicos como de base.

El Episcopado, a través de su órgano de representación más calificado, la Conferencia Episcopal Mexicana (CEM), dio a conocer el 26 de agosto de 1983 su "Plan orgánico de trabajo pastoral" para el trienio 1983-1985, cuyos planteamientos generales —comprendidos en la línea de continuidad de la Iglesia jerárquica—, pretenden caracterizar y dar una salida a la crisis que vive el país y ampliar la esfera de influencia de la institución "desde el punto de vista pastoral".[7]

[5] Véase a este respecto el magnífico trabajo de Otto Granados R., "La Iglesia católica mexicana como grupo de presión", *Cuaderno de Humanidades,* núm. 17, México, Difusión Cultural, UNAM, 1981.

[6] Ramón Kuri, "Iglesia: el trípode tambaleante", Suplemento *Página Uno,* México, 16 de mayo de 1982, p. 5.

[7] Teresa Gil, "Responder a problemas que afronta el país objetivo del Plan global del Episcopado", *Unomásuno*, México, 19 de agosto de 1983, p. 2.

El Plan global del Episcopado se ajusta, según informes del secretario ejecutivo de la Dirección de Comunicación Social de la CEM, Francisco Ramírez Meza, a los planes de las 16 comisiones episcopales permanentes que tiene la jerarquía. De acuerdo con las decisiones tomadas por la CEM en su asamblea plenaria del 15 de abril, el plan se propone como finalidad esencial responder a los problemas actuales por los que atraviesa el país y fortalecer una "evangelización integral" dirigida preferentemente a los pobres, los indígenas, los jóvenes y las familias.

El Plan orgánico censura abiertamente la concentración de poder por parte del gobierno, lo que inhibe, dice, la participación de la sociedad en la vida política del país y genera el descrédito del sistema político. El documento de 37 páginas dirigido "al pueblo de Dios", puntualiza que el desarrollo de la capacidad de control ha generado que "algunos miembros de las clases altas hayan claudicado, entregando el país a la dependencia extranjera, sobre todo en el plano cultural y económico".

En la línea de los documentos anteriores —muy escasos por cierto—, el plan se manifiesta por una "evangelización liberadora" y transformadora que rechace la violencia, la lucha de clases y el predominio de cualquier ideología inmanentista concebida como política o estrategia de renovación social. Destaca la inoperancia del modelo económico que agudizó la injusta distribución de la riqueza y hace una severa crítica a la actitud que ha asumido la Iglesia como institución en este lapso, con posiciones paternalistas y asistencialistas por parte de la jerarquía e infantiles por parte de los laicos (no sacerdotes ni religiosos).

Al hacer un llamado de alerta ante los síntomas de patología social que se pueden agravar por el descontento y la desilusión general experimentada por el pueblo como efecto de la crisis, el plan se expresa contra las prácticas de represión ejercidas sobre grupos y comunidades de indígenas, campesinos y trabajadores.

Elaborado por los 89 obispos, 12 arzobispos, 51 obispos residenciales, 7 prelados, 2 vicarios apostólicos y 17 obispos auxiliares, el plan constituye el pronunciamiento más claro de la Iglesia jerárquica ante la crisis del país. Elaborado a partir de noviembre de 1982 y concluido en la asamblea plenaria de abril, el plan se divide en seis capítulos en los que se especifican los principios doctrinales, la visión pastoral, las prioridades, el objetivo general, las políticas y estrategias, y la programación de actividades, el documento entró en vigor el 25 de agosto de 1983 y atribuye a la crisis actual haber generado un "mayor acercamiento a las actividades religiosas".

Se expone que aunque la Iglesia no dará respuestas técnicas concretas a los problemas por los que atraviesa el país, porque ello corresponde a los especialistas, tiene el propósito de actuar colegiada y solidariamente en los núcleos culturales, en las estructuras temporales y en los campos vitales del actual contexto social del país.

La Iglesia se critica a sí misma por no haber sabido influir en ámbitos y grupos importantes de la realidad social como la cultura, la educación y los medios de comunicación social, así como en el mundo obrero y el indígena y en los grupos que tienen responsabilidades importantes en la conducción de los asuntos políticos y económicos. Señala que en la vida interior de la Iglesia institucional se perciben signos de deterioro, proliferación de sectas protestantes, actitudes de evasión en un espiritualismo etéreo, críticas a la Iglesia jerárquica, tendencias a reducir la misión de la Iglesia y del sacerdocio al plano meramente temporal y la actividad pastoral al ámbito del templo y el culto. Asimismo señala tensiones entre el tradicionalismo y el progresismo.

Al responsabilizarse de lo anterior, los obispos mexicanos subrayan que no se ha sabido ejercer plenamente la colegialidad: "hemos dado muestras de falta de unidad y solidaridad; nuestro interés por conocer mejor la situación del país y nuestro compromiso pastoral no han estado a la altura de nuestra misión y de lo que mucha gente espera de nosotros. Hemos sido temerosos de nuestro ministerio profético" (anuncio-denuncia de situaciones concretas).

También culpan de la crisis de los valores religiosos al secularismo, que se manifiesta en el ateísmo teórico y práctico, en la concepción materialista de la sociedad y de la vida. En el acontecer social, señalan, se han acentuado la corrupción general e institucionalizada, el engaño y la mentira, el oportunismo y la falta de responsabilidad. Menciona a las clases dirigentes como las culpables de haber fomentado esta inmoralidad, las que a su vez, se han dejado llevar por el oportunismo irresponsable. Manifiestan que la crisis económica ha evidenciado la inoperancia estructural del modelo de desarrollo y de modernización de la economía mexicana, que han dado como resultado el excesivo endeudamiento externo, las devaluaciones, la inflación y la baja productividad laboral, entre otros fenómenos, y en el plano social han repercutido en errores cada vez más graves: agudización de la injusta distribución de la riqueza, descapitalización en el campo, explotación de las clases pobres y mayoritarias (principalmente indígenas y campesinos), imposición de modelos económicos costosos, lucrativos e inadecuados para responder a las necesidades de los pobres, hambre, desempleo, y elevados precios en alimentos y servicios.

El Plan no rompe, ni mucho menos, con la línea de apoyo al gobierno que data del sexenio alemanista (1940-1946), ya que especifica que pese a las críticas a los planos políticos, sociales y económicos, "reconocemos los esfuerzos oficiales que se están haciendo para resolver estos problemas". Agrega que la visión de la crisis económica se enfatiza desde el punto de vista pastoral. Explica que las políticas y estrategias de aplicación del plan eclesial serán la evangelización sin ideologías ni instrumentalizada al servicio de intereses políticos, el acercamiento a la religiosidad popular, la fe y la cultura, los medios de comunicación, las opciones preferenciales (por los pobres y los jóvenes) manifestadas en la III Conferencia de la CELAM de Puebla (núms. 1141-1142 y 1186) y la pastoral orgánica, entre otros aspectos.

Al dar a conocer el Plan, el secretario ejecutivo de la CEM, Ricardo Cuéllar R., puntualizó que la Iglesia no puede quedar al margen de los problemas que vive el país, pero que ello no significa que con ese documento invada otros sectores. Por otra parte, destacó que en el plano político la Iglesia institucional seguirá actuando como hasta ahora, orientando a los fieles respecto a lo que les conviene, sin tomar partido por ninguna organización política. Cuéllar Romo destacó también que las prioridades del programa de acción se dirigen especialmente, tal como se dijo en la asamblea de abril, a la atención de los más pobres: indígenas, campesinos y asalariados. La acción transformadora pretende —señaló— el cambio de estructuras en todos los ámbitos sociales, "pero sin echar abajo dichas estructuras". También hizo una declaración sobre la actividad de las Comunidades Eclesiales de Base (CEB) que han impulsado en diversos países de América Latina la concepción de "Iglesia popular", en el sentido de que su acción será reconocida por la Iglesia en tanto no se separen o se enfrenten orgánicamente con la jerarquía eclesiástica.[8]

La crisis social tampoco ha dejado estáticos a los grupos cristianos comprometidos con un cambio social, muy particularmente al Movimiento Nacional de las CEB que, constituido por cristianos de la base eclesial y social, está muy vinculado con el actual proceso popular del país. Poco significativo numéricamente, el movimiento de las CEB constituye uno de los movimientos eclesiales más òrgánicos y

[8] *Cf.*, T. Gil, "Atacan obispos exceso de poder oficial", *Unomásuno*, México, 26 de agosto de 1983, pp. 1 y 6.

más críticos ante la crisis actual.[9] Integrados al movimiento latino-americano de las CEB, los cristianos mexicanos que constituyen las CEB también han tomado conciencia de la profundidad de la crisis. En 1980, sus representantes en el Congreso Internacional Ecuménico de Teología (São Paulo, Brasil, 20 de febrero-2 de marzo), expresaban su posición al respecto:

"Los sectores que detentan el poder económico, político y cultural ejercen su dominación sobre la sociedad a través de un enorme número de estructuras, instituciones y mecanismos que se reproducen a nivel nacional e internacional, que varían según los países y regiones: propiedad de tierra desigual, concentración de las riquezas y de las innovaciones técnico-científicas, carrera armamentista con su producción de instrumentos de muerte y destrucción de la vida, transnacionalización de la economía, etc...

"Las estructuras internacionales combinadas con las estructuras nacionales del sistema capitalista, producen un proceso de desarrollo excluyente, desarticulado y concentrado, con el empobrecimiento de las mayorías, aumento del costo de vida, inflación, desempleo, subalimentación, sobre-explotación de la mujer y de los niños, etc... Estos mecanismos no responden en forma determinista ni lineal a los intereses de dominación, sino que engendran contradicciones que los sectores populares pueden aprovechar en su camino.

"En verdad estas estructuras y estos mecanismos de dominación siguen ritmos diferentes, de acuerdo con la capacidad de respuesta, en términos de organización, de conciencia y de lucha de las fuerzas populares emergentes. Así, estas fuerzas van ocupando cada vez más lugares en las diferentes instituciones de la sociedad (incluida la Iglesia).

"Además se puede constatar que este sistema de dominación vive una *crisis permanente,* ya desde sus comienzos, y se va haciendo cada vez más aguda en las últimas décadas con el fortalecimiento de los sectores populares...

"La corriente cristiana al interior del movimiento popular y la renovación de la Iglesia establecida a partir de su opción por los pobres son un movimiento eclesial único y específico. Este movimiento eclesial va configurando diferentes tipos de comunidades eclesiales de base, donde el pueblo encuentra un espacio de resistencia, de lucha y de esperanza frente a la dominación y su crisis.

---

[9] A este respecto resulta de suma utilidad el reciente libro de Arnaldo Zenteno, *Las CEB en México,* México, Centro de Estudios Sociopolíticos y Eclesiásticos Antonio de Montesinos, A. C., 1983.

Allí los pobres celebran su fe en Cristo liberador y descubren la dimensión política de la caridad."[10]

Podría citar textos del Concilio Vaticano II, Medellín y Puebla, para profundizar en aspectos que complementan las interpretaciones institucionales y eclesiales de la crisis. Basta decir que en un contexto como el mexicano en que predomina el modelo excluyente, que no resuelve los problemas de miseria y marginalidad, sino más bien los profundiza, son perfectamente válidas las afirmaciones de Puebla sobre el desarrollo capitalista, periférico, desigual y combinado como raíz última y decisiva de la crisis actual y sus efectos conflictivos para la sociedad y la Iglesia. Puebla denuncia el carácter permanente y estructural de la opresión en que se debate todo el continente. La opresión es un hecho tan patente, que no necesita de un análisis para ser identificada; solamente para conocer, a un nivel más estructural, sus causas y mecanismos. Puebla denuncia el modelo dependiente liberal económico como la causa de una situación crítica de opresión (núm. 865). Existe un desequilibrio inmenso entre la estructura del aparato productivo y las necesidades reales del pueblo. El "desarrollo" es hecho a costa del pueblo y muchas veces contra el pueblo.

El sujeto histórico de este proceso son las élites (históricamente llamadas burguesías) que retienen en sus manos el monopolio del poder, del tener y del saber. Este proceso global tiene su polo dialéctico, que en los años 1950-1960 ha tomado conciencia, y se ha organizado en México y en los diversos países latinoamericanos; se trata de la emergencia de las clases populares (asociadas a sectores y fracciones de otras clases), que se presentan como el nuevo sujeto histórico, portador de un proyecto alternativo para una sociedad diferente más democrática, participada y socializada.

Puebla, en la óptica de Medellín, asume un enfoque de liberación integral y ve la década transcurrida (1968-1979) como una "fase de cambio, de frustraciones y de contrastes" (núm. 15-26). El enfoque de liberación integral es el de las clases oprimidas y de nuestro pueblo (núm. 141). En él se percibe la brecha entre ricos y pobres como un escándalo y una contradicción con el ser cristiano (núm. 28; 87), como el más devastador y humillante flagelo (núm. 29). Se analiza la situación de pobreza y se concluye que ésta "no es una etapa casual, sino el producto de situaciones y estructuras económicas, sociales y políticas" (núm. 30); la pobreza por tanto

[10] DEI, *La irrupción de los pobres en la Iglesia,* Cuadernos DEI, núm. 1, San José, 1980, pp. 12-14 (núms. 12, 13, 18 y 21).

no es inocente, sino que es producida por un proceso de expropiación. Finalmente, se denuncia la pobreza generalizada como "situación de injusticia" (núm. 90; 509 y 562), con esto se le quita la
legitimación de su carácter pretendidamente humano y bueno. La
Iglesia "discierne —en el nivel teológico— una dramática situación
de pecado social" (núm. 28; 487), que rompe los lazos sociales y
es también una ruptura con Dios.[11]

II. CONTEXTO DE LA IGLESIA FRENTE A LA CRISIS: ORÍGENES Y PECULIARIDAD

La Iglesia mexicana, desde la evangelización colonial del siglo XVI,
tiene una implantación religiosa popular como ninguna otra Iglesia
de América Latina. En ningún otro país el pueblo campesino e
indígena fue tan impactado por la primera evangelización como
en México.[12] La presencia preponderante de la religión católica
sobre otras, exigió desde el principio la implantación de "una estructura clerical amplia que permitiera una actividad eficaz y que
abarcara el mayor territorio posible".[13]

Sin embargo, como la Iglesia latinoamericana, la mexicana nace
y crece como una Iglesia políticamente controlada, reglamentada y
dependiente, que para lograr objetivos netamente eclesiásticos debía
valerse de medios y maniobras políticas. Al mismo tiempo, era una
Iglesia beneficiada y protegida políticamente que no necesitaba someter a prueba su propia fuerza y que, por eso mismo, no estaba
obligada a desarrollar una intensa actividad de evangelización para
crear lealtades firmes entre sus fieles.[14]

Como era de esperarse, este estado de cosas se modificó profun-

---

[11] Un análisis más detallado de Puebla y su resonancia posterior, en
E. Sussel, *De Medellín a Puebla: una década de sangre y esperanza,* México,
Edicol; Leonardo Boff, *Lectura del documento de Puebla desde América La-
tina creyente y oprimida,* Bogotá, Indo-American Press Service, Col. Iglesia
Nueva, núm. 50, 1980, pp. 10-28, y "Para leer el documento de Puebla",
Servir, Jalapa, Ver., tercer bimestre de 1979.

[12] E. Dussel, *op. cit.,* p. 158, y O. Granados R., *op. cit.,* p. 53.

[13] O. Granados R., *op. cit.,* p. 31.

[14] *Ibid.,* p. 27. Además *cf.* H. Heinrich-W., *La transformación del papel
sociopolítico de la Iglesia católica en América Latina,* Santiago de Chile,
Instituto Latinoamericano de Estudios Sociales, p. 12, y H. Heller, *Teoría
del Estado,* México, FCE, 1942, p. 228.

damente desde el siglo pasado, en que la Iglesia como fuerza social estructurada vivió una historia de crisis y de luchas con el Estado mexicano (oligárquico, neocolonial, revolucionario, burgués, populista). Por su innegable poderío y su amplia alianza tradicional con el partido conservador, la Iglesia vive una accidentada historia. La lucha entre el poder político y el clero, que se desarrolló durante el liberalismo decimonónico, desembocó en las Leyes de Reforma y la expropiación de los bienes eclesiásticos. En este siglo, pese a la disposición jurídica de que la Iglesia estaría sometida al Estado, muy lejos ha estado de abstenerse de participar políticamente.[15]

Con la crisis del porfiriato, el triunfo de la revolución agraria antioligárquica y la promulgación de la Constitución Política de 1917 que impone un ordenamiento legal restrictivo a la Iglesia en sus relaciones con el Estado, la Iglesia mexicana vivirá una etapa conflictiva en relación con la sociedad más amplia. Sucesivamente pasa de una situación de perseguida (1920-1930), marginada (1930-1940), tolerada (1940-1960), a buscada y solicitada a partir del régimen de Díaz Ordaz, que se caracterizó por su autoritarismo frente a la disidencia y su convergencia ideológica con amplios sectores eclesiásticos.[16]

"No existen relaciones oficiales entre Iglesia y Estado —recuerda Martín de la Rosa—, pero se ha establecido una delimitación en los campos de influencia: el Estado no interviene en asuntos eclesiásticos y aún acepta manifestaciones públicas de carácter religioso, siempre y cuando la Iglesia no intervenga en lo político y aun en lo meramente social. Este 'modus vivendi' es el fruto de los 'arreglos' que pusieron fin a la guerra cristera de 1929, lo que no significa que desde esa fecha las relaciones Iglesia-Estado hayan sido armoniosas."[17]

Poco después de los arreglos de 1929, nació la CEM con el objeto de paliar la extrema situación de minusvalía, pérdida de poder y debilidad institucional en que quedó la Iglesia ante el Estado y la sociedad civil. Pero desde 1930 a 1968 la Iglesia reacomodó sobre todo su estructura jerárquica, sus alianzas. Los antiguos conservadores terratenientes habiendo perdido poder no podían ser ya sus-

[15] O. Granados R., op. cit., pp. 21-25, y Martín de la Rosa, "La Iglesia católica en México. Del Vaticano II a la CELAM III (1965-1979)", Cuadernos Políticos, núm. 19, México, ERA, enero-marzo de 1979, p. 89.

[16] Jesús García, Aportaciones para la historia de la Iglesia en México a partir de 1956, México, 1976 (mimeo.), p. 51, y O. Granados R., op. cit., p. 25.

[17] M. de la Rosa, op. cit., p. 89.

tento de la Iglesia. Por el contrario, la emergente burguesía nacional fue la nueva aliada de la Iglesia apoyada en la masa pequeño y medianoburguesa de las ciudades. Este apoyo de los sectores medios y la eventual alianza con la burguesía nativa, le da a la Iglesia jerárquica cierto poder de negociación y presión, ya que el Estado teme como poderes reales tanto a la burguesía como a la Iglesia.[18]

En 1959 triunfa en Cuba la primera revolución socialista latinoamericana. Este proceso representa una "ruptura histórica", un "inicio", que se convierte en signo, programa y esperanza para todo el continente. A partir de los años sesenta se inicia igualmente una *crisis estructural* del capitalismo neocolonial y dependiente y, junto con él, la crisis profunda de la nueva cristiandad (Iglesia del período de descolonización política, que surge en el interior de la nueva situación colonial de los Estados Unidos) y de la Iglesia ligada a ella.

"El proceso cubano es sólo un momento específico de un proceso global —escribe Pablo Richard—, y por lo tanto la fecha 1959 tiene un valor simbólico. Los años 1959-1979 tienen así un carácter de etapa inicial. Como en toda etapa inicial nos corresponde vivir un doble proceso: por un lado un proceso de agotamiento, de crisis y de destrucción de lo antiguo, marcado por el signo del temor. Por otro lado, un proceso de gestación y nacimiento de algo nuevo, marcado por el signo de la esperanza. El cuerpo de la Iglesia vive también en este período este doble proceso: proceso de muerte y de nuevo nacimiento, proceso de temor y de esperanza."[19]

El triunfo de la Revolución cubana y su posterior rumbo socialista, atemorizó a las democracias del continente y generó un fuerte movimiento anticomunista. En México la campaña anticomunista agitó y movilizó al sector cristiano. Esos años se desenvuelven bajo una consigna muy conocida: "Cristianismo sí, comunismo no", que escuda bajo una bandera religiosa intereses ideológicos y económicos, y convicciones religiosas tradicionales. La Iglesia aparece monolíticamente anticomunista y esta atmósfera influyó en el nacimiento de algunas organizaciones católicas nacionales con la Confederación de Organizaciones Nacionales (CON) y el Secretariado Social Mexicano (SSM), que paulatinamente se abren a los problemas sociales. En 1964 y 1968 se dan los congresos de desarrollo integral, donde se pasa de la psicosis anticomunista a una preocupación real sobre los problemas sociales, creándose muchas instituciones de

---

[18] E. Dussel, *op. cit.*, p. 159, y P. Arias *et al.*, *op. cit.*, pp. 8-9 y 102-103.
[19] Pablo Richard, *La Iglesia latinoamericana entre el temor y la esperanza*, San José, DEI, 1980, p. 61.

desarrollo.[20] Superada la euforia demócrata-cristiana traída del exterior, desde 1966 infinidad de sectores empiezan a evolucionar en su visión de la realidad social y a situarse frente al cambio estructural.[21]

El Concilio Vaticano II toma por sorpresa a los obispos mexicanos, haciendo planteamientos bastante ajenos a su estado de ánimo y a su mentalidad. Dominado por obispos y teólogos europeos y norteamericanos, el Concilio (1962-1965) manifiesta el deseo eclesial de reconciliarse con el "mundo moderno" (al cual sistemáticamente había condenado), y una clara apertura a los países subdesarrollados. La repercusión conciliar en la Iglesia mexicana fue significativa, pues provocó un movimiento a partir de sus cuestionamientos. Al buscar la puesta al día (*aggiornamento*) para recuperar el terreno perdido, el Concilio legitimó algunas experiencias progresistas y renovadoras que ya se realizaban y desencadenó una dinámica de reformas en las estructuras eclesiásticas de las Iglesias periféricas. Esta dinámica vivida en México, llevó más allá de lo previsto. En Cuernavaca surgen las experiencias conocidas del monasterio de Nuestra Señora de la Resurrección de los benedictinos y del CIDOC (Centro Intercultural de Documentación), que a la par de la reforma litúrgica del obispo de esa diócesis, serían focos de irradiación de pensamiento y actitudes estimulantes.[22]

El caso de la UMAE (Unión de Mutua Ayuda Episcopal) es más representativo de lo que el Concilio generó en la estructura eclesiástica mexicana. Surgida en 1963 por iniciativa de 7 obispos deseosos de aplicar el Concilio, la UMAE llega a coordinar la labor de 27 diócesis entre 1964-1967, haciendo participar a las diócesis más pobres en una fundamentación teológica y sociológica del quehacer pastoral.[23] En la misma línea entre el CENAMI (Centro Nacional de Ayuda a las Misiones Indígenas) que mantiene la búsqueda creativa y eficaz de una pastoral encarnada y comprometida. En 1964 se

[20] P. Arias *et al., op. cit.,* pp. 13, 25 y 26; E. Dussel, *op. cit.,* p. 168, y J. García, *op. cit.,* pp. 21-22.

[21] Tal es el caso del jesuita belga radicado en Colombia, Róger Veckemans, antiguo colaborador de la D. C. en Chile. Desde el triunfo de la Unidad Popular de Allende radicó en Colombia donde se distinguió por su posición desarrollista y una supuesta vinculación con la CIA.

[22] P. Arias *et al., op. cit.,* p. 21; E. Dussel, *op. cit.,* pp. 163-164; J. García, *op. cit.,* pp. 71-72, y Larry E. Mayer, *La política social de la Iglesia católica de México a partir del Concilio Vaticano II, 1964-1974,* México, UNAM, 1977, pp. 231-247 (tesis profesional de historia); y M. de la Rosa, *op. cit.,* p. 92.

[23] P. Arias *et al., op. cit.,* p. 17; y M. de la Rosa, *op. cit.,* p. 93.

constituye la Sociedad Teológica Mexicana (STM) a partir del Congreso Nacional de Teología y Sagrada Escritura, como otra respuesta al impulso y renovación del pensamiento teológico conciliar en la Iglesia jerárquica. En 1968, el Congreso Nacional de Teología "Fe y Desarrollo" recoge un nuevo método de reflexión teológica y análisis social que posteriormente sería asumido en Medellín.

El Movimiento Familiar Cristiano (MFC), la JOC (Juventud Obrera Católica) y el Centro Nacional de Comunicación Social (CENCOS), tendrán como movimientos de renovación a nivel laical una trayectoria semejante. Sin embargo, la desconfianza de los obispos en su línea ideológica provocará continuas tensiones que los obligarán a cuestionar y, luego, romper la dependencia episcopal.

En 1968, la Iglesia mexicana vivió un año definitivo. La Carta pastoral "Desarrollo e integración de nuestra patria (26 de marzo de 1968) del Episcopado constituyó una carta progresista, que hoy denominaríamos desarrollista. Con ella, los obispos rompieron un silencio de casi 20 años, durante los que nada dijeron sobre cuestiones sociales. Sin embargo, la evolución introducida por el Concilio en la dinamización de la Iglesia mexicana llegó a su límite. La década termina con la polarización de los grupos cristianos y los obispos. La desconfianza se vuelve contra lo innovador y se genera un conflicto intraeclesial. Los conflictos se presentan como problemas de autoridad. La presión del sector popular no encuentra acogida.

La década de 1959 a 1968 fue testigo también de un proceso de politización, que significó la matriz histórica de lo que posteriormente se llamaría la "Teología de la liberación". Con la asamblea episcopal latinoamericana de Medellín (24 de agosto de 1968), se dio luz verde a la experiencia cristiana vivida como compromiso con los sectores oprimidos. Más que aceptar un lenguaje coyunturalmente novedoso, Medellín fue sensible a la situación de explotación y violencia institucionalizada por las minorías privilegiadas sobre las mayorías empobrecidas. El proceso posterior ha sido, sin duda, uno de los surcos más fecundos de la historia de la Iglesia. En México, los documentos de Medellín tuvieron un influjo movilizador en distintos grupos de sacerdotes y laicos, pero sobre todo provocaron una creciente "diferenciación de posiciones eclesiales".[24] La jerarquía mexicana estaba convencida, y así lo expresaban algunos obispos, que Medellín estaba bien para Sudamérica, no para México. Fue necesaria una crisis de conciencia nacional, que sobrevino pre-

---

[24] M. de la Rosa, *op. cit.*, p. 94, y J. García, *op. cit.*, p. 82.

cisamente en ese tiempo, para empezar a caer en la cuenta de que México, y por consiguiente, la Iglesia mexicana no eran la excepción en América Latina.

En esta etapa se afirma una tendencia radical de izquierda basada en la nueva concepción teológica de Medellín, que considera al pueblo dueño y autor de su destino, y se sitúa en el proceso histórico junto con los grupos que impulsan el proyecto popular. La izquierda se integró muy lentamente y en círculos muy reducidos, pero manifestando posiciones más allá del "reformismo". Se integra por sacerdotes en estrecho contacto con organizaciones obreras y estudiantiles, y emergió —como tendencia— con ocasión del movimiento estudiantil que culmina en Tlatelolco. Al sobrevenir la matanza del 2 de octubre del 68, que simboliza el rechazo del proyecto de "desarrollo sostenido" y represión impulsados por el presidente Díaz Ordaz, el SSM, CENCOS, la JOC, Cuernavaca, algunos profesores de la UIA, monseñor Méndez Arceo, y la UMAE, etc., elaboran un documento de reflexión e información —firmado por 37 sacerdotes— para ayudar a grupos de la Iglesia a comprender el transfondo estructural y las aspiraciones de justicia como móviles del movimiento estudiantil. El Episcopado se expresó tímidamente el 9 de octubre, en sentido opuesto al de los sectores cristianos. Ni una palabra sobre la masacre ni los presos políticos.[25]

La Iglesia mexicana posterior al 2 de octubre del 68, vivirá una etapa de densos acontecimientos. El impacto de Medellín y de Tlatelolco movilizó a la Iglesia jerárquica y la obligó a abrirse a su contorno latinoamericano y al pluralismo teológico-pastoral. En 1969 surge la Reflexión Episcopal Pastoral (REP) para aplicar Medellín a México. En los sacerdotes Medellín tuvo un gran influjo y les inspiró a realizar el Congreso de Teología "Fe y Desarrollo", que dinamizó el pensamiento y la acción de los sectores cristianos más combativos. El congreso que era de teología del "desarrollo", se transformó —por el método y las opciones— en teología de la "li-

<hr />

25 Sobre la participación de los cristianos y los sectores eclesiásticos en los hechos de Tlatelolco, véase J. García, *op. cit.*, pp. 30-35; E. Dussel, *op cit.*, pp. 161-162. El mensaje del presidente del CEM acerca de los disturbios ocurridos antes de las Olimpiadas (9 de octubre de 1968), en *Documentos colectivos del Episcopado mexicano, 1965-1975*, México, Paulinas, 1976, pp. 117-121, reproducido en la revista *Christus*, México, CRT, enero de 1969, p. 13, y J. García, *op. cit.*, anexo 13. *Cf.* también E. Maza, "El movimiento estudiantil y sus repercusiones", en *Christus*, núm. 397, México, CRT, 1968, pp. 1234-1267, y "México: Iglesia y movimiento estudiantil" MIEC-JECI, Servicio de Documentación, serie 3, doc. 11, julio de 1969, y E. L. Mayer, *op. cit.*, p. 350.

beración". Lógicamente, los resultados del congreso, previsto ya con temor, no agradaron a los obispos mexicanos. El delegado apostólico de 1970-1973, monseñor Carlo Martini, hizo acusaciones sobre "los peligros de una teología mexicana". A tal grado predominó una atmósfera de desaprobación que, a casi 14 años de distancia, no se ha vuelto a celebrar otro semejante y la STM prácticamente ha desaparecido.[26]

Por su parte, Cuernavaca es abanderada de claras posiciones, pese a los duros ataques a su obispo por su resonante participación en la crisis estudiantil. En 1970, Cuernavaca da a conocer su famosa "Carta de Anenecuilco" (9 de junio de 1970) donde —obispo y sacerdotes— solicita que se analice el problema de las relaciones Iglesia-Estado para superar el régimen de excepción actual. Blanco de los ataques de la derecha, desde los fascistas católicos hasta los obispos tradicionales, pasando por el Opus Dei y la iniciativa privada, monseñor Méndez Arceo tuvo una cadena de enfrentamientos con los obispos, la CTM, E. Portes Gil, etc., siendo prácticamente el único obispo mexicano que ha mantenido una constante actividad pública y una apertura crítica al diálogo cristiano-marxista ('en el que también participó como destacado exponente).[27]

Entre 1969 y 1974, las inquietudes de un numeroso grupo de sacerdotes, religiosos y laicos en la búsqueda de un cristianismo más auténtico, hizo salir a la luz pública al movimiento Sacerdotes para el Pueblo (SPP) y, más adelante, al comité coordinador mexicano de Cristianos por el Socialismo (CPS), que se significan por sus críticas al capitalismo y su opción socialista a partir de su compromiso en la lucha con el pueblo. El grueso del Episcopado reaccionó negativamente, y sus exponentes resintieron la represión eclesiástica, que se adaptó eficazmente a cada caso particular.[28]

Caracterizado desde hace muchos años por su silencio, el Episcopado (CEM) parece vivir al margen de la vida pública nacional. Sin embargo, alentados por el Concilio y Medellín, en 1971 los obispos publican su documento "La justicia en México", que por diversas circunstancias la CEM se ve obligada de desautorizar como oficial. El Episcopado no aceptó que fuera un documento "oficial" dadas las expectativas y reacciones que se produjeron al darse a conocer. Era lógico, puesto que no reflejaba su mentalidad, sino la evolución

---

[26] P. Arias *et al.*, *op. cit.*, p. 15; J. García, *op. cit.*, pp. 43 y 47.

[27] P. Arias *et al.*, *op. cit.*, p. 93; O. Granados R., *op. cit.*, p. 39.

[28] P. Arias *et al.*, *op. cit.*, pp. 75-76; E. Dussel, *op. cit.*, pp. 167-168.

ideológica de los cristianos que fue recogida en el sondeo de opinión a las bases, que se hizo como preparación al Sínodo.[29]

Sin embargo, a nivel individual se destacan las declaraciones públicas de monseñor A. Almeida (Chihuahua) y monseñor M. Talamás (Ciudad Juárez) en febrero de 1971 que se sitúan en la línea de Medellín y la teología de la liberación. Motivados por la represión brutal que sufren los grupos estudiantiles del norte del país, los obispos denuncian valientemente los hechos señalando que la violencia institucionalizada provocaba la violencia de los oprimidos, y ésta provocaba la violencia de la represión. A esta posición se adhieren los jesuitas mexicanos en un documento público, donde se concluye que la única salida es un cambio radical de estructuras y no precisamente la lucha armada.[30]

El debate provocado por el documento sobre la justicia en México, llevó a otros obispos a declararse en esa época contra las injusticias estructurales, pese a las críticas en su contra por "meterse en política". Esta etapa que va del inmediato pos-concilio al inmediato pos-Medellín (1966-1971), es quizá la de mayor apertura de la Iglesia mexicana en todos los campos y la de mayor presencia en el ámbito internacional. Sin embargo, la Iglesia vive también una etapa de conflictos que se habían incubado en la etapa anterior.

A partir de 1968, cuando CENCOS, la CON y el SSM tomaron partido por el movimiento estudiantil y los presos políticos, la Jerarquía decide no apoyarlos ni reconocerlos como organismos del Episcopado. Sin embargo, la conciencia sacerdotal y de varios sectores laicales había evolucionado por las corrientes democratizantes en la sociedad y una mayor responsabilidad eclesial. El caso de la JOC es el de mayor gravedad, porque la Iglesia a raíz de la crisis de 1968-1970 pierde prácticamente contacto orgánico con la clase obrera. El obispo de León, monseñor A. Zarza, desconoce y destituye a los dirigentes nacionales, en un drástico movimiento tendiente a neutralizar a los asesores poco dóciles y evitar la contaminación ideológica.[31]

Con el SSM, tras la muerte de su director (P. Pedro Velázquez), ocurre otro tanto. En 1970 es desconocido como órgano del Episcopado y calificado de "extremista", con lo que vino la renuncia del

---

[29] En *Excélsior*, México, 24 de septiembre de 1971. *Cf.* Martín de la Rosa, *op. cit.*, p. 95.

[30] *Cf. Christus*, núm. 437, México, abril de 1972, pp. 47-53; E. Dussel, *op. cit.*, pp. 165-166, y J. García, *op. cit.*, p. 88.

[31] *Cf.* E. L. Mayer, *op. cit.*, pp. 219-220; E. Dussel, *op. cit.*, p. 169; M. de la Rosa, *op. cit.*, p. 97, y P. Arias, *op. cit.*, p. 28.

nuevo director (P. Manuel Velázquez), tras sus declaraciones de que "ni obispos ni diputados representan al pueblo". El SSM consideraba el procedimiento de elección de los obispos (por recomendación; sin injerencia de los cristianos) como medieval, y proponía que el diálogo Iglesia-Estado se debería establecer de "abajo hacia arriba". Este conflicto adquiere dimensiones continentales cuando en 1973. el SSM a través de su revista *Contacto* acusó al CELAM (Departamento de Acción Social) de ser una agencia de espionaje contra los cristianos de izquierda. En 1977 el Episcopado emitió una declaración sobre el SSM donde desautorizó definitivamente a la institución, acusándola de tener una "visión horizontal e inmanentista", la falta de comunicación y la crítica excesiva. Gracias a esta situación, el SSM consigue su autonomía relativa, esto es, dentro de los mecanismos de control que todavía maneja la Jerarquía.[32]

"Es importante resaltar [escriben Pilar Arias, Alfonso Castillo y Cecilia López] el hecho de que la represión eclesiástica se agudiza cuando el SSM evoluciona hacia la línea de la liberación y propone el cambio estructural como solución al problema social (1968) ..."[33]

En la etapa de 1973 a 1976, la Iglesia mexicana vive un período de conflictos de línea como consecuencia de la contraofensiva derechista emprendida por el CELAM. En esta etapa, la Iglesia recibe una fuerte influencia de la línea que se impuso en la asamblea del CELAM en Sucre. El cristianismo confronta en América Latina la crisis desencadenada por el colapso de los dos proyectos históricos a los que se había vinculado estrechamente. El catolicismo sufrió la *primera* *crisis* en la época de la emancipación de los países del continente. En la medida en que siguió aferrado a la sociedad tradicional, semifeudal, todavía no ha superado esa crisis.

"El catolicismo progresista, aggionato al Vaticano II, y el protestantismo comparten [escribe José Míguez B.] la *crisis de la ideología liberal-modernizadora*. El cristianismo, cooptado en los sistemas colonial y neocolonial como autorización religiosa y justificación ideológica, confronta una agónica experiencia de autocrítica. Es una *crisis de conciencia* en que los cristianos descubren que sus iglesias han llegado a ser aliados ideológicos de fuerzas nacionales y extranjeras que mantienen a sus países en situación de dependencia y a los pueblos en esclavitud y necesidad... El contraste de una iglesia rica y un pueblo hambriento, son los hechos que alimentan la crisis tan extendida hoy entre laicos y sacerdotes jóvenes, sin excluir a

---

[32] P. Arias *et al., op. cit.,* pp. 47-49.
[33] P. Arias *et al., op. cit.,* p. 50.

varios obispos... Tanto protestantes como católicos repentina e inesperadamente ven a su iglesia al servicio de los intereses de una estructura inhumana. Pero esta experiencia traumática abre las puertas a una nueva búsqueda: la búsqueda de una comprensión poscolonial y posneocolonial del evangelio de Cristo." [34]

Tal como lo anunció en la reunión de San Juan de Puerto Rico (7-31 de enero de 1972) el nuevo secretario general del CELAM, monseñor A. López Trujillo, era necesario "curar" a la Iglesia del continente de la "plaga" de la teología de la liberación. El conjunto de grupos eclesiales de izquierda que actuaban en todo el continente por iniciativa propia y se mezclaban en asuntos sociales y políticos, empezó a ser un motivo de preocupación para los obispos y grupos de poder dominantes. Con la caída trágica del gobierno de Unidad Popular en Chile y su experiencia de un "socialismo democrático", en México se recrudece el ataque contra el régimen de la "apertura democrática" (1979-1976), el cual ni siquiera llegó a ser una amenaza seria a los intereses de la burguesía nacional. La hora del optimismo y la euforia había pasado, la lucha sería más larga de lo previsto, la liberación de los pueblos latinoamericanos no estaba a la vuelta de la esquina.

El "Informe Rockefeller" y el estudio de la Rand Corporation (1969 y 1972, respectivamente), elaborados por el gobierno estadunidense recogen y señalan las contradicciones existentes dentro de la Iglesia y la tendencia antinorteamericana de los grupos cristianos radicales y populares.

"Uno de los más seguros y tradicionales aliados [escribe Raúl Vidales] daba ahora signos de una peligrosa independencia y no menos alarmante 'infiltración' del enemigo en sus filas..." [35]

Al sector conservador de la Iglesia no le llevó mucho tiempo organizar una contraofensiva general. La coordinación vino de Roma. Los diplomáticos del Vaticano —como es el caso de monseñor C. Martini en México— estuvieron muy activos recogiendo toda la información relacionada con los grupos "liberacionistas". En 1972 el Vaticano solicita el informe al Episcopado mexicano y comienza el viraje del CELAM hacia una posición anti-Medellín (aunque esto se niegue oficialmente). En la XIV reunión ordinaria del CELAM en Sucre, los obispos progresistas son virtualmente eliminados de los departamentos a su cargo y monseñor López Tru-

[34] J. Míguez Bonino, *La fe en busca de eficacia,* Salamanca, Sígueme, 1977, pp. 40-42.

[35] Raúl Vidales, "Puebla, ni más ni menos", en *Servir,* núm. 81, Jalapa, Ver., 1979, p. 295.

jillo es "elegido" secretario general. Se tenía ya la pieza clave y el instrumento.

A nivel teológico el contraataque no se quedó en críticas aisladas contra la Teología de la Liberación (TL), sino que se inició una campaña mundial... En 1976 tiene lugar en Roma un coloquio de teólogos de todo el mundo, incluido México, con un objetivo bien claro: "impedir toda re-interpretación de la fe cristiana en un programa social y político".[36] En México, desde el primer momento se intentó reprimir al movimiento CPS y SPP. El cardenal Miranda lanzó una "Exhortación Pastoral" (18 de mayo de 1972) contraria a CPS. Ese mismo año la CEM empieza a tomar medidas para refutar a CPS y SPP, a fin de impedir que los sacerdotes se comprometan en política (se sobreentiende que política de izquierda, porque la de derecha se ejerce con naturalidad). A lo largo de las asambleas episcopales de 1972 y 1973 son propuestos varios documentos, siendo invitados como asesores "expertos" a Efraín González Morfín (PAN), el padre C. Talavera (movimiento carismático) y José González Torres. En 1974, la CEM difunde su documento "El compromiso cristiano ante las opciones sociales y la política", donde queda reflejada la posición política-ideológica episcopal: ni capitalismo ni socialismo... sino todo lo contrario. Como la gran mayoría de los documentos emitidos a partir de 1971, éste también se destaca por su carácter marcadamente intraeclesial. Esto revela el carácter limitado de la Jerarquía mexicana para incorporarse y participar en la vida pública nacional.[37]

"Este documento [escribe Enrique Dussel] marca un momento importante en la historia del Episcopado mexicano: el comienzo de la hegemonía de los obispos del 'centro', de no conflicto, de 'armonía' con el Estado, y en definitiva de debilidad profética."[38]

En esos momentos, la burguesía nacional se enfrentaba al gobierno. Don Sergio Méndez A. era atacado por la CTM y 40 organismos católicos protestaban por la tortura sufrida por varios religiosos en 1972. Sin embargo, el mensaje episcopal pretendió guardar tantas distancias que al fin quedó un tanto desteñido.

Las medidas represivas contra los CPS de México vinieron de

[36] Centro de Estudios Ecuménicos, *Crisis capitalista e Iglesia en América Latina*, México, 1978. *Cf.* M. de la Rosa, *op. cit.*, p. 99; *Christus*, CRT, núm. 515, México, 1978, p. 14, y Gonzalo Arroyo, *El Salvador: les risanes de L'Evangele*, París, Études, 1978, p. 15.

[37] CEM, *Documentos colectivos...*, pp. 313-369; E. L. Mayer, *op. cit.*, pp. 382-394, y J. García, *op. cit.*, pp. 90-95. *Cf.* P. Arias, *et al.*, *op. cit.*, pp. 97-99.

[38] E. Dussel, *op. cit.*, pp. 416-417.

donde menos se esperaba: del padre Pedro Arrupe, prepósito general de los jesuitas, quien ordena a los religiosos que fueron a Chile abandonar el movimiento. El segundo encuentro latinoamericano de cps no pudo tener lugar en México, como estaba previsto. En ese momento se vivía ya lo que un obispo brasileño señaló con estas palabras: "La hora actual en América Latina corresponde más a la teología de la clandestinidad que a la teología de la liberación."[39]

Las reacciones más fuertes en México contra los spP y los cps —que pusieron mayor énfasis en su compromiso popular que en la retórica socialista—, corrió a cargo de varios grupos integristas de extrema derecha (MURO, Patria y Constitución), pero especialmente de la Asociación Sacerdotal y Religiosa San Pío X (ASYR), que enfocó sus baterías contra Cuernavaca. En 1972, a su regreso de Chile, monseñor Méndez Arceo fue recibido en el aeropuerto con un baño de tinta roja por jóvenes ultraderechistas. En oposición al sector renovador, el clero tradicionalista hace surgir la ASYR, y una parte de la Jerarquía gesta la idea de un documento condenatorio bajo pretexto de "fidelidad a la Iglesia". La ASYR se encarga de condenar —con el apoyo del cardenal Wrigth, prefecto de la Congregación para el Clero— la TL, asimilándola con otras corrientes teológicas europeas desautorizadas en los documentos papales.[40]

Obviamente lo que sucedió es que la ideología de cps y spP rompe las reglas del juego de una institución que, más allá de sus intenciones, forma parte de un sistema social capitalista. Como consecuencia, la estructura de poder eclesiástico se reafirma por todos los medios a su alcance para evitar que los grupos críticos escapen a su control.[41] Este autoritarismo se ejerce incluso sobre aquello que no puede ser calificado de revolucionario. Tal es el caso de la Carta pastoral sobre "Paternidad Responsable" (1968) y del I Congreso Latinoamericano de Teología (10-15 de julio de 1975), que fueron sancionados por el Episcopado en contra

[39] Un análisis de las citas más importantes del documento en E. Dussel, *op. cit.*, pp. 417-418.

[40] J. García, *op. cit.*, p. 104; E. Dussel, *op. cit.*, p. 417. *Cf. Liberación y cautiverio*, debate en torno al método de la teología en América Latina, ed. privada, México, 1976, p. 563, Sobre la ASYR Pío X, véase J. García, *op. cit.*, pp. 104-106, y P. Arias *et al., op. cit.*, p. 99.

[41] *Cf.* M. de la Rosa, *op. cit.*, p. 100, y *Christus*, CRT, núm. 440, México, 1972, p. 58.

de sus promotores: la STM y el MFC (Movimiento Familiar Cristiano).[42]

Dentro de esta estrategia global de contraofensiva derechista, podría también ubicarse la construcción de la nueva Basílica de Guadalupe, hecho que fue aprovechado como pretexto para estrechar lazos entre los grupos de poder (Iglesia-burguesía-Estado). Así, aunque en el plano jurídico se da una separación, en el fondo estructural hay una connivencia.

"Mientras la participación del sector gubernamental no es tan evidente [escriben P. Arias, A. Castillo y C. López], la del sector empresarial es abierta. Además se realizan campañas publicitarias que manipulan el sentimiento religioso del pueblo mexicano para sacar fondos.

"El proyecto de la basílica rebasa lo estrictamente religioso y eclesial para ser también un proyecto ideológico y político: muestra el acuerdo fundamental que existe entre los tres sectores (Iglesia-burguesía-Estado) y que las contradicciones que se dan entre éstos son secundarias."[43]

La obra se terminó en un tiempo récord pues todo obstáculo se superó y todo lo necesario se puso a disposición de la obra. Sin embargo, no faltaron cuestionamientos dentro de la propia Iglesia a todo este conjunto de ambigüedades.[44] Aunque la situación jurídica marcada por la desventaja (para la Iglesia) de carecer de personalidad no se alteró, sin embargo el gobierno de Echeverría dio muestras de cambiar coyunturalmente el rumbo de las relaciones. Su visita al Vaticano, su apertura a algunos sectores de la Iglesia, el discurso del 3 de mayo de 1976 en la X Asamblea del Instituto Italo-Latinoamericano en tono de franco diálogo con la Iglesia, lo mismo que la apresurada construcción de la Basílica, mostraron un cambio.[45]

Esta etapa tampoco estuvo exenta de conflictos, aunque los real-

---

[42] Cf. "Memoria del I Encuentro latinoamericano de teología", Liberación y cautiverio, op. cit., Excélsior, México, 21 a 24 de agosto de 1975; ICI, núm. 488, México, 1975, pp. 27-28; Noticias Aliadas, núm. 33, 28 de agosto de 1975 p. 1; J. García, op. cit., pp. 113-120; E. Dussel, op. cit., p. 425, y Christus núm. 479, México, 1975.

[43] P. Arias et al., op. cit., pp. 72-73. La identificación estructural de la Iglesia con los intereses de la burguesía local, se ve clara en el caso del conflicto de los libros de texto gratuitos y de la reforma educativa (1973), P. Arias et al., op. cit., pp. 63-67.

[44] J. García, op. cit., p. 123.

[45] O. Granados R. op. cit., p. 39; P. Arias et al., op. cit., p. 73, y A. Olivera de Bonfil, La Iglesia en México, ed. privada, 1977, p. 314.

mente importantes se sitúan en la relación Iglesia-sociedad civil. El único conflicto Iglesia-Estado aparece en 1973 con la propuesta de reforma a la Ley Federal de Educación —un conflicto siempre latente—, que obligó al Episcopado a replantear su posición oficial. La CEM publicó su "Mensaje sobre la reforma educativa" (27 de febrero de 1975), tras varias declaraciones previas que fueron manipuladas por la burguesía en su enfrentamiento con el gobierno populista.[46]

Los conflictos más graves de esta etapa ocurrieron en las diócesis de Colima, Aguascalientes, Querétaro, Texcoco y Tula, todos ellos lugares donde la Iglesia y el pueblo se van a ver polarizados por el enfrentamiento básico entre obispos y sacerdotes. La raíz común del conflicto es evidente:

"La autoridad de la institución (obispo) [escriben P. Arias, A. Castillo y C. López] aparece en favor del sector dominante, del sistema vigente. Fuera de la Iglesia se da una lucha entre opresores y oprimidos, agudizada, en esta década, que origina el aglutinamiento y la división de los cristianos; esta lucha es la que da pie al conflicto dentro de la Iglesia."[47]

La evolución de la conciencia sacerdotal a partir del Vaticano y de Medellín, propicia en numerosos sacerdotes el descubrimiento de la posibilidad real de vivir los valores cristianos en otro sistema social. Su presencia en el sector explotado de la sociedad conlleva una crítica ascendente y convergente al sistema social vigente. Movimientos como los ocurridos en estas diócesis —en una línea semejante a CPS, SPP e Iglesia Solidaria— son resultado de un proceso de movilización que rebasa los esquemas diocesanos tradicionales, en donde el obispo centraliza autoritariamente el control y el poder eclesiástico al igual que toda la representatividad institucional.[48]

La última fase de conflictividad intraeclesial de esta etapa, se

---

[46] Sobre el conflicto Iglesia-Estado por la educación católica y el mensaje episcopal sobre la reforma educativa, véase J. García, *op. cit.*, pp. 97-101; P. Arias *et al., op. cit.*, pp. 65-67; E. Dussel, *op. cit.*, pp. 428-429.

[47] P. Arias *et al., op. cit.*, pp. 32-33.

[48] Aguascalientes: E. Dussel, *op. cit.*, pp. 419-420; P. Arias *et al., op. cit.*, pp. 33-36, y J. Antonio de la Torre Rangel, "Nuevamente Aguascalientes. Información y conflicto", en *Christus*, núm. 492, *op. cit.*, 1976, pp. 11-13. Colima: E. Dussel, *op. cit.*, p. 419; E. L. Mayer, *op. cit.*, pp. 252 ss., y P. Arias *et al., op. cit.*, pp. 39-41. Querétaro: E. Dussel, *op. cit.*, p. 420; E. L. Mayer, *op. cit.*, p. 266; varios, "Crisis actual de la Iglesia en Querétaro", Querétaro, 1975, p. 10 (mimeo.). Netzahualcóyotl (Diócesis de Texcoco): L. E. Mayer, *op. cit.*, p. 256; E. Dussel, *op. cit.*, p. 420. Tula: P. Arias *et al., op. cit.*, pp. 87-88; E. Dussel, *op. cit.*, p. 428.

hace presente en la Iglesia mexicana entre abril y agosto de 1976, con la publicación de la "Exhortación pastoral fidelidad a la Iglesia" del CEM y el suceso de Riobamba (Ecuador), período durante el que las oposiciones pos-Medellín se extremaron a niveles nunca antes alcanzados. La "Exhortación pastoral (28 de abril de 1976), motivada por las polarizaciones intraeclesiales, es un reflejo muy representativo de la línea asumida por el Episcopado mexicano en la coyuntura. En lugar de centrar su atención en la problemática que vivían los grupos cristianos dentro del momento histórico del país, la CEM intenta sancionar severamente los "desórdenes" que atravesaban a la Iglesia prescindiendo de la historia. En ese año se habían producido los primeros conflictos por opciones estrictamente populares; sin embargo, tal situación le parece ajena. El documento condena a los grupos considerados "extremistas tradicionalistas" y "progresistas" (núms. 11 y 12).[49]

A la muerte del padre Sáenz Arriaga y el Lic. R. Capistrán Garza, la eclosión del caso "Lefebvre" les dio ocasión de beligerancia a los grupos tradicionalistas, multiplicándose por todo el país bajo nombres como: "Asociación de Católicos Nacionalistas", "Unión Juvenil Guadalupana". "Fraternidad Sacerdotal San Pío X (Lefebvre)-Rama Laical". "Trento". etc. Tras ellas se ocultan numerosas organizaciones de ultraderecha que se dedican a encabezar "golpes" a quienes son calificados —por ellos mismos— como comunistas.[50] De parte del juicio de los grupos considerados "extremistas progresistas", existía una clara extrapolación, pues tanto cps como "Iglesia Solidaria" habían desaparecido por la represión eclesiástica, aunque jamás desconocieron a la Iglesia como verdadera Iglesia de Cristo. La alusión fuera del documento al SSM, en la conferencia de prensa para presentar el documento (26 de abril de 1976), se explica en el contexto de distanciamiento CEM-SSM.[51]

El suceso de Ríobamba, con el encarcelamiento de 17 obispos (dos de ellos arzobispos), 30 sacerdotes, religiosas y laicos (12 de agosto de 1976), puso de manifiesto el carácter limitado y centrista de la Jerarquía mexicana para protestar o denunciar injusticias concretas, y explicitó el nivel de la lucha político-ideológica contra

---

[49] CEM, Exhortación pastoral "Fidelidad a la Iglesia", México, Paulinas, 1976, p. 9, núm. 10. Cf. J. García, op. cit., pp. 106-107.

[50] Cf. Proceso, núm. 36, México, 11 de julio de 1977, pp. 14-20; J. García, op. cit., anexo 4, y el núm. 64 de la revista Nexos, "Al fondo, la derecha", abril de 1983.

[51] J. García, op. cit., pp. 107-108.

la Iglesia del pos-Medellín.[52] En México, los grupos tradicionalistas expresaron su satisfacción por la detención de los "obispos del ala izquierda de la Iglesia mexicana" (3 obispos y 5 sacerdotes).[53] La presidencia de la CEM tardó una semana para hacer una breve declaración por "no tener suficientes datos". El hecho mostró el distanciamiento interno profundo que motivaban opciones muy diversas en los obispos.[54]

En la etapa que transcurre entre 1977 y 1979, predomina en la Iglesia mexicana un equilibrio inestable con una tendencia recurrente a la polarización intrainstitucional. Como hemos visto, la pretensión de los cristianos de izquierda que buscaban una opción por el oprimido por parte de la Iglesia-institución, fue un fracaso. Medellín había sembrado esta esperanza y alimentado esta ilusión. Pero Medellín no reflejaba a la Iglesia latinoamericana y, menos aún, a la mexicana. Fue el grito profético de unos pocos grandes inspirados que terminaron siendo acorralados y perseguidos.

Si la izquierda sobrevive en el seno de la Iglesia es sencillamente porque su teología (TL) ha demostrado que la opción por el cambio y la transformación de estructuras está acorde con el Evangelio y no con la defensa del *statu quo*. Sobrevive también porque se ha legitimado frente al pueblo. Su lucha no ha sido meramente teórica, ha demostrado con la praxis político-pastoral que está efectivamente al lado del pueblo y que resiste la persecución y la tortura. El apoyo que el pueblo y algunos sectores de la izquierda le han dado a los cristianos avanzados, los ha reforzado de una manera determinante. Lo que antes era una ínfima minoría pronto sería una respetable minoría. A pesar de todo el reflujo eclesial a la derecha, la izquierda cristiana se reforzará en México y todo el continente, y mantendrá sus posiciones en Puebla (CELAM III) no sin antes combatir. Y esto no es cuestión de número, sino de calidad. Saben que las divisiones intraeclesiales son reflejo de la división social existente y cuentan con una ventaja permanente: la represión que la Iglesia sufre en esta etapa radicaliza a los moderados.

Sin duda, la represión política-eclesial contra miembros y grupos de la Iglesia mexicana ha sido moderada con relación a la ejercida en estos años contra obreros y campesinos. Los documentos elaborados por los cristianos que participan en el movimiento popular

[52] J. García, *op. cit.*, pp. 140-142.
[53] *El Sol de México*, México, 14 de agosto de 1976, y J. García, *op. cit.*, p. 143.
[54] J. García, *op. cit.*, anexo 13; *Excélsior*, 22 de agosto de 1976, p. 1-A, cit. E. Dussel, *op. cit.*, p. 417.

obrero-campesino, señalan la necesidad de llevar una lucha dentro
de los cauces de la legalidad, asumiendo ésta en un sentido crítico
dialéctico: hacer que la democracia formal sea una democracia real.
Esto obviamente lo propicia el Estado durante el sexenio de la
"Reforma política" (1976-1982).

Esta etapa tampoco estuvo exenta de conflictividad. Los hechos
más notorios de represión política previos a la celebración de Puebla son relativamente pocos, pero significativamente violentos. El
proceso se inicia en 1974, año en que varios jóvenes del Movimiento
Estudiantil y Profesional (MEP) fueron aprehendidos en Monterrey
por razones políticas. Este hecho se enmarca en las represiones de
1972 cuando dos sacerdotes maristas fueron incomunicados en un
local de la policía secreta, siendo torturado uno de ellos.[55]

En 1976 viene la represión contra un importante sector del clero
de la diócesis de Torreón. La iniciativa privada de la ciudad, apoyada por los medios de comunicación locales y algunos sacerdotes,
presionó a las autoridades civiles y eclesiásticas para que actuaran
en contra de un movimiento independiente. En los años precedentes-
tes, el padre José Batarse y otros diez sacerdotes aglutinaron con
su trabajo pastoral a importantes sectores suburbanos de la ciudad de Torreón (11 colonias) y a algunas poblaciones ejidales.
Ante las demandas del movimiento popular, las autoridades aprehen-
den a los líderes y giran orden de aprehensión contra 5 sacerdotes.
El gobernador y emisarios del obispo de Torreón hicieron un
acuerdo: el padre Batarse debía salir de la diócesis a cambio de la
liberación de los detenidos. El obispo define una posición contraria
al movimiento independiente y, pese a las presiones populares en
favor de Batarse, sostiene su decisión de que éste abandone la diócesis. El sector privado capitalizó la declaración y publica desplegados denunciando el "comunismo oculto" de los sacerdotes comprometidos en la lucha de las colonias populares.[56] Batarse tuvo que
irse y el movimiento fue duramente golpeado por la represión en
la zona.

"En el caso de Torreón [afirma el cuidadoso análisis del padre
Arias, A. Castillo y C. López] estamos ante un obispo que permite
que los sacerdotes de su diócesis desarrollen diferentes líneas de
trabajo pastoral. Sin embargo, cuando las presiones de un sector del
presbiterio en contra del padre Batarse y de otros sacerdotes se

[55] M. de la Rosa, *op. cit.*, p. 102.
[56] P. Arias *et al., op. cit.*, pp. 53 *ss.*

aúnan con las presiones de la burguesía local y el gobierno, a pesar del apoyo que les brindan los sectores populares cristianos y organizados de Torreón y otros estados, el obispo opta por acceder a las demandas de la burguesía local y del gobierno estatal. El factor de la supervivencia institucional entra también en juego. . ." [57]

En 1977 dos sacerdotes fueron asesinados: Rodolfo Aguilar A. que trabajaba en las barriadas de Chihuahua, Chih., [58] y Rodolfo Escamilla G., miembro del SSM, dedicado durante muchos años al trabajo con obreros, campesinos y colonos de las barriadas de la ciudad de México. [59] A estos hechos de represión extrema, habría que agregar otros como el cateo de la casa de los jesuitas anexa a la iglesia de los Ángeles en la colonia Guerrero, el allanamiento de las oficinas de CENCOS y el requisamiento de sus archivos, el allanamiento de las oficinas del CENAMI, y el ataque a balazos contra un sacerdote que conducía el automóvil de monseñor A. Lona, obispo de Tehuantepec, Oax., realizados entre 1977 y 1978. [60]

Estos hechos, sin duda, no son aislados. Responden a la lógica histórica de los acontecimientos caracterizados por la creciente participación de los cristianos en los movimientos populares autónomos. El asesinato de 29 campesinos en Oaxaca, al igual que la militarización de estados como Chiapas o Guerrero, motivó en enero de 1978 la enérgica protesta de los obispos de la Región Pacífico Sur (Samuel Ruiz G., J. Porcayo, B. Carrasco, de San Cristóbal de las Casas, Chis., Tapachula, Chis. y Oaxaca). [61]

Otros dos acontecimientos resaltan la dinámica conflictiva que envuelve a la Iglesia mexicana en la etapa previa a la Asamblea General de Puebla. Uno, es la tensión permanente que ha existido entre los obispos y la CIRM (Confederación de Institutos Religiosos de México), al igual que con la asociación afín a ella a nivel latinoamericano, la CLAR (C. Latinoamericano de Religiosos), que profesan principios como: profetismo, independencia, reflexión y or-

[57] *Ibid.*, p. 57. *Cf.* A. Castillo, "Problema eclesial y político: la laguna efervescente", en *Christus*.

[58] *Ibid.*, pp. 57-58; E. Dussel, *op. cit.*, p. 422; *Excélsior*, México, 25 de marzo de 1977, p. 2-A.

[59] E. Dussel, *op. cit.*, p. 423; P. Arias *et al.*, *op. cit.*, p. 59; *Excélsior*, México, 5 de mayo de 1977.

[60] *Excélsior*, México, 5 de septiembre de 1977, p. 20-A; E. Dussel, *op. cit.*, p. 424; M. de la Rosa, *op. cit.*, p. 102; *El Día*, México, 26 de marzo de 1978, p. 2.

[61] *Excélsior*, México, 28 de enero de 1978, p. 7-A; E. Dussel, *op. cit.*, p. 425.

ganización.[62] El otro conflicto es la declaración del Consejo de Presidencia del CEM que desautoriza oficialmente a monseñor Méndez Arceo (9 de marzo de 1978), por sus declaraciones en *Excélsior* (20 de febrero de 1978), luego de su regreso de un viaje a Cuba donde hizo una declaración conjunta con Ernesto Cardenal (Nicaragua) y Alfonso Comín (España) conocida como "Reflexión cristiana en Cuba".[63] La declaración de la CEM es distribuida como volantes en varias ciudades, bajo el título: "Marxismo y fe cristiana incompatibles." Es cbvio que la desautorización del obispo de Cuernavaca pretende abarcar a los grupos afines a él y a su línea de trabajo.[64] El cardenal S. Baggio envía una carta al cardenal J. Salazar, presidente de la CEM, donde le comunica la complacencia del Papa Pablo VI por la declaración de la CEM.[65]

En 1979 se realiza en Puebla la III Conferencia General del Episcopado Latinoamericano. En un contexto lleno de ambigüedades se reunieron en México las más importantes figuras de la Iglesia católica del mundo, bajo el tema "La evangelización en el presente y en el futuro de América Latina".[66] La intención de hacer de la III CELAM un paso atrás respecto a Medellín fue clara desde su preparación. La sede misma era ya todo un símbolo de ello: Puebla católica y anticomunista. La derecha eclesiástica tenía todo bajo control y se propuso tres objetivos: condenar la TL, las CEB y rechazar la opción por los pobres. Sin embargo, ninguno de estos objetivos fue logrado. En efecto, las CEB fueron claramente aprobadas (Puebla, núms. 96-97, 156), la TL no fue condenada (núms. 141, 189, 351 y 502), y la opción por los pobres fue afirmada, aunque sin la radicalidad que le imprimen los cristianos participantes del movimiento popular (núm. 1134-47). Al predominar en los documentos previos a Puebla un clima de falta de diálogo y de sospechas, en el interior de la Conferencia afloró la confrontación entre las tendencias en los inocultables enfrentamientos sociopolíticos y teológico-

---

[62] P. Arias *et al., op. cit.,* pp. 79-92. *Cf.* M. Concha *et al., Cruz y resurrección,* México, CRT-Servir, 1978, p 161.

[63] *Unomásuno,* México, 12 de febrero de 1978; *Correo del Sur,* Cuernavaca, Mor., 19 de febrero de 1978, y *Christus,* marzo de 1978, p. 52. Además, *cf.* P. Arias *et al., op. cit.,* p. 94.

[64] P. Arias *et al., op. cit.,* p. 67.

[65] *Cf. Unomásuno,* 25 de agosto de 1978, y *DIC,* núm. 35, México, 31 de agosto de 1978, p. 728.

[66] Sobre el ambiente de tensiones previas a la III Conferencia General del Episcopado Latinoamericano, véase Frei Betto, "17 días de la Iglesia latinoamericana", *Diario de Puebla,* México, CRT, 1979, 191 pp.

ideológicos.[67] El documento final es un documento de compromiso en el cual aparecen los logros, tensiones y concesiones de ambas tendencias. Es un fiel reflejo de lo que es la Iglesia actual y de su crisis institucional-histórica, y en esto se diferencia de Medellín. En él aflora palpablemente un distinto entendimiento de cual es la tarea de los cristianos en los terrenos histórico-políticos. Como bien ha señalado Raúl Vidales, "el discurso es terriblemente ambiguo; justamente porque revela una profunda lucha ideológica".[68]

En la raíz de estas tensiones y ambigüedades está, sin duda, una realidad ahora inocultable: las contradicciones fundamentales de la sociedad atraviesan también la praxis de los cristianos a todos los niveles. Praxis distintas que, a su vez, están ligadas a intereses de clase concretos y, por lo tanto, a un proyecto histórico específico. La experiencia lo ha enseñado: los procesos históricos concretos finalmente no dejan lugar a indefiniciones y posturas neutras. "El documento de Puebla debe analizarse [asegura Pablo E. Yáñez] porque representa una toma de posición en la lucha de clases. Sus conclusiones no son neutrales ni universales. . ."[69]

En este sentido, Puebla es un momento de un proceso que viene de atrás, que ya está echado a andar y que se revela como irreversible. Para México, Puebla fue un pretexto y una oportunidad para que emergiera la fuerza enorme, viva y espontánea de la religiosidad popular. El quiebre de la democracia burguesa y la impotencia del sistema para rehacerla, puso al descubierto esa corriente —por largo tiempo subterránea— de la fuerza y la pasión de las masas y de diferentes grupos.[70] Puebla, por un momento, con la presencia del Papa como pretexto, hizo reencontrar al México profundo. Y así como el Estado y el mismo sistema no son capaces de controlar totalmente el fenómeno religioso, tampoco lo es la Iglesia.

Para la burguesía empresarial mexicana, Puebla también tuvo interés. Lejos de la alegría popular, el Consejo Coordinador Empresarial (cce) aprovechó la ocasión para denunciar a sus "enemigos" en la III celam. En Puebla precisamente se dio la primera y única marcha-mitin contra la Teología de la Liberación que se conoce

[67] *Ibid.*, pp. 97-99; R. Vidales, *op. cit.*, p. 286.
[68] E. Vidales, *Puebla, ni más ni menos. . ., op. cit.*, p. 293.
[69] Pablo Yáñez, "La realidad socioeconómica en el documento de Puebla", *Servir*, núm. 81, Jalapa, Ver., 1979, p. 309.
[70] *Cf.* José C. Mariátegui, "El hombre y el mito", en *El Alma matinal*, Lima, Amauta, 1972 (4a. ed.), pp. 23-29; F. Betto, *op. cit.*, pp. 44-48.

en el continente. Según ellos, "en la Iglesia hay infiltración marxista", y eso no se puede tolerar.[71]

III. DATOS BÁSICOS DE LA IGLESIA FRENTE
     A LA CRISIS (1979-1983)

Como se puede constatar en la historia reciente de la Iglesia mexicana, la crisis no sólo está presente en ella, a todos los niveles; sino que —lo que es aún más importante— es ella misma un factor (actor) de la crisis general de México. En un país en crisis económica, política, social, moral y cultural, para la que no parece haber en lo inmediato solución ni salida, el cristianismo (Iglesia institución y religión popular) constituye un factor ideológico de primer orden político, por su profunda y arraigada presencia en la historia y la realidad de México.

Hoy como en el pasado, basta examinar la historia de las crisis sociales y políticas que han sacudido este país para darse cuenta que alrededor de las grandes coyunturas críticas los miembros de la Iglesia mexicana tomaron siempre posiciones distintas y hasta contradictorias. A la par de los colonizadores españoles vinieron los misioneros a terminar con la cruz la labor esclavizadora que había comenzado la espada. Pero frente a ellos se alzó la firmeza de Bartolomé de Las Casas, el defensor de los indios. A principios del siglo pasado hubo muchos sacerdotes que lucharon por la independencia de México incluso con las armas en la mano; y en el otro extremo hubo sacerdotes y obispos que también con igual vehemencia defendieron los privilegios de la Corona en la Nueva España. Una vez liberados del yugo colonial encontramos las posiciones anti-intervencionistas de otra importante generación de cristianos que llamaron a defender los intereses de la nación-pueblo ante las tentativas de agresión extranjera.

En la crisis global del México contemporáneo no puede sorprendernos, por lo tanto, la presencia dentro del mismo ámbito institucional y religioso de dos posiciones tan distintas como las del arzobispo de México, monseñor Corripio A. y del ex obispo de Cuernavaca, monseñor S. Méndez Arceo, o de los movimientos tan disímiles como el Opus Dei y las Comunidades Eclesiales de Base (CEB). En su lenta transición hacia la modernidad y el pluralismo, las crisis han sido momentos de gran importancia en la vida institucional de

71 F. Betto, *op. cit.*, p. 128.

la Iglesia mexicana. El peso de sus milenarios condicionamientos estructurales y de una institucionalidad definidamente autoritaria, piramidal y tradicional, sigue pesando definitivamente en la toma de decisiones y posiciones ante la problemática del país.

Situada en un contexto nacional y regional de radicalización política, en la Iglesia institucional afloran frecuentes polarizaciones internas y externas que la conmocionan e inhiben. Así pues, cobra una significación muy grande saber cuál será su posición ante la coyuntura crítica que México vive incluso religiosamente. Desde la etapa posterior a Puebla (1979) hasta el primer año del régimen de Miguel de la Madrid (1983), la Iglesia mexicana experimenta síntomas de una gran trascendencia en sus relaciones con el Estado y la sociedad civil. Experimenta una serie de fenómenos, virajes y transformaciones que no pueden soslayarse en una coyuntura tan trascendente: a] una redefinición de sus relaciones con el Estado y la sociedad civil; b] existe una polarización intraeclesial de gran conflictividad; c] vive los efectos de una crisis de su modelo institucional o "Iglesia de cristiandad", y d] se constata el surgimiento de un nuevo modelo institucional o "Iglesia de los pobres".

Antes de ir a los datos básicos que definen la postura y participación de la Iglesia en la crisis nacional-popular-estatal que vive México, en la complejidad de momentos sumamente contradictorios, me permitiré caracterizar rápidamente el marco general de las relaciones que históricamente se entretejen entre las crisis sociales (momentos explosivos y concentrados de lucha de clases) y el fenómeno religioso.

1. *Dificultades teóricas de la sociología de la religión*

Hasta ahora, se ha estudiado la función social de la religión y de la Iglesia desde uno de los dos polos extremos del comportamiento social de la religión y no se ha hecho en forma dialéctica (objetiva, crítica, no dogmática). Estos dos polos son el de la *legitimación* ideológica del orden existente cuando la Iglesia realiza su función de agente de conservación, y el de *deslegitimación* del orden existente cuando la Iglesia realiza su función de agente de cambio social. Las teorías de la sociología y de la historia de la religión se concentran en el estudio de uno de los dos polos —el de la legitimación— y generalizan para toda la práctica social de la religión desde ese polo, y luego lo usan como aparato teórico para imponérselo a toda la realidad de la práctica religiosa, inclusive a la que más brutalmente contradice la propia teoría.

Esto lo digo porque en México se ha generalizado la concepción sociológica (positiva, empirista, marxista) de la naturaleza conservadora del cristianismo y de su incapacidad inherente para ir al compás del desarrollo de la historia. Se concluye teóricamente la naturaleza "reaccionaria" y su incapacidad inherente para ir al compás del desarrollo histórico. Se concluye teóricamente la incapacidad de la religión y la Iglesia para realizar una función ideológica revolucionaria, esto es, de deslegitimación del sistema económico y sociopolítico establecido.

Las condiciones históricas que determinan el papel *concreto* (metafísico, reformista, o político y revolucionario) que asumirá la religión e Iglesia concretas, está determinado por la naturaleza de la crisis del modo de producción.

"Si es una mera crisis coyuntural dentro del mismo modo de producción [afirma Samuel Silva Gotay] no habrá viabilidad histórica para el cambio social, se creará una situación de 'impotencia', y la realización política de la utopía religiosa se desviará hacia el cielo, hacia después de la muerte, o hacia el fin de la historia. Pero si es una crisis definitiva de la estructura del modo de producción total, entonces habrá posibilidades de realización para la utopía sustitutiva de los cristianos (rebeldes) que niegan totalmente la sociedad vigente."[72]

En la crisis de los modos de producción, la crisis se generaliza a todos los órdenes de la sociedad, se intensifica la lucha de clases, se posibilita la creación histórica de un nuevo orden social y se genera una nueva explicación del mundo. Esto nos lo sugiere la situación de México en la que se da el fenómeno de los "cristianos revolucionarios" (CEB) que no sólo hacen que su cristianismo tome una expresión política, sino que reorganizan el entendimiento teórico de su práctica religiosa para relacionarse con la historia de transformación que está ocurriendo.

Conforme entra en crisis el sistema de dominación y se avisora la transición a una situación radicalmente distinta, la función social conservadora de la Iglesia va cambiando radicalmente a una de desligitimación. En los períodos de transición, cuando se crea una crisis ideológica en la institución, la Iglesia se divide en sectores que apoyan cada bando del cambio dependiendo de su identificación de clase. Ello nos debe llevar a una teoría sobre la "transformación de la religión" en lugar de a una teoría sobre la "desaparición" eventual de la religión. La religión predominante, como ideología

---

[72] S. Silva Gotay, *op. cit.*, p. 361.

totalizadora comparte la crisis y el proceso de renovación que la acompaña hasta su resolución histórica. En esta crisis, la agudización de la lucha de clases, revigoriza la perspectiva de clase del cristianismo.[73]

2. Redefinición de las relaciones Iglesia-Estado

Desde fines de 1942 hasta fines de 1982, la presidencia del Episcopado mexicano estuvo en manos de cuatro personas: monseñor J. Garibi Rivera (1942-1953 y 1958-1963), monseñor O. Márquez y Toriz (1953-1958 y 1963-1967), monseñor Corripio A. (1967-1972 y 1977-1982) y el cardenal J. Salazar L. (1972-1977). La escasez de documentos emitidos en este período y su carácter intraeclesial y coyuntural, pone de manifiesto las limitadas posibilidades de la Jerarquía mexicana para incorporarse y participar en la vida pública nacional.

Esta característica centralizada y silenciosa de la CEM frente al Estado y la sociedad civil, en parte debida a la diversidad de tendencias existentes, llegó a su fin con la salida del cardenal Corripio en noviembre de 1982, fecha hasta la que en el Episcopado mexicano predominaban tres posiciones:

a] Un grupo de obispos de posiciones sumamente cerradas, con una visión integrista y reaccionaria, con poca influencia, pero que es de un peso indiscutible frente a los sectores centristas de la CEM (unos 15 obispos);

b] Frente a este grupo, está el sector avanzado de la CEM, cada día más disminuido y golpeado. Está integrado básicamente por 5 obispos: Samuel Ruiz (San Cristóbal), A. Lona (Tehuantepec), J. Llaguno (Tarahumara), M. Talamás (Cd. Juárez) y P. Robalo (antiguo obispo de Zacatecas). Este grupo cuenta con más de 10 simpatizantes, pero se ha visto visiblemente disminuido con el retiro de monseñor S. Méndez Arceo (Cuernavaca) en marzo de 1983. Por diversas circunstancias, este grupo no puede considerarse como tal y su influencia también ha quedado claramente nulificada.

c] Como ninguno de los dos grupos anteriores ha logrado llevar adelante sus planteamientos, que han sido siempre neutralizados, se conformó un sector hegemónico centrista que ha logrado capitalizar la existencia polarizada de estos dos grupos y se ha fortalecido en los últimos años. Entre los principales obispos que se encuentran en esta posición y que liderean la CEM y las asambleas y comisiones

[73] *Ibid.*, pp. 362-363.

episcopales, están los dos cardenales, Corripio y Salazar, y están también los obispos E. Robles (Zamora), Torres (Toluca, ex secretario de la CEM), G. Alamilla (auxiliar de México, ex secretario de la CEM), Suárez (Tepic) y S. Obeso (Jalapa), actual presidente.[74]

Por otro lado, mientras la posición centrista de la mayoría de los obispos ha sido suficientemente comprensiva y tolerante con el sector conservador y ha coincidido con él en muchas posiciones, con respecto al sector avanzado se ha intentado una pública desligitimación (como en el caso de monseñor Méndez Arceo). Con su participación en la III CELAM de Puebla este sector se fortaleció, por eso está actualmente en perfecta consonancia con la línea que lleva adelante el CELAM, primero con monseñor A. López Trujillo y, desde marzo de 1983, con monseñor A. Quarracino, su actual presidente.[75]

Estos recambios y su correlación de fuerzas, indudablemente obedecen en cierta forma a una necesidad que la Iglesia siente de readecuarse a la situación cambiante del país y, en forma particular, a la crisis del modelo de desarrollo (del Estado, de la economía, etc.). La Iglesia institucional aspira a responder a la crisis con nuevos términos para salir robustecida.

Durante la 30a. Asamblea Plenaria de la CEM (17-19 de noviembre de 1982), el Episcopado experimentó un súbito proceso de renovación que parece corresponder a un cambio de estrategia. El presidente saliente, monseñor Corripio, hizo unas declaraciones previas a su sustitución que sin duda hablan por sí solas del proyecto político y eclesial al que apunta la Iglesia:

"[Los obispos] no hemos sabido salir del estrecho rincón jurídico en que nos encerraron porque hemos dicho: 'No vayamos a perder lo que tenemos; hay que ir poco a poco; el Estado ha sido tolerante; la Iglesia y el Estado tienen buenas relaciones; etc...' Yo no querría ofender a nadie, ni a mí mismo [declaró el cardenal], pero la Iglesia lleva en México una *vida vergonzante* de la que no hemos podido salir, y para no salir hemos inventado fórmulas de pretexto para no tener actuaciones más vitales y exigentes, más osadas y evangélicas...

"La situación del país se avisora muy conflictiva, retadora, y problemática en gran manera, y al mismo tiempo promisoria en grandes acontecimientos ordenados a la reconstrucción de la nación en todos los niveles... Sin embargo, para lograr superar esto se requiere un *cambio total* [...] es necesario gente nueva, mentalidad nueva, vida

---

[74] *Cf.* P. Arias *et al.*, *op. cit.*, pp. 99-100.
[75] *Ibid.*

nueva, proyectos nuevos y actuaciones nuevas. . ."[76]

En la coyuntura de la peor crisis económica que vivió el país al final del sexenio lopezportillista, la Iglesia mexicana experimenta los síntomas de una politización y hasta de beligerancia. La crisis de Estado nacional le exige dejar de ser la tradicional "Iglesia del silencio", y comenzar a usar el micrófono.[77]

Obviamente el "cambio total" que se anuncia no tiene mucho que ver con una transformación del catolicismo tradicional conservador. Al igual que la derecha mexicana —como bien lo señala Roger Bartra— la Iglesia "se encuentra frente al gran problema de conciliar el catolicismo conservador (hispanista, guadalupano...) con el pragmatismo liberal burgués". En otras palabras:

"Se trata de conciliar no sólo dos tipos distintos de intereses socioeconómicos, sino además dos mundos culturales diferentes e incluso opuestos [...] El catolicismo conservador y el liberalismo burgués tienen detrás de sí, respectivamente, a la Iglesia y a la clase empresarial; es evidente que los intereses de una y otra no siempre coinciden. Además, el gobierno mexicano se ha preocupado tradicionalmente por interponerse entre la Iglesia y burguesía, ha negociado siempre por separado con ambas y ha reprimido con mayor o menor severidad los intentos de conciliar en forma organizada los intereses clericales con los intereses empresariales. El resultado es que la Iglesia siempre ha preferido frenar los impulsos de las masas católicas para negociar con el gobierno; las organizaciones patronales y empresariales, igualmente, han preferido contener la agresividad política y los intereses particulares de la burguesía para tratar a nivel de cúpulas los problemas. Así, el antiestatismo de las tradiciones católica y liberal choca de frente con el comportamiento estatista de las cúpulas...

"En suma, que empresarios e Iglesia han preferido actuar como corporaciones y han desdeñado fomentar la representación de sus intereses en partidos políticos, dentro de un sistema democrático-parlamentario [...] La credibilidad de las críticas 'democráticas' de la derecha al autoritarismo gubernamental se encuentra seriamente dañada por la tradicional actitud negociadora de las cúpulas eclesiásticas y empresarial..."[78]

[76] "Los obispos afrontarán todo sin titubeos por una participación en la vida nacional", *Unomásuno*, México, 17 de noviembre de 1982.
[77] Expresión empleada acertadamente por Héctor Aguilar Camín en su artículo "La Iglesia del Silencio usa micrófono", *Unomásuno*, México, 29 de agosto de 1983, p. 2.
[78] Roger Bartra, "Viaje al centro de la derecha", en *Nexos*, núm. 64, México, abril de 1983, pp. 17 y 19.

La crisis misma ha definido aún más a la Iglesia con relación a sus relaciones con el Estado y la burguesía. Durante 1982-1983 aparecieron los viejos síntomas de un deterioro (no ruptura) en las relaciones Iglesia-Estado. La crisis económica y la nacionalización de la banca, decretada por el gobierno, desataron una intensa campaña ideológica en la que los empresarios utilizaron a otros sectores sociales. El apoyo explícito o implícito que la Iglesia proporciona a las tesis de la derecha y los empresarios, es evidente. El comunicado de la Jerarquía luego de la nacionalización de la banca, que advertía el peligro de caer en el "colectivismo" y llamaba a una "semana de oración", o la opinión del secretario general de la CEM, Genaro Alamilla ("la expropiación no es camino adecuado porque podría iniciar un proceso de estatismo radical"), no dejan lugar a la sospecha.[79] Este tipo de opiniones hallan campo fértil en los creyentes y muestran hasta qué nivel existe una muy integrada identificación entre la Iglesia jerárquica y la burguesía. El nivel de cooperación ha sido profundo y ha llevado a la Iglesia jerárquica a reformular sus tradicionales relaciones con el Estado. Las palabras de monseñor Corripio, así pues, no son circunstanciales.

Una voz disidente salió en defensa de la nacionalización bancaria como un medio para comenzar a resolver la crisis económica en su profundidad. La de monseñor Méndez Arceo:

"Yo me he expresado con toda claridad: no había otra salida. Como medida enraizada en nuestra historia, hacía tiempo que debería haberse tomado, sin las presiones de la crisis. La nacionalización bancaria tiene un significado más profundo que la misma nacionalización del petróleo; pues las finanzas constituyen el corazón del capitalismo y como tales han venido evolucionando..."[80]

Con la elección de Sergio Obeso R. (arzobispo de Jalapa) como presidente de la CEM (18 de noviembre de 1982) y sus primeras declaraciones, se confirmó este proceso de derechización institucional de la Iglesia, tendiente a conformar un Episcopado combativo, decidido a cortar los elementos de disidencia interna y a conseguir una colaboración jurídicamente instituida con el Estado (con ventajas para la Iglesia). En sus primeras declaraciones, Obeso estableció el propósito de la CEM: "La Iglesia usará todo su poder moral para cambiar la situación de México", en concreto, se "buscará reformar

[79] *Cf. Proceso*, núm. 307, México, 20 de septiembre de 1982, cit., por R. Bartra, *op. cit.*, p. 29.

[80] Cit. por Cayetano de Lella, "Entrevista con Méndez Arceo", en *Los Universitarios*, núm. 205, México, Difusión Cultural, UNAM, diciembre de 1982, p. 41.

la Constitución si ello es necesario para conseguir la personalidad jurídica de la Iglesia", y especificó que en las relaciones Iglesia-Estado "ha habido agresiones y mal trato mutuo, aunque no se puede decir que los interlocutores de ambos lados han estado totalmente cerrados".[81]

Así pues, la Iglesia institucional pretende recuperar su poder histórico por medio de una reformulación jurídica de sus relaciones con el Estado y reforzando (e incluso ampliando) sus inocultables vínculos con la burguesía. Lejos de pretender transformar el catolicismo tradicional en un cristianismo revolucionario (para lo que tendría que vincularse efectivamente al pueblo), la Jerarquía simplemente busca conquistar un lugar más definido (y ventajoso) en el esquema del poder político-económico para su reproducción y consolidación institucional. Varios hechos ponen de manifiesto esta nueva orientación política del Episcopado, que el arzobispo de Hermosillo, C. Quintero Arce, gusta de llamar la "vía polaca": volver a la Iglesia un centro independiente de organización y movilización de la sociedad, una vía nacional alternativa a la organización política vigente. Estos síntomas de politización y beligerancia de la Jerarquía han crecido, sin duda, desde la llegada de Juan Pablo II a la silla vaticana.

Los triunfos de la oposición electoral de derecha (PAN y PDM, partidos de origen católico, empresarial y sinarquista) en las capitales de Sonora, Guanajuato, San Luis Potosí y Chihuahua, con el inocultable apoyo ideológico de la derecha clerical, manifiestan que el ministerio episcopal de la prudencia (iniciada en las décadas gradualistas de monseñor Luis María Martínez: 1937-1956) está en proceso de agotamiento.

Los conceptos fundamentales del "Plan orgánico de trabajo pastoral de la Conferencia del Episcopado Mexicano, 1983-1985", dado a conocer el 25 de agosto de 1983, refrenda plenamente este proceso. Sus críticas de orden político: "ha aumentado desmesuradamente la concentración de poder por parte del Estado", lo cual "inhibe la participación de la sociedad en la vida política [y] genera el descrédito del sistema político mexicano"; y de orden económico: "inoperancia del modelo de desarrollo [y] agudización de la injusta distribución de la riqueza, descapitalización del campo, explotación de las clases pobres y mayoritarias", etc., son otra muestra del rumbo ("vía polaca") de la evangelización que la CEM ha diseñado "en el momento

---

[81] "Todo el peso de la Iglesia, para hacer justicia", *Unomásuno*, México, 19 de noviembre de 1982, pp. 1 y 4.

histórico que vive el país" con el fin de asegurar una "presencia activa de la Iglesia". La Iglesia mexicana ha entrado a una nueva etapa de definición y participación política poniendo el acento en sus tradiciones oposicionistas, a saber: fuerte liderato de Roma y del CELAM, distanciamiento explícito del gobierno y movilización social independiente, tradiciones que la caracterizaron en épocas claves como la Reforma o la lucha cristera. Nada sueña en los documentos y las actitudes de los obispos a la Iglesia de la colaboración y la tolerancia. La crisis misma ha reformulado a una institución tradicional del sistema.

Naturalmente, para la Iglesia misma el viraje no existe en estos términos. Innumerables declaraciones de la más alta jerarquía muestran palpablemente la tan acostumbrada ideologización con que oculta sus posiciones políticas. El delegado apostólico, monseñor Alamilla y, muy particularmente, monseñor Quintero Arce, insisten en que "la crisis es superable", que "no es hora de culpar a nadie", que "por el bien de todos, obreros y empresarios deben perdonarse", que urge "evangelizar los poderes políticos, militares y económicos", que "no es vergonzante ser cristiano", que "la Iglesia no está dividida", que "no apoya a ningún partido y está por encima de la política", etc. La Iglesia dice no buscar poder político, "sólo caminos espirituales", y asegura no aceptar "presiones ideológicas para definir su posición ante la problemática mundial".[82]

Sin embargo, la Jerarquía presiona, se mueve, actúa a diferentes y con distintos frentes. No actúa sola. A fines de mayo de 1983, Quintero Arce es denunciado por la CTM y varios partidos opositores y los ejidatarios del Mayo y el Yaqui, Sonora, por haber participado en una oscura reunión con el candidato panista a la presidencia municipal de Hermosillo y el cónsul estadunidense en el estado. El PRI calificó la reunión de "incidente menor", sin embargo varios sectores campesinos acusaron al arzobispo de aparecer como "cabecilla de los que alguna vez trajeron a Maximiliano" y como defensor de las clases propietarias y grupos conservadores de la región. El arzobispo apareció como ariete ideológico de los latifundistas expropiados en 1976 por el entonces presidente Echeverría, cuando afirmó: "hay que quitar ya ese marbete. Los empresarios y mucho menos el obispo están contra el pueblo. No somos reaccionarios, ni derechistas" (*El Sonorense*, 23 de mayo de 1983). Sus constantes reclamos a la reformulación del artículo 130 constitucional y el cli-

---

[82] *Excélsior*, México, 16-17 de abril de 1983; *Unomásuno*, México, 14 de diciembre de 1982, p. 4, 19-20 de abril de 1982.

ma de las reacciones desencadenadas, obligaron al presidente Miguel de la Madrid a pronunciarse durante una gira por Sonora: "El PRI no soltará a otras manos el destino del país [...] somos herederos de los liberales del siglo XIX que rechazaron que el destino del pueblo de México pudiera ponerse bajo la tutela de una potencia extranjera."[83]

3. *Polarización y conflictividad intraeclesial*

Otro de los datos básicos que manifiestan lo que ocurre en la Iglesia institucional es el recrudecimiento de los conflictos y enfrentamientos internos a todos los niveles. La combatividad de la Jerarquía en cuanto representante eclesiástico por antonomasia se manifiesta con mucho más fuerza hacia dentro, es decir hacia los sectores que la conforman internamente, cuando se pone en cuestión su modelo de reproducción y su línea de actuación.

La evolución en el manejo de los conflictos, multiplicados en los últimos 15 años, muestra hasta dónde se reproduce la crisis social en su institucionalidad. Los conflictos de los años sesenta (CIDOC, Lemercier, UMAE, STM, CNL, CENCOS, SSM, JOC, JAC, etc.), planteados como "de autoridad" y los conflictos de los setenta (CPS, SPP, Iglesia Solidaria, CIRM, Colima, Torreón, Querétaro, Tula, Nezahualcóyotl, Aguascalientes, etc.), planteados como "de línea", muestran palpablemente la incidencia de fuertes factores internos.

"Estos conflictos de línea y autoridad [escriben P. Arias, A. Castillo y C. López] se inscriben dentro de la doble alternativa de opciones en el nivel mundial. Mientras que, hace 50 años, parecía imposible pensar una existencia cristiana en un régimen de caracteres socialistas, ahora por lo contrario piensan algunos que estos regímenes posibilitan más esa existencia. La polarización por tanto, se agudiza cuando las alternativas al sistema actual ganan adeptos. Los grupos cristianos que optan por una lucha en favor de una alternativa socialista, visualizan allí un espacio más adecuado para vivir como cristianos. Esa opción se va traduciendo en pequeñas acciones: participación con grupos no cristianos, incorporación a luchas populares, elaboración de instrumental teórico. Son estas acciones las que generan y provocan propiamente el conflicto durante los últimos años. Ahora bien, el conflicto que engendra la

[83] *Unomásuno,* México 29 de mayo de 1983; 4 de agosto de 1983, p. 6; 18 de junio de 1983, p. 4; 25 de mayo de 1983, p. 6, y 27 de mayo de 1983, p. 3.

nueva práctica de estos grupos cristianos asume múltiples modalidades."[84]

Estas modalidades, sin embargo, se juegan en el interior de una institución vertical, autoritaria, dogmática que ha hecho ya múltiples esfuerzos por reducir los espacios y ámbitos de diálogo y negociación. Consolidada por la represión, la Jerarquía desecha el camino del diálogo pues pocas veces logra reducir la disidencia. Tengamos en cuenta que la represión jerárquica durante la década pasada tuvo como efecto la casi nulificación de movimientos laicos dinámicos, que hoy mantienen una raquítica presencia dentro de la actividad eclesial.

El conflicto no sólo ha sido generado por el control autoritario de la disidencia, también por el silencio de las autoridades eclesiásticas ante situaciones que afectan directamente a miembros activos de la Iglesia (el caso de los padres Escamilla y Aguilar, Ríobamba, etcétera).

Al contrario de los grupos que sostienen posiciones integristas en lo religioso y conservadoras en lo político (que cuentan con un sólido espacio institucional), los grupos cristianos en favor de un cambio de estructuras, han sido y siguen siendo blanco preferido de la institución. Frente a la represión de la Iglesia institucional aparece una reacción débil, inorgánica, que busca el diálogo, que evita el conflicto y es respetuosa y poco agresiva con la autoridad. Obviamente, la correlación de fuerzas que está desbalanceada en el interior de la Iglesia, no va a cambiar en forma sustancial mientras la correlación de fuerzas en la sociedad global no se transforme cualitativamente. La posibilidad de que estos grupos adquieran mayor fuerza no depende sólo de ellos mismos, sino principalmente de las fuerzas sociales que actúan dentro de la sociedad global. Como hemos visto antes, hoy por hoy parece prevalecer la tendencia histórica que apunta a una derechización de la sociedad civil y el Estado, incluida la Iglesia. Sin embargo, esto no sucede en el "vacío social". La conflictividad atraviesa —como efecto de la crisis— a la Iglesia.

Por citar los síntomas más significativos de esta tensión permanente, tenemos varios hechos demostrativos: las posiciones opuestas que ha suscitado la lucha revolucionaria de Centroamérica en los cristianos (sacerdotes, obispos y comunidades), el control ideológico que la Jerarquía ejerce sobre los centros independientes y oficiales de formación teológica y social, las reacciones que suscitó la renuncia del obispo de Cuernavaca y el cambio de poderes, y sobre

[84] P. Arias *et al.*, *op. cit.*, p. 104.

todo, la coyuntura electoral de julio de 1982 y abril-agosto de 1983.

En cuanto a la *crisis centroamericana* y sus efectos en la Iglesia mexicana las contradicciones son evidentes. Las posiciones opuestas de monseñor Corripio y monseñor Méndez Arceo a su regreso del violento sepelio del arzobispo de San Salvador (30 de marzo de 1980); las declaraciones de Méndez Arceo y monseñor Genaro Alamilla luego de sus visitas a Nicaragua; las tímidas acciones del Arzobispado de México y la decidida solidaridad mostrada por los obispos de la región Pacífico Sur con los cerca de 100 000 refugiados guatemaltecos en Chiapas; la política de contrainsurgencia ideológica desatada por el CELAM contra toda participación de lo cristiano en la lucha y la solidaria preocupación de las CEB, la CLAR y la TL en favor de un cambio social penetrado de valores cristianos en Centroamérica y las interpretaciones y reacciones opuestas de la reciente visita papal a Centroamérica (2-9 de marzo de 1983), son pruebas que muestran posiciones políticas y cristianas en tensión y enfrentamiento continuo.[85]

El impacto del proceso centroamericano en la Iglesia de México ha sido enorme y decisivo en la definición de la lucha interna institucional. Tal es el sentido de la carta enviada al Papa con motivo de su visita a Centroamérica firmada por un centenar de teólogos y sacerdotes de México (4 de marzo de 1983):

"Somos herederos de la primera revolución social del mundo que, con el sacrificio de más de 1 millón de compatriotas muertos, buscó la justicia social para todos. Hoy los más críticos de nuestro sistema reconocer con razón haber frustrado sus objetivos. La hemos dejado empantanar en los 'mecanismos materialistas' del capitalismo.

"Nuestra Iglesia no está exenta de culpabilidad en ello. Contribuyó a la frustración de nuestra revolución por temor al comunismo. El futuro de nuestros pueblos latinoamericanos se juega en Nicaragua, porque allí se juega la posibilidad de un modelo de desarrollo autónomo, se juega allí la posibilidad de una Iglesia comprometida y participante en la búsqueda de un proyecto propio del pueblo.

"México, basado en su propia lucha histórica, nacionalista, anti-

[85] *Cf. Boletín Pueblo*, núm. 90, México, enero de 1980, pp. 11-12; *Proceso*, núm. 323, enero de 1983, p. 15; "Comunicado de algunos obispos de la región Pacífico Sur" (refugiados guatemaltecos en Chiapas), en *Pueblo*, marzo de 1982, pp. 6-9. *Cf.* documento "Vivir cristianamente el compromiso político", Pinotepa Nacional, Oax., 19 de marzo de 1982, especialmente el núm. 137, cit. en *Christus*, núm. 558, México, CRT, septiembre de 1982, pp. 40-41. *Cf.* también el "Informe del Celam sobre América Central", Panamá, 5 de febrero de 1982 (mimeo.).

colonialista y antiimperialista, ha tomado oficialmente una posición activa y solidaria con los pueblos centroamericanos que buscan su liberación. . ."[86]

En esta lucha el Vaticano no es ajeno, su violento ataque al marxismo del 22 de julio de 1983, aparecido en el diario *L'Osservatore Romano*, que describe al marxismo como "un desafío mortal para la humanidad en todas partes", se inscriben en un intento por desligitimar precisamente el proyecto cristiano y revolucionario de los pueblos centroamericanos.[87]

En cuanto al *control ideológico* que la Jerarquía ejerce sobre los centros oficiales e independientes de reflexión y formación religiosa, basta con ver lo que ha ocurrido con ellos en la capital del país. En 1982 es cerrado el ISEE (Instituto Superior de Estudios Eclesiásticos), que durante 15 años fue uno de los principales centros de formación filosófico-teológica de los sacerdotes del país, pues en él confluían los mejores maestros del clero religioso y del clero secular y unos 350 estudiantes al año. Para acabar con él, la Arquidiócesis de México fundó el IFSAM (Instituto de Formación Sacerdotal de la Arquidiócesis de México), donde se integró una estructura vertical de dirección y control ideológico, que vino a marginar a los maestros no plegados a las posiciones oficiales de la Jerarquía. En la misma línea se inscribe la reaparición de la Universidad Pontificia de México (UPM) en 1982, un nuevo instrumento en manos del sector conservador cuyo propósito no es otro que centralizar y controlar la formación de sacerdotes reproductores del modelo eclesial (y social) prevaleciente:[88] ni de derecha ni de izquierda.

Otro aspecto de este control que se cierra contra toda disidencia y que tensiona a los grupos cristianos favorables al cambio, es el fortalecimiento del sector antiliberación en el interior de la Iglesia.[89] Al marginar y excluir a los sectores potencialmente críticos, se reducen gradualmente los ámbitos de diálogo, decisión y negociación —de índole ideológico— que sobreviven a la derechización de la Iglesia y la sociedad civil. Tal es el caso de las presiones que sufren,

[86] "Sacerdotes y teólogos de México: a S. S. Juan Pablo II, a propósito de la carta de los obispos de Nicaragua", México, 3 de noviembre de 1982, cit. en *Servir*, núm. 100, Jalapa, Ver., 1982, p. 595.

[87] "Violento ataque vaticano al marxismo", *Unomásuno*, México, 23 de julio de 1983, p. 13.

[88] Sobre la UPM se cuenta con pocos datos de dominio público, excepto el problema financiero muy grave por el que pasa y que obligó al cardenal Corripio a ir a Europa a recaudar fondos. Cf. Declaraciones del rector J Medina a *Excélsior*, 2 de agosto de 1983, pp. 1 y 10.

[89] *Cf.* P. Arias *et al., op. cit.,* p. 125.

desde dentro y fuera de la Iglesia, los centros independientes de reflexión y formación teológica y filosófica (no controlados totalmente por la Jerarquía) : el Centro de Estudios Ecuménicos (CEE), el Centro de Reflexión Teológica (CRT), la Universidad Iberoamericana (UIA), el Instituto Teológico de Estudios Superiores (ITES), y el Centro de Estudios Sociopolíticos y Eclesiales Antonio de Montesinos (CAM), a donde concurren centenares de sacerdotes, religiosas y comunidades de laicos que ubican su trabajo sociorreligioso en los medios populares.[90]

Con la *renuncia de monseñor Méndez Arceo* al obispado de Cuernavaca (Morelos), y la entrega de su diócesis a su sucesor, monseñor Juan Jesús Posadas (15 de marzo de 1983) se introduce —independientemente de los aspectos canónico-legales del caso— un nuevo factor de conflictividad eclesial. Su retiro significa —así fue tomado por muchos— la anulación de una postura episcopal crítica, valiente e independiente. Reacio al autoritarismo y al dogmatismo eclesiástico, Méndez Arceo representa como pocos al obispo que "transita seguramente desde el pastor preconciliar —cima de la pirámide jerárquica—, hasta el obispo posconciliar —servidor de un conjunto de comunidades—", que en lugar de aprender a situarse en el "pedestal propio de los dominadores de este mundo", se situó "entre los fieles de su Iglesia, especialmente entre los más necesitados y humillados".[91]

A lo largo de tres décadas, el obispo de Cuernavaca cimbró a la Iglesia y a la religiosidad mexicanas, introduciendo un cambio importante en el comportamiento tradicional del catolicismo nacional. La conservadora Iglesia mexicana era una Iglesia muda. Y sin embargo, con su actuación pastoral y política abierta al diálogo y al cuestionamiento, Méndez Arceo mostró un poco de lo subversivo que hay en el cristianismo.[92] Horrorizado ante la mera posibilidad de guardar silencio en la Iglesia, el obispo "rojo" amigo de los ex presidentes Cárdenas y Echeverría, solidario universal de los procesos liberadores y revolucionarios, se apoyó siempre en el Evangelio y en su compromiso de fidelidad a la causa del pueblo pobre y explo-

[90] Estos centros se caracterizan por la difusión de reflexiones y análisis teológicos críticos e interdisciplinarios abiertos a las corrientes de pensamiento científico latinoamericano.

[91] "Homenaje a Don Sergio", en *Servir*, núm. 99, Jalapa, Ver., pp. 299-300. Véase, además, M. García, "Cuando la conversión de Méndez Arceo se hizo palabra, la Iglesia mexicana salió de su mudez", *Proceso*, núm. 323, México, 10 de enero de 1983, pp. 12-13.

[92] *Ibid.*, p. 15.

tado para vivir un proceso de cambio (conversión, decía él) continuo. Tal actitud lo llevaría a tomar decisiones como el "Decreto de excomunión para los torturadores en el estado de Morelos" (17 de abril de 1981), que quiso ser una enérgica reafirmación de la dignidad del hombre.

Su último año de obispado no pudo ser más difícil. Sobre la discusión establecida entre el PSUM y el cardenal Corripio a propósito de la participación de los cristianos en la lid electoral de julio de 1982, reafirmó la compatibilidad del marxismo y el cristianismo en el servicio a la liberación del hombre: "Creo que según las plataformas políticas [afirmó] se puede votar por un partido marxista y que, más aún, en la variedad dialéctica del pensamiento marxista, se puede ser católico fiel a Jesucristo y marxista. . ."[93]

Al acercarse la fecha de su retiro y jubilación, la diócesis de Cuernavaca realizó su II Jornada de Pastoral (29 de abril de 1982) para celebrar el XXX aniversario de su ordenación episcopal, siendo visitado por obispos de todo el continente.[94] Sin embargo, la ceremonia de sucesión se transformó —en presencia de 40 obispos y 200 sacerdotes— en una jornada triste, marcada fuertemente por la tensión. Con la llegada de monseñor Posadas y la presencia del grupo de choque "Movimiento Universitario Católico 'Semper Fidelis' ", sucesor de la agrupación ultraderechista MURO, comenzó el retroceso de Cuernavaca. La presencia del delegado apostólico, G. Prigione, que se encargó de recordar la ortodoxia y repetir las palabras del Papa en Centroamérica contra la "Iglesia popular", son sólo una muestra superficial del conflicto que todavía sigue.[95]

Pocos acontecimientos eclesiales han adquirido un nivel de conflictividad más alta como la participación de la Iglesia en la *coyuntura electoral de 1982*. Los conflictos suscitados en esta etapa se han prolongado durante 1983, y se enmarcan en un momento crítico en que las estructuras de la sociedad mexicana están en un punto mínimo de legitimidad (no sólo el gobierno, sino el sistema político entero). En la coyuntura que se alude todo se resuelve en la lucha de los aparatos hegemónicos y los incipientes aparatos de contrahegemonía, lejos de la impugnación de las bases subalternas.

"Los partidos políticos del bloque histórico (PRI-PARM-PAN-PDM)

[93] *Ibid.*
[94] "Llama Méndez Arceo, a buscar caminos de liberación", *Unomásuno*, México, 2 de mayo de 1982, p. 4; "Homenaje a Don Sergio. . .", *Servir*, *op. cit.*, pp. 296. 351 y 419-422.
[95] Carlos Fazio, "La Iglesia anticomunista empieza a desplazar a la de los pobres", *Proceso*, núm. 333, México, 21 de marzo de 1983, pp. 18-22.

[escribe Carlos Ruiz S.] se alinearon a los designios del poder del Estado central y marcaron al unísono la línea: nula cabida al incremento de fuerza de la oposición. A ello se adhirieron los medios de comunicación monopólicos y la Iglesia oficial. En concreto, el consorcio Televisa boicoteó la difusión de los programas televisivos de la oposición en el horario fijado y difundió sobremanera la campaña de MMH (Azcárraga aceptó lacónicamente ser del PRI). De esta manera, los interlocutores del PSUM, pasaron a ser la Iglesia jerárquica, Televisa y el PRI...

"A nivel global la campaña electoral discurrió bajo la ausencia de una base social —ausencia de la subalternidad— conformada por una participación auténtica [...] Al teatro del Estado y su partido se añadió que la Jerarquía eclesiástica y el sector privado se convirtieron en los más vivos agentes del voto. Sin embargo, en esa teatralidad, la Consulta Popular cumplió su función: darle a la ficción el carácter de hecho...

"La estrategia particular del PRI fue revitalizar sus cuadros y auxiliares de mercadotecnia. Además utilizó el dispositivo cultural del anticomunismo, a nivel de su discurso, presentándose como un partido de la clase media ya que la CNOP obtuvo más del 50% de las candidaturas."[96]

Como se deduce del análisis anterior, la Iglesia trata de que su participación política alcance una posición favorable al "centrismo derechista" y contraria a los partidos de izquierda.[97] Por su parte, el PSUM (ex PCM) vive una etapa de intensos replanteamientos de su posición política frente a la religión y los cristianos, en parte debida a la creciente impugnación que los grupos de la Iglesia favorable a los pobres hacen del sistema. Desde el inicio mismo del proceso de reforma política en 1977, el PCM expresó su convicción de que la libertad política debería incluir a los ministros de los diferentes cultos en lo individual.[98] El debate de esta cuestión dio oportunidad a la Iglesia jerárquica de replantear y replantearse su papel político en la sociedad. En su asamblea del 14 de abril de 1981, la CEM definió como su estrategia participar activamente en política "sin vulnerar las leyes que nos rigen". Los obispos afirmaron que la

---

[96] Carlos Ruiz Sahagún, "Los partidos políticos y las culturas populares", en *Publicaciones de C. de la Comunicación"*, Guadalajara, Jal., ITESO, núm. 9, noviembre de 1982, pp. 49-51.

[97] O. Granados R., *op. cit.*, pp. 54-56.

[98] *Cf. Reforma Política,* gaceta informativa de la Comisión Federal Electoral, tomo I, Audiencias públicas, México, abril-agosto de 1977, pp. 130, 138-139.

Iglesia no tenía interés alguno en participar en la política partidista, pero que aspiraban a que el Estado le diera a la Iglesia reconocimiento jurídico reformando la legislación correspondiente.[99]

En 1981 el ex PCM hacía patente la militancia de los cristianos en su seno, la existencia de un sector progresista en la Iglesia, y la evolución del marxismo en el tratamiento de la cuestión religiosa. Entonces pidió la modificación del artículo 130 de la Constitución, en términos favorables a los individuos y no a la institución eclesial. Para él tanto el clero como el ejército y las universidades deben integrarse al cambio democrático y socialista del país.[100] La política de conquista del voto cristiano —error táctico— le valió al PSUM ataques del Episcopado, que llevaron al escenario la clásica contienda cristianismo-comunismo.

El documento "Cristianos a votar por el PSUM, a luchar unidos",[101] se transformó en una gresca y en una prohibición eclesiástica de votar por el mismo por ser contrario a la "fe cristiana". El aparato eclesiástico oficial movió bien las teclas del sustrato religioso (católico y guadalupano) del pueblo, y se puso como agente al servicio del Estado y no sólo de los partidos de derecha como el PAN y el PDM, que aumentaron sustancialmente sus votos en favor.[102]

El 9 de septiembre de 1981 el Consejo Episcopal de la CEM emitió un "Mensaje al pueblo de México sobre el próximo proceso electoral", donde se establece que la Iglesia católica no tiene partido propio, con ninguno se compromete y respeta plenamente el sano pluralismo en el juego democrático de los partidos: "Los católicos son libres en el juego democrático de los partidos. Los católicos son libres en sus opciones políticas, sin más límite que las exigencias de la fe y los principios del Evangelio."[103]

En abierta contradicción con este documento episcopal, el entonces secretario de la CEM, monseñor Alamilla, acusó al PSUM de violar las leyes por "servirse del lenguaje cristiano y de textos católicos para hacer propaganda",[104] lo que calificó de deshonesto y

[99] *Excélsior*, México, 14, 16 y 18 de abril de 1980.

[100] C. Ruiz S., *op. cit.*, p. 62.

[101] PSUM, "A luchar unidos", en *Christus*, núm. 558, México, CRT, 1982, pp. 17-20.

[102] *Excélsior*, México, 3 de agosto de 1982. En los comicios federales de julio de 1982 el PAN alcanzó el 16.4% de la votación total y obtuvo más del 22% en 6 estados.

[103] *Cf. Christus*, núm. 558, México, CRT, septiembre de 1982, pp. 13-16; M. A. Granados Chapa, columna "Plaza pública", *Unomásuno*, México 17-18 de mayo de 1982, p. 4.

[104] *Ibid.*

contrario al artículo 130 constitucional y al artículo 25 de la LOPPE.[105] Luego, hizo un llamado "a estrechar filas en torno al ejecutivo", pues "el marxismo-leninismo se frota las manos ante nuestros poblemas y fomenta el desorden, las protestas violentas, a fin de implantar por todos los medios posibles al terrorismo" *(La Prensa,* 28 de abril de 1982). El franco tono de enfrentamiento político-ideológico entre la izquierda partidaria y la Jerarquía eclesiástica adquirió los visos de un conflicto. El PSUM invita inútilmente a un diálogo abierto entre la Jerarquía y la dirección del PSUM para discutir los problemas ideológicos entre ambas doctrinas, señalando que la LOPPE señala su facultad "de dirigirse al pueblo de cualquier credo".[106] El PSUM afirma no promover el ateísmo ni la lucha contra la religión; recuerda que los cristianos no pueden apoyar al capitalismo, repetidamente condenado por la Iglesia, y reconoce que los cristianos no están al margen del compromiso político, reafirmando los 14 puntos de su documento oficial.[107]

En abierta contradicción con el documento episcopal normativo aprobado por la CEM, el cardenal E. Corripio A. y sus obispos auxiliares de la Arquidiócesis de México, se manifestaron abiertamente contra el PSUM en un folleto distribuido en los templos de la capital: "¿Cristianos por un partido marxista?" Responde abiertamente que no y advierte a los cristianos los peligros de votar por los partidos de ideología marxista, porque —según ellos— "votar por un partido marxista es contrario a la fe cristiana, que enseña que los que no creen ya están condenados", concluyendo que el "marxismo es intrínsecamente perverso".[108]

En apoyo de la cruzada anticomunista —se repartieron 10 millones de ejemplares—, vinieron las declaraciones del delegado apostólico, G. Prigione: "un marxista convencido no puede ser cristiano, al igual que el cristiano tampoco puede ser marxista, porque esta ideología va en contra de Dios".[109]

La polémica PSUM-Arquidiócesis de México, marxismo cristianismo cumplió básicamente el objetivo de la derecha eclesiástica y política (satanizar al PSUM), quedando de manifiesto su adhesión al régimen político. El debate incluso penetró en la Cámara de Di-

[105] *Unomásuno,* México, 12 de abril de 1982, p. 3.
[106] *Unomásuno,* México, 13 de abril de 1982, p. 5.
[107] PSUM, "A luchar...", en *op. cit.*
[108] *Christus,* núm. 558, México, 1982, pp. 21-24, y *Unomásuno,* 4 de mayo de 1982, p. 2.
[109] *Unomásuno,* México, 11 de mayo de 1982, pp. 1 y 4; 26 de mayo de 1982, p. 2.

putados, donde algunos legisladores propusieron hacer reformas al artículo 130 constitucional. Don Sergio Méndez Arceo, señaló que el tema debatido (marxismo-cristianismo) había sido desviado hacia un conflicto Iglesia-Estado.[110]

Finalmente, fueron dos los documentos que centraron el debate. Uno proveniente de los obispos de la región Pacífico Sur y, otro, de un grupo de cristianos de México. Aparecido bajo el título "Vivir cristianamente el compromiso político" (19 de marzo de 1982), el documento episcopal establece una posición teológica y política que por su originalidad y fundamentación mantiene abiertas las puertas a la militancia de los cristianos en los partidos de izquierda bajo ciertas condiciones:

"No porque algunos partidos hayan nacido de ideas falsas y anticristianas, de la misma manera han de ser falsas y anticristianas las gentes y los programas de esos partidos [...] por lo contrario, bajo un lenguaje ajeno a la fe se podrían estar llevando a la práctica acciones que en el fondo son cristianas. Siempre nos será necesario leer los hechos políticos a partir del Evangelio y no al contrario..."[111]

En continuidad con lo anterior, apareció un segundo documento: "Los cristianos en la coyuntura electoral: desde la opción por los pobres" (15 de junio de 1982), firmado por el CAM, el CEE, Mujeres para el Diálogo y el Centro de Información y Documentación "Pedro Velázquez" (CISPV). Este documento, concebido como "guía de reflexión y estudio para grupos y agentes cristianos que trabajan en bases populares", hizo un reconocimiento explícito de la izquierda como alternativa viable en aquella coyuntura nacional, caracterizada por la crisis económica internacional, sus repercusiones, y el avance de nuevas fuerzas populares en México.[112]

La coyuntura crítica que vivía el país, pone en evidencia —como se ve en lo anterior— no sólo en presencia de la crisis misma en la institución Iglesia (en los conflictos), sino algo más importante: el resquebrajamiento del papel político y social de la Iglesia. Ramón Kuri pone el dedo en la llaga:

"Si aceptamos que la Iglesia católica ha jugado un papel impor-

[110] *Unomásuno*, México, 17 y 24 de mayo de 1982, pp. 1 y 4.

[111] Obispos de la región Pacífico Sur, "Vivir cristianamente...", *op. cit.*, pp. 25-41.

[112] "Cristianos en la coyuntura actual: desde la opción por los pobres", en *Christus*, núm. 558, México, CRT, septiembre de 1982, pp. 45-55, y en el suplemento Página Uno de *Unomásuno*, México, 20 de junio de 1982, p. 5. *Cf.*, además, M. Concha, "Opción por los pobres y elecciones", *Unomásuno*, México, 21 de junio de 1982, p. 3.

tante dentro de una estructura de dominación, al constituirse en pilar ideológico para el mantenimiento del 'orden establecido', entonces las contrapuestas declaraciones de Corripio Ahumada y de los obispos del sureste (S. Ruiz, A. Lona, etc.) destinadas a trazar las líneas pastorales centrales de la Iglesia mexicana, se tornan de por sí importantes... El clima creado antes de las elecciones de julio de este año [1982], refleja los intentos reaccionarios por lograr la neutralización de los sectores objetivamente afectados por el modelo económico de desarrollo, absolutamente concentrador y excluyente... La realidad actual encuentra a Corripio A. y sus seguidores, sociológicamente desprevenidos, evangélicamente desubicados y políticamente subdesarrollados. Vaticano II, Medellín, Puebla han venido y han encontrado a la Iglesia y a la mayoría de los cristianos mexicanos en posiciones de fuga, evasión, marginación y enquistamiento. Esto no debe ocurrirles a las Iglesias ni a los cristianos de los demás países del continente. Pero sí nos ocurre en México, aunque ya no nos sirva de justificación y ninguno de nosotros, cristianos o no, puede sentirse exento de responsabilidad por la situación de atraso espantoso que padece la Iglesia mexicana cualquiera que sea su grado de participación y su papel dentro de la institución eclesiástica..."[113]

4. Crisis de la Iglesia de cristiandad y surgimiento de una Iglesia de los pobres

No tenemos aquí el espacio para realizar un análisis más detallado, pero podemos afirmar que la Iglesia mexicana —al participar de una institucionalidad que rebasa los ámbitos nacionales—, también participa de la crisis histórica que la Iglesia latinoamericana vive en su interior por el agotamiento del sistema de dominación (muy particularmente en sus proximidades, en América Central). Los años 1959-1979 tienen un carácter de etapa *inicial* de una historia que ya lleva 5 siglos. Como en toda etapa inicial la Iglesia mexicana vive un doble proceso: por un lado, un proceso de agotamiento, de crisis y de destrucción de lo antiguo, y por otro lado, un proceso de gestación y nacimiento de algo nuevo. Así entre 1959-1979 la Iglesia institucional vive simultáneamente la crisis de un cierto tipo de Iglesia, la Iglesia de Cristiandad, y vive también el nacimiento de un nuevo tipo de Iglesia, la llamada "Iglesia popular", integrada por cristianos políticamente comprometidos con las luchas popula-

[113] R. Kuri, *op. cit.*, p. 5.

res contra el sistema capitalista y contra la cristiandad y neocristiandad surgidas en su seno.

Se trata de tres procesos vitales que afectan profundamente la vida de la Iglesia mexicana y latinoamericana:

"a] La crisis del sistema capitalista, que es la base socio-política del régimen de neo-cristiandad, implica necesariamente la crisis de este modelo de Iglesia, que es la Iglesia mayoritaria y dominante en el país y el continente.

"b] La reactivación del movimiento popular obrero-campesino (en México a partir del 68; en A. L. a partir de 1959), como consecuencia del quiebre del populismo y del modelo desarrollista, ha venido conquistando progresivamente la base popular de la Iglesia mexicana y latinoamericana. Esta base popular cristiana se va integrando al movimiento obrero-campesino-popular, rompiendo política e ideológicamente con el bloque burgués dominante.

"c] El surgimiento de un nuevo modelo de dominación que emerge en la medida que se radicalizan los dos procesos anteriores, entra en contradicción y creciente conflicto con la Iglesia jerárquica. La Iglesia mexicana critica al capitalismo dependiente por sus excesos, pero nunca por su esencia y defiende su autonomía como Iglesia frente a un régimen político-social cuestionado y desacreditado por la crisis misma y sus propios errores históricos. Todo esto es motivo de conflicto entre la Iglesia institucional y el nuevo modelo de dominación (que no es sino un replanteamiento del modelo anterior en crisis estructural irreversible)."[114]

En los tres procesos vitales anteriores es preciso hacer algunas matizaciones, sobre todo, por las dificultades que experimentan los lectores no familiarizados con la terminología cristiana. Lo primero, es que la llamada cristiandad no define a la Iglesia en cuanto tal, sino que define un *modelo* históricamente dado de Iglesia, un *modo* concreto de ser Iglesia en un tiempo y espacio determinados como el de México.

"La estructura fundamental —el eje constitutivo— de la cristiandad [afirma Pablo Richard] es la relación de la Iglesia jerárquica (obispos, delegación apostólica, Roma) con el poder dominante. La Iglesia utiliza ese poder en dos sentidos: hacia fuera, como mediación de su proyecto misionero, y hacia adentro, reproduciendo en sus estrucutras internas los mecanismos de dominación del sistema. La Iglesia de la cristiandad busca utilizar *todas* las estructuras eco-

---

[114] *Cf.* P. Richard, *La Iglesia latinoamericana entre el temor y la esperanza*, San José, DEI, 1980, pp. 63-64.

nómicas, sociales, jurídicas, políticas, culturales y religiosas del sistema dominante, para asegurar su presencia 'cristianizadora' en la sociedad en su conjunto...

"El régimen de cristiandad construyó un modelo de Iglesia que, más allá de las mejores intenciones, imponía a los obispos la necesidad de buscar siempre las mejores relaciones con los Estados y clases dominantes (en México esto lo inicia el llamado 'Arzobispo de la prudencia', Mons. Luis Ma. Martínez entre 1937 y 1953)..."[115]

La Iglesia mexicana, a través de su control de la educación y la familia, busca "cristianizar" las élites dominantes, pues con las familias y colegios católicos espera formar una oligarquía o burguesía católica, de la cual salgan los futuros presidentes, ministros, diputados, jueces, generales, empresarios católicos, que aseguren el poder y la presencia de la Iglesia en toda la sociedad. Para la Iglesia de la Cristiandad, toda ruptura con el poder político y con las clases dominantes, es impensable, pues dicha ruptura es sentida y asumida como el fin de la Iglesia. La consecuencia lógica de este modelo, es que la Iglesia legitime el sistema dominante, y además interioriza en sus propias estructuras internas, la lógica y la forma de dominio político secular. El obispo administra la Iglesia como un "buen empresario católico" y la domina olvidando la palabra del Evangelio: "Como ustedes saben, los que son considerados como jefes de las naciones las gobiernan como si fueran sus dueños; y los poderosos las oprimen con su poder. Pero entre ustedes no ha de ser así (Marcos 10, 42ss)."

Además, entre una cristiandad conservadora y una Iglesia anticristiandad, se da una forma de transición que normalmente es llamada neocristiandad o cristiandad social-cristiana (los tercerismos: el panismo, el sinarquismo, el solidarismo).[116] Se trata de todo un intento de "salvar" la estructura constitutiva de la cristiandad (colonial, neocolonial) adaptándola a las nuevas exigencias sociales de México (el modelo de "renovación moral", el pacto obrero-patronal-estatal), y sobre todo como respuesta al desafío del ascenso del movimiento popular.

La neocristiandad mexicana, articulada a la neocristiandad latinoamericana (el CELAM, la "vía polaca"), lo representa y lo encarna el sector hegemónico centrista del Episcopado, en los últimos años

---

[115] DEI, *La Iglesia de los pobres en América Central*, San José, 1982, p. 19.

[116] *Cf* A. García Ibarra, "El orden social cristiano", en *El Día*, México, 21 de agosto de 1983, p. 5.

muy fortalecido y que liderea la CEM. Es el sector que cuenta con el apoyo del PAN y el PDM al igual que del Estado mexicano (en las negociaciones y conflictos).[117]

La Iglesia anticristiandad en este país, básicamente la integran:

a] Los obispos de la Región Pacífico Sur (a nivel jerárquico, cinco diócesis), y otros obispos avanzados;

b] Los centros de reflexión y formación teológica independientes (SSM, CRT, CEE, CAM, ITES, CIRM, CIDPV), a nivel de los sacerdotes y religiosos, y religiosas;

c] El Movimiento Nacional de Comunidades Eclesiales de Base (CEB), a nivel de las bases populares urbanas, y el movimiento de Delegados de la Palabra de Dios (catequistas, diáconos), a nivel de las zonas rurales.

En términos generales se puede decir que la militancia política y eclesial de este sector de cristianos comprometidos con el pueblo no ha alcanzado todavía una articulación y expresión orgánica en México, sin embargo, es un sector que cada día actúa y se robustece más, y en ninguna forma puede ser ignorado.

En la actividad y organicidad de la Iglesia mexicana anticristiandad se destaca indudablemente el Movimiento Nacional de CEB (MNCEB), surgido en 1967 en Cuernavaca, Mor., y que actualmente integra una red nacional de instancias efectivas de concientización-organización-movilización popular, y trabaja de una forma autónoma, democrática y centralizada, como puede verse en el libro de Arnaldo Zenteno recientemente publicado, *Las CEB en México*.[118] El MNCEB es visto por el concubinato de la Iglesia oficial —sector hegemónico centrista— y el Estado, al igual que por la clase patronal y empresarial, como un peligro de agitación en los centros de trabajo y en la calle. En el interior de la Iglesia institucional, las CEB son presentadas como "peligrosas" para la unidad, autoridad y universalidad eclesial. De ahí que la Iglesia de neocristiandad se dispute el control de las CEB y el movimiento de los Delegados de la Palabra. La creciente impugnación de los grupos de la llamada por sus enemigos "Iglesia popular", se enfrenta a una Iglesia-Estado-burguesía que pretende su desarme paulatino. No en vano periódicos como *El Heraldo* en el D. F., y el *Ocho Columnas* en Guadalajara, ha orquestado una campaña sistemática contra las CEB tachándolas de "comunistas". Este anticomunismo es compartido por una je-

---

[117] Véase a este respecto, "Los curas no deben hacer proselitismo desde el púlpito, pero sí contar con derechos políticos", *Unomásuno*, 28 de agosto de 1983, p. 5.

[118] A. Zenteno, *Las CEB en México*, México, CAM, 1983.

rarquía eclesiástica dominante que no tolera el cuestionamiento y la disidencia.[119] Como bien lo señala C. Ruiz S. es "la posibilidad real de amplia colaboración de cristianos y marxistas lo que ha sacado de balance a los inmovilistas en la Iglesia. Un imperialismo espiritual condenatorio rechaza la profecía y el apostolado evangélico."[120]

En cuanto a los *obispos de la Región Pacífico Sur,* es importante tener presentes algunos datos que los configuran como la única cobertura institucional coherente y orgánica de una Iglesia anticristiandad en México (junto a los demás grupos y movimientos). Se trata de un grupo de obispos que, anteriormente integraron la UMAE, y que se caracterizan por trabajar en la zona más pobre del país (por la dramática marginalidad social) y al mismo tiempo la más rica (porque en esa región se encuentra la riqueza "estratégica" del desarrollo capitalista). Igualmente los une una estrategia de trabajo pastoral y una actuación social estrechamente vinculada con las organizaciones populares obrero-campesinas del Suroeste de México (COCEI, CNPA, MNCEB, CIOAC, etc...). Ellos se orientan, a diferencia de los demás obispos de la cristiandad y la neocristiandad, por un compromiso muy riesgoso a corto plazo, pero más firme en el largo plazo. Opuestos a reproducir en sus diócesis la estructura autoritaria de la Iglesia, propician el trabajo de los cristianos y comunidades en favor de un cambio de estructuras, pues obviamente su proyecto de sociedad y de Iglesia es opuesto al vigente, aunque todavía no está delineado con claridad.[121]

Sus posiciones críticas ante la realidad de los pueblos del Suroeste de México, están plasmadas en una serie de documentos teológico-sociales que arranca en esta línea más definida a partir de 1977. El documento "Nuestro compromiso cristiano con los indígenas y campesinos de la Región Pacífico Sur", del 12 de diciembre de 1977, denuncia con datos recogidos en el terreno mismo de los hechos el sistemático y grave deterioro del nivel de vida, y de las condiciones sociales y culturales de las comunidades del Istmo. Los obispos se comprometen a trabajar en la fe "para que el mundo sea poseído y dominado por todos" y los campesinos sean los agentes principales de su liberación.[122]

---

[119] *Cf.* artículos de Humberto Belli contra la "Iglesia popular", en *El Heraldo de México,* 29 de febrero-6 de marzo de 1983.
[120] C. Ruiz S., *op. cit.,* p. 63.
[121] *Cf.* P. Arias *et al., op. cit.*
[122] Obispos de la región Pacífico Sur, *Nuestro compromiso cristiano con*

El segundo documento colectivo, dado a conocer en diciembre de 1979, bajo el título de "Mensaje de Navidad", describe nuevamente la situación de extrema pobreza que agobia al pueblo oprimido y creyente, y se compromete a tener en cuenta que "el pobre es portador de una alternativa social más justa", señalando que "la opción preferencial por el pobre (Puebla, 1134) debe llevar a establecer una sociedad más humana, más divina, más fraterna, más justa y libre".[123]

El 25 de diciembre de 1980, los obispos publican su documento "Mensaje navideño" sobre la esperanza de los pobres, y el 12 de octubre de 1981, difunden su "Carta pastoral sobre los 450 años de las apariciones de la virgen de Guadalupe". Ambos documentos pese a tener un marcado carácter intraeclesial, vuelven a afirmar el compromiso contraído en los documentos anteriores.[124]

Su último documento "Vivir cristianamente el compromiso político", anteriormente citado tuvo una trascendencia más allá de la región misma al orientar —con criterios históricos, éticos y pastorales— la participación política de los cristianos y sus comunidades en la coyuntura electoral de 1982. La situación demanda un cambio que cada día se vuelve más apremiante:

"Nosotros consideramos que la situación que vivimos es escandalosa y que no hemos llegado a ella por pura casualidad; esta situación es el resultado de una opción deliberada en favor de un determinado modelo social de desarrollo que no garantiza la justicia ni la participación de todos en los bienes, en las decisiones y en la cultura. El poder está prácticamente en las manos de un solo partido [...] La estructura de poder se justifica a sí misma aprovechando toda oportunidad, haciendo alianzas tácticas con otros partidos que prácticamente refuerzan al dominante y a todo el sistema. Lanza la represión en contra de los brotes de descontento y reivindicación, aun cuando estos brotes se den totalmente dentro de los márgenes constitucionales legales...

"El pueblo toma conciencia y emprende acciones en las que va descubriendo sus posibilidades históricas... El pueblo concientizado y organizado se presenta hoy más que nunca como un potencial próximo al cambio... De hecho se requieren remedios profundos para males profundos; no son suficientes las medidas que tratan

los indígenas y campesinos de la región Pacífico Sur, Oaxaca, Oax., ed. privada, diciembre de 1977, 49 pp.

[123] Obispos de la región Pacífico Sur, Mensaje de Navidad, Oaxaca, Oax., ed. privada, diciembre de 1979.

[124] Cf. DIC, vol. 9, México 1981, pp. 39 y 809.

de corregir los excesos del capitalismo, cuando en el fondo se sigue viviendo en el materialismo, en la explotación y la exclusión de los demás del uso de los bienes a través de una mal entendida propiedad privada..."[125]

La crisis de la Iglesia de neocristiandad y del sistema social mismo les ha ganado a estos obispos severas acusaciones en estos años, particularmente fuertes contra Tehuantepec y San Cristóbal. Ambos obispos, monseñor Lona y Ruiz, han sido sistemáticamente implicados en los conflictos sociales del Istmo y de la frontera sur, sobre todo por el apoyo crítico al ayuntamiento popular de Juchitán, Oax.,[126] y su amplia solidaridad con los refugiados guatemaltecos radicados en Chiapas a los que han visitado, protegido y promovido.[127] La represión tuvo un momento culminante en 1982, cuando fue asesinado el P. Hipólito Cervantes Arceo en la región fronteriza de Tapachula, Chis.

Conforme avanza la crisis y agotamiento del sistema de dominación y su Iglesia de Cristiandad, surge —y esto los cristianos comprometidos en el movimiento popular lo saben— una Iglesia de los pobres, como la que ya se perfila en el Suroeste del país, que reivindica los valores revolucionarios del cristianismo popular. La expresión "Iglesia de los pobres" ha sido rescatada por el propio Papa Juan Pablo II en su encíclica *Laborem Exercens,* núm. 8, como una Iglesia que define su misión y su servicio con relación a su compromiso con la causa de los pobres y que, más aún, en ese compromiso verifica su fidelidad a Cristo. Conviene además subrayar con insistencia —porque así lo reclaman el MNCEB, los delegados, etc.—,

[125] *Cf. Christus,* núm. 558, México, CRT, septiembre de 1982, pp. 25 ss.

[126] *Cf.* M. Concha, "Calumnias contra el obispo", en *Unomásuno,* México, 22 de febrero de 1983, p. 5; *Unomásuno,* México, 9 de mayo de 1983, p. 3; "Carta de las CEB de Cuernavaca a monseñor Arturo Lona R.", en el boletín *CRIE,* núm. 124, México, 17 de mayo de 1983, p. 7; *Boletín Pueblo,* núm. 86-87, México, octubre de 1981, pp. 6-10. Véanse, además, "La lucha de juchitecos contra injusticias: Lona", *Unomásuno,* 19 de agosto de 1983, p. 4; "Corrompe el sistema a los indígenas: el obispo Ruiz", *Unomásuno,* México, 5 de abril de 1983, pp. 1 y 4.

[127] G. Álvarez del V., "La dominación social en Chiapas es anacrónica", *Unomásuno,* México, 3-5 de abril de 1983, p. 5; "Protesta contra la agresión a religiosos maristas en Chiapas", *Boletín Pueblo,* núm. 91, México, febrero de 1982, p. 11 y núm. 92, de marzo de 1982, pp. 8-9; *Unomásuno,* México, 14 de junio de 1983, p. 2. Véase, además, "Comunicado de algunos obispos de la región Pacífico Sur (refugiados guatemaltecos en Chiapas)", *Boletín Pueblo,* núm. 92, México, marzo de 1981, pp. 8-9, y el reportaje "Denuncian malos tratos de Migración contra monseñor Lona Reyes", *Unomásuno,* México, 15 de agosto de 1983, p. 6.

que la llamada Iglesia de los pobres no es *otra* Iglesia, ni una Iglesia *paralela*, sino solamente una manera concreta de ser Iglesia, donde lo esencial es que la Iglesia ya no utiliza el poder político como mediación de su proyecto o como principio interno de estructuración jerárquica, sino que es una Iglesia que verdaderamente se apoya sólo en el poder de su fe, esperanza y caridad; en el poder del Evangelio.[128]

IV.   ANÁLISIS PROSPECTIVO DE LOS MOVIMIENTOS
      Y TENDENCIAS ECLESIALES

Dado el objetivo esencial de este trabajo —analizar cómo actúa la Iglesia como grupo de presión y estructura de poder en México—, resulta altamente significativo describir brevemente el rumbo previsible que los principales movimientos y tendencias de la Iglesia mexicana tendrán en el terreno político y eclesial.

Obviamente, en los tres puntos (o capítulos) anteriores ya se señalan los intereses fundamentales que constituyen hoy por hoy a esa unidad institucional de contradicciones y ambigüedades que es la Iglesia católica de este país. Así que ahora sólo me limitaré a indicar las conclusiones que se desprenden de los datos y análisis recogidos hasta aquí por el trabajo.

En primer lugar, aunque resulte ocioso repetirlo, los movimientos y tendencias eclesiales más importantes son:

a] La CEM y el sector hegemónico centrista que la dirige. En ella existen todas las tendencias (continuadora, la innovadora y la tercerista). Obviamente todos los indicios apuntan a la consolidación del sector hegemónico centrista y de sus posiciones en el conjunto del Episcopado mexicano, que —como hemos visto— ha vivido y vive importantes transformaciones tendientes a adecuar y garantizar la presencia de la Iglesia institucional dentro de una sociedad en crisis estructural recurrente. En el terreno político, el CEM seguirá presionando el reconocimiento de un estatuto jurídico ventajoso para la reproducción económica e ideológica de la Iglesia dentro del sistema de dominación, para lo que la Jerarquía maneja un amplio espectro de alianzas y recursos como grupo de presión.

---

[128] *Cf.* DEI, "La Iglesia de los pobres. . .", *op. cit.*, p. 21, y A. Zenteno, *op. cit.*

b] Los *obispos del norte* del país —excepción hecha de monseñor J. Llaguno (Tarahumara) y de M. Talamás (Ciudad Juárez) constituyen, junto con la arquidiócesis de México y sus diócesis vecinas, el polo más importante y agresivo del Episcopado, pues es allí donde la Iglesia institucional concentra sus mayores recursos y posibilidades como estructura de poder en el país. Ante la crisis del sistema, estos obispos —predominantemente centristas y continuistas— apuntan su estrategia a la derecha, con la que se han integrado para constituir una alternativa política de oposición que ya comienza a dar frutos (triunfos reconocidos al PAN y PDM). Su proyecto y sus movimientos convergen fundamentalmente con el proyecto político y económico de la burguesía empresarial y terrateniente con la que mantienen más alianzas que rupturas.

c] Los *obispos del Suroeste,* excepción hecha de la diócesis de Tuxtla Gutiérrez, constituyen el otro lado de la moneda. Pese a ser un grupo minoritario y asediado, actualmente integran y dan cobertura a una de las experiencias más importantes a nivel de movimientos populares clasistas. Con su apoyo crítico a la izquierda y su práctica pastoral en el seno de las comunidades y núcleos humanos más empobrecidos que existen en el país, gradualmente han ido conformando a un sólido y activo movimiento cristiano que acompaña —cada día con mayor organicidad— al movimiento obrero-campesino. Las tendencias apuntan a una gran conflictividad en el interior del Episcopado y a enfrentamientos cada día más agudos con las clases dominantes y el Estado (poder político-jurídico-militar).

d] La *contradicción más importante* que atraviesa a la Iglesia mexicana tiene como extremos —a nivel jerárquico— a monseñor S. Méndez Arceo (pese a su retiro "formal") y a la CEM; al Opus Dei y a las CEB —a nivel de bases—; a la Universidad Pontificia de México (UPM) y a los centros teológicos más autónomos (CEE, CRT, CAM e ITES) —a nivel teológico—, que integran los polos más polarizados del enfrentamiento intraeclesial y de la crisis del modelo dominante de Iglesia. Y la contradicción se expresa en la crisis de Iglesia de la cristiandad y neocristiandad y el surgimiento de un modelo alternativo de Iglesia más acorde con los intereses populares y vinculado orgánicamente a ellos.

e] En la *integración orgánica de un proyecto* de Iglesia institucional alternativa, los ejes constitutivos giran en torno al MNCEB, los centros de reflexión teológica y los obispos del Pacífico Sur. Su constitución se irá dando conforme cambie la correlación de fuerzas en la Iglesia institucional por la profundización de la crisis general del sistema de dominación a nivel nacional e internacional. En la definición de su constitución orgánica juega un papel muy importante la lucha de los pueblos centroamericanos por su liberación y el anti-intervencionismo.

f] Siendo nuestro pueblo una nación predominantemente religiosa, *el fenómeno religioso* (el guadalupanismo, peregrinaciones, culto a los santos, etc...) constituye un elemento clave para la movilización popular y la lucha social. Ninguna política de masas puede funcionar sin manipulación en México si no existe un tratamiento adecuado de la conciencia, identidad y cultura religiosa del pueblo mayoritario. La crisis objetiva del sistema de dominación no producirá un proceso de cambio social por sí sola. Los sectores revolucionarios (avanzados, como se quiera decir) de la Iglesia mexicana constituyen un factor decisivo para romper el control ideológico y la desmovilización política en que mantiene al pueblo el catolicismo tradicional.

ESTADO Y MOVIMIENTO CAMPESINO EN LA COYUNTURA ACTUAL

GUSTAVO GORDILLO

El movimiento campesino ha sido, sin duda, base fundamental del Estado mexicano posrevolucionario. Su presencia ha cristalizado en tres esferas fundamentales de la acción estatal. En la esfera jurídica, el establecimiento del derecho de propiedad y la conformación de una forma de propiedad social —ejido y comunidad indígena—, han sustentado por igual un determinado discurso político y una serie de prácticas estatales frente al movimiento campesino. En la esfera de la coalición gubernamental, la incorporación del movimiento campesino al esquema corporativo, allanó el camino para la obtención de prebendas económicas y sociales —ciertamente menores a las obtenidas por el movimiento obrero— a cambio de adhesión política. Esta adhesión supuso, empero, como en el caso del movimiento obrero respeto a la autonomía regional o sectorial de las organizaciones y reparto de posiciones políticas, lo cual se tradujo rápidamente en un proceso de reconstitución y fortalecimiento de los cacicazgos locales. En el plano de la política de desarrollo rural, el fortalecimiento de organismos económicos vinculados al medio rural ha permitido, aun sin mantener la propiedad jurídica sobre los medios de producción, el desarrollo de una amplia gama de instrumentos para garantizar el control estatal sobre el proceso productivo que se origina en el sector ejidal y comunal.

La crisis que ha afectado al sector agropecuario desde fines de la década de los sesenta no es sólo una crisis de producción, sino sobre todo una crisis de reproducción de la economía campesina y señaladamente del sistema ejidal y comunal. Crisis de reproducción que afecta al conjunto de la sociedad rural y que por lo tanto, incide y modifica la presencia campesina en las esferas de acción estatal antes señaladas. Crisis de reproducción que afecta al conjunto de la sociedad mexicana y que se enlaza con el entrampamiento en la forma de crecimiento global de la sociedad. Crisis de reproducción que profundiza y amplía el desgaste del pacto social. Al analizar algunas esferas estatales donde el impacto del movimiento campesino es importante, se buscará resaltar sobre todo aquellos aspectos que apuntan hacia el desarrollo de nuevos procesos sociales.

I. LA POLÍTICA DE TRANSFORMISMO

El transformismo consiste "en la integración de los intelectuales de las clases subalternas a la clase política, para decapitar la dirección de esos grupos (...)". Pero la política de transformismo puede asumir dos contenidos distintos: "como una política de la clase dominante que se niega a todo compromiso con las ciases subalternas y subutilizan entonces a sus jefes políticos para integrarlos a su clase política" o bien como una política que integra a los jefes políticos de las clases subalternas con el propósito de ampliar la base social de la clase dominante.[1]

Ambas formas de transformismo han sido aplicadas por el Estado mexicano frente al movimiento campesino, aunque sin duda ha prevalecido la primera. La integración de intelectuales del movimiento campesino a la clase política, ha formado parte de una amplia estrategia preventiva frente al movimiento de masas de la que generalmente ha hecho gala la burocracia política. A su vez este arsenal preventivo subsiste y se desarrolla a partir de una concepción fuertemente estatista que deposita en los aparatos de Estado una función monopolizadora de las iniciativas y de la actividad política. Decapitar la dirección intelectual de los movimientos de masas es asumida como una tarea esencial precisamente para garantizar que ninguna iniciativa política de envergadura sea emprendida por fuera de los aparatos de Estado. La incorporación de los intelectuales del agrarismo, durante las primeras décadas del nuevo régimen no supuso renuncia a convicciones ideológicas sino aceptación a canalizar sus esfuerzos organizativos en el campo, desde los aparatos de Estado. A la Liga Campesina comandada por Úrsulo Galván se le hostiga, se le reprime y finalmente, se le desarticula, no tanto por el programa de reivindicaciones sociales que enarbola cuanto por el hecho que lo hace desde una posición independiente. Buena parte de su programa es posteriormente asumido tanto en el primer plan sexenal como en el programa de acción de la CNC durante el cardenismo. En los años treinta y particularmente durante la primera mitad del sexenio cardenista se aplica en su segunda acepción la política de transformismo. El régimen cardenista se enfrenta a un doble requerimiento: enfrentar la ola de movilizaciones campesinas y consolidar a una nueva clase política. Montándose en la ola de movilizaciones el régimen cardenista realiza una operación política

[1] Hugues Portelli, *Gramsci y el bloque histórico*, México, Siglo XXI, 1983.

que le permite a la vez romper los centros de resistencia latifundista, desplazar a un sector de la clase política ligado a esos intereses e incorporar a los nuevos dirigentes campesinos a un esquema institucional que permitiría fortalecer al Estado. En todos los gobiernos posteriores a los cuarenta se asumirá una estrecha y pragmática variante de la primera acepción de transformismo. Se tratará no sólo de prevenir movimientos de masas que pudiesen surgir al margen de las instancias estatales, sino de contener cualquier brote de inconformidad y de encapsular la inquietud campesina, que será testigo en las siguientes dos décadas de la deformación del proyecto cardenista. La diferencia esencial entre la política de transformismo aplicada antes de los cuarenta y la posterior residen en el hecho de que la incorporación de dirigentes de las clases subalternas estaba enmarcada en un programa de reformas sociales y un discurso ideológico constantemente enriquecido con planteamientos y proposiciones surgidas de los propios movimientos, aun de aquellos radicalmente opositores al régimen. En cambio después de los cuarenta, abandonado el programa de reformas sociales y desmantelado el discurso agrarista, la incorporación de los jefes políticos del movimiento campesino se sustentará sobre todo en la prebenda personal y las concesiones gremiales. Esta capa de dirigentes políticos incorporada durante el alemanismo, jugará el papel de administración sobre una fuerza de trabajo barata destinada a apoyar el rápido proceso de industrialización o el acelerado crecimiento de la agricultura empresarial. El discurso agrarista es cada vez más la mampara que encubre un salvaje proceso de descapitalización de la economía campesina. A esas circunstancias no es ajeno el surgimiento de intentos de organización campesina al margen de las instancias estatales —como fue el caso notorio de la UGOCM a fines de los cuarenta, o de la CCI a principios de los sesenta— el paulatino alejamiento de intelectuales agraristas y dirigentes ideológicos del movimiento campesino de la central oficial.

Salvo el breve intervalo abierto durante el período echeverriista, se ha venido consolidando una capa de dirigentes regionales sólidamente vinculados con los intereses caciquiles aunque desprovistos de iniciativa política propia. La supeditación de la central campesina oficial a los organismos gubernamentales ha significado inercia e ineptitud en las coyunturas donde la propia estrategia estatal exige movilización campesina y desplazamiento de intereses caciquiles, para decirlo tajantemente, la estructura organizativa y el personal político surgida después de los cuarenta en el sector rural responde a una política de conciliación y manipulación de las demandas campesinas inserto en un proceso de rápida industrialización del país, de auge de los enclaves agrícolas —sobre todo de exportación— y de reparto de tierras marginales, representando una poderosa válvula de escape para la inquietud campesina. Sin embargo, ante una nueva situación ya presente desde mediados de la década de los sesenta que combina la desaceleración del proceso de industrialización, la creciente mecanización de la agricultura empresarial, la explosión demográfica, el más estrecho límite político al reparto de tierras y la profunda descapitalización de la economía campesina, la dirigencia campesina oficial es incapaz de jugar un efectivo papel de conducción política. El discurso agrarista ya no representa un programa coherente de reformas sociales que abarca desde la lucha por la tierra hasta la organización productiva de las comunidades, sino un conjunto abigarrado y desordenado de demandas cuya utilización depende más de la oportunidad política que de una estrategia definida.

Las centrales oficiales definen su papel en negativo: evitar la organización de los campesinos y desarticular sus demandas. El papel activo de toda acción estatal —se busca desorganizar a las clases subalternas, para *organizarlas desde el Estado*— está prácticamente ausente. Todo ello juega un papel de primera magnitud en el entrampamiento de las recientes estrategias estatales en el campo. De hecho, se presenta una doble ruptura en los vínculos de representación: entre la dirigencia tradicional y la base campesina, particularmente evidente en momentos de movilizaciones espontáneas, y entre el aparato oficial de masas y los organismos económicos del Estado que pugnan por un determinado tipo de modernización rural que exige nuevas formas de encuadramiento social.

II. LA CONVERGENCIA REGIONAL BAJO LA ÉGIDA ESTATAL

La fortaleza de la CNC se sustentó en dos elementos. El primero fue que surge como organización con un proyecto claro de desarrollo rural —el proyecto cardenista— y como consecuencia de una movilización campesina que no se intentó atajar o suprimir, sino canalizar. El segundo, define la forma concreta en que se desarrolló como organización nacional, sustentada en la organización de las comunidades agrarias —ejidos y comunidades— y articulada a la problemática regional. Ello permitió captar a la dirigencia del movimiento campesino y establecer un sólido vínculo de representación entre el aparato organizativo y las comunidades de base. Permitió también integrar las demandas sociales al proyecto general y por esa vía incorporar al movimiento campesino, a través de sus dirigentes reconocidos, al quehacer gubernamental. Las posiciones políticas asignadas al sector campesino fueron durante un buen tiempo un espacio de negociación entre la dirigencia nacional y los grupos regionales, un mecanismo para recompensar la capacidad directiva y una forma de asegurar la lealtad política del movimiento campesino. Aunado a un vigoroso discurso agrarista y a un renovado proyecto nacional, lo anterior permitió también incorporar al esquema corporativo a buena parte de la dirección ideológica del movimiento campesino —con la notable excepción de algunos dirigentes comunistas que apoyaban a Lombardo en su intento de cristalizar orgánicamente la alianza obrero-campesina en el interior de la CTM.

Aun así el proceso de organización campesina lleva una marca de origen que determina en buena medida la evolución posterior, debido a su supeditación programática. Aunque el programa agrario del cardenismo recoge demandas y planteamientos básicos del movimiento agrarista, la inserción de la política de desarrollo rural al proyecto general del cardenismo conduce a un doble requerimiento. Sustentar el desarrollo económico y social del país en la ampliación del mercado interno exige un reparto agrario masivo y la constitución del ejido como unidad de producción y como órgano de control estatal. Al romper con la vieja concepción callista que asumía al ejido como una etapa transitoria hacia la pequeña propiedad privada o con la concepción de Luis Cabrera que entendía al ejido como "un complemento del jornal", el cardenismo concibe al ejido como la base productiva fundamental para llevar adelante su política en el campo. Pero al mismo tiempo la estrategia cardenista de incorporación de las organizaciones de masas a la gestión gubernamental convierte al ejido —como al sindicato en el caso de los obreros— en una institución estatal con funciones de control político. La formación del Banco de Crédito Ejidal y la definición de diversas figuras asociativas ejidales para el crédito —sociedades locales de crédito, sociedades de interés colectivo agropecuario, etc.—, todas ellas sujetas al registro y a la aprobación del Departamento Agrario, apuntaban una tendencia que no cuajó en el futuro inmediato en cuanto a utilizar el crédito oficial no sólo como instrumento de fomento agropecuario sino también como instrumento de control político.

Si finalmente este elemento no logra cristalizar es básicamente porque en el esquema de acumulación de capital que se impone en los años cuarenta al sector agropecuario se le asigna una función de sostén del proceso de industrialización; internamente en el medio rural ello significó desarrollar —a partir de la infraestructura proporcionada por el Estado— por un lado dinámicos polos de agricultura capitalista destinados a proveer de alimentos a los centros urbanos y de divisas al país, y mantener, por otro lado, en un nivel de estricta reproducción al sistema ejidal, convirtiéndolo en la práctica en una gran reserva de mano de obra barata destinada a los centros urbanos o a la agricultura capitalista.

Esta nueva inserción del sistema ejidal impacta de manera importante la dinámica interna del aparato corporativo de masas en el medio rural. Concebido el ejido como reserva de mano de obra barata, la regulación en el acceso a la tierra se convierte en el ingrediente fundamental para garantizar la paz social en el campo. El Departamento Agrario se erige en el aparato de Estado hegemónico en el campo dado que concentra esa función política de primera importancia. La central campesina se ve permeada a su vez por los nuevos requerimientos.

Poco a poco se irá cristalizando una nueva articulación entre la comunidad de base, los grupos regionales y la dirigencia nacional. Por principio de cuentas, la desintegración interna del ejido y el fortalecimiento del papel del comisariado ejidal van a constituirse en una poderosa palanca para regular el acceso a la tierra y avanzar en la reconstitución del cacicazgo ejidal. Ello da origen, particularmente en las zonas de fuerte presencia ejidal, a la formación de grupos regionales de poder incrustados en la estructura orgánica de la CNC, que no dejan de tener presencia e influencia sobre la base campesina —sustentadas básicamente a través de funciones de gestoría y compadrazgo—, pero que paulatinamente tienden a jugar menos el papel de representantes-canalizadores de la demanda campesina para transformarse en cuerpos burocráticos especializados en la contención de la demanda social. La influencia de los movimientos regionales muy perceptible en los inicios de la CNC, cede su lugar a la influencia de grupos de la burocracia gubernamental o de gremios de profesionistas vinculados al campo —como es el caso notable de los agrónomos.

Dada la enorme importancia política que se asigna a la regulación en el acceso a la tierra, las funciones propiamente de apoyo a las actividades productivas —asistencia técnica, comercialización, crédito y seguro, abasto, etc.— son asumidas plenamente por organismos gubernamentales especializados. La CNC pierde penetración política y social al marginarse de las actividades cotidianas de los campesinos con tierra: se le asigna una función específica para convertirla en un organismo gubernamental especializado en determinado tipo de gestión política ligada a las actividades propiamente agrarias. A diferencia de la CTM —y en general del movimiento obrero organizado— nunca se consolida como interlocutor privilegiado frente al gobierno; sino que tiene que competir con otros actores —agencias gubernamentales, empresas paraestatales agropecuarias, organismos de pequeños propietarios— también integrados a la coalición gubernamental.

Su débil inserción en las actividades productivas agropecuarias arroja otra consecuencia perniciosa para la central campesina. Carencia de fondos, imposibilidad o incapacidad para emprender actividades productivas propias, amplia vocación para sostenerse del presupuesto gubernamental; redondean su configuración como una agencia gubernamental más pero no como la organización nacional de los campesinos. Agencia gubernamental, es decir y sobre todo, supeditación presupuestal y financiera. Pero en tanto sigue apareciendo como una organización nacional de campesinos —formalmente independiente del gobierno— la subvención económica asume formas veladas, responde al arbitrio gubernamental y convierte la supeditación real al gobierno en una más clara y directa muestra de subordinación personalizada. Las ligas agrarias en los estados tienden más a ser instrumentos directos de grupos regionales de poder que instancias integradas a una estrategia nacional por más dependiente del gobierno federal que pudiera ser. Internamente la central campesina oficial se desintegra de la misma manera como ocurre con el ejido. Las modalidades sexenales en torno al programa agrario matizan el discurso político de los dirigentes regionales; pero en esencia —salvo en situaciones límite— su actividad organizativa estará normada por sus patrocinadores regionales.

En estas condiciones los dos grandes rompimientos en el movimiento campesino —a fines de los cincuenta con la UGOCM y a principios de los sesenta con la CCI— generan una serie de movilizaciones campesinas que, aun sin poner en duda el control de la central oficial, la enfrentan a fenómenos para los cuales ya no está en aptitud de responder. El combate estatal contra estos intentos por construir alternativas distintas de organización campesina va a estar a cargo fundamentalmente del aparato gubernativo y no de la organización de masas. Las distintas formas de coerción son el instrumento básico para bloquear o desmantelar estos intentos organizativos.

Frente a estos rompimientos tempranos de la organización campesina, las movilizaciones que irrumpen en los años setenta contendrán diferencias sustanciales. No se trata en este caso de luchas campesinas que cuenten de antemano con un polo centralizador que las aglutine como ocurrió con la UGOCM y la CCI. Tampoco se trata de diseños organizativos promovidos o impulsados por partidos de oposición como ocurrió en las circunstancias anteriores, puesto que, aunque están presentes casi todas las corrientes de izquierda ninguna logra convertirse en aglutinador. El papel de las centrales oficiales tiende a ser más activo a partir de un discurso agrarista renovado por el gobierno. Hay una relativa transformación en la dirigencia campesina y nuevas incorporaciones de dirigentes naturales.

Pero nuevamente el papel principal en la contención-canalización de la movilización campesina corresponde al aparato gubernativo, aunque ahora muy significativamente a los aparatos económicos de Estado. La movilización campesina que logra en algunos ámbitos regionales desbordar transitoriamente a los aparatos estatales y que impone reparto de tierras y afectación de latifundios, tiene otro impacto menos visible que el agrario pero probablemente más significativo en la conformación interna de las centrales oficiales. Las nuevas funciones que se le asignan al sistema ejidal van a desatar un proceso organizativo en el terreno económico productivo que desemboca en formación de uniones de ejidos, ejidos colectivos, uniones por tipo de producto, asociaciones rurales de interés colectivo, etc. Este proceso que lleva ya más de diez años ha ido gestando junto a la dirigencia tradicional de las centrales oficiales, otros dirigentes cuya fuerza política se sustenta en el poder económico de sus organismos y en consecuencia, está menos supeditada a grupos regionales de poder. En cambio están sujetos a organismos económicos de Estado y muy particularmente a Banrural o a empresas estatales de producción agropecuaria y forestal como Tabamex, Inmecafé, etc. Este nuevo fenómeno significa un elemento adicional de disgregación interna en la central oficial.

III.   EL JANOS CACIQUIL

Ya se ha señalado en otra parte[2] que entender al cacicazgo como "la

    [2] Gustavo Gordillo, *Pasado y presente del movimiento campesino en México, Cuadernos Políticos*, núm. 23, enero-marzo de 1980, pp. 74-88.

expresión totalizadora de la integración de la región al concierto nacional" también lleva a rechazar la idea generalizada de concebirlo como una forma arcaica o precapitalista de dominación. El cacicazgo moderno producto de la forma que asumió el desarrollo del capitalismo en el campo mexicano, lejos de pregonar aislamiento geográfico o congelamiento de proyectos gubernamentales de desarrollo exigió la integración de su región *por su intermedio*. No se impugna en sí la modernización capitalista sino más bien los efectos que ella pudiera ocasionar en términos de la estructura local de poder. Muy pronto los grupos caciquiles entendieron que los programas gubernamentales podían convertirse en fuente de acrecentado poder político y económico. De suerte tal que el cacicazgo comenzó a funcionar con una doble cara. Una, derivada de su vinculación con aparatos económicos de Estado y programas gubernamentales de desarrollo, en base a la cual frecuentemente funcionó como vehículo de penetración del desarrollo capitalista. Copar política y económicamente, en el nivel regional, a los programas gubernamentales significó para el cacicazgo dotarse con una gran cantidad de facultades discrecionales puestas al servicio de una acumulación y depredación salvaje que ahondó aún más la desintegración interna en los ejidos y comunidades. Otra cara del caciquismo en su relación con las fuerzas sociales dominadas, sustentó su dominación con base en el aislamiento político de esas fuerzas y en su sistemática desorganización cada vez que intentaron expresiones autónomas. Se usó ciertamente la represión física pero ésta siempre estuvo acompañada de un complejo proceso de consenso que engarza con la ideología espontánea de la unidad familiar campesina. El ámbito orgánico de este aspecto del caciquismo fue desde luego el aparato corporativo de masas. Ambos aspectos del cacicazgo se complementan y el mayor o menor éxito en la dominación caciquil ha dependido de su capacidad de mediación entre ambas facetas de ésta. La vinculación a los aparatos económicos o a los programas gubernamentales asumió en algunos casos la forma de relaciones más institucionales entre organismos gremiales e instancias gubernamentales a nivel regional, aunque frecuentemente a lo anterior se añadió la presencia directa del cacicazgo en funciones ejecutivas-gubernamentales. En cualquier caso el espacio gubernamental en las regiones permitió, en buena medida, la concertación de intereses entre los distintos grupos de poder regional. La vinculación al aparato corporativo permitió su acceso a puestos de representación política, al tiempo que añadió un elemento adicional de poder y presión políticas.

Paradójicamente en uno y en otro caso obtuvo poder político y económico de fuentes externas, pero de las cuales no dependió su futuro. Al contrario, la creciente desintegración interna de la central campesina oficial fue una consecuencia del fortalecimiento regional del cacicazgo cobijado bajo las siglas de la central. Por otro lado, los frecuentes cortocircuitos administrativos de organismos gubernamentales como Banrural, ANAGSA, Conasupo o Diconsa —cortocircuitos en términos de políticas, de asignación de recursos, de prioridades de programas, etc.—, una de cuyas expresiones más escandalosas ha sido los negocios fraudulentos y las corruptelas, tienen su origen en la peculiar forma de articulación del cacicazgo con estas instancias.

Inmerso el país en la crisis rural a principios de los sesenta, un diagnóstico equivocado basado en el supuesto que aquélla era producto de un "descuido" o de un "abandono" en términos de recursos gubernamentales canalizados al campo, lleva a la implementación de una política de Estado marcadamente economicista. La gran cantidad de recursos financieros, crediticios, técnicos y de servicio canalizados en toda la década de los setenta al medio rural, no atacan los problemas fundamentales que se encuentran en el origen de la crisis —problemas de estructura productiva y tenencia de la tierra, problemas de estructura de poder— y sirven en cambio para el reforzamiento caciquil, la ampliación del espacio y el poder del neolatifundio y la creciente autonomización de los aparatos económicos vinculados al medio rural. No se resuelven sino en muy pequeña escala los problemas agrarios de los campesinos sin tierra o la desintegración interna de los ejidos o el clima opresivo en el que se insertan las comunidades indígenas o la indefensión jurídica y económica de la gran cantidad de jornaleros agrícolas.

El cacicazgo se enfrenta a esta nueva situación en condiciones relativamente contradictorias. Por un lado, como ya se ha señalado, el sesgo economicista de la política gubernamental con la que se intentó enfrentar la crisis rural significó su fortalecimiento, le permitió acceso a recursos, financieros y crediticios en gran escala, propulsó su capitalización y lo colocó en posición privilegiada para regular la incidencia de los programas gubernamentales en el ámbito regional.

Pero por otro lado, el esquema corporativo a través del cual procesaba el consenso en el ámbito regional empezó seriamente a erosionarse al hacer crisis la estrategia económica que le dio origen. De alguna forma —en algunas regiones de manera más intensa que en otras— el cacicazgo desprovisto de su instrumento fundamental de legitimación empieza a actuar *al descubierto*. En la mayor parte de las zonas con población predominantemente indígena la erosión del aparato corporativo ha significado la agudización del conflicto social en sus formas más violentas y directas. En estos casos el cacicazgo haciendo uso de sus instrumentos directos de represión —como por ejemplo las guardias blancas— ha intentado, a veces con éxito, una operación política dirigida a los aparatos represivos de Estado —ejército, policía, tribunales— con el propósito de erigir la política de represión en una *política de Estado*. En evidente que, dadas las características del sistema político mexicano, tales situaciones agudas han obligado a programas de emergencia del propio Estado que desembocan en el desmantelamiento relativo de las estructuras caciquiles como ha ocurrido en la Huasteca Hidalguense. En la mayor parte de las zonas indígenas empero, se aprecia un proceso larvado de represión-violencia-movilización que se reproduce y se mantiene constantemente en niveles críticos. Muy frecuentemente en esas circunstancias, la confluencia de intereses caciquiles con los de agentes que encarnan regionalmente algunos aparatos de represión estatal lleva a una política que tiende *conscientemente a perpetuar* en cierto nivel crítico el conflicto social.

En otras regiones la actuación al descubierto del cacicazgo asume otra variante. Un cacicazgo más orgánicamente ligado a aparatos económicos de Estado, sobre todo en regiones con mayor desarrollo capitalista, ha intentado procesar nuevas formas de legitimación a través de esos organismos. El control y la regulación en el acceso al crédito a través del copamiento administrativo del aparato crediticio oficial, ha sido quizás una de las formas más extendidas en la búsqueda de esta nueva legitimidad. También se han utilizado los circuitos comerciales del Estado —compra-venta de insumos, comercialización de productos agrícolas, manejo del abasto popular, etc., para esos efectos. Quizás habría que adelantar algunas hipótesis en torno a las razones que han llevado a una confluencia de intereses entre el cacicazgo y los agentes sociales de estos organismos en el terreno regional. Para ello conviene empezar por analizar el papel de los aparatos económicos de Estado.

IV. LOS INVITADOS DE PIEDRA

En todos los períodos y en todas las formas que asume la intervención estatal en el medio rural vamos a encontrar como hilo conductor la implantación de sistemas de regulación de la fuerza de trabajo. Esquematizando un poco a nivel de la sociedad mexicana, estamos en presencia de un circuito de regulación de la fuerza de trabajo que parte del sistema ejidal, se propaga al sector agrícola de capitalismo privado y desemboca en el mercado urbano de fuerza de trabajo. De suerte que nos enfrentamos a un mercado de trabajo segmentado o fraccionado en tres componentes distintos pero íntimamente vinculados entre sí: una fracción que al recibir íntegramente su salario directo y su salario indirecto es comprada teóricamente a su precio de producción; otra que no recibe del capitalismo más que los medios de reconstitución inmediata de su fuerza de trabajo y que en consecuencia depende del sistema ejidal o de la economía doméstica para su mantenimiento y reproducción; y finalmente la llamada mano de obra informal que tanto en el campo, pero sobre todo en las ciudades, no tiene ningún medio de reproducción en ningún sector sino que depende del funcionamiento global de la sociedad. La amplitud y características de cada uno de estos segmentos —y por lo tanto, las modalidades y los cambios institucionales en la gestión de la fuerza de trabajo— estarán determinadas por las modificaciones en las relaciones de clase y en el proceso de acumulación de capital. Más que en ninguna otra forma de intervencionismo estatal, en el espacio de la gestión de la fuerza de trabajo se está inmerso en el corazón de la lucha de clases. Existen desde luego elementos constantes en cualquier forma de gestión de la fuerza de trabajo. Uno de ellos, de la mayor importancia es la presencia de instituciones no lucrativas en la gestión de la fuerza de trabajo. El surgimiento de este tipo de instituciones se convierte en una necesidad estructural del capitalismo en la medida en que el capital individual no puede ni quiere asumir directamente los gastos de mantenimiento y reproducción de la fuerza de trabajo.

Dejado a su propia dinámica los agentes sociales que encarnan los distintos fraccionamientos del capital, tenderán a comprimir los salarios incluso por abajo del mínimo de subsistencia, buscarán alargar la jornada de trabajo e intentarán implementar un cambio en la producción de bienes salario. Es la resistencia de las clases subalternas, a través de sus movilizaciones, la que cristaliza en la creación y/o ampliación de las funciones de este tipo de instituciones. Estas instituciones públicas responden al interés global del proceso de acumulación capitalista, aunque internamente no operan con criterios de máxima ganancia y rentabilidad capitalistas. Sin embargo, el hecho mismo que en su interior reproducen la división social del trabajo y que generan toda una ideología específica que refuerza el principio de disciplina en el trabajo, determina que estas instituciones funcionen con un contenido capitalista.

La gestión moderna de la fuerza de trabajo se ha venido desarrollando a través de dos ejes principales. Uno de ellos, por medio de los distintos programas coyunturales de apoyo o subsidio a los marginados —ejemplo en nuestro país los hemos tenido con los programas COPLAMAR y los distintos programas de emergencia para la generación de empleos temporales. El otro eje se desarrolla en torno a los nuevos derechos obreros cristalizados en instituciones como la seguridad social. Entre uno y otro eje se establece una diferencia esencial que puede observarse en la operación de las distintas instituciones y que en buena medida se refieren al amplio margen de arbitrariedad con el que operan los programas de asistencia a los marginados. Así, pues, nos encontramos con un doble tipo de gestión de la fuerza de trabajo: una gestión de los trabajadores que perciben íntegro su salario directo o indirecto o que temporalmente se encuentran excluidos de su empleo por la inestabilidad capitalista. Y otra gestión de los marginados que pueden o no constituir reservas de mano de obra barata, pero cuya gestión se encuentra sujeta a derechos discrecionales. Existe finalmente un tercer tipo de gestión pública de la fuerza de trabajo, que podríamos denominar indirecta, y que tiene relación fundamentalmente con la regulación de la producción y distribución de bienes salario, y por esta vía con la regulación del valor de la fuerza de trabajo.

Lo anterior valga como una breve referencia teórica[3] para enfatizar que la mayor parte de los aparatos económicos de Estado vinculados al campo —particularmente Banrural y Conasupo— al ejercer funciones de regulación de la mano de obra campesina de origen ejidal, cristalizan instituciones que han sido denominadas por Bettelheim con una noción descriptiva como *organismos económicos pertinentes de poder político*. Al referirse a su presencia en formaciones sociales en transición las caracteriza como "instituciones extremadamente diversas: organismos de planificación, organismos de 'reparto material' de ciertos productos... los organismos de recolección del Estado las instituciones financieras y bancarias, etc. Los rasgos comunes de estos organismos consisten en que se sitúan fuera de la producción materiales; en las condiciones de transición sus relaciones con las unidades económicas no son tomadas, necesariamente, en la forma equivalente (pueden operarse 'traspasos unilaterales'); su

[3] Claude Meillassoux, *Mujeres, graneros y capitales,* México, Siglo XXI, 1984.

actividad no está determinada de manera principal por las *relaciones de producción* a las que pueden estar sometidos sino por *relaciones políticas.*[4]

Si por sí mismos los aparatos económicos de Estado generan a través de sus prácticas económicas una ideología de "neutralidad administrativa" que siempre remite —y esto puede ser real o no— a la instancia de planificación, cuando se trata de decisiones fundamentales —y lo fundamental o no de una decisión tiene que ver más que çon la decisión implicada, con el grupo social que la promueve, con la forma en que la promueve y con los intereses que se verían afectados de tomarse esa decisión—, el mismo proceso de toma de decisiones refuerza esta disociación. Esto es todavía más evidente cuando esas instancias de planificación encarnan aspectos de la "política social" del régimen porque en este caso se trata de aspectos privilegiados que procesan el consenso del Estado y que articulan la serie de compromisos de la clase dominante con las fuerzas sociales subalternas. Lo específico de la lucha de clases en estos espacios es la presencia constante y la presión política de las clases dominadas y la *ausencia* sistemática de la intervención directa de las clases dominantes. Lo anterior no quiere decir que las clases dominantes hayan cedido esos espacios, sino que su intervención en el modelamiento de la política social del régimen la ejercen a través de otros mecanismos y en otros aparatos de Estado como serían los órganos de programación presupuestaria y en general el aparato financiero de Estado.

Conasupo y Banrural constituyen el eje central de la intervención estatal en el medio rural. Su emergencia como núcleo estratégico en el campo es, sin embargo, bastante reciente. Significativamente es resultado de la crisis de reproducción en el medio rural y coincide con la incapacidad del binomio Departamento Agrario-centrales campesinas para encauzar la inquietud campesina. Sin embargo, la creciente importancia de ambos organismos gubernamentales no lleva a una modificación esencial en las relaciones de poder en el interior de estos aparatos. La ampliación de sus recursos y actividades que empieza a ocurrir a principios de los años setenta no va acompañada de transformaciones sustanciales ni en la operación interna ni en la articulación de los distintos intereses que cristalizan en su ámbito. Más aún la importancia de la burocracia que dirige estos organismos se acrecienta e invade nuevos terrenos alejados

[4] Charles Bettelheim, *Cálculo económico y· formas de propiedad,* México, Siglo XXI, 1981.

teóricamente de sus funciones expresas como es el caso de la representación popular. Muy a menudo en efecto, los canales de selección de candidatos priistas a puestos de elección popular no van a pasar por las centrales campesinas sino por éstos y otros organismos gubernamentales vinculados al medio rural. Su objetivo central, la gestión y regulación de la fuerza de trabajo campesina, adoptará diversas modalidades en función de las políticas generales marcadas por los organismos de planificación insertos en las *secretarías cabeza de sector* —Comercio y Hacienda sobre todo, aunque también la SARH—, aunque en todos los casos la descapitalización del sistema ejidal constituye una práctica económica y administrativa explícita. Lo anterior significa por tanto, que la gestión de la fuerza de trabajo campesina por parte de los aparatos económicos de Estado lleva a un proceso de apropiación estatal, del excedente generado en el sector campesino. No siempre esto se refleja en una capitalización concomitante de los organismos gubernamentales. Es más frecuente en cambio que los organismos gubernamentales jueguen un papel de redistribución del excedente generado en el medio rural tanto hacia el sector agroalimentario como hacia el sector comercio. Las políticas generales en torno al sector agropecuario y la operación concreta de los organismos gubernamentales se verán en consecuencia, profundamente permeados por los intereses de las grandes cadenas comerciales. Pero también, por otro lado, la presencia de intereses caciquiles en el ámbito regional va a tener su incidencia en la operación concreta de estos organismos. No sólo se debe resaltar las innumerables formas de contubernio y corrupción, sino que más allá de ello, debe enfatizarse la coincidencia básica que existe entre los intereses propios de la burocracia ligada a estos aparatos y la de los grupos caciquiles ligados al sector ejidal en lo que respecta a la política de descapitalización ejidal. Sin desconocer la existencia frecuente de conflictos entre ambas fuerzas sociales que no es sino el resultado de la disputa por el excedente generado en los ejidos, su convergencia más estructural está en buena medida determinada por los requerimientos de la gestión de la fuerza de trabajo campesino sustentada en el traslado de los costos de reproducción y mantenimiento de la familia campesina al ejido y en la necesidad de mantener y profundizar los mecanismos de extracción del excedente generado.

Tanto en el sexenio echeverriista como en el período de López Portillo estos problemas que han significado taponamientos graves en el proceso de acumulación de capital, han llevado a replantear no sólo el monto de la inversión pública destinada al campo y las relaciones intersectoriales —a través de la política de precios agrícolas—, sino también la función misma del ejido asignándole ahora el papel de principal abastecedor de alimentos. Los programas gubernamentales como el Sistema Alimentario Mexicano o el discurso estatal contra la corrupción, los intermediarios y a favor de la autosuficiencia alimentaria, no pueden ser caracterizados simplemente como medidas demagógicas sin incurrir en graves errores de análisis.

La resistencia activa que han generado estos intentos reformistas —y que va desde desplegados, campañas publicitarias, movimientos "inducidos" por el cacicazgo, declaraciones de organismos gremiales, estudios académicos "sesgados", presión de organismos financieros internacionales como el Banco Mundial— se ha visto acompañada por una resistencia pasiva que, frecuentemente, no obedece a un plan global preconcebido o armado maquiavélicamente pero que sin embargo es de una eficacia mayor en la desarticulación o en todo caso, en la esterilización de los programas gubernamentales de carácter reformista. Esta resistencia pasiva producto a la vez de la inercia y del interés de estabilidad de la burocracia sí es, en cambio, una estrategia a la que se apuesta en el ámbito regional. La tendencia a la autonomización de los aparatos económicos de Estado de organismos externos de fiscalización, se ve acompañada por una tendencia a su desagregación interna en instancias administrativas de cobertura regional pero con amplias facultades programáticas y operativas. Ello ha sido claro en el caso de Banrural, de Conasupo o alguna de sus filiales como Diconsa, en los cuales las gerencias regionales llegan a tener una gran fuerza política y económica derivada de las facultades discrecionales con que cuentan en el ámbito operativo. De suerte tal, que regionalmente los organismos gubernamentales se han convertido en trincheras de los distintos grupos de poder. Parece claro que programas como el SAM están destinados a fracasar en tanto que no posean capacidad operativa ni poder político suficiente para desarticular la maraña de intereses regionales, y a ser utilizados en el nivel regional como mamparas ideológicas.

Más todavía, el proceso de construcción de un nuevo consenso social sustentado en la convergencia regional de los intereses caciquiles con la burocracia agraria, en el contexto de una política agropecuaria definida en sus contornos básicos por los intereses transnacionales, ha puesto en movimiento una doble operación. Una, instrumentada a través de la ideología tecnocrática centrada en la teoría de las *ventajas comparativas*, cuyo propósito político es demostrar la futilidad de la producción campesina en términos de desarrollo capitalista moderno para reducir el problema de los campesinos marginados a un problema de beneficencia pública o de administración de la miseria. La otra operación más de carácter instrumental, consiste en colocar a las instancias centrales de los organismos gubernamentales o a sus órganos rectores ante una situación de hecho, en donde rotos o debilitados los canales tradicionales de negociación y cooptación del movimiento campesino, les sea muy difícil tender puentes de negociación y concertación con nuevos actores en el medio rural.

En síntesis, si quisiera hacerse un resumen apretado que caracterice el marco probable en el que se desarrollarán las relaciones futuras del movimiento campesino con el Estado, éste partiría de reconocer la erosión del aparato corporativo de masas y del discurso agrarista, y las crecientes dificultades para implantar cualquier política de desarrollo rural de corte reformista. Si bien en un nivel más agregado, parece clara la creciente inserción del sector agropecuario mexicano en el esquema agroalimentario transnacional, en el terreno del despliegue de las fuerzas sociales que actúan en el medio rural, el principal obstáculo para el avance del reformismo gubernamental —y también de cualquier proceso democratizador— es consecuencia de la forma de articulación del cacicazgo regional y los agentes de los organismos gubernamentales.

Lo anterior desde luego parece indicar que en el futuro sólo un impulso desde la base del movimiento campesino puede enfrentar con éxito estos enormes obstáculos. Aun así, esto para nada supone que automáticamente, el movimiento campesino podrá ser sujeto de su propio destino, puesto que —y ello no debe olvidarse— el Estado mexicano posee una importante reserva ideológica e histórica que no puede fácilmente echarse por la borda, aunque es imposible escatimarles méritos, en este sentido, a un grupo significativo del actual equipo gobernante.

LA CRISIS Y LAS CAPAS MÁS DEPAUPERADAS DE LAS CIUDADES

JORGE ALONSO

LA CRISIS DE LA QUE NADIE SE SALVA

Y de repente todo fue oír y sufrir aún más la crisis. Aun los menos informados afirman que los problemas económicos que padecen se deben a una causa a la que todos llaman la crisis.

Dirigentes políticos en foros nacionales e internacionales la han tenido que calificar como una de las peores crisis económicas de la historia mundial. "Originada en las principales potencias capitalistas, esta crisis ha afectado con brutal severidad a los países subdesarrollados, que experimentan ahora el más grave deterioro de toda la posguerra."[1] Crisis transferible, cuyas peores consecuencias pesan sobre los más débiles, quienes no la generaron. Profundización de la crisis general del capitalismo con acentuación de las oscilaciones cíclicas. La regulación estatal-monopolista, agravada con una irracional militarización de la economía fue incapaz de superar la crisis; la profundizó. La inflación y el estancamiento se telescopiaron, el desempleo aumentó y el costo de la vida se disparó. Disminuyó el crecimiento económico, el comercio mundial se estrechó, sobrevino el proteccionismo, se agudizó la competencia en los mercados, el sistema financiero internacional se derrumbó. Inservibles ya los consejos keynesianos para amortiguar la crisis, las esperanzas de los gobernantes se volcaron en las recetas conservadoras que exigieron un alto holocausto social. Crisis creada por el sistema del capitalista monopolista actual donde las recaídas periódicas se entrelazan con las crisis estructurales a períodos cada vez más cortos.[2]

[1] Fidel Castro, *La crisis económica y social del mundo,* La Habana, Oficina de Publicaciones de Estado, 1983. p. 11.

[2] S. M. Ménshikov, *El capitalismo actual, de crisis en crisis,* México, Editorial Nuestro Tiempo, 1983.

EL VASO MEDIO LLENO QUE LA CRISIS VACIÓ

El régimen lopezportillista anunció un auge que llegaría para incrementarse. Se ufanaba de que en medio de un mundo que se debatía en la crisis, México obtenía índices espectaculares de crecimiento. Si había carencias, éstas se debían a rezagos, y finalmente todo era cuestión de enfoque: los insoportables pesimistas lo veían como un vaso medio vacío, los realistas como un vaso medio lleno que se colmaría con los beneficios del petróleo. Los trabajadores sufrían todavía los efectos de la crisis que los gobernantes veían lejana. Los años duros de mediados de los setenta se convertirían en puro recuerdo. Bastaba un estirón más en el sacrificio de los trabajadores para llegar pacientemente al umbral de los ochenta a degustar los frutos de un cuerno de la abundancia. Ciertamente los trabajadores saborearon un cuerno, pero quemado. Por el manejo que los monopolios supieron hacer de la situación, a la llamada crisis de los energéticos se sumó la de las materias primas a la baja, de la que no se salvó el precio del petróleo. Los efectos externos se combinaron con las graves fallas estructurales internas y el vaso se resquebrajó. La estrategia de crecimiento de la economía dependiente mexicana, fincada en la esperanza del capital extranjero, en subsidios al gran capital, en el espejismo del apoyo de la deuda externa, conjunto que había llegado a límites trágicos a finales de los sesenta con alta concentración del ingreso, enorme desigualdad social y estancamiento económico, no sólo no se corrigió sino que se acentuó con la apuesta del petróleo. En la coyuntura actual se agudizó uno de los nuevos rasgos en los "procedimientos tradicionales de exacción monopolista del mundo subdesarrollado: ésta ahora no sólo se efectúa a través del intercambio desigual y la inversión privada extranjera, sino también por medios característicamente financieros, esto es, por la vía del endeudamiento externo".[3] Y de la noche a la mañana las expectativas del pueblo mexicano de obtener algún campeonato mundial se vieron paradójicamente cumplidas: éramos el deudor número uno. La intensificación de la crisis cambió el estado y el ánimo de la nación.[4] Esta crisis estructural profunda, permanente, con crestas cíclicas distintas a las anteriormente conocidas, compleja, tiene como consecuencia más visible un desempleo en aumento. Se estima que entre 3 y 6 millones de me-

---

[3] Fidel Castro, *op. cit.*, p. 15.
[4] *Estrategia*, núm. 51, mayo-junio de 1983.

xicanos se encuentran desocupados.[5] Bancomer a principios de 1983 señalaba como índice de desempleo un 8%, y un 50% para el subempleo (*Unomásuno*, 2 de marzo de 1983). A su vez la inflación brincó hasta tres dígitos. 1982 cerró con la cifra alarmante de un 100% de inflación; y pese a las promesas del actual régimen para controlarla, se estima que 1983 terminará con un índice inflacionario bastante elevado y superior al inicialmente pronosticado. Los renglones relativos a los básicos siempre son los más altos: de enero de 1982 a enero de 1983 la carne subió 105.3%; la leche, 104.5%; las tortillas, 175%; el arroz, 123%; el aceite, 127%; el azúcar, 124%... En esta forma la capacidad adquisitiva de los salarios mínimos se va viendo drásticamente reducida. Según cálculos del Consejo Técnico de la Facultad de Economía de la UNAM la pérdida del poder adquisitivo del salario mínimo bajó de 96.70 en octubre de 1976 a 53.33 para mayo de 1983 (*Unomásuno*, 3 de junio de 1983). Semanalmente los comerciantes reetiquetan el alza las mercancías. Apenas se había anunciado el ridículo incremento a los salarios mínimos en junio de 1983 cuando compras de pánico y subidas de precios en índices superiores a lo otorgado lo hicieron prácticamente nulo. La situación ha obligado a las organizaciones sindicales a examinar la crisis y la política gubernamental para enfrentarla; muchos han tenido que hacer uso del arma legal de la huelga. Pero el cierre de fuentes de trabajo, despidos, deterioro de las condiciones laborales, sobrexplotación de los que quedan con empleo se implementan para escatimar aun los llamados topes salariales. Los monopolios y el Estado aprovechan la crisis para arrebatar conquistas a los trabajadores. Los defensores del régimen alegan que si está aplicando la amarga medicina (ineficaz, por otra parte) que ha dictado el FMI, esto lo hace de una manera heterodoxa: no utiliza mano dura, sino que respeta las libertades democráticas. Las grandes movilizaciones de inconformidad lo probarían. No obstante, se está encaminando a apretar con guante blanco: sacudió y arrinconó a la burocracia sindical; la utilización de tácticas de encono y revancha ante las demandas de sindicatos independientes parecen apuntar hacia una estrategia de desgaste y de ataque a los sindicatos que ponen en cuestión sus medidas anticrisis. Mientras tanto la crisis política se empieza a mover subterráneamente.

[5] *Ibid.*

ANTE LA CRISIS, JALAR DISPAREJO

La clase dirigente no se cansa de hacer prédicas moralizantes relativas a que para salir de la crisis todos los sectores de la sociedad mexicana deben jalar parejo. Se va en el mismo barco que no hay que dejar hundir. Algunos líderes de la burocracia sindical se han atrevido a apuntar que no tan parejo: los que más tienen deben aportar más. Sin embargo, ni la crisis golpea parejo ni su carga se reparte equitativamente. Se le ha pasado la cuenta a los que menos tienen. En el seno mismo de las clases subalternas las diferentes capas resienten la crisis con distinta intensidad; y los más vapuleados no son ciertamente los que reciben el salario mínimo. Obviamente en época de d npleo y subempleo en expansión a causa de la crisis, una alta proporción de la PEA ni siquiera alcanza a llegar a ese mínimo que cada día se empequeñece más. Las alternativas se van cerrando, y la criminalidad va aumentando (*Unomásuno*, 24 de junio de 1983).

CRISIS SOBRE CRISIS

El capitalismo ha traído aparejado un problema al que no ha podido responder: el crecimiento de las ciudades a límites intolerables. La solución que algunos han proclamado es detener el caudal de la emigración del campo a la ciudad. Pero ese "ciérrale" no es posible cuando la crisis en el campo expulsa incontinentemente mano de obra inaprovechable en la estructura actual del agro mexicano y a la que el hambre y la esperanza la arroja a la aventura migratoria. La crisis del capitalismo, incapaz de llegar al pleno empleo soñado, condena a la mayoría migrante a engrosar un ejército industrial de reserva que rompe las proporciones que lo hacían funcional como tal para el capitalismo clásico. La solución de la sobrevivencia se deja a grupos en los que algunos con empleo más o menos estable ofrecen la posibilidad de hacer frente a los gastos del consumo indispensable. La demanda habitacional de estas capas, aunada a la proveniente del crecimiento de los trabajadores ya arraigados, contribuye a lo que se ha llamado la crisis urbana, y la urbanización explosiva. Un porcentaje importante del incremento de la población urbana "se viene realizando sobre la base del crecimiento de los barrios marginales, con la consiguiente agudización de los problemas derivados de las condiciones miserables e insalubres que caracteriza a este tipo de asentamientos humanos. El hacinamiento, la promiscuidad, la falta de acceso a fuentes seguras de agua, la carencia de instalaciones sanitarias, el incremento de la violencia, la prostitución, las drogas, el delito en general y demás manifestaciones de conductas antisociales, son algunas de las consecuencias sociales que genera, en la mayoría de los países subdesarrollados, esta forma de crecimiento urbano, que por sus conocidas raíces sociales y económicas no es ni puede ser planeado sobre base alguna que asegure un mínimo elemental de condiciones de urbanización".[6]

En el caso de México se calcula que las viviendas hacinadas en el área urbana "pasarán de 2.9 millones en 1970 a 10.1 millones en el año 2000".[7] El número de familias sin vivienda duplicará en esa fecha al constatado en 1970: 3.7 millones. Si en 1970 el 61.2% no tenía toma domiciliaria de agua potable, a finales de siglo la proporción seguirá siendo alta: 42.5% (y esto sin considerar si dichas tomas tendrán la posibilidad de ofrecer el líquido al ser abiertas). En 1970 no tenían drenaje el 58% de las viviendas; para el año 2000 estarán sin este servicio 37.6%. Sin suministro eléctrico había 41.1% y al tocar la puerta del siglo venidero seguirán sin este servicio básico el 20.4% de los hogares mexicanos. Todo esto, pese a que el Plan Nacional de Desarrollo 1983-1988 ratifica el carácter de derecho social que todos los mexicanos tienen a la vivienda, y a que se reconoce como elemento clave en el desarrollo social. Y las cifras puden ser peores, pues las estimaciones no tuvieron en cuenta los impactos de una severa crisis que ha frenado planes anteriores.[8] Por lo pronto la Cámara Nacional de la Industria de la Construcción ha señalado que el déficit nacional de habitación supera a los 12 millones de casas y que esto constituye un problema perturbador para la paz social del país (*Unomásuno*, 16 de mayo de 1983). La crisis ha agravado el panorama por el encarecimiento de los materiales de construcción, por la mayor especulación del suelo y por los incrementos desorbitantes en las rentas (de hasta el 300%), a lo que hay que añadir los continuos desalojos y deshaucios. Muchos casatenientes ante la crisis han preferido vender, pues consi-

[6] Fidel Castro, *op. cit.*, pp. 205-206.
[7] Coordinación General del Plan Nacional de Zonas Deprimidas y Grupos Marginados, *Necesidades esenciales en México, 3, Vivienda*, México, Coplamar-Siglo XXI, 1982, p. 84.
[8] *Ibid.*, p. 177.

guen más por los actuales intereses bancarios que por las rentas. El imperio de los condominios avanza sobre terrenos que antes ocupaban viviendas populares; edificios de departamentos en renta se convierten de la noche a la mañana en condominios en venta. A su vez la política empleada por el Estado para regular el suelo repercute finalmente en beneficio de los que controlan el mercado inmobiliario. Las autoridades, tratando de llenar las arcas que la crisis y la corrupción han vaciado, se han lanzado al fácil expediente de incrementar las cargas fiscales a los pobladores, sin discriminación, con lo que los de menores ingresos se ven muchas veces obligados a endeudarse o vender su terreno. Además, con la política de desalojo por construcción de obras viales y remodelaciones, y con el desalojo y represión a los asentamientos irregulares han creado una capa de transhumantes que va de aquí para allá en busca de un lugar donde habitar.[9] "Una parte importante de la población de las ciudades en México, sufre, como consecuencia de la urbanización capitalista un acceso raquítico o nulo al mercado del suelo y vivienda, así como al de los bienes colectivos necesarios para su reproducción. En este sector de la población se encuentra la mayoría del proletariado (...) del semiproletariado (...), pequeña burguesía (...) y lumpenproletariado."[10]

SUPERVIVENCIA Y CRISIS

Los mecanismos creados para mantenerse con vida por parte de los pobladores depauperados de las ciudades no son simples estrategias espontáneas de defensa. Si se les examina con cuidado se llegará a la conclusión de que son medios impuestos por el proceso de acumulación de capital en situaciones de subdesarrollo.[11] La subsistencia se redistribuye entre los trabajadores. Aquí hay que inscribir los lazos personales y grupales. Es decir, las redes sociales no subsisten en sí mismas independientemente de su inserción en el marco de las clases sociales. En épocas de necesidad se acentúan los vínculos de

[9] Jorge Alonso, "Elementos para la discusión de movimientos urbanos y la participación del antropólogo en su estudio" (en prensa).

[10] Martín Longoria, "Conamup", en *Espacios,* núm. 1, abril-junio de 1983, p. 20.

[11] Jorge Alonso (comp.), *Lucha urbana y acumulación de capital,* México, Ediciones de La Casa Chata, 1980.

intercambio. Sin embargo, estas estrategias no son tan elásticas que soporten cualquier crisis. La actual las pone a prueba y muestra sus límites. El escaso ingreso ya no alcanza, los precios de las subsistencias se incrementan, los intermediarios se multiplican sacando su parte. Las capas de los pobladores más depauperados se ven obligados a comprar al menudeo del menudeo en tendajones y mercados locales; están lejos de ser los beneficiarios de los cada vez menos artículos de precios controlados o rebajados. La crisis les trajo otro jinete apocalíptico: la escasez crónica de agua en las principales ciudades de la República la padecen sobre todo estas capas. Piperos inescrupulosos han venido haciendo pingües negocios vendiendo el líquido vital. Con el pretexto del alza de la gasolina los precios del litro de agua para muchos pobladores se elevó a niveles alarmantes que fueron denunciados en la prensa. Si en 1976 un salario mínimo no podía sostener una familia tamaño promedio en estas zonas, en 1983 esto se hace todavía más difícil. Entonces utilizaron los mecanismos de aumentar los ingresos familiares con nuevos ingresos, aunque menores al mínimo: mayor número de integrantes de la familia aportaban algo para el mantenimiento de la misma. No obstante, los autoempleos, como cualquier pequeña empresa, han ido tronando con la crisis. El costo de las materias primas se ha elevado; consecuentemente se han visto precisados a subir también el precio de sus mercancías, que al no poder ser vendidas se malbaratan. Y como dicen algunos entrevistados: "no es plan andar regalando el trabajo sin sacar nada". Por su parte la competencia en la venta de chicles y pañuelos desechables reduce ventas para los comerciantes ambulantes, a lo que hay que añadir la reducción del volumen de compras atribuible también a la crisis: antiguos consumidores reducen estos gastos. Y las esquinas para los tragafuegos cada día dan menos. Otros mecanismos que han utilizado estas capas es el incremento de intercambio de bienes y servicios a través de las redes de parentesco, compadrazgos, amistad y vecindad. Pero como las posibilidades de consecución de bienes se ha visto reducida por parte del grupo, la redistribución entre el mismo se ve decrementada. También han aumentado los préstamos; pero esto tiene un límite: se acaba el excedente circulante. Se van agotando las reservas destinadas a la autoconstrucción. Lo escaso destinado a vestido y diversión se empieza a cancelar. Finalmente viene la restricción en la dieta diaria: así hay familias que reducen el consumo de leche y la compensan con café; si se comía carne, ésta aparecerá raras veces en la mesa, y la base del alimento diario será papas con huevo y pastas, y cada vez son más los casos en los que el huevo y las pastas ceden su lugar a puros frijoles y tortillas. Esta situación no puede prolongarse indefinidamente. Los golpes siguen siendo cada vez más hirientes sobre esta ya débil estructura económica familiar de una gran cantidad de los habitantes de las ciudades.[12]

CRISIS Y ORGANIZACIÓN POPULAR

Si entre los trabajadores organizados sindicalmente existe un alto grado de despolitización, y una gran parte de sus dirigentes los mantienen atados a la ideología burguesa, entre las capas más depauperadas de los pobladores, el atraso político y la desorganización son enormemente mayores. No obstante, los problemas urbanos, las carencias colectivas, las agresiones de casatenientes, latifundistas urbanos y funcionarios gubernamentales logran suscitar descontentos populares que, espontánea u organizadamente (en distintos organismos y niveles), enfrentan la política antipopular y se inscriben en la lucha de clases que la crisis atiza con fuerza. "Las crisis económicas, que refuerzan las contradicciones en la base material de las ciudades, y en particular las medidas de política económica y política urbana del Estado burgués para administrarlas con sentido de clase, acentúan todavía más las tendencias de elevar la crisis urbana a un primer plano de la lucha de clases."[13] No se trata de resucitar las teorías de Marcuse según las cuales las nuevas clases revolucionarias serían los "marginados" de todo tipo que suplantarían a un proletariado al que se había calificado de cansado e ineficaz. Sin embargo, no hay que dejar de señalar que las luchas de los pobladores urbanos tienen una trinchera nada despreciable

[12] Este apartado está basado en encuestas levantadas entre pobladores de la colonia Ajusco. Los resultados de dichas encuestas coinciden fundamentalmente con las que la revista *Estrategia* llevó a cabo en distintas partes del país y que le sirvieron para elaborar su número 52 de julio-agosto de 1983 acerca de "La crisis y el pueblo". Otra clase de investigaciones vienen a confirmar este desolador panorama. Así, un artículo aparecido en *El Día* el 15 de agosto de 1983, combinando casos concretos con la capacidad de compra de un salario mínimo, concluye que la mayoría de los trabajadores se encuentra en un nivel muy por debajo del mínimo señalado por la Organización Mundial de la Salud en lo que se refiere a consumo de calorías.

[13] Ángel Mercado, "Crisis económica y despliegue del movimiento urbano popular de México", en *Testimonios*, núm. 1, mayo de 1983, p. 56.

en el combate social. El movimiento urbano popular ha ido encontrando cauces organizativos y, con períodos emergentes, de repliegue, de acumulación de fuerzas, ha ido creciendo en experiencia y combatividad. Sus manifestaciones en la historia del país datan de muchos años atrás. Bastaría recordar los movimientos inquilinarios de la década de los veinte. Pero con la agudización de las crisis y sus repercusiones en las ciudades han ido cobrando extensión y persistencia. La intensidad de estos movimientos "corresponde a su vez a la crisis del modelo de producción capitalista y que corresponde a los años del sexenio de Luis Echeverría (. . .) Los movimientos se desarrollan y (. . .) a este desarrollo favorece una serie de condiciones: por un lado la manifestación de la crisis urbana dentro de la crisis más global del capitalismo mexicano, que se hace recaer en las masas populares buscando éstas los medios para defenderse en todos los caminos".[14] Poco a poco se ha ido encontrado una expresión unitaria en un frente de masas que aun corrientes partidarias de izquierda han reconocido como espacio aglutinador y coordinador de esta clase de movimientos: la Coordinadora Nacional del Movimiento Urbano Popular (CONAMUP).[15]

LA CONAMUP Y LA CRISIS

La CONAMUP a contrapelo de la represión ha logrado abrir las puertas de los funcionarios urbanos para empujar a la solución de las demandas de las colonias populares que agrupa. Últimamente las autoridades se han escudado en la crisis que viene padeciendo el país para pretextar falta de recursos. No hay para satisfacer las justas demandas planteadas, se alega. Y coincidente con la política de desarticular las organizaciones sindicales combativas, el DDF a finales de mayo de 1983 rompió y condicionó las negociaciones que

[14] David Siller y Mario A. Mares, "60% de habitantes del D. F. en 80 organizaciones", en *Unomásuno*, México, 11 de abril de 1983.

[15] Ramón Sosamontes, "Ante la crisis, uniformar y construir el movimiento urbano popular", en *Así es*, núm. 65, semana del 3 al 9 de junio de 1983, p. 4. Un análisis detallado y a fondo del nacimiento, desarrollo y consolidación de la CONAMUP se puede encontrar en el artículo de Pedro Moctezuma, "Las luchas urbano-populares en la coyuntura actual", en *Teoría y política*, núm. 5, julio-septiembre de 1981, pp. 100-124, y en el núm. 1 de la revista de la UAG, *Testimonios*, de mayo de 1983, íntegramente dedicado a la CONAMUP.

estaba llevando a cabo con la conamup a que ésta controlara cualquier movimiento "negativo" de los colonos. Sin embargo, pese a
presiones, trampas y represiones, argucias y burocratismos, la conamup ha sabido mantener la cohesión y encabezar combativamente
las demandas de consumo urbano y apoyar el impulso de democracia
interna de las organizaciones que agrupa. Los movimientos populares han multiplicado sus armas: han promovido amparos, juicios,
trámites sobre regularización, servicios y pago e impuestos sobre los
mismos; han combinado las denuncias públicas, las marchas, los
mítines, los plantones, las pintas, los volanteos con las negociaciones.
Llegado el caso han recurrido a la toma de oficinas, de unidades
de transporte y de terrenos, se ha detenido a policías corruptos y
se han abierto una y otra vez las puertas que bajo cualquier pretexto las autoridades les han cerrado. El recrudecimiento de los
efectos de la crisis ha ofrecido espacios de mayor organización y
combatividad. Así lo ha entendido la conamup y ha convocado a
la movilización popular. Ha sido cuidadosa para intentar resolver
las contradicciones secundarias que se han suscitado en su seno, a
fin de impedir dar cancha abierta a los enemigos del pueblo.

Los efectos recurrentes y cada vez más agudizados de esa crisis
estructural que el "auge petrolero" sólo mitigó en parte obligaron
al movimiento urbano popular a buscar respuestas de lucha. Desde
su III Encuentro Nacional, la conamup, en 1982, planificó foros
y jornadas nacionales en contra de la carestía, que se llevaron a
efecto en importantes ciudades de la República.

A principios de mayo de 1983 la conamup llevó a cabo en la ciudad de México su IV Encuentro Nacional que tuvo como tema central la crisis. "En estos momentos en que la crisis golpea con fuerza
a las grandes mayorías del país y en que las condiciones de vida
de las masas se deterioran grandemente por la política de austeridad
que el gobierno impulsa al seguir las directrices del FMI, es en la
ciudad donde más gravemente se manifiestan las contradicciones del
sistema capitalista vigente bajo las formas de mayor miseria, opresión y dominación", declaró en su desplegado-convocatoria. Como
lo reseñó Ángel Mercado en dos artículos,[16] los participantes deba-
tieron el tema de la crisis. Algunos señalaron que ésta no conduciría
necesaria ni mecánicamente a la politización de las masas inconformes, y algunos otros dieron la voz de alerta: si no se tenía la capacidad de ofrecer organización y dirección consecuente, las masas,

[16] Ángel Mercado, "Conamup opina... Mirar la crisis sin disimulo", en
Unomásuno, México, 18 y 25 de mayo de 1983.

por su atraso político, podían ser ganadas a posiciones de derecha. En el encuentro se constató que la respuesta del movimiento urbano popular ante la crisis había sido débil, dispersa y poco coordinada. Autocrítica, no como lamento sino como incentivo para encontrar las medidas consecuentes. Las principales demandas del movimiento se han circunscrito en el respeto al derecho de posesión, regularización y escrituración, dotación de tierras para inquilinos y solicitantes, urbanización total y sin gravamen para los usuarios... Se señaló que por la crisis el Estado utilizaba al lumpen para agredir a las organizaciones, y que en las familias se había incrementado la sobre-explotación de sus miembros, sobre todo de las mujeres, que el Estado había desatado una campaña de desprestigio, amenazas y represión directa masiva y selectiva en contra de organizaciones integrantes de la CONAMUP. Sin embargo, el balance también arrojaba que, pese a su posición todavía defensiva y en correlación de fuerzas aún desfavorable (en la que influían dispersión, sectarismos, etc.) la CONAMUP había avanzado en movilización y organización, y que en diversas ciudades de la República venía sirviendo como instrumento de lucha en contra de la política antipopular que el Estado estaba implementando como salida a la crisis. En documentos de organizaciones integrantes de la CONAMUP se reconoce: ''la crisis necesita una respuesta más clara de la izquierda y una alternativa más concreta de las organizaciones de masas para sus masas y para el pueblo en general''.[17]

La CONAMUP se dispone a agrupar al mayor número de organizaciones de masas del sector, consolidarse como alternativa con base en un programa y fortalecer lazos de unidad y de lucha con otros sec-tores, como lo ha venido haciendo en el FNDSCAL (Frente Nacional en Defensa del Salario contra la Austeridad y la Carestía). Última-mente se pueden apreciar los avances de un proceso unitario entre el FNDSCAL con otros agrupamientos que también enfrenta los efec-tos de la actual crisis y que conjuntamente van aglutinando deman-das populares amplias (inscritas en la lucha de clases como se ma-nifiesta en la presente etapa) en un intento orgánico de acumulación de fuerzas: La Asamblea Nacional Obrera Campesina y Popular.

Hasta ahora la CONAMUP ha dado respuesta a una de las necesi-dades básicas de los pobladores: la de vivienda. En cuanto a empleo y consumo todavía no ha desarrollado con amplitud formas orgá-nicas operativas. El camino por andar es largo: organizar y forta-

17 Documento del sector urbano popular del MRP ante el IV Encuentro Nacional de la CONAMUP, en *La causa del pueblo*, mayo de 1983, p. 6.

locarse en el sector, unión con las otras fuerzas sociales progresistas y revolucionarias, levantar demandas que coincidan con estas fuerzas para defender efectivamente el nivel de vida de la población trabajadora. El Grupo de Apoyo al Movimiento Popular (GAMPO), para la actual situación de crisis conjuntó en siete puntos un primer grupo de demandas inmediatas: suspensión o reducción del pago de impuestos (predial) y derechos (agua, licencias de construcción); suspensión o huelga de pagos a fraccionadores y casatenientes; formación de cooperativas de consumo popular; instalación de tiendas CONASUPO bajo control o supervisión de las organizaciones populares; boicot y denuncia a encarecedores y especuladores; formación de comités de información y denuncia ante los medios de comunicación pública; organización de comedores populares. . .

Las diferentes organizaciones integrantes de la CONAMUP no coinciden del todo ni con la caracterización de la crisis ni con las salidas que previsiblemente tiene. Es una discusión todavía abierta. La inmensa mayoría está de acuerdo en que sólo el socialismo tendrá los instrumentos para conjurarla o administrar popularmente los efectos que pueda introducir una crisis en un mundo tan interrelacionado donde avanza el campo socialista, pero con interferencias el área capitalista (como ha sucedido, por ejemplo en Cuba que resiente la baja del precio del azúcar en el mercado internacional). Sin embargo, hay etapas intermedias, no deseables tal vez, pero que las condiciones reales imponen. En esta forma "los pasos dados hacia adelante para la liquidación de la crisis, del desempleo y de la inflación [y sus consecuencias en el medio urbano popular] son posibles aun antes de pasar al socialismo por medio de profundas transformaciones democráticas en las que están interesadas amplias masas de los trabajadores y de todas las capas de la sociedad que resienten las consecuencias del dominio del capital monopolista (. . .) La supresión de la inflación es impensable sin un rígido control estatal sobre los precios en todas las ramas de la economía con plena participación de todos los trabajadores en la realización de dicho control".[18] Se requiere además, un control efectivo de los bancos y los monopolios más importantes con una intervención creciente de los trabajadores en la conducción de las empresas más grandes. Sólo a través de la distribución de la fuerza de trabajo se puede garantizar el empleo. Entre esta serie de medidas programáticas se inscribe desde luego la del incremento de los ingresos de los trabajadores a la par que la limitación y terminación del consumo pa-

18 S. M. Ménshikov, op cit., p. 281.

rastario de la burguesía monopolista. Otro punto importante es el relativo a la construcción planificada y en masa de viviendas para los trabajadores en un contexto de urbanización humanizante. Obviamente los impuestos tendrán que subir y recaer en las capas más adineradas. Esto, con otra serie de medidas concomitantes indispensables sólo puede lograrse con la llegada al poder de una amplia y fuerte coalición de las fuerzas democráticas y progresistas que pongan en marcha un plan antimonopolista.[19] Para llegar a ese punto hace falta organización, fuerza y dirección popular. La co-NAMUP, a pesar de sus debilidades actuales, va demostrando que es pieza clave para la organización de los pobladores depauperados y para su enfrentamiento, junto con otras fuerzas, a los efectos de la crisis y a la crisis misma, que es expresión de las contradicciones de un sistema que no tiene respuestas satisfactorias para las mayorías.

19 Todos estos planteamientos están en la obra citada de Menshikov.

EL PODER DE LOS OBREROS

RAÚL TREJO DELARBRE

"El proletariado se siente capaz de levantar su mano y de endurecer el puño para abatir a todo el enemigo que se interponga a la marcha social, económica y política de nuestra patria."[1] Quien formula esta advertencia no es uno de los dirigentes del radical sindicalismo insurgente ni pertenece a la nueva izquierda mexicana. Se trata —pa-radojas del sistema— del dirigente obrero que, para mal o para bien, ha tenido mayor influencia en la historia del movimiento obre-ro en nuestro país. Con 36 años al frente de la central de mayor peso político y a los 83 de edad, Fidel Velázquez encarna, cliente-lismo y corporativismo de por medio, el poder de los trabajadores organizados y ha sido el centro de los recientes conflictos entre el movimiento sindical y el resto del aparato del Estado.

Si antaño los personeros del sistema político mexicano hubieran podido ufanarse para decir "denme un sindicato y crearé un buen negocio", hoy en día las conmociones de la crisis y las explosividades de un movimiento obrero cargado de tensiones y cuentas pendientes han sido causa de que los sindicatos sean, en todo caso, negocios di-fíciles de controlar. Allí están algunos de los espacios más contra-dictorios y cambiantes en la de por sí versátil sociedad civil mexi-cana. ¿Cuándo se hubiera esperado la radicalización programática que ha singularizado desde 1978 al principal sector de la burocracia sindical? El distanciamiento político entre este sector y el grupo en el gobierno, las protestas obreras que trascienden compromisos y estallan en miles de huelgas, la política laboral reciente que dis-minuye concesiones y aumenta presiones al sindicalismo, son hechos mucho más que anecdóticos.

El poder de los obreros, es proyecto histórico pero también hecho político de hoy. Se manifiesta en programas, demandas, esperanzas y además, en influencias y resultados concretos. Radica, por su-puesto, en las ideologías, los propósitos y las luchas que se entrecru-

[1] Discurso improvisado por Fidel Velázquez en el XIII Congreso Ge-neral Ordinario de la Federación de Trabajadores de Zacatecas el 30 de julio de 1983, publicado en *El Día*, 16 de agosto de 1983.

[325]

zan y existen entre los trabajadores mexicanos pero es también un poder matizado por intermediaciones, aprovechado por caudillos, derrochado frecuentemente en proyectos que los trabajadores no comparten. Es un poder tan cambiante y diverso como el propio movimiento obrero que podría compararse, por las perplejidades que ocasiona, con el dinosaurio del minicuento de Augusto Mon- terroso. El sindicalismo mexicano se asemeja a un expectante, co- losal dinosaurio, tal vez aletargado por la tradición, las inercias y la subordinación forzosa, pero seguramente dispuesto a dar coleta- zos capaces de conmover al resto del sistema político. Monstruoso por su extensión pero también por su desigual y heterogénea es- tructura, por sus abundantes ramificaciones hacia el resto de la sociedad y por la diversidad de conflictos y fuentes de poder que existen en su interior, el movimiento obrero reúne a la mayor parte de las organizaciones sociales del país. Más de 10 mil sindicatos de todos los tamaños y casi todas las afinidades, cerca de cinco millones de asalariados con todos los grados de participación, información e interés en las tareas sindicales (desde trabajadores agrícolas o de la construcción, que a veces ni siquiera saben que están sindica- lizados, hasta gremios activísimos y poderosos como, también en amplia gama, los petroleros, los metalúrgicos o los electricistas).[2]

El grande y contradictorio poder de los obreros ha servido para legitimar medidas de gobierno, para promover o condenar perso- najes políticos, para dar nuevos giros y hasta para convalidar la crisis económica. Pero también se ha expresado, para referirnos sólo a los últimos meses, en huelgas, manifiestos, marchas, en las pro- testas organizadas más significativas ante esa crisis. En el sindicalismo organizado (y aquí coinciden la burocracia tradicional y la insur- gencia democrática) ha radicado las proposiciones programáticas más reiteradas entre quienes pretenden configurar una estrategia de desarrollo alternativa a la que impulsa el gobierno. Seguramente, nunca antes la dirección nacional del movimiento obrero había sos- tenido de manera tan abierta y constante proyectos de política económica tan contrapuestos a los de la burocracia política, como ha ocurrido en los últimos años. Frente al liberalismo económico, los dirigentes obreros y sus asesores han exigido rectoría del Estado; ante las instrucciones formuladas en centros financieros internacio- nales, han propuesto mayor participación de la sociedad; contra las aspiraciones de los empresarios, influencia de los obreros en todos los

[2] En este trabajo reiteramos y desarrollamos algunas opiniones formuladas antes en las páginas de *Unomásuno* entre abril y julio de 1983.

sectores productivos. Pero como del dicho al hecho hay muchas grillas, presiones y negociaciones, la mayor parte de las demandas del movimiento obrero, aunque publicitadas con especial afán desde hace un lustro, siguen incumplidas y han corrido el riesgo de convertirse en documentos empolvados, poco capaces de conciliar cambios reales por la falta de apoyo sindical y social suficiente.

Para ser tal, el poder de los trabajadores requiere aplicarse a impulsar demandas precisas, realizables y sobre todo oportunas, sin gremialismos ni apocamientos. Proposiciones, hay casi por docenas. Entre las demandas aprobadas recientemente por el Congreso del Trabajo[3] destacan la búsqueda de formas de autoabastecimiento y las compras en común promovidas por sindicatos, el impulso a programas de vivienda, el pago de transporte a cargo de patrones y gobierno, el establecimiento de un seguro de desempleo, aumentos al porcentaje de participación de utilidades, desarrollo del llamado *sector social* de la economía a través de la creación de empresas financiadas por los propios sindicatos y reorientación de la banca en provecho de un desarrollo industrial integrado. Para influir en la sociedad y la política, se proponen tareas como la promoción legislativa a través de diputados y senadores obreros, la huelga nacional de pago de rentas, el boicot contra establecimientos que violen precios oficiales y un programa de información a través de órganos de comunicación sindicales y en los medios de comunicación de masas.[4]

La intención de los dirigentes para avanzar en el cumplimiento de estas demandas, ha contribuido para determinar el conocido distanciamiento del gobierno federal respecto de los líderes sindicales. Pero esa nueva realidad política se explica sobre todo por la decisión del gobierno de Miguel de la Madrid para desplazar el rechazo social que pueda encontrar la actual política económica. El principal enfrentamiento entre gobierno y sociedad, a este respecto, se ha ubicado en la disputa por los salarios, que ocasionó que estallara el mayor número de huelgas simultáneas en la historia de México: en la segunda semana de junio coincidieron más de 3 mil huelgas, cantidad superior a la de todo el sexenio anterior[5] y también la

[3] Según desplegado del Sindicato de Telefonistas aparecido el 18 de marzo de 1983 en *Excélsior*.

[4] No abundamos en la descripción ni el comentario del programa reciente del Congreso del Trabajo y la CTM porque en este libro hay un ensayo dedicado a dicho asunto.

[5] Estallaron, entre otras, huelgas en restaurantes y hoteles, en la industria cementera y yesera, en industrias de celulosa y papel, en la industria hulera, en empresas de la construcción, en cines y universidades. Un recuento

declaración en público más dura que se recuerde haya formulado el presidente de la República contra el sector hegemónico de la burocracia sindical. Todavía persiste el asombro entre quienes escucharon o leyeron el discurso presidencial del 9 de junio en Guadalajara, justo en los días en que Fidel Velázquez insistía en que se estableciera un pacto obrero-empresarial capaz de congelar salarios y precios. "No podemos abatir la inflación como arte de magia —dijo De la Madrid—. No podemos, racionalmente, aspirar a congelar precios y salarios, sería engañarnos a nosotros mismos y la mentira ya no puede ser instrumento de lucha política, la dejamos a minorías de demagogos e irresponsables; los revolucionarios tenemos que decir la verdad." Para culminar su discurso, advirtió: "no me dejaré presionar por viejos estilos de negociación o de pretensión de poder".[6]

Como para confirmar esa lógica del sistema político según la cual a toda presión sucede la negociación, o después de los tracazos llegan las palmaditas, al día siguiente la Comisión Nacional de Salarios Mínimos, que llevaba tres meses sin responder a la solicitud obrera de un salario de emergencia, resolvió incrementos de 15.6% en promedio, claramente insuficientes frente al más de 40% de inflación acumulada a esas alturas del año, pero superiores al promedio del 12.5% que el gobierno había convenido con el Fondo Monetario Internacional.

La intención de Velázquez y la CTM para lograr un armisticio económico capaz de frenar la inflación, fue descalificada por el rechazo presidencial y por la realidad de una economía sometida a presiones entre las que imperen las de empresarios locales y capitales foráneos. Dos meses más tarde, con diferente intención política y ante el desgano de los cetemistas, el gobierno federal promovió un pacto distinto al que quería Fidel y que consistió en la enumeración de los rasgos que tiene la crisis desde las perspectivas de los empresarios y de los organismos sindicales.[7] Ni siquiera todos los capitanes de empresa ni todos los líderes obreros nacionales participaron de este acuerdo. Por los primeros, solamente firmó la Confederación de Cámaras Industriales. En representación del movimiento obrero lo hizo el presidente en turno del Congreso del Trabajo pero después de un rosario de negociaciones donde primero la CTM era promotora entusiasta del pacto, luego perdió interés y los dirigentes de

de estos conflictos puede encontrarse en el número de agosto de 1983 de la revista *Economía Informa*.

6 El discurso apareció en *Unomásuno* del 10 de junio de 1983.
7 Fragmentos del Pacto fueron publicados por *Excélsior* el 10 de agosto de 1983.

la CROC, que han deseado singularizarse por su oposición a los cetemistas, insistían en que, ahora sí, ya era momento para un acuerdo
con los empresarios.

Divergencias entre las centrales sindicales siempre han existido
Pero por lo general, sobre todo, en las últimas décadas, se debían a
disputas por pequeños cacicazgos locales y podían resolverse en las
cúpulas sindicales nacionales. En los meses recientes el control hasta
hace poco indisputado de Fidel Velázquez y de la CTM ha sido re-
gateado públicamente por la CROC y la CROM, dos centrales hasta hace poco escasamente combativas. La avanzada edad de Fidel Velázquez y el hecho, más o menos inminente, de que será necesario
erigir un nuevo liderazgo para el movimiento obrero, se combina
con el propósito del gobierno federal para diversificar sus interlocutores en el sindicalismo y de esta manera disminuir la gran influencia que han alcanzado Fidel y su grupo de dirigentes y asesores
cetemistas. La ocasión que los líderes de otras centrales encontraron
para diferenciarse de la CTM, fue la disputa salarial que tuvo lugar
entre 1982 y 1983. La Confederación Revolucionaria de Obreros y
Campesinos formada en 1952 se había singularizado porque junto
a las prácticas comunes en las dirigencias sindicales (escasa discusión e información hacia los trabajadores, antidemocracia) sus líderes habían sido capaces de forjar uno de los discursos más progresistas del movimiento obrero mexicano: esa central ha pugnado de-
clarativamente por la reorganización de la abigarrada estructura sindical a través de agrupaciones nacionales de industria y, también
en el mismo plano, ha insistido en la necesidad de una mayor participación de los trabajadores en la vida sindical. La Confederación
Regional Obrera Mexicana, que es la central obrera más antigua
y que está en crisis desde que a comienzos de los años treinta decidió
apoyar al debilitado callismo y se colocó a contracorriente de la
renovación sindical que entonces ocurría (y que propiciaría en 1936
el surgimiento de la CTM), ha podido resucitar sólo gracias al apoyo
de algún sector del aparato gubernamental: las entrevistas de sus
dirigentes con el presidente de la República han sido muy frecuentes en el primer año del sexenio y la CROM ha recibido impulsos
inusitados como la incorporación, en julio de 1983, de una docena
de sindicatos que eran miembros de la Central General de Trabajadores.[8]

[8] "Ineptitud del líder Lorenzo Valdepeñas", en El Universal, 8 de agosto,
y "La pugna CTM-gobierno coincide con el resurgimiento de la CROM", por
Salvador Corro, en Proceso, núm. 351, 25 de julio de 1983.

En el Congreso del Trabajo, organismo "techo" que reúne a los dirigentes de las principales agrupaciones obreras, coexisten histo-rias, proyectos y prácticas muy disímbolas. Inclusive, la cerrazón que había padecido el sindicalismo oficialista se modificó en los años recientes y en el CT participan sindicatos de vida democrática como el de telefonistas e inclusive el activo sindicato de los trabajadores de la industria nuclear. Pero a partir de la tormenta que agitó las cúpulas del sindicalismo a mediados de 1983 han podido distin-guirse, al menos temporal y esquemáticamente, dos gruesas tenden-cias entre los dirigentes del Congreso. Una, dispuesta a renovar su discurso (y enfrentada por ello, incluso a pesar suyo, con un gobierno que sostiene una estrategia diferente) para mantener su liderazgo. La otra, que estaría presidida por la CROC y la CROM, encandilada con la posibilidad de remplazar al taimado viejo de las gafas negras y proclive a posponer exigencias obreras y métodos de lucha con tal de apropiarse de esa estafeta.

Pero las diatribas recientes superan, con mucho, la relación entre líderes y gobierno. No existirían, al menos con tanta intensidad, de no ser por las presiones originadas en la base de la sociedad y por la configuración, incluso en sectores ligados o incorporados al Estado, de proyectos de desarrollo diversos al esquema del actual gobierno. Los juicios presidenciales adversos a las proposiciones fi-delianas no sólo involucraron a Velázquez y su central sino a los trabajadores y organismos que han demandado una reorientación económica dentro de la cual resulta indispensable controlar los au-mentos de precios. Las demandas recientes de sindicatos y trabaja-dores han cuestionado los ejes de la política económica oficial y la política laboral del gobierno parece haber estado destinada a en-frentar los esfuerzos obreros por definir vías programáticas propias. Los sindicatos más singularizados por posiciones insurgentes, como los universitarios y el de trabajadores de la industria nuclear, han tropezado con actitudes inflexibles. A los primeros, se les negó au-mento salarial de emergencia en junio pasado, cuando se estaban decidiendo incrementos para la gran mayoría de los trabajadores del país y se les advirtió de la existencia de una política de restriccio-nes para la educación superior y sus trabajadores. Al SUTIN, se les obligó a padecer la intransigencia de la administración de Uranio Mexicano durante un largo viacrucis que incluyó el rechazo de la empresa para que terminara la huelga en julio, el gasto de indem-nizaciones cuantiosas para dividir a los trabajadores y la decisión de suspender el programa de investigación y exploración nucleares, con tal de golpear a un sindicato distinguido por su tenacidad y

sus convicciones democráticas. Esta política contra sindicatos democráticos buscaría debilitar las alianzas de organismos gremiales dispuestos a trascender el "independentismo" que en la década pasada
mantuvo aislados del movimiento sindical mayoritario a las principales agrupaciones insurgentes. El primero de mayo de 1983 doce
sindicatos democráticos a los que después se añadirían algunos más,
suscribieron un Pacto de Unidad y Solidaridad donde además de
prometerse ayuda mutua se propusieron impulsar acciones unitarias
con el conjunto del movimiento obrero.[9] Algunos de los sindicatos de
este Pacto pertenecen al Congreso del Trabajo y otros no.

Esa decisión de impulsar luchas democráticas sin desligarse de
las organizaciones sindicales nacionales ha sido compartida por trabajadores en muy diversos sectores de actividad. Los maestros democráticos mantienen su Coordinadora Nacional de Trabajadores
de la Educación que ha ganado reconocimiento como corriente di-
ferenciada de los dirigentes del SNTE y que se desarrolla dentro de
las estructuras y acatando los estatutos de ese sindicato. Quienes
violentan la legalidad interna, de esta forma, llegan a ser los dirigentes oficialistas como ocurrió en la marcha obrera del primero
de mayo (1983) cuando el grupo de la CNTE fue agredido por gente
de "Vanguardia Revolucionaria" que controla la dirección del sindicato.[10] En la industria refresquera los trabajadores de "Pascual"
se han obstinado en permanecer dentro de alguna central reconocida,
aunque para ello han tenido que deambular de la CTM a la CROC.[11]
Entre los mineros metalúrgicos hay secciones democráticas que incluso se han enfrentado a oligarquías locales como ha ocurrido en
Monclova, y también entre los trabajadores al servicio del Estado,
a pesar de la camisa de fuerza que el apartado "B" significa para
los sindicatos, se han expresado protestas y demandas democráticas
(trabajadores del Metro, de la Secretaría de Desarrollo Urbano, de
Relaciones Exteriores, etc.). Con estos ejemplos desordenados y de
ninguna forma exhaustivos, queremos destacar la abundancia dentro
de los sindicatos de conflictos que revientan y permanecen a pesar
de los líderes y en muchas ocasiones precisamente como protesta
contra los mecanismos de control corporativos.

Estas tensiones sociales son constante telón de fondo de las disputas

9 El texto del Pacto, en *Unomásuno*, 2 de mayo de 1983.

10 Dos crónicas del incidente, escritas por Hermann Bellinghausen y Luis
Hernández, aparecieron en el núm. 1092, de "La cultura en México", suplemento de *Siempre*, 18 de mayo de 1983.

11 Este largo conflicto fue reseñado por Ubaldo Díaz en *Unomásuno* los
días 22 y 23 de agosto de 1983.

entre gobierno y movimiento obrero, de las recomposiciones dentro del sindicalismo y de las banderas programáticas avanzadas. Por eso tras las expresiones más inmediatas de los cambios en el movimiento obrero, está la necesidad de una modificación profunda en las prácticas y la vida misma de los sindicatos.

El movimiento obrero es actualmente el sector más dinámico, más propositivo y posiblemente también el más conflictivo en la sociedad mexicana. A pesar de que siguen existiendo unos quince millones de asalariados sin organización gremial alguna, los sindicatos agrupan a la mayor parte de los organizados en esta sociedad. Su peso político es de cantidad, pero fundamentalmente de calidad. Con todo y sus diferencias internas, el sindicalismo tiene la posibilidad de influir en el resto de la sociedad. Ocurre así, gracias al afán y al control de caciques sindicales en ciudades y regiones enteras del país (el caso más destacado es la hegemonía de los líderes petroleros en el norte de Veracruz y el sur tamaulipeco). Tiene, además, la posibilidad de expresar aspiraciones y demandas de las capas mayoritarias de la sociedad, como han hecho diversos programas sindicales, desde los manifiestos de la insurgencia obrera hasta los proyectos más recientes de la burocracia sindical. Los sindicatos siguen siendo el instrumento privilegiado por los trabajadores y sus dirigentes para presionar, para decir, para negociar, para hacer política. El partido oficial está obligado a conservar el apoyo y la participación de líderes y sindicatos, lo cual confiere a los dirigentes una ventaja que les permite paliar las temporales animadversiones de los gobernantes.

Los trabajadores se manifiestan indirectamente en estas formas de quehacer político. Sus quejas, opiniones y exigencias no siempre son expresadas cabal y consecuentemente por los dirigentes, pero las posiciones de los líderes no son, tampoco, exclusivamente personales ni divorciadas del interés de los trabajadores. El auténtico y definitivo salto en el quehacer sindical sería aquel que permitiera que las decisiones, la elaboración programática, la política, estuvieran a cargo de los trabajadores y no sólo de los dirigentes. Pero eso es seguramente un problema que desborda a los sindicatos, y que, si nuestros esquemas y previsiones no fallan, tendría que ser resultado de un proceso donde el fortalecimiento (la extensión, la reestructuración, la democratización, en fin) de los sindicatos fuera paralela a transformaciones equivalentes en el resto de la sociedad y del mundo de la política.

La crisis, que todo lo acelera, tiende a propiciar nuevas actitudes obreras y confiere valores diferentes a las tareas de los sindicatos. En

momentos de restricción forzosa, pedir salarios más altos es una demanda eminentemente política y si se apoya con la huelga ad-quiere rasgos de auténtica resistencia civil frente a los patrones o el gobierno. De la misma forma que el gobierno contenga o someta a las agrupaciones de trabajadores —que siempre es llanamente una actitud represiva— en épocas de crisis, cuando la sociedad se afana en la búsqueda de formas de expresión, organización y defensa, sig-nifica violentar aún más las relaciones entre el Estado y la propia sociedad. La política laboral reciente, por ejemplo, parte del con-vencimiento de que la crisis se ha debido a que los salarios llegaron a incrementarse desproporcionadamente respecto del ritmo del con-junto de la economía y por lo tanto, es necesario contener deman-das y logros salariales para dar paso a que se ajusten las fuerzas del mercado. De ahí parece partir el propósito de menguar, junto al ingreso real de los trabajadores, el peso político del movimiento obrero. Para ello el gobierno ("desconcentra" el poder de los líderes y diversifica sus alianzas principales: en lugar de tratar con un solo dirigente o con una central, reconoce como interlocutores a otros sectores de la burocracia obrera. Si esta actitud condujera a una mayor autonomía política y a que se desarrollara la capacidad de iniciativa de los trabajadores y sus agrupaciones, estaríamos ante el complemento que, en el ineludible plano sindical, le faltó a la reforma política de hace varios años. Pero la determinación de cuáles son los nuevos polos de poder en el sindicalismo no ha sido hecha por los trabajadores sino por quienes desde el gobierno han que-rido fragmentar la influencia del grupo de líderes que ha mante-nido la hegemonía en el movimiento obrero.

Hay en estos nuevos rasgos de la relación Estado-sindicatos-tra-bajadores organizados, una suerte de concepción utilitarista de la sociedad, que adjudica a los organismos gremiales el papel de sim-ples puntales del desarrollo económico y que reduce a los sindicatos a su función más primaria, como negociadores de la fuerza de tra-bajo de sus afiliados. El destino de cada conflicto laboral depende entonces de la capacidad de presión y negociación de patrones y trabajadores, en cada caso, pero donde estos últimos se atienen a sus propias fuerzas y a la utilidad que tengan dentro de la lógica del esquema oficial de recuperación económica.

Concluyamos lo obvio, que en nuestro sistema político no siem-pre es lo posible ni lo inmediato: el poder de los trabajadores se manifiesta hoy en un abigarrado y cambiante movimiento obrero. El poder de los trabajadores tiene manifestaciones reales, en las

luchas y huelgas recientes, en demandas cada vez más complejas y en las negociaciones de los dirigentes. Pero tiene sobre todo una *potencialidad* a la que ningún partido político ni proyecto de cambio alguno pueden ser indiferentes y que radica en la capacidad organizativa, de convocatoria y de despliegue programático que puede asumir el movimiento obrero en un proceso más amplio de transformación social. Qué hay cambios en las alianzas, las tácticas y acaso en las perspectivas del sindicalismo, se expresa en experiencias obreras recientes, en la incorporación de profesionales y técnicos a las luchas gremiales, en el desarrollo de una o varias nuevas generaciones de trabajadores. Y también en la capacidad de renovación de la burocracia sindical cuyo principal dirigente, sin abjurar de procedimientos ni historia alguna, es capaz de hablar de porvenir proletario para la patria, de cambio social y puños obreros cerrados. Ese dinosaurio que es un movimiento obrero desperezándose y aguijoneado por la crisis está obligando a despertar a más de un desprevenido en los cubículos, en las organizaciones de masas y en las cúpulas del poder.

LA PROPUESTA OBRERA

ARTURO ROMO

A mediados de los años setenta se hizo *evidente* para el movimiento obrero la existencia de una *crisis económica* en el país.

¿Cuál era su causa profunda?

La Reunión Nacional para la Reforma Económica celebrada por la Confederación de Trabajadores de México cuyas conclusiones serían más tarde adoptadas por las organizaciones del Congreso del Trabajo diagnosticó la causa: la política económica del modelo de crecimiento, en lo fundamental, había *privilegiado la acumulación privada de capital* en detrimento de la mayoría de la población. El modelo se había agotado —la crisis era una expresión de ello— y, en consecuencia, los trabajadores postulaban la necesidad de realizar una reforma económica que redefiniera profundamente las políticas económica y social.

La base general para orientar la reforma consistiría en invertir los términos de la acumulación de capital en favor de los sectores público y social de la economía, reconociendo en el Estado y la clase trabajadora las fuerzas motoras del cambio estructural y de la transformación social.

Consolidar dicha base general implicaba varias condiciones: *establecer con claridad las áreas pública, social y privada* limitando esta última a las actividades complementarias del desarrollo. *Fortalecer al Estado como rector del desarrollo* y en su participación en la economía. Estimular, a través del *sector social*, la participación de los trabajadores en los procesos económicos fundamentales: planeación, inversión, empleo, producción, comercialización y consumo. Estructurar un *plan nacional de desarrollo*, sometiendo "el *desarrollo del país* —se lee en las conclusiones de la reunión— a un sistema de *planeación nacional que armonice los intereses del Estado, de los trabajadores y de los empresarios nacionalistas.*.. convirtiendo a la planeación en el mecanismo principal de participación, en el *instrumento para la construcción de un poder basado en la determinación popular*". Se consignaba también el replanteamiento de la alianza histórica Estado-trabajadores sobre la base de un nuevo compromiso ideológico para orientar democráticamente el desarrollo.

[335]

Resumidamente, por su interés actual, citaré la parte concreta propositiva de la Reunión Nacional para la Reforma Económica:

Incluir en la *Constitución un capítulo* que redefina las tres *áreas de propiedad*, establezca un sistema de planeación democrático y participativo y contemple la planeación del desarrollo nacional. Confiera a la Cámara de Diputados participación en la orientación de los objetivos de la planeación. Incorpore a los trabajadores a la conducción de la economía, al proceso de planeación y al sistema de decisiones de las empresas públicas y privadas.

Establecer en la Constitución el régimen del salario remunerador, considerado como el único sistema de pago justo e incrementar la participación laboral en las utilidades empresariales. Aplicar las *reformas monetaria y fiscal,* —esta última redistributiva y progresiva—. Orientar el *presupuesto* en beneficio social. Revisar la *intermediación financiera* y las políticas *crediticia y monetaria* para "romper los feudos de *concentración financiera, democratizar el sistema...* y racionalizar el uso de los recursos disponibles en la inversión y el consumo".

Racionalizar los sistemas productivo y distributivo: priorizar la producción del campo, apoyar y fomentar empresas agropecuarias; canalizar más recursos públicos a la producción de alimentos básicos. Apoyar las industrias de bienes de capital y de consumo de conformidad con los intereses sociales y nacionales.

Integrar y coordinar planificadamente todos los canales de comercialización con sustento en la organización de pequeños y medianos comerciantes y en las tiendas sindicales. Auspiciar la organización de los consumidores. Dar coherencia al marco jurídico e institucional del consumo: nueva Ley Federal de Protección al Consumidor y creación del Departamento y del Tribunal Federal del Consumo.

Redefinir las relaciones económicas con el exterior. Racionalizar importaciones de mercancías y tecnología. Asegurar el control gubernamental del comercio exterior para crear la fuerza negociadora del país. Asociar a nuestro país con países similares y fomentar la creación de empresas multinacionales. Determinar claramente los campos de participación y las condiciones a la inversión extranjera, rechazando la sustitución de empresas na-

cionales o su participación en campos estratégicos. Establecer el presupuesto nacional de divisas y control de niveles de las deudas pública y privada externa.

Canalizar al desarrollo los intereses de la exportación de hidrocarburos y sus excedentes financieros a constituir el Fondo Nacional del Empleo.

Elevar a rango constitucional el derecho al trabajo. Universalizar la educación, la seguridad social e instituir el seguro de *desempleado*. Crear un organismo nacional de vivienda popular. Ampliar la intervención estatal en los medios de comunicación social; capacitar a los trabajadores y asegurar su participación decisoria en ellos. Garantizar al pueblo el acceso al esparcimiento y la recreación.

A más de un lustro, saltan a la vista los innegables aciertos y la influencia real de los pronunciamientos del movimiento obrero en 1978.

a] La bonanza petrolera —que resultó efímera— postergó pero no invalidó la acción de las causas e inevitables efectos de la crisis económica, la cual se manifestó con mayor virulencia al pasarse por alto el contexto externo y la posibilidad interna real de nuestra economía para crecer sobre los fundamentos planteados por un supuesto excedente financiero proveniente del sector exportador. Ahora se ha hecho evidente la necesidad de reestructurar el modelo de producción.

b] El privilegio a la acumulación privada de capital no se impugnó en el movimiento obrero desde posiciones distributivistas, sino en su evaluación sobre las variables de producción y distribución, por una parte el sector privilegiado no capitalizó sino consumió suntuariamente utilidades y, por otra, se atrofió el desarrollo del sector social y del mismo mercado interno al mantener reducidos los ingresos del trabajo. Invertir los términos del modelo de acumulación de ninguna manera implica perjudicar en su capacidad de financiamiento productivo al sector privado, y sí contribuir a solucionar problemas de igual carácter a los sectores público y social en sus necesidades de inversión, las cuales estimularán nuevas expansiones de la economía en su conjunto en beneficio real de los tres sectores de propiedad. Se ha llegado a la conclusión de que se requiere apoyar y estimular a las empresas públicas, sociales y privadas en función de su eficiencia productiva y beneficios sobre el desarrollo.

c] Se han consignado y delimitado constitucionalmente las áreas de actividad de los sectores, la planeación democrática y participativa y el desarrollo rural. El derecho al trabajo ha adquirido también rango constitucional.

d] El propio Plan Nacional de Desarrollo contempla cuestiones de principio, de cambio cualitativo, básicas en la concepción del movimiento obrero.

e] Se han roto los feudos de concentración financiera y ahora se procede a la democratización del sistema y el uso racional, óptimo, de los recursos que maneja.

f] En su Programa de Defensa de la Economía Popular, además de algunos aspectos novedosos que contempla en correspondencia con la coyuntura, el Partido Revolucionario Institucional ha hecho suyas las principales demandas del movimiento obrero relacionadas con la comercialización y el consumo.

g] La reestructuración de la deuda externa que está llevando a cabo el sector público a través del Fideicomiso contra el Riesgo Cambiario (FICORCA), prácticamente equivale al presupuesto nacional de divisas y al control de los niveles de la deuda externa pública y privada.

El 6 de diciembre de 1979, la Diputación Obrera a la LI Legislatura del Congreso de la Unión presentó una iniciativa de ley para reformar y adicionar la Ley Federal de Protección al Consumidor en cuyo preámbulo se desarrollan y sistematizan los fundamentos de la reforma económica postulada. En este documento destacan las concepciones políticas siguientes:

El planteamiento estratégico de renovar y reforzar la alianza militante entre el Estado y el movimiento obrero para conjurar la amenaza oligárquica y para conservar y acrecentar la obra popular hasta ahora realizada.

La alianza —abierta y clara— se plantea en los términos de una lucha común Estado-trabajadores por transformar la realidad en favor de más elevados niveles de vida materiales y espirituales del pueblo y por la plena autonomía e independencia de la nación.

Esta alianza es realista: "El carácter de clase del Estado, corresponde al de los grupos humanos promotores y ejecutores de la revolución social: capas medias, campesinos, obreros y sus dirigentes... Se trata de fortalecer al Estado para que ejecute las reformas revolucionarias económicas, políticas y sociales que demanda el avance permanente de la Revolución de México, porque en el caso de nuestro país el Estado es el instrumento fundamental contra el dominio de la oligarquía."

La floración y agudizamiento de la crisis ocurridos en 1982 hizo concebir a un destacamento fundamental del movimiento obrero la propuesta de un Pacto Nacional de Solidaridad al Estado —a sus dirigentes— y a todas las fuerzas sociales positivas del país: obreros, campesinos, clases medias populares, empresarios nacionalistas, instituciones públicas de educación y cultura, etc. Los tres grandes objetivos generales de este pacto serían:

Primero: La delimitación y la mayor integración nacional del modelo de producción de bienes y servicios.
Segundo: La ampliación de los beneficios sociales y culturales.
Tercero: La integración de un sistema de comunicación al servicio de la realización del proyecto nacional.

Como se advierte, las posibilidades para que el movimiento obrero influya en el rumbo y el ritmo del país están abiertas. Pero las crecientemente complejas condiciones del desarrollo indican que toda propuesta, demanda o exigencia de los trabajadores sea estudiada, discutida y consultada democrática y exhaustivamente en el seno del propio movimiento obrero, en correspondencia con el propio carácter del sindicalismo revolucionario y con la aspiración participativa y democrática del sistema nacional de planeación. Plantear confrontaciones entre el movimiento obrero y el gobierno es un camino equivocado.

El ámbito de influencia para el movimiento obrero es muy amplio, y compatible con sus intereses, ahora más que nunca: las siete tesis de campaña y gobierno, el Programa inmediato de Reordenación Económica y el Plan Nacional de Desarrollo. En la congruencia teórico-práctica de estos documentos habrá realizaciones favorables a los intereses inmediatos y futuros de los trabajadores, y la generación de espacios suficientes para, de una manera natural, intercalar con su propia dinámica las demandas de reforma económica y social de los trabajadores.

El último análisis realizado por el movimiento obrero, indica que nos enfrentamos a una crisis que en sus orígenes y desenvolvimiento contiene un elemento distintivo: una deformación profunda de nuestros valores y concepción de la vida. Ciertamente enmarcada en el contexto de una crisis internacional fundamentalmente originada por la recesión de los países industriales de Occidente, la nuestra es una crisis de la estructura y el modelo de desarrollo, pero es también y sobre todo, una crisis de las formas de la convivencia social, una crisis de identidad nacional. "México —señaló el secretario general de la CTM— está sufriendo una crisis tremenda en materia económica; crisis que no puede ser atribuible a nadie en lo personal, sino que es consecuencia de la que existe en todo el mundo... Pero no solamente padecemos una crisis económica, sino también una crisis política que alimenta a confusión ideológica y está exponiendo a la Revolución a un fracaso..."[1]

Enfrentar una realidad empieza cobrando conciencia de ella. Tenemos que asumir los compromisos del corto plazo pero, simultánea y principalmente, el cambio de calidad en beneficio de las mayorías del pueblo. En el corto plazo debemos sobrevivir, en el mediano plazo, ser. Ser a nuestra imagen y semejanza: una nación sin opulencia ni indigencia, justa, libre, austera y digna, en la cual el hombre alcance las cumbres de su decoro y dignidad, al través del trabajo, la creatividad y el logro de condiciones materiales y espirituales plenas.

La crisis es riesgo, pero también oportunidad. Excepcional oportunidad histórica para afirmarnos en nuestras raíces primigenias, liquidar las deformaciones de nuestro proyecto nacional, rescatar nuestra identidad, fomentar nuestra cultura, sanear la economía, equilibrar las tres áreas de propiedad: pública, social y privada, y restaurar la dignidad nacional.

Hoy mismo puede iniciarse la colosal, la fascinante tarea de la reconstrucción nacional, con base en los principios que vertebran las luchas del pueblo mexicano: justicia, libertad, independencia; con base en su capacidad moral e instinto vital para acometer empresas superiores; con base en los valores que motivan su conducta social: austeridad, sencillez, sobriedad, dignidad.

Ésta es la gigantesca tarea que tenemos por delante. Tarea revolucionaria que requiere profundas reformas en la economía, la política y la vida de relación social; tarea ideológica y por tanto, esencialmente moral.

Los trabajadores sabemos que la oligarquía no se sacia ni controla con ninguna concesión, pues lo que pretende es la rendición y entrega incondicional del poder revolucionario. Sabemos también que

---

[1] Fidel Velázquez, "Discurso en la inauguración de un curso de educación obrera", CTM, 14 de julio de 1983.

la reacción no vacila, actúa unitariamente aprovechando toda falla de la revolución y los revolucionarios.

Por ello mismo, no puede haber entre las fuerzas sociales positivas, dudas, vacilaciones, errores tácticos, desvíos oportunistas, cuando se trata de impulsar el resurgimiento vital de la nación y de afirmar su proceso revolucionario.

Requerimos de análisis políticos serios de la nueva realidad nacional y de actitudes consecuentes con los principios revolucionarios. A partir de que el Estado mexicano nacionalizó la banca y constitucionalizó, con el capítulo económico, la vía de desenvolvimiento histórico forjada por el pueblo mexicano, el proceso revolucionario ensanchó sus perspectivas y recobró su aptitud para asumir su responsabilidad mayor: la construcción de la sociedad superior, la sociedad igualitaria. Estas reformas, han implicado, por sí solas, una recomposición cualitativa del Estado, que fortalece su condición de rector del desarrollo e impulsor de la transformación social. Al mismo tiempo han propiciado, como era de esperarse, una brutal ofensiva de los grupos reaccionarios afectados, sostenida en apoyos externos poderosos.

Elevar los niveles de conciencia política de las fuerzas revolucionarias para asumir las perspectivas promisorias de la nueva realidad, definir tareas concretas y vencer el agobio de la oligarquía, es responsabilidad insoslayable de los hombres y las instituciones de la revolución, el movimiento obrero a la vanguardia.

Oponer al vocerío y la acción de la derecha, la fortaleza moral de los principios y la unidad revolucionarios, es el único camino para convertir las demandas y expectativas de superación del pueblo en movilización de masas y consolidación definitiva de la revolución.

LAS ALTERNATIVAS DE LA DERECHA

HUGO VARGAS

No se tratarán en el presente trabajo las consideraciones ni las alternativas que hace la derecha respecto a la crisis mexicana que algunos con algo —o mucha— razón, pensarán que es la responsable de la actual situación por haber detentado el poder por varias décadas; tampoco será analizada la actitud de los grupos empresariales, que más que propuestas globales, cuentan con proposiciones concretas sobre todo en el renglón del ordenamiento económico: reprivatización de la banca, liberación de precios, puertas abiertas a la inversión extranjera, mayor control de los sindicatos, etc.; sólo de manera tangencial nos ocuparemos del ahora más beligerante papel que la Iglesia y los medios masivos de información, en especial la televisión, han desempeñado en los recientes comicios en el norte del país.

Entonces, ¿de qué derecha se hablará? De aquella que por su organización política tiene —o debiera tener— mayor influencia en el consenso social, de aquella que sin dejar de usar los métodos de los grupos de presión, acude a la sociedad civil en busca ya sea del voto o de su consenso implícito para gobernar ayuntamientos, ganar diputaciones, lograr —ahora cercana la posibilidad en Baja California— alguna gubernatura. Sin embargo, y como era de esperarse, la derecha partidista se niega a aceptarse como tal. En el mejor de los casos aceptan la influencia de la doctrina social de la Iglesia, el origen confesional de sus respectivos partidos, o las coincidencias con los grupos empresariales y la democracia cristiana, pero nunca que estén situados a lo que se entiende como "derecha" del poder. David Orozco, coordinador de la diputación pedemista en la Cámara de Diputados, lo dice así: "En cambio, la derecha lo constituye todo lo que no es marxismo o colectivismo. Por eso nuestra reluctancia a ser identificados como de derecha, porque lo mismo puede serlo un monarquista, un fascista, un priista, etc."[1] El PAN acepta la coincidencia con la democracia cristiana pero

---

[1] David Orozco, en entrevista con el autor. Sólo que se indique lo contrario, todas las opiniones del PDM corresponden a Orozco.

aclara que AN es anterior a la democracia cristiana y deja así la insinuación de que las posibles coincidencias se darían más bien por lo acertado de la doctrina panista que por el prestigio del movimiento de la democracia cristiana. González Morfín lo dijo frente a los estudiantes del Instituto Tecnológico de Monterrey: "Ni representamos a los conservadores del siglo pasado, ni queremos conservar en el tiempo lo que no vale la pena conservar, ni somos tampoco reaccionarios como afirman quienes quieren dar a la oposición política el sentido de oposición al progreso."[2]

ESCLARECEDORES ORÍGENES Y ALGUNAS DIFERENCIAS

Que el Partido Acción Nacional nació como un partido confesional lo indica claramente el origen de sus principales cuadros fundadores: muchos de ellos provenían de la Legión, otros de la Confederación Nacional de Estudiantes y de la Unión Nacional de Estudiantes Católicos (UNEC), casi todos ellos con visibles ligas con el arzobispo Luis María Martínez. Que el PAN siguió siendo fiel a las aspiraciones de los sectores más conservadores de la sociedad mexicana lo demuestra su oposición al libro de texto gratuito y a la escuela oficial instaurada por Cárdenas. También lo indica el hecho de que el PAN hubiese apoyado la candidatura de Juan Andreu Almazán en 1940, y no podía ser de otra forma: en aquel año los industriales de Monterrey —en ese entonces con gran influencia en Acción Nacional— apoyaron hasta el último momento la candidatura almazanista.

Sin embargo, a partir de 1946, cuando Acción Nacional logra ganar sus primeras diputaciones, se empieza a notar un matiz en sus posiciones políticas. Sin abandonar su filiación cristiana, el partido subrayó su cariz democrático, occidental y laico. De esta manera, Manuel Gómez Morín, su presidente nacional, iba construyendo lo que había fundado apenas siete años antes en el Frontón México. Y por ese camino siguieron. Atrás quedaron las alusiones claras y directas contra el comunismo y la educación atea, ahora se concentraban en proyectar una imagen mucho más acorde con la modernización en la que embarcaba el país, a tal grado que, como

---

[2] Efraín González Morfín, "Doctrina del PAN", en *Tres esquemas,* México, 1964, p. 18.

bien señala Granados Chapa, si el "primer candidato presidencial panista era un filósofo, capaz de escribir una obra como *Humanismo político*", el último fue "un ingeniero químico al servicio de una empresa que fabrica plásticos". Y por supuesto esa empresa está en Monterrey.

Del Partido Demócrata Mexicano son bien conocidos sus lazos con la jerarquía eclesiástica y su pasado protofascista. Ahora mismo sus principales dirigentes no se complican demasiado la existencia cuando les preguntan si la UNS o el PDM son organizaciones confesionales. "Sí, lo somos porque decimos cuál es la filosofía que nos inspira, pero eso es lo que menos nos importa."

Fundado hace apenas 12 años, el PDM, sin embargo, arrastra una tradición militante que viene desde el siglo pasado cuando el Partido Católico Nacional obtenía —proporcionalmente hablando— votaciones más altas que las logradas por el PAN. "Se ha dicho y con razón, que el Partido Demócrata Mexicano, es el brazo político de la Unión Nacional Sinarquista... Ha sido la Unión Nacional Sinarquista la que ha dado vida al PDM, y además lo sigue sosteniendo no solamente con elementos humanos y materiales, sino con la mística y el espíritu de la organización."[3]

Es por intermedio de esta influencia de la UNS que el PDM también es el depósito de la experiencia católica en política. Si con el PAN la relación de la Iglesia y su doctrina social fue siempre matizada en las declaraciones, con el PDM ocurre lo contrario. Si dependiera de sus dirigentes, el PDM se afiliaría a la democracia cristiana. De lo preocupante que es para los pedemistas tener el visto bueno de la Iglesia habla el siguiente documento:

"29 de enero de 1979. Su Santidad Juan Pablo II. Felipe Villanueva 118. Delegación Apostólica. San Ángel Inn, DF. Suplícole humildemente acepte solidaridad miembros Unión Nacional Sinarquista en su esfuerzo por la justicia y la paz. Como fieles hijos Iglesia seguimos con apego enseñanzas doctrina social enriquecida con palabras de su santidad que con emoción y compromiso hemos recibido. En el terreno laical somos luchadores que imploran paternal bendición. Atentamente. Patria, justicia y libertad. Juan Aguilera Azpeitia Jefe nacional."[4]

¿Es necesario ennumerar las diversas propuestas que a lo largo de

---

[3] Partido Demócrata Mexicano, *Síntesis histórica*, p. 63.
[4] Rodolfo González Valderrama, *El PDM. Perfil sociopolítico de un partido conservador*, México, Fac. de Ciencias Políticas y Sociales, 1980, p. 170 (tesis inédita).

su historia ha planteado la UNS para demostrar su carácter conservador? Contra el libro de texto gratuito, por la enseñanza religiosa; contra el avance de la URSS y los aliados en la segunda guerra mundial, por el triunfo de Alemania e Italia; contra las culturas indígenas, por la asimilación al hispanismo de ellas, e incluso el país todo; contra el voto universal, por aquel que sólo está reservado a quienes sean "responsables de familia"...

Las principales diferencias entre ambos partidos se establecen en el terreno de su supuesta base social de apoyo. Por un lado, el PDM recurre a su antigua base campesina —ahora modernizada también con la industrialización del campo. Aprovecha la influencia, que desde tiempos de Salvador Abascal, mantiene la UNS en el campo de los estados del centro de la República principalmente.

El PAN, por su parte, manifiesta influencia en toda la República, pero especialmente en el norte del país y en los grandes centros urbanos e industriales. De ahí la inexactitud de la tesis que sostiene como argumento para explicar la influencia panista, la presencia de importantes sectores medios de la población. Que el PAN haya ganado dos veces consecutivas la alcaldía del municipio de San Nicolás de los Garza, en Nuevo León, y que éste sea el quinto municipio en importancia industrial del país, demostraría que entre la población obrera el PAN también ha podido manejar una imagen opositora al gobierno y los empresarios.

Estas diferencias en los sectores sociales de apoyo derivan en otras igualmente importantes. El PAN es un partido de "individuos", no de "masas", y lo es por voluntad propia no porque las condiciones se lo hayan impuesto. "No tenemos —dice González Morfín— conciencia de exclusivismo mesiánico y consideramos que es un error sostenerla. En determinados partidos de cuño totalitario, lo que se hace es una reducción progresiva de la humanidad, de tal manera que de la humanidad se escoge sólo a la clase social predilecta, y dentro de esa clase social al grupo que se someta a la minoría directora del partido."[5] El PAN es también un partido más preocupado por la influencia electoral que por la fuerza política que pueda obtener del número de votos conquistado. (Aunque para ser exactos, éste es un problema que los dirigentes panistas han visto ya como un futuro obstáculo para la labor de Acción Nacional.)

Así, al PAN no le interesa hacer labor sindical, sino ganar el voto obrero con promesas hecha al obrero-ciudadano preocupado por la falta de servicios públicos, probidad en los manejos financieros

[5] Efraín González Morfín, op. cit., p. 8.

de la administración municipal, etc., y no con discursos dirigidos al obrero-obrero preocupado por la falta de higiene en el centro de trabajo, la legalidad de la huelga, el charrismo sindical, la pérdida del poder adquisitivo de los salarios.

El PDM, por su lado, quisiera ser un partido de masas. Si pudiese, organizaría en su seno y en el de la UNS a la mayoría de los campesinos mexicanos; influiría, valiéndose de su organización obrera, en el Pacto Sindicalista de Trabajadores de México (Pacto Sitram), en los sindicatos obreros de México, y trataría de disputarle la hegemonía a la CTM. Lo está haciendo en la medida de sus posibilidades. El PDM, a diferencia del PAN, sí realiza labor sindical, campesina, etc. En este sentido es un partido "izquierdista". "En cuanto hay la conciencia de que en los sindicatos radica una fuerza política real —dice David Orozco—, un factor de poder, creo que hay semejanzas con la izquierda, hacemos el mismo diagnóstico de la realidad y actuamos en consecuencia. Ésta es una de las limitantes del PAN, que le impedirá tomar el poder, aunque actualmente sea la segunda fuerza electoral del país... quien tomará el poder será el partido que esté mejor organizado, más profundamente enraizado en las organizaciones sociales, y no quien tenga mayor clientela electoral."

LA SITUACIÓN ACTUAL Y LAS COINCIDENCIAS

Ambos partidos coinciden —incluso con las mismas palabras— cuando abordan los orígenes de la crisis de México. Los documentos y dirigentes panistas señalan como principales causas de la situación mexicana, en primerísimo lugar "el crecimiento de la participación del Estado en la economía", lo que ha ocasionado, entre otras cosas, constante aumento en los impuestos; estatización indiscriminada de empresas, con el insoportable crecimiento del aparato burocrático y de la casta privilegiada de altos funcionarios; el financiamiento del aparato gubernamental por medio del aparato burocrático y el exagerado endeudamiento del sector público.[6] Sobre este último punto, los especialistas de Acción Nacional señalan con énfasis los errores cometidos por el presidente anterior en los aspectos de la política económica. Sostienen que la administración pasada basó todas

[6] Partido Acción Nacional, *Plataforma política 1982-1988*, México, p. 6.

las expectativas del desarrollo mexicano en la exportación petrolera. Así, cuando el precio por barril de petróleo sufrió un descenso, en lugar de hacer los ajustes necesarios en el precio del barril, sacrificando el ritmo del crecimiento, "el régimen pidió prestado todo lo que no podía captar por concepto de exportación de petróleo". Este descenso en las ventas petroleras afectó no sólo a México. Los países de la OPEP, que antes de 1981, colocaban en los mercados internacionales sus excedentes de la venta de combustible a intereses que no sobrepasaba el 11% ese año sólo colocaron 4 mil millones de dólares, a un interés superior al 22%. A pesar de ello, el gobierno mexicano recurrió a esos préstamos, y en ese año el país se endeudó con 22 mil 800 millones de dólares. Este endeudamiento del gobierno es causa —según los panistas— del elevado gasto público que JLP fijó "fuera de todo precedente y de toda prudencia". La *Plataforma política 1982-1988* señala las siguientes cifras: "De 1977 a 1981, el presupuesto de la Secretaría de Patrimonio y Fomento Industrial se elevó en 51 veces; el de la Secretaría de Comercio, 37 veces; el de Hacienda y Crédito Público, 32 veces, y el de Turismo, 19 veces. En promedio, el Presupuesto de Egresos de la Federación se habrá incrementado 6.7 veces en cinco años... De tal manera ha crecido la significación del sector público en la economía nacional, que mientras en 1976 su gasto representaba el 29% del PIB, para 1980 subió al 57 por ciento."[7]

Por eso, cuando el gobierno recurrió al endeudamiento con el exterior, ocasionó la "duplicación en sólo 4 años y medio de la deuda externa del sector público, que luego en el segundo semestre de 1981 se elevó otro 50 por ciento sobre el monto de 5 años".

Tres factores más contribuyeron a que la crisis mexicana adquiriera dimensiones estructurales más graves. Según los panistas, y empujado por la creencia de que "el presidente que devalúa, se devalúa", López Portillo mantuvo subsidiado al dólar con casi 50%. Los otros dos factores son el control generalizado de cambios y la nacionalización de la banca. Para ellos, la nacionalización de la banca es un proceso que se inicia en 1977 cuando David Ibarra, entonces secretario de Hacienda, promulga la Ley de Instituciones de Crédito y Organismos Auxiliares, que de hecho lleva a una dinámica de monopolización a la banca nacional, y la causa de la expropiación bancaria fue la de culpar a un sector de la sociedad de la fuga de divisas. Los banqueros —dice el PAN— no hicieron sino obedecer las órdenes de la Secretaría de Hacienda; así que si al

7 PAN, *ídem*, p. 10.

gobierno le hubiese interesado cualquier objetivo de interés social, y realizarlo a través de la banca, éste se podría haber dado sin necesidad de "gobiernizar" ésta.

Juan José Hinojosa, eterno polemista, cuando subió a la tribuna para responder al VI Informe de JLP, dijo: "Queda otro dato para la reflexión, para la angustia: el acto de poder. Se ha expropiado la banca por decisión personal. 'Hombre solitario de palacio', 'en la soledad de mi despacho', ambas frases entre comillas, por corresponder a dos presidentes de este país. Se ha tomado una decisión sin consulta. Pueden los abogados afirmar que de acuerdo con la Constitución, el acto es legal. Pero debemos recordar la sabiduría de la Constitución y el Constituyente: 'que nunca dos poderes se reúnan en unas solas manos'. No hubo consulta al Congreso." Puso como ejemplo contrastante la elección de François Miterrand en Francia, puesto al que llegó prometiendo como una de sus medidas centrales la nacionalización de la banca. "De cada cien franceses 51 se pronunciaron en favor de Miterrand, y Miterrand Presidente, realiza lo que en su plataforma electoral incorporó como esquema de país, como decisión de partido, y ningún francés se llamó engañado." El diputado Hinojosa terminó así: "Según lo advierte la sabiduría popular, agua pasada no mueve molino. Comparto la opinión del diputado David Orozco; la decisión es irreversible; pero la vida, la vida personal, es ojos, corazón, voluntad, inteligencia, frente al horizonte. Lo pasado es residual que enriquece la experiencia para evitar en última instancia, ser animal que se tropieza dos veces con la misma piedra."[8]

Orozco, por su parte, sostiene que fue la falta de participación democrática del pueblo mexicano lo que ha impedido al país salir de la crisis. "A esto se agregan —dice— las medidas económicas que tomaron LP y antes LEA, que escogieron el camino del desarrollo con inflación, con una mayor participación del sector público en la economía, y otras medidas, éstas coyunturales, igualmente desafortunadas como la de mantener el peso artificialmente sobrevaluado, implantar el control de cambios y nacionalizar la banca."

[8] Juan José Hinojosa, "Política económica", en *Juicio de Acción Nacional, al VI Informe presidencial*, México, septiembre de 1982, pp. 32-33.

EL PND Y LAS PROPUESTAS DE LA DERECHA

Aunque no dejan de reconocer que entre los objetivos planteados por el PND los hay dignos de apoyo como la reducción de los déficit público y externo, el control de la inflación, el aumento del empleo, la productividad, etc., estos partidos manifiestan objeciones: el carácter autoritario, a pesar de las "consultas populares", y el inaceptable principio de la rectoría del Estado en la economía, en perjuicio de la iniciativa individual. El PDM no comparte el diseño general del PND porque "implica una rectoría económica absolutista por parte del Estado, sin que se aplique el principio de supletoriedad". Los panistas destacan la falta de participación popular en la elaboración del mencionado plan. Para ellos, el PND es sólo el intento del gobierno por dar la imagen de un principio de planeación. La tajante opinión de Sergio Lujambio al respecto es esclarecedora: "El PND es otro pronunciamiento, similar a los de la administración anterior, que fracasaron todos: Plan Global de Desarrollo, Coplamar, los Convenios Únicos de Coordinación, etcétera."[9]

Ante este panorama, ¿cuáles son las propuestas del PDM y el PAN?

Si antes la derecha partidaria centraba sus análisis y propuestas en dos aspectos básicos, la corrupción y la participación económica estatales, ahora —debido no tan sólo a la crisis como ante la pluralización de la sociedad civil— las propuestas se centran en una consideración esencial: la falta de democracia en la vida política mexicana.

De la sinceridad de su aspiración democrática habla la historia misma de estas organizaciones. Porque si bien la derecha ha tenido sus fuertes conflictos internos, éstos no han llegado a la crítica del modelo de sociedad que plantean —tal vez porque no tienen ninguno—, si acaso han planteado el problema del tipo de organización partidaria, como fue el caso de la UNS a principios de la década de los cuarenta, o la forma de participación en la vida política del país como fue el caso del PAN en 1975. Es decir, la derecha, no ha pasado por los incontables conflictos internos que la izquierda ha tenido a fin de reconocer las limitaciones de los modelos del socialismo desgraciadamente existentes.

Así, las ansias democráticas de la derecha partidaria parecieran

---

[9] Sergio Lujambio, responsable del área económica del PAN, en entrevista realizada por el autor.

ser más una demanda pragmática para acomodarse a la creciente inquietud de amplios sectores sociales, que una exigencia derivada de un debate en el seno de esas organizaciones.

De todas maneras, también en este terreno, ambos partidos se acercan mucho y en algunas ocasiones desaparecen los matices.

"Nuestra proposición en síntesis es ésta: restituir al pueblo el derecho de integrar sus órganos públicos, de integrarse a ellos, y por este procedimiento, democratizar las decisiones."[10]

La insistencia en la democratización del país, toma aquí su dimensión concreta, pues para ambos partidos es el Congreso el que debe de fiscalizar el gasto público. Proponen la desaparición de la Secretaría de la Contraloría General de la Federación para que sea la Contaduría Mayor de Hacienda de la Cámara de Diputados la que realice la fiscalización del gasto público.

Previsibles son las propuestas de la derecha partidista en el terreno económico. Para decirlo con un eslogan conocido: "Achicar al Estado es engrandecer a la nación." Proponen en consecuencia "incorporar al control presupuestal todas las empresas paraestatales y descentralizadas. Cancelar las que no respondan a programas económicos sino a intereses meramente políticos; organizar las que operan con pérdidas y otorgar subsidios sólo a las que lo requieran verdaderamente para el servicio social de la nación."[11] El PAN, no obstante, cree necesarios algunos matices: "Creemos —dice Sergio Lujambio— en la actividad estatal, pero desde luego no en todas las que se reserva actualmente. No podemos pensar que PEMEX, los ferrocarriles o la CFE vuelvan a manos de los particulares, sería ahistórico."

No preocupa ni al PAN ni al PDM los posibles rechazos por parte de los sectores obreros a su política de privatización. Son estos sectores, precisamente, los más interesados en que la economía del país avance, y luego de décadas de intervencionismo estatal, dicen, está demostrado que la economía no ha marchado bien. "El PAN —dice Schmal— es un partido pluriclasista, y no entendemos que los intereses que representamos estén disociados, no admitimos la confrontación por sí misma. Para AN hay convergencia entre los intereses del empresario, del gobierno, de los obreros y los campesinos, a partir de una unidad en un consenso respecto del bien común, del bien nacional, de lo que conviene a todos." Tampoco el

---

[10] Jesús González Schmal, secretario general del PAN, en entrevista concedida al autor.

[11] PAN, *Plataforma política...*, *op. cit.*, p. 40.

PDM teme que estas demandas de reprivatizar la economía le resten simpatía entre los sectores populares, pues para ellos es evidente que de realizarse sus propuestas, "llevarían al bien común y salvaguardarían la unidad de todos los mexicanos en torno a los valores esenciales de nuestra nacionalidad".

Ambos partidos complementan las proposiciones de reprivatización con lo siguiente: "Estructuración de la empresa en forma de comunidad de las personas en la que todos los factores de la producción... se armonicen y participen justamente en las cargas y en los beneficios. Por otra parte los trabajadores deben tener el derecho de invertir parte de las utilidades que legalmente les corresponden en la adquisición de acciones de la empresa en la que trabajan."[12] Acción Nacional, por su lado, "se propone realizar la reforma de la estructura de la empresa en México, tanto pública como privada, para que en ellas sea mayor la participación de las comisiones mixtas y se encuentren fórmulas orientadas a la cogestión, la participación y la copropiedad de los trabajadores, como medios para una redistribución más justa del ingreso en México".[13]

El campo también es su campo. El PAN se ha pronunciado porque la parcela ejidal se titule como posesión permanente con características de patrimonio familiar y sin posibilidad de ser enajenada; también ha sostenido que se deben ensayar diversas formas de asociación entre pequeños propietarios y ejidatarios para aumentar la producción, siempre con el objetivo de que el campesino logre ingresos similares al mínimo urbano.[14] El PDM —una vez más— pareció tomar en cuenta la opinión del PAN al respecto, y sostiene: "Preferencia y urgente atención al sector campesino, hasta ahora marginado y deprimido, llevándole los beneficios del Seguro Social, el crédito oportuno y la asistencia técnica necesaria para la producción... Es necesario garantizar en las leyes la posesión segura y pacífica de la tierra, basada en la coexistencia de la auténtica pequeña propiedad con la ejidal, en mutua colaboración."[15]

UN TÍMIDO PRONÓSTICO

Verdad del maestro Perogrullo: estas propuestas no son nuevas; en

---

[12] PDM, *Programa de acción, op. cit.*, p. 20.
[13] PAN, *Plataforma..., op. cit.* p. 42.
[14] *Ídem*, p. 45.
[15] PDM, *Programa..., op. cit.*, p. 21.

realidad son las preocupaciones de un grupo de hombres que dieron origen a dos partidos políticos: uno que ya es el más antiguo de la oposición, y el otro que es el depositario de la vieja tradición católica militante. Decir entonces que es el contexto el que da vigencia a estas tesis sería parafrasear una vez más al nunca suficientemente reconocido Perogrullo. Pero en efecto, con la crisis se ha agudizado la erosión de la legitimidad del sistema. Y ante ello se han fortalecido fuerzas que estaban en la política del país desde hace décadas y que emergieron también por el creciente proceso de autonomización de la sociedad civil; proceso que vino aparejado con el de modernización, y que la reforma electoral no hizo más que reconocer.

Décadas de proselitismo, de campañas electorales, de fraudes, y de desgastante trabajo parlamentario, han dado a la derecha la experiencia suficiente para aprovechar situaciones de crisis. Esto es un rasgo que la izquierda no tiene; tampoco ha tenido la iniciativa de ser pragmática, de criticar la deshonestidad y corrupción priistas, y como tampoco ha gobernado suficientes municipios, la izquierda no ha tenido la oportunidad de demostrar eficiencia y probidad en su manejo.

Si bien es cierto, como dice Monsiváis, que la TV "no determina la despolitización", también lo es que la derecha y sus propuestas y juicios se han convertido en lugares comunes en las emisiones televisivas comerciales: cuestionamiento permanente de la política exterior mexicana, negación de la oposición de izquierda en el país, establecimiento del campo estatal como el lugar *per se* de la corrupción... De esta manera, sin proponérselo, el PAN y el PDM han contado con un instrumento de divulgación muy importante.

"Mi interés por el triunfo del PAN —dijo el arzobispo de Cd. Juárez— es que verdaderamente exista democracia en igualdad de circunstancias. El triunfo del PAN es un adelanto y un progreso en la demostración de que el pueblo está despertando y el PRI está en decadencia." No obstante que esta declaración fue hecha después de las elecciones en aquella ciudad, evidencia el claro apoyo de un sector del clero a estos partidos y pone de manifiesto también, una relación que no se confesaba pero que era lógico suponer, merced a las frecuentes y significativas coincidencias entre la derecha y el clero, o un sector de éste.

Ahora bien, ¿será sostenido este avance derechista? Al menos dos condiciones deben permanecer. Ante todo la situación crítica del país, que a pesar de los halagüeños informes, todo parece indicar su continuación hasta bien entrado el sexenio, y la disposición estatal de reconocer derrotas propias y triunfos ajenos, que los casos de Chihuahua, Durango y Tlaxcala hacen suponer, pero no así el de Juchitán y las declaraciones de Lugo Verduzco —"la reacción no avanzará ni un paso más".

Por lo menos Abel Vicencio Tovar sí cree en este avance de su partido. "En el norte del país se ha iniciado —dijo a *Excélsior*— lo que será común en poco tiempo: las amplias posibilidades de alternar democráticamente el poder. Esto debe verse con naturalidad; oponerse es provocar la violencia, porque querámoslo o no, ha comenzado el cambio de la estructura política en México."

De suceder esto, veremos dentro de poco cómo a la nueva clase política en ascenso, se agregará otra, también capaz de mezclar arcaicas tradiciones y aceptar —e incluso promover— modernidades ya no tan anticipatorias.

La moneda viene cayendo.

EL DESARROLLO ECONÓMICO Y SOCIAL: REFERENCIAS Y TEMAS DE UNA PROPUESTA ALTERNATIVA

ROLANDO CORDERA CAMPOS

"... resistir, la única, lejana pero cierta esperanza... cuando una nación, derrotada pero no vencida, encuentra manera de resistir, organizar sus defensas y conservar la seguridad de su destino, tras luchas más o menos prolongadas, sobrevive".

ALEJANDRO GÓMEZ ARIAS*

ADVERTENCIA

Este ensayo no contiene respuestas y sus propuestas son más bien sugerencias iniciales para un desarrollo nacional alternativo. Se parte, eso sí, de una convicción profunda que apariencias, espejismos e incluso realidades tangibles y mensurables, no han podido conmover: la de que la forma de organización económica que se impuso a México a partir de los años cuarenta de este siglo, no es capaz de aminorar significativamente la desigualdad ni de eliminar la miseria masiva.

Dicho de otro modo: el capitalismo en países como México, aun con mucho y bien administrado petróleo, no es capaz de "hacer su tarea" y producir, si bien no una sociedad justa lo cual no es su tarea, sí una sociedad en condiciones de ofrecer a la mayoría una existencia material y espiritual digna o por lo menos segura.

El capitalismo ha producido de todo en México: condiciones para acceder a lo moderno y aun a lo que va por delante, a la vanguardia. Gustos, usos y abusos metropolitanos; medios de comunicación, sistema de asistencia y modos de administración avanzados; financieros y políticos, intelectuales conservadores, liberales y radicales, consistentes y enterados, preocupados y dispuestos; incluso un movimiento obrero organizado con una burocracia sindical poderosa políticamente y cada vez en mejores condiciones para hacer propuestas globales en materia de política económica y social. Lo

---

* "A nadie sorprende... como un desafío", *Siempre,* núm. 1611, México, 9 de mayo de 1984, p. 20.

que no ha podido crear, es un espacio habitable para cerca de 20 millones de mexicanos los cuales, junto con sus ramificaciones bien visibles en otras capas sociales aparentemente desprendidas de la pobreza absoluta, forman la mayoría nacional.

Aun si fueran bien conocidas no sobra repetir estas realidades, así sea de modo sumario: de acuerdo con las investigaciones de COPLAMAR y tomando en cuenta las experiencias de países que han satisfecho las necesidades esenciales de su población y ofrecen un acceso universal y oportuno a los servicios de salud, el 43% de las muertes ocurridas en México en 1974 resultarían *muertes evitables*; de estas muertes evitables, las de menores de 4 años eran el 59%, es decir más de 100 mil niños; los fallecimientos de menores de 1 año, que representaron el 28% de todas las muertes ocurridas en 1974, eran evitables en un 63%, y de los fallecimientos del grupo de 1 a 4 años, que representaron el 9% del total, resultaban evitables el 80 por ciento.

Esta dramática dimensión de la vida en México, condensa el hecho generalizado de que un alto porcentaje de la población nacional no satisface de manera mínimamente aceptable ninguna de sus necesidades esenciales en materia de alimentación, educación, vivienda y desde luego salud. La situación se torna todavía más grave si se considera el grado en que los mexicanos satisfacen de manera simultánea tales necesidades. Aparte de que cerca del 45% de la población no tiene ningún acceso efectivo a la atención médica, se ha estimado que sólo un mínimo de los mexicanos mayores de 15 años puede satisfacer de manera simultánea sus necesidades en materia de educación, vivienda y alimentación. Por ejemplo, si se considera como mínimo en materia de necesidades educativas la educación primaria, se ha calculado que cerca del 54% de la población de 15 años o más no satisfacía ninguna de esas tres necesidades esenciales. Si a estos porcentajes se agregan los de aquellos que satisfacían solamente una de las tres necesidades esenciales, se llega a una proporción por encima del 80% de la población mayor de los 15 años.

Se trata pues, sin recovecos, de la mayor parte de los mexicanos. Es esta mayoría, es en ella y a partir de ella, que puede surgir, desarrollarse y convertirse en realidad plena un México diferente, justo y creativo. No es *para* ella, sino *de* ella y *por* ella la alternativa que la izquierda debe coadyuvar a construir si ha de convertirse en una fuerza nacional con vocación y potencialidades dirigentes.

Para contribuir a este empeño están pensadas estas notas. En la primera parte del trabajo se presentan las que se consideran las referencias principales a partir de las cuales tiene que elaborarse una propuesta alternativa; en la segunda parte se proponen algunos de los temas fundamentales en torno a los que podría construirse dicha propuesta. Dadas las características del volumen del que forma parte, en este texto se dejan fuera otros temas políticos fundamentales del presente y el futuro de México, en especial los que se derivan de la vital —y primordial— cuestión de la democracia. Como se verá, sin embargo, la problemática aquí expuesta forma parte de modo indisoluble de las tareas y los desafíos que son inherentes a la democratización de México. Forma, para decirlo de algún modo, un tejido sociomaterial indispensable para que la democracia pueda ser un modo de vida creíble y duradero.

I. LAS REFERENCIAS

1. *El programa del gobierno*

El primero de diciembre de 1982, el nuevo presidente de la República mexicana anunció la puesta en práctica de un programa de estabilización económica que en rigor, significaba una "vuelta a la ortodoxia", que meses antes el entonces secretario de Hacienda, Jesús Silva Herzog, había dicho que sería inevitable. Después de más de 10 años de abierto disentimiento interno, de enfrentamiento de alternativas, de búsqueda de caminos para transitar la crisis y al mismo tiempo construir una nueva pauta de desarrollo en el país, lo que ese primero de diciembre se anunció parecía ser la confirmación de que para el grupo gobernante no había otra ruta que la de los principios rectores del desarrollo estabilizador y la puesta en marcha de ajustes progresivos para recuperar la senda que como política, como ideología y como estrategia, Antonio Ortiz Mena había definido en sus grandes líneas en 1969.[1]

Es menester, sin embargo, reconocer que esta "vuelta a la ortodoxia" por la vía clásica de un programa de estabilización sumamente restrictivo, está matizada por la incorporación de al menos dos cuestiones importantes. La primera de ellas tiene que ver con el compromiso gubernamental de iniciar de manera simultánea el

---

[1] *Cf.* Antonio Ortiz Mena. *El desarrollo estabilizador.*

programa de estabilización, llamado de reordenamiento económico
(PIRE), una serie de reformas que en el Plan Nacional de Desarro-
lo —presentado unos meses después del discurso inaugural del presidente— se llamó de cambio estructural. La segunda cuestión que
se anuncia simultáneamente al Programa Inmediato de Reordenación Económica, se refiere a la puesta en práctica de medidas destinadas a la defensa de la planta productiva y el empleo. Estas dos
cuestiones, la referente al compromiso en materia de cambio estructural y la relacionada con la defensa de la planta productiva y
el empleo, le imprimen al Programa Inmediato de Reordenación
Económica, al menos de manera retórica, una singularidad importante si se le compara con otros programas de estabilización a
ultranza como los que se han puesto en práctica en el Cono Sur del
continente. Respecto del cambio estructural, hasta la fecha no se
cuenta con ninguna evidencia de que en efecto se esté caminando
en esa dirección, salvo que se entienda por cambio estructural los
bruscos cambios en ciertos precios relativos que la propia política
del PIRE trajo consigo. Por lo que toca a la segunda cuestión, habría
que decir que en esencia este programa se ha centrado en la búsqueda de medidas para defender, desde el punto de vista financiero,
a las empresas que registraban un endeudamiento excesivo, sobre
todo en dólares. No obstante lo anterior, ninguna de estas dos cuestiones puede soslayarse ni desdeñarse, mucho menos darse por
eliminada por la vía simple de asignarles una mera intención retórica o demagógica. Se trata de programas en torno a los cuales se
discute, se dirime y se reflexiona, tanto dentro del conjunto del
sector público como fuera de él, y constituyen, por así decirlo, reservas importantes de un margen de acción al que el Estado podría
recurrir en situaciones de una mayor agudización de la crisis que
la que actualmente vivimos.

La crisis, evidentemente, expresa un conjunto de problemas de
tipo estructural que demandan un proceso amplio, largo, pero a la
vez intenso, de recomposición estructural y creación de nuevas
articulaciones en lo que toca a la producción y a los canales y circuitos que hacen posible esta producción y su distribución. Sin
embargo, uno de los bloqueos que resaltan más en la crisis, es el
que aqueja a los mecanismos, instituciones, fuerzas, agentes políticos y elaboraciones ideológicas a partir de los cuales las decisiones
se detectan, se toman y luego se ponen en práctica. Esto lleva a
muchos a pensar que la crisis económica está enmarcada o está
produciendo una crisis política. No es necesario llegar a ello. Sin
embargo, está claro que existe una progresiva inadecuación entre

los procesos y los problemas que se derivan de la esfera económica y lo que hemos dado en llamar el sistema político, particularmente el circuito de las instituciones estatales, donde de manera privilegiada, tienen lugar los intentos por llevar a cabo una gestión racional de las situaciones críticas. Probablemente uno de los elementos sobresalientes de esta crisis mexicana es que estos circuitos, mecanismos, instituciones políticas y estatales, parecen no estar funcionando con la intensidad, la amplitud y sobre todo con la eficacia que los problemas económicos reclaman. Nos hemos referido así, en otras ocasiones, a que el problema no es solamente la crisis económica sino una "crisis de la gestión de la crisis", lo cual tiene que ver desde luego con el Estado y sus instituciones, pero también con el conjunto de relaciones, instancias, agentes, coaliciones, elaboraciones, que dan lugar al complejo sistema político mexicano.

A este respecto, conviene considerar también como parte del programa gubernamental presentado el primero de diciembre, lo que luego se ha dado en llamar el intento por construir un nuevo derecho constitucional. Como se recordará en el primer período de sesiones de la LII Legislatura, que coincidió con el inicio del nuevo gobierno, fueron realizadas importantes y en muchas ocasiones drásticas revisiones tanto a la Constitución como a algunas leyes, buscando con ello al parecer una reforma importante en la organización del Estado y en las relaciones entre el Estado, sus principales bases de apoyo y el conjunto de la sociedad.

Probablemente la reforma jurídica que mayor atención reclamó y cuya discusión por cierto es todavía del todo insuficiente, es la que tiene que ver con los artículos fundamentales de la Constitución que regulan u organizan la vida económica en el país. El paquete reformista a la Constitución se centró en dos aspectos fundamentales; por un lado la definición precisa de lo que serían las nuevas pautas, definidas constitucionalmente, de la economía mixta que el nuevo gobierno proponía a la sociedad para el futuro; en segundo lugar, y dentro de este contexto, la asignación al Estado de una responsabilidad fundamental, precisamente para dar al desarrollo de la economía mixta un cauce más racional, es decir, la obligación de llevar a cabo por mandato constitucional un proceso de planificación.

Sobre la primera cuestión, no solamente se precisa en la Constitución las áreas que son de exclusiva responsabilidad del Estado, áreas que son denominadas estratégicas, sino con el pretexto de definir esas áreas estratégicas y otras que son llamadas prioritarias, se incorpora a la Constitución la idea de varios tipos de propiedad, en contraposición con lo que justamente puede llamarse el espíritu fundador y originario de la Constitución mexicana, según el cual solamente se reconoce como constitutiva, la propiedad de la nación.[2] De acuerdo con el nuevo texto constitucional que resulta de las reformas de diciembre de 1982, en México existen constitucionalmente consagrados tres tipos de propiedad: la propiedad privada, la propiedad estatal y la propiedad social. A dónde llegará esta triple división constitucional de propiedades, es difícil decirlo. Lo que sí se puede decir ahora, es que tales reformas admiten, legítimamente, una lectura en el sentido de que con ellas se busca reafirmar, o ampliar, el campo de seguridades para el capitalismo privado que en aquellos meses y todavía hoy, era víctima de una profunda crisis de confianza y estaba predispuesto, incluso podría decirse que volcado, a la especulación y a los preparativos para dejar el país, o por lo menos alejarse con su riqueza monetaria rumbo a los Estados Unidos.

No parece haber otra justificación para la introducción de esta noción triple de propiedad a nivel constitucional, que la idea de, sin violentar las relaciones fundamentales que recoge la Constitución del 17, ofrecer al capital privado —particularmente al capital privado nacional— un nuevo paquete de garantías de largo alcance para reconstruir la economía mixta. Irónicamente esta lectura se contrapone con la que importantes personeros del sector privado hicieron de las reformas constitucionales, atribuyéndoles una marcada inclinación estatista; esto, por cierto, ha seguido siendo uno de los puntos de apoyo del capital privado para mantener, al menos retóricamente, una renuencia militante a participar en el combate a la crisis y en la construcción de las nuevas bases para lo que el gobierno ha llamado el cambio estructural.

La atribución constitucional al Estado para que lleve a cabo un proceso de planeación, abre (al menos en principio) un nuevo campo de acción y participación política para las fuerzas populares y en general para el conjunto de la sociedad. Sin embargo, este mandato constitucional establece con mucha claridad el carácter de sugerencia, de inducción, que tendrá la planeación con respecto

---

[2] Para una crítica del sentido de estas reformas, *cf.* Arnaldo Córdova, "El poder del Estado", *Economía Informa,* núm. 109, octubre de 1983, pp. 9-12, y PSUM, "Iniciativa de reformas a los artículos 16, 25, 26, 27, 28 de la Constitución Política de los Estados Unidos Mexicanos", *Diario de los Debates* de la H. Cámara de Diputados, 17 de diciembre de 1982. Véase también el debate del 24 de diciembre de 1982.

al sector privado. La ley que lo reglamenta, a su vez ratifica la exclusividad para el Estado de la organización del proceso planificador, lo cual lo hace, en los hechos, un proceso muy limitado, que queda de principio a fin en las manos de la burocracia del Poder Ejecutivo.

Las referencias al cambio estructural, la introducción de temas como la defensa de la planta productiva y el empleo, el mantenimiento de ciertas líneas de política social que aunque aminoradas en el gasto siguen presentes en el horizonte de las acciones y sobre todo de las declaraciones del gobierno mexicano, así como el reconocimiento explícito de que los problemas actuales de México no son sólo económicos sino que tienen que ver con el conjunto de la fábrica social y particularmente con el conjunto de las prácticas políticas no son, así, señalamientos exclusivos de los analistas independientes o de las fuerzas opositoras en México. Han sido de manera explícita y harto insistente, recogidos por el nuevo grupo gobernante. Ello obliga a matizar la afirmación inicial de ese trabajo en el sentido de que lo que se planteó a partir del 1 de diciembre fue un intento por recuperar las grandes líneas definidas a fines de los sesenta por el modelo llamado "desarrollo estabilizador". Obliga a tener presente que no se trata de una elemental "vuelta atrás", sino de una revisión de las estrategias intentadas a lo largo de los setenta y hasta 1981, a partir de una perspectiva ideológica-política (definida ésta sí por el desarrollo estabilizador) que cuenta con toda una argumentación actualizadora que le da fortaleza.

La definición, entonces, de alternativas para el país desde la izquierda y en general desde posiciones no gubernamentales, no es fácil y no puede resolverse por la simple vía de señalar los datos negativos e inmediatos de la realidad.

Al menos en términos de la retórica, pero también de su planteamiento central y de compromisos a los que puede invocar en un momento de agudización todavía mayor de la crisis, el grupo gobernante actual cuenta con una batería de opciones intermedias, giros alternativos y proposiciones a los cuales acudir con cierto reclamo de legitimidad. No se trata, en consecuencia, de una simple revisión reaccionaria de la pauta de desarrollo sino de una "restructuración modernizadora" que se apoya ideológicamente en los desastres, reales o inventados, de las políticas de las administraciones de Echeverría y López Portillo. Esto es indispensable tenerlo en cuenta cuando nos abocamos a la crítica de los programas en curso del gobierno actual, pero sobre todo cuando nos aventuramos a la búsqueda de opciones o alternativas que sean más coherentes con las necesidades, expectativas, tradiciones y perspectivas históricas de las mayorías populares. Es decir, cuando se trata de diseñar o sugerir una alternativa económica y política para México *desde la izquierda*.

2. Las perspectivas inmediatas

Mucho se ha dicho sobre el significado inmediato y mediato del programa gubernamental. No es objeto de estas páginas llevar a cabo una discusión de la política económica del gobierno actual. Pero vale la pena señalar que en los hechos y hasta el momento, el Programa Inmediato de Reordenación Económica ha registrado logros muy discutibles en cuanto a sus propósitos explícitos fundamentales. En casos como la inflación, la meta se ha mantenido por abajo de lo registrado y en otros, como en el déficit externo o el déficit fiscal, los resultados han ido más allá de lo esperado, pero con implicaciones sumamente negativas para el nivel de producción y de empleo. Como se muestra en diferentes trabajos de este volumen, quizás el resultado básico del Programa Inmediato de Reordenación hasta la fecha, haya sido la pronunciada recesión de la economía, tanto en términos de la experiencia histórica mexicana, como de lo que se había propuesto originalmente el programa mismo. En segudo lugar, como consecuencia de una operación sumamente drástica en la política fiscal (particularmente en el aspecto del gasto), se ha restringido también de manera exagerada el gasto para el mantenimiento de la capacidad productiva nacional, sobre todo en lo que tiene que ver de manera directa e indirecta con la inversión pública. Y en tercer lugar, como ha quedado evidenciado tanto en las estadísticas como en los eventos políticos respectivos, el costo básico de la reordenación económica ha sido pagado por los trabajadores que han visto caer de manera muy pronunciada su capacidad de compra.

Tomando en cuenta estos resultados y otros que podríamos llamar intangibles o más difíciles de medir (relacionados, por ejemplo, con la disposición de la planta empresarial para incorporarse a un nuevo proyecto de desarrollo), tendríamos que decir que hasta el momento, el Programa Inmediato de Reordenación Económica, más que formar parte o constituir un eslabón inicial del cambio estructural, está operando como un factor que aleja, inhibe o de plano se enfrenta a toda posibilidad real de, en el corto plazo, llevar a cabo o iniciar un cambio estructural que tuviera un sentido positivo,

en términos de las necesidades populares y nacionales. Dicho de
otra manera, la sin duda alguna atractiva y audaz oferta presidencial de buscar una simultaneidad entre el corto y el mediano
y largo plazos, es decir entre el Programa de Reordenación Económica y el proyecto de cambio estructural, no se ha logrado; pero
además, por la forma en que se ha llevado a cabo el PIRE, se puede
afirmar que las posibilidades de un cambio estructural progresivo
y positivo para la mayoría mexicana se han alejado en el tiempo
y en el espacio, en la medida en que tanto desde el punto de vista
social como territorial los resultados del Programa Inmediato de
Reordenación Económica son de una reconcentración muy aguda
del ingreso y de la riqueza. A ello hay que añadir el hecho de que
parte de la riqueza nacional sigue trasladándose al exterior, lo que,
al menos potencialmente, descapitaliza al desarrollo nacional y en
lo inmediato constituye un bloqueo significativo para una recuperación sostenida del crecimiento económico.

En resumen, podríamos decir como propone Jaime Ros,[3] que
hay razones poderosas para dudar de la eficiencia de la actual
política de estabilización, en la medida en que los logros en el
cumplimiento de las metas financieras ha ido acompañada de exce-
sivos costos económicos y sociales.

El tratamiento de *shock,* sugiere Ros además, como método para
ajustar las cuentas externas, se concentra en la restricción de unas
importaciones que seguramente repuntarán en la recuperación futura, tiene un reducido efecto en las exportaciones y un impacto
perverso sobre los movimientos de capital en el exterior. Por otro
lado, la contracción económica, como hemos dicho, ha sido excesiva, y esto se muestra en los indicadores de un enorme crecimiento
negativo tanto en el producto bruto como sobre todo en el producto per cápita. Por lo demás, el control de la demanda agregada
ha dependido fundamentalmente de la contracción violenta de la
inversión pública, lo cual afecta directamente el crecimiento de la
capacidad productiva y compromete las posibilidades futuras de recuperación sostenida de la producción y del empleo.

Hasta el momento, la meta del déficit público es la que ha organizado el conjunto de la política económica lo cual presenta riesgos muy grandes. Por un lado, la reducción en el déficit público,
como ha mostrado la experiencia, no necesariamente tiene efectos

[3] Jaime Ros, *Crisis económica y política de estabilización en México* (mimeo.), México, enero de 1984. Para esto y otros apartados he utilizado *in
extenso* este excelente ensayo de Ros.

importantes, mucho menos inmediatos, en lo que toca a la desaceleración de la inflación. Por otro lado, el alcanzar estas metas, en la medida que se mantienen altas tasas de inflación, implica resultados tremendamente restrictivos en materia de ingresos y gastos públicos *reales*, lo que da lugar a una contracción económica muy superior a la esperada. Ello no garantiza, reiterémoslo, que se vaya lograr abatir la tasa de inflación.

Por último, la política de relativa liberalización de precios, junto con la de aumento de precios y tarifas del sector público, ha reforzado las expectativas inflacionarias. Todo ello, unido al hecho de que la política salarial se ha mantenido muy restrictiva de acuerdo con los propósitos originales y no ha traído consigo otra cosa que cargar a la caída del salario real todos los costos de una desaceleración inflacionaria que sigue siendo menor a la esperada.

Existen, pues, razones múltiples para pensar que la política inmediata de reordenación económica, medida en términos del cumplimiento de sus propósitos así como de sus implicaciones para el corto y el mediano plazo, debe ser revisada profundamente si se quiere avanzar hacia el cambio estructural. Ello no obstante, el gobierno ha reafirmado una y otra vez la bondad y la validez esencial de su programa.

Hay quienes apoyándose en los índices que se han mencionado anteriormente, obtienen conclusiones absolutas con respecto a la invalidez de la política de reordenación económica. Ello debe ser examinado cuidadosamente porque a diferencia de otros países que han intentado políticas de estabilización tan drásticas y tan brutales como la que se está implantando aquí desde 1982, México cuenta con unos "activos", materiales y sociopolíticos, que le permiten ciertos grados de libertad y flexibilidad para la operación de una política de esa naturaleza. El primero de ellos tiene que ver con el hecho de que México cuenta con un aporte importante de divisas por la vía del petróleo, que aun en las condiciones actuales de brutal inflexibilidad externa producida por el endeudamiento, dan a México la posibilidad de, gracias a ciertas renegociaciones parciales y aun menores del endeudamiento externo, encontrar caminos de salida y de reactivación económica que no sean inmediatamente autolimitativos a través de un endeudamiento mayor. En segundo lugar, está la variable salarial, una de las que más ha abusado el grupo gobernante actual, y que descansa, básicamente, en el muy favorable mercado laboral desde el punto de vista de los intereses de largo plazo del capital. Ésta es una condición "favorable" que se explica por las tendencias a la oferta abundante de mano de obra que

sigue viniendo del campo y la que se genera naturalmente en las
ciudades y, por otro lado, por el hecho de que las principales fuerzas organizadas de la clase trabajadora siguen empeñadas en una
relación de alianza histórica con el Estado mexicano y sus diferentes
gobiernos, lo que las ha llevado a aceptar mecanismos de negociación y conciliación y, al final de cuentas, de resignación con respecto a la política salarial propuesta por el grupo gobernante. Ello
ha permitido hasta el momento, mantener sujeto a estricto control
el componente salarial de la estrategia de reordenación económica,
lo que ha permitido entre otras cosas dar lugar a una cierta in-
dexación de los otros precios fundamentales, como el tipo de cambio
o los precios y tarifas del sector público, y al mismo tiempo mane-
jarse dentro de los marcos de una relativa estabilidad política y
social. Estos dos "activos" se unen a otro que va más allá de lo nacional y que tiene que ver con el hecho poco explorado conceptual
y especulativamente todavía por los mexicanos, de que nuestro
país guarda una relación de estrecha interdependencia con la economía más poderosa de la tierra, es decir, la economía norteamericana. Esto constituye hasta el momento una relativa válvula de
escape para la fuerza de trabajo, pero además está abriendo la posibilidad de que dicha relación de interdependencia encuentre un
nuevo nivel de concreción productiva por la vía de la inversión
norteamericana en vastos espacios económico-territoriales de México, lo que puede significar un nuevo mecanismo que traslade, así
sea relativamente, los efectos de la recuperación norteamericana
sobre México, aun en el contexto de una política sumamente pro-
teccionista por parte de los Estados Unidos.

Estos tres elementos (petróleo, condiciones sociopolíticas del mercado de trabajo y frontera con los Estados Unidos) no son circunstanciales. Podríamos decir que constituyen pautas históricas que
pueden darle a la política de estabilización a ultranza puesta en
práctica por el gobierno a partir de 1982, ciertos visos de éxito relativo que se traduzcan en el corto plazo en una importante reducción en la tasa de inflación y en los primeros pasos de una
recuperación que podría concretarse en tasas de crecimiento económico cercanas al 4% el año entrante y tal vez también para
1986. De cumplirse esas tendencias, la propuesta gubernamental tendría una mayor base de legitimación, por así decirlo, tecnocrática,
porque contribuiría a reforzar la hipótesis básica del grupo gobernante de que esta política de reordenación económica está inscrita
en la construcción de una nueva racionalidad estatal. Ésta es una
posibilidad importante que es preciso tener en cuenta también para

la discusión de caminos alternativos. Empero, se trata de una posibilidad precaria que puede diluirse en el corto plazo, es decir, hacia 1987, cuando como producto de una recuperación que se da en un contexto económico prácticamente inmodificado, se le presenten al país presiones crecientes del sector externo que le planteen al crecimiento bloqueos importantes, sobre todo en un marco de inflexibilidad en materia de endeudamiento externo y en la medida, también, en que las tasas de inflación no sigan reduciéndose, lo que no es nada remoto.[4]

De esta manera, por un lado parece probable que la política inmediata de estabilización encuentre en los próximos meses una contraparte de alivio, tanto por lo que toca a la inflación misma, como en lo referente a los índices de actividad económica; por otro lado, parece a la vez "más probable" que estemos en presencia de un nuevo ciclo, donde la economía observaría un crecimiento positivo por uno, dos o hasta tres años, para luego caer de nuevo en un crecimiento más lento, tendiente al estancamiento y con una inflación alta, aunque quizás relativamente estabilizada. Se entraría así en un proceso de "frontera" con la inestabilidad social, marcado por presiones "integracionistas" desde el norte y en un contexto de aguda desigualdad socioeconómica. Difícil perspectiva para poner en acto una nueva y más eficaz economía mixta, y más aún para encauzar las contradicciones de la crisis por vías de tolerancia y democracia.

3. El agotamiento de la forma de desarrollo

Los efectos y las perspectivas de la política económica aplicada y propuesta por el actual gobierno, constituyen sin duda referencias obligadas para cualquier intento de elaboración alternativa en esta materia. También constituyen una referencia inevitable, los efectos, implicaciones y posibilidades de carácter político-social que el propio despliegue del programa gubernamental en su conjunto ha producido. Como hemos dicho, la política de estabilización emprendida por el actual gobierno ha implicado severos costos de tipo social, particularmente para los trabajadores asalariados que han visto reducida su capacidad real de compra y en proporciones importantes desaparecer también sus empleos.

[4] Cf. Lance Taylor, The crisis and thereafter: Macro-economic policy problems in Mexico (mimeo. VII), marzo de 1984, p. 25.

Por otro lado, hasta el momento es justo decir que las reformas constitucionales, la devolución en venta de las acciones no bancarias, las ofertas de vender un paquete importante de empresas paraestatales y en general el discurso del gobierno, no han logrado restaurar la confianza patronal. Ésta sigue siendo una pieza de negociación, habría que decir que de chantaje, y en la práctica económica no se traduce en mayor inversión porque no puede hacerlo, debido a la recesión generalizada y a los incrementos sustanciales en la capacidad ociosa. Además, es sabido que buena parte del capital se mantiene a la expectativa, de plano se fuga al exterior o se dedica a la especulación interna. A su vez, el movimiento obrero organizado, pilar fundamental del Estado mexicano y sus gobiernos, se encuentra resentido por la política económica y por la forma en que el gobierno ha decidido encarar sus relaciones con él.

Las perspectivas político-económicas arriba mencionadas, están sin duda, asociadas con una cierta forma específica de conducir a la economía: es decir, con una política económica dominada por los criterios de estabilización y los razonamientos ortodoxos convencionales. Sin embargo, vale la pena tener en cuenta que la perspectiva de una recuperación seguida por un nuevo decaimiento en el ritmo de actividad económica a que nos hemos referido antes, también resulta de, o está asociada con, una cierta forma de organización económica que la política oficial no puede exorcizar a su gusto. El problema central, aquí, es el bloqueo externo inscrito siempre en las perspectivas de la evolución económica de México.

La incapacidad de nuestra economía para crecer en el largo plazo sin bloqueos externos, producidos por un crecimiento desmedido de las importaciones, es decisiva en esta coyuntura, porque en el presente y el futuro previsible (y a diferencia de lo que sucedió en el pasado más o menos inmediato), no parece factible que las exportaciones no petroleras puedan incrementarse al gusto, o que vaya a darse una repentina flexibilización del mercado internacional de capitales. Tampoco parece recomendable suponer que el mercado petrolero vaya a sufrir un nuevo vuelco, que signifique una nueva tendencia más o menos larga en el tiempo de los precios petroleros al alza. En esas condiciones, la perspectiva de un crecimiento relativamente lento parece asociada con una política económica determinada a su vez en lo fundamental por la estructura económica y particularmente por la estructura industrial prevaleciente en México. Así de mantenerse las condiciones internacionales como están en la actualidad, la mejor hipótesis con respecto al desarrollo futuro es la de que éste no podrá ser de manera sostenida, ni acelerado ni alto como el que se dio en una parte de los años setenta y sobre todo durante el auge producido por el petróleo.

Así las cosas, pensar *desde la izquierda* en un camino de austeridad parece obligado por la propia fuerza de las circunstancias y por el imperio de una estructura económica, particularmente de una estructura industrial, que no se puede modificar sino en lapsos relativamente largos y a partir de decisiones de largo aliento.

Una austeridad desde la izquierda, sin embargo, poco o nada tiene que ver con los programas del mismo nombre que recomienda el Fondo Monetario Internacional, y cuyos resultados desastrosos han vuelto a la palabra austeridad, sinónimo de injusticia y decaimiento económico y social. La austeridad a que obligan las relaciones estructurales mencionadas, y en especial las repercusiones que sobre la economía interna tiene la crisis internacional, tiene por ello que concretarse en pautas de consumo e inversión más vinculadas con las posibilidades endógenas y menos dependientes de la importación y la tecnología foránea. Reacomodar el consumo (y la inversión) a los niveles y potencialidades de la acumulación nacional, no puede sino derivar, en consecuencia, en una redistribución del consumo *hacia abajo* y en una reorientación de la inversión productiva en favor de la producción de bienes básicos y de la construcción de una infraestructura social vinculada al consumo colectivo.

Esta austeridad serviría para abrirle paso a un crecimiento económico mayor, compatible con los enormes déficit de empleo, y para darle a ese crecimiento una naturaleza social y una composición económico-material diferentes a las que hasta ahora ha tenido. Al contrario, la "austeridad" que promueve el Fondo, al propiciar una reconcentración del ingreso, lo que hace es acentuar la naturaleza social y la composición económica vigentes, gracias a lo cual el crecimiento de la producción se hace cada vez más dependiente de la concentración interna del ingreso y de los flujos de capital del exterior.

Todo lo dicho hasta aquí, constituye un conjunto de referencias obligadas para la elaboración de una alternativa para el desarrollo nacional desde la izquierda. Sin embargo, la referencia fundamental es el agotamiento histórico de la forma de desarrollo capitalista que nuestro país observó desde la posguerra y que fue artificialmente alargada gracias al oxígeno financiero adicional e irrepetible que produjo el petróleo al final de los años setenta. La hipótesis del agotamiento, no sólo se refiere a los problemas financieros y productivos que produce una estructura económica desarticulada como la mexicana sino también al hecho principal, muy importante para los fines de nuestra reflexión, del deterioro de la conducción estatal del proceso de desarrollo. Es decir, vivimos no solamente una crisis económica sino, como se dijo, una crisis de la gestión de la crisis que tiene su origen en la caducidad de la organización estatal y en el deterioro de las relaciones entre el Estado y la economía, entre el Estado y las fuerzas sociales y, de manera particular, entre el Estado y las fuerzas del capital privado. Éste es el punto de partida principal en la elaboración de una estrategia alternativa de la izquierda para el desarrollo nacional.

Lo que se plantea al país, desde la izquierda, entonces, es la tarea fundamental de construir una estructura económica y social articulada internamente y capaz, a partir de esta articulación fundamental que se expresa en lo productivo pero también en las relaciones sociales, de encontrar formas de vinculación más positivas con la economía mundial y, en especial en el caso de México, con la economía norteamericana.

Se trata así, de realizar una vasta operación de corte estructural que tiene que cubrir de manera combinada la creación de nuevas formas productivas y la renovación de otras ya instaladas, y enfrentar la revisión a fondo, pero de inmediato, de relaciones históricas que son fundamentales para el desarrollo económico y social de cualquier país: concreta y principalmente las relaciones que hasta hoy privan entre la ciudad y el campo y de manera más específica, entre la agricultura y la industria. Asimismo, esta reconstrucción estructural tiene que comprender al Estado, entendido no sólo como instancia superior sintetizadora de las relaciones políticas y sociales, sino también como un conjunto institucional que se despliega en el plano directamente productivo a través de las empresas públicas.

Esta revisión de la instancia estatal como articulación política y económica, tendría que propiciar a su vez, una renovación estratégica y operacional de las relaciones que han definido el desarrollo de la economía mixta hasta nuestros días, al menos en tres cuestiones principales: el proteccionismo estatal, por la vía fiscal, financiera y salarial, de la empresa privada; el sacrificio permanente de los temas principales del desarrollo social, que hoy se expresa en carencias masivas en materia de los llamados mínimos de bienestar o necesidades esenciales,[5] y, por último, el amplio y esquivo pro-

---

[5] Para una reflexión sobre estos dos aspectos vinculados con el problema de la distribución, véase Francisco-Javier Alejo, "Crecimiento, estabilidad y

blema de la eficiencia, de las formas de entenderla, promoverla, evaluarla y difundirla en el nivel microeconómico pero también, y en nuestro caso tal vez sobre todo, en la dimensión global, del sistema económico y del Estado.

II. LAS SEÑAS DE IDENTIDAD

Cambiar la forma de desarrollo: en este propósito confluyen las muy diversas formaciones políticas y agrupamientos sociales que hoy dan en México contenido a la noción de izquierda. Con los grupos gobernantes del Estado, sin ellos o contra ellos; suscribiendo de modo cada vez más ritual y puntual su política, o proclamando la necesidad imperiosa de derrotarla; buscando aliarse o profundizando diferencias; el hecho es que en sus programas y propuestas de orden más general y ambicioso, estas fuerzas convergen en esa conclusión mayor. Ella es la que le otorga congruencia básica a sus programas y la que puede dotar a su acción de una eficacia política de carácter nacional.

Ahora bien, ¿por qué cambiar el modelo de desarrollo?, ¿por qué proponerlo como el objetivo primordial de una política nacional alternativa de largo plazo? En primer término, porque ya no funciona, porque mantenerlo dándole vida artificial como sucedió en el pasado inmediato, no propicia sino problemas mayores, mientras que sus beneficios llegan a cada vez menos aun dentro de esa reducida minoría que siempre concentró los frutos del modelo. Este agotamiento se despliega hoy así, en perjuicios generalizados en el orden económico y social; sus soportes tradicionales como la deuda externa, el proteccionismo estatal a la empresa o la relativa armonía en las relaciones obrero-patronales, sólo producen costos sociales y políticos de carácter general, mientras que el crecimiento económico, que justificaba sacrificios y abusos de todo tipo, es cada vez menor y cada vez más precario, efímero y destructivo. He aquí razones poderosas, dentro de la racionalidad misma del sistema, que llevan a sus fuerzas básicas históricas a plantearse modificaciones de fondo, a buscar un cambio que tiene que ser, en rigor, algo más que un simple "cambio de piel". Para la izquierda que busca las vías a

distribución: los tres grandes problemas del desarrollo. El caso de México", *El Trimestre Económico*, núm. 201, México, enero-marzo de 1984, pp. 48-50.

una sociedad distinta, justa y libre, hay otra razón de mayor fuerza y vigor, que en realidad es propia de una racionalidad diferente, histórica y transformadora. Esta razón es, que la reproducción del sistema, aun de manera superampliada como pudo parecer y aun tener lugar en el pasado, no es capaz de asegurar empleo ni ingreso permanentes a la mayoría, ni de ofrecer una progresiva, así fuera desigual, constitución efectivamente nacional de la economía. Más bien, la perspectiva que surge como la dominante en cada coyuntura, es la de la perpetuación de la dependencia, la de un destino dominado por una integración subordinada al mercado, los procesos productivos y los designios políticos imperiales de Norteamérica. Si acaso, una modernidad prestada, fatalmente minoritaria, sin las ilusiones del progreso generalizado "para después".

En el curso de los últimos diez años, ha sido muy fructífera la elaboración programática que proviene del campo popular. Baste recordar los primeros planteamientos de programa de los electricistas democráticos que encabezaba Rafael Galván y que luego se resumieron en esa gran propuesta proletaria que es la Declaración de Guadalajara; las propuestas de reformas económicas y sociales hechas por la Confederación de Trabajadores de México; el conjunto de elaboraciones hechas en los últimos años por el Congreso del Trabajo y sus sindicatos más dinámicos, como los de telefonistas, electricistas o nucleares; y las elaboraciones programáticas hechas por los partidos de izquierda, destacadamente dentro de ellos el Partido Socialista Unificado de México.[6] En todos estos planteamientos se contempla, o puede derivarse legítimamente, la convicción que hemos señalado anteriormente: la necesidad de cambiar la forma de crecimiento del país, dado su evidente y costoso agotamiento. Pero hoy, en el fondo de la crisis (o todavía rumbo a él), no es ocioso volver al principio y tratar de ubicar no solamente el punto de partida de la reflexión, que parece ser compartido por todas estas fuerzas políticas y agrupamientos sociales del campo popular, sino definir o precisar el *punto de partida para la propuesta*. Si el eje de la reflexión sobre la situación actual y sus perspectivas es el agotamiento del modelo de desarrollo, el eje para la propuesta alternativa tiene que ser, sin embargo, más preciso y acotado.

[6] Baso esta proposición en el examen de una amplia selección de los programas del movimiento obrero debida a Raúl Trejo, y que aparecerá publicada en el volumen colectivo intitulado. Véase también sobre este tema, Rafael Cordera: "Sindicatos nacionales y política económica", *Investigación Económica*, núm. 163, México, enero-marzo de 1983, pp. 121-142, y *El programa reciente y el programa posible* (mimeo.), México, 1984.

Del "agotamiento", fenómeno "objetivo", pueden surgir y de hecho surgen diversas y encontradas soluciones. ¿Cuál es entonces la idea-fuerza que sirva para delinear una propuesta alternativa de carácter global, es decir, la propuesta de un nuevo modelo o una nueva forma de crecimiento y desarrollo para el país? Sobre esto, se han dicho muchas cosas en los últimos tiempos tanto desde el campo popular como desde el propio campo gubernamental. La nueva industrialización, la revisión de las relaciones entre el campo y la ciudad, la reestructuración del sector rural mexicano, la diversificación de las exportaciones, los nuevos procesos de inversión, el papel del sector público, la sociedad igualitaria, etc., aparecen como algunos de los temas principales. En este ensayo no se busca sugerir una nueva proposición (porque de hecho está contemplada en las reflexiones a que hemos aludido anteriormente), sino plantear la necesidad de que uno de estos temas adquiera el carácter de tema central, de tema organizador de la reflexión programática y estratégica que hoy está llevando a cabo a la izquierda.

1. Empezar por lo social

El tema que aquí se propone como central, como tema líder de la reflexión programática, es el que podría resumirse en la noción de *la cuestión social del desarrollo*. Sólo poniendo en el centro de la reflexión y del programa alternativo de la izquierda a la cuestión social del desarrollo es que se puede dar congruencia histórica y política, así como consistencia técnica y operativa, a la propuesta de un nuevo modelo de desarrollo. Es a través de esta proposición que se puede realmente violentar la lógica poderosa del equilibrio y la globalidad neoclásica que hoy domina la reflexión económica y social, y avanzar en la construcción de un nuevo tipo de racionalidad que dé fundamento a una nueva forma de organizar la vida social y económica de México.

En nuestra época, la "cuestión social" no es más aquella que la generación de la Reforma asimilaba a la prevalencia de relaciones feudales, arcaicas, que maniataban a las nuevas fuerzas del progreso económico y social. Pero tampoco se puede reducir a la problemática que encarnó la clase obrera europea del siglo XIX y que se condensaba en la demanda de alcances históricos, de plena ciudadanía, no sólo "cívica" sino política y social, para el proletariado que con toda legitimidad resumía todo el universo "no propietario" de aquel entonces (y aquellos lugares).

Más bien, la cuestión social del México contemporáneo se extiende "más allá" y "más acá" de la clase obrera e involucra al *pueblo-masa*, con sus contingentes organizados pero sobre todo con los *no* organizados, y tiende a concretarse, si eso es en realidad posible, en los grandes y onerosos números de la población insatisfecha en sus necesidades elementales.

Esta realidad, trans-clasista y trans-espacial, se vuelve una realidad "dura" y en proceso de ampliación a medida que el agotamiento de la forma de desarrollo deja de ser una tendencia y se convierte en actualidad. En esa medida, también, esa realidad tiende a dominar el conjunto de la vida social, no sólo los "territorios" inmediatos poblados por los pobres relativos o en transición, sino también los espacios aparentemente consolidados de los sectores medios, en especial aquellos ocupados por los fragmentos más poderosos y organizados de la clase obrera.

Si se traza con rigor el *mapa* socioeconómico (y político) de este mundo de la necesidad básica insatisfecha, tendrá que aceptarse que se trata de la mayoría de la población y que, por tanto, lo que está en juego hoy, a pesar de los muchos esfuerzos de ayer y antier, sigue siendo la nación misma, aún inconclusa, vulnerable, *partida* por las fallas, grietas y abismos de la desigualdad y la marginación masiva en constante y ampliada reproducción.

El tema social tiene por supuesto una relación fuerte, objetiva e insoslayable con el comportamiento de la economía. El desarrollo social requiere la existencia de una cierta base económica sin la cual no es concebible la satisfacción de las necesidades sociales que por definición, y como muestra la propia historia, son necesidades siempre cambiantes determinadas no sólo por el entorno nacional sino por lo que pasa en el resto del mundo. Pero ello no debe llevar a pensar que el desarrollo social sólo es concebible y asequible a partir de que se alcancen ciertos ritmos o estados económicos. Ésta es una tesis propia del desarrollismo, que no está apoyada por la realidad y cuya aplicación dogmática la ha convertido, además, en una tesis contraria al crecimiento económico dentro de la propia lógica desarrollista, por las distorsiones que se producen en el consumo social, en la estructura productiva y en la balanza de pagos. México es un claro ejemplo de ello. Los intentos infructuosos por corregir esta situación en los setenta, son a final de cuentas un reconocimiento de hecho. Por decirlo de otra manera: el desarrollo social no tiene por qué seguir a, ni ser la consecuencia de, un crecimiento económico que ha alcanzado un cierto nivel de realizaciones materiales y productivas. Como lo ha dicho con toda precisión el gran economista Amartya Sen, "si el gobierno de un país pobre en proceso de desarrollo se compromete a elevar los niveles de salud y las expectativas de vida, entonces sería absurdo tratar de alcanzar esto por la vía de incrementar el ingreso per-cápita, más que hacerlo de manera directa a través de una política pública y de cambio social como China y Sri Lanka lo han hecho".[7]

Sin menoscabo de los grandes y graves problemas del corto plazo, éste debería ser uno de los criterios rectores y maestros en una estrategia alternativa de la izquierda en la crisis actual. Nos atreveríamos a sugerir que sólo por esta vía se puede caminar con firmeza en la búsqueda de cambios radicales en la forma de desarrollo y la organización económica del país, objetivo que bajo distintas denominaciones, como hemos dicho, comparten las diversas formaciones políticas y organizaciones sociales que se reclaman del campo popular.

Ésta es también una buena vía para volver a pensar las relaciones económicas fundamentales, tanto para el corto como el mediano y el largo plazo. Este "repensar", es una tarea que la izquierda debe acometer con urgencia so pena de quedar presa, lo acepte o no, de la dictadura férrea de la globalidad siempre impresionante de la razón convencional. Poner por delante la cuestión social, que en nuestro caso sigue dominada por las necesidades básicas insatisfechas de la mayoría, nos pone también y de modo más o menos inmediato, de cara a los temas de la austeridad en materia de consumo y producción, de la planeación para el conjunto de la economía y en particular para el Estado y también, de frente al enorme tema de la justicia, tanto en lo que toca a la dimensión fiscal como en lo referente a la relación salarios-ganancia y en consecuencia a los precios, el empleo y la productividad. No es recomendable, mucho menos en una situación de incertidumbre y escepticismo crónicos como la actual, aspirar a elegantes modelos alternativos dotados de una poderosa y firme congruencia interna global. Parece más sensato pensar la realidad con una cierta resignación respecto de su naturaleza desequilibrada y de su indomeñable vocación para evolucionar también de modo desequilibrado y aun incoherente, lleno de sorpresas y vacíos. Pero sí es posible en una situación como la que vivimos, imaginar los grandes planos de una estructura económica distinta, que asegure un crecimiento sostenido y relativamente alto y que responda a las necesidades y

---

[7] Amartya Sen, "Development: which way now?", *The Economic Journal,* núm. 93, Gran Bretaña, diciembre de 1983.

objetivos que surgen de ubicar la cuestión social en el centro de la elaboración estratégica.[8]

En este orden de ideas, por ejemplo, hay que destacar la importancia crucial y el sentido diferente que adquieren el campo y los campesinos. La cuestión rural, vista a partir de las potencialidades productivas de los campesinos en contraste con su situación social, adquiere un nuevo carácter. La construcción de una nueva sociedad rural deja de ser una utopía y se convierte de hecho en una exigencia para pensar y concebir un desarrollo alternativo. Esta nueva sociedad rural, en efecto, debe y puede verse como un conjunto estructurado de nuevas relaciones sociales y productivas, articuladas por el propósito de que el campo deje de ser la plataforma de lanzamiento de masivas y crecientes movilizaciones demográficas hacia las ciudades, y se convierta en un receptáculo efectivo, de largo alcance, de nuevas formas de organización y vida social.

Cosa similar puede decirse de la descentralización social y territorial, tanto en la producción de servicios como de bienes. Poner en el centro de una nueva estrategia para el desarrollo a las necesidades sociales básicas, nos obliga a reconocer en la descentralización uno de los instrumentos prioritarios de la estrategia, tanto en lo que toca a los sectores sociales como en lo que toca al territorio. De hecho, si no adjuntamos a la cuestión social el tema de la descentralización, la satisfacción de las necesidades sociales en un plazo relativamente aceptable resulta difícil de imaginar y concebir. No sólo desde el punto de vista del territorio, sino también desde el punto de vista social, se impone definir las diversas formas de organización autónoma de los diferentes sectores, capas y estamentos sociales, en los cuales sustentar la resolución y satisfacción de las necesidades esenciales. No se trata, reiterémoslo, de *resabios* del desarrollo histórico sino de inconmovibles y *masivos* resultados de nuestra evolución socioeconómica.

---

[8] Este planteamiento se inspira y se fundamenta en la investigación monumental realizada por la Coordinación General del Plan Nacional de Zonas Deprimidas y Grupos Marginados (Coplamar). *Cf. Necesidades esenciales en México. Situación actual y perspectivas al año 2000* (5 volúmenes), México, Siglo XXI-Coplamar, 1982. Un valioso ejercicio de elaboración estratégica en esta dirección se encuentra en Coplamar, *Necesidades esenciales y estructura productiva en México. Lineamientos de programación para el proyecto nacional*, México, 1982, así como en Julio Boltvinik, "Satisfacción desigual de las necesidades esenciales en México", en varios autores, *La desigualdad en México*, México, Siglo XXI, 1984.

Poner en el centro a *lo social,* nos permitiría también avanzar en la redefinición de los problemas centrales asociados a los llamados "embotellamientos", que no solamente son materiales o económicos sino, sobre todo, conceptuales.

En particular, se podría precisar qué tipos de bienes de producción y particularmente de bienes de capital son posibles y sobre todo deseables para un desarrollo nacional de largo plazo. Sería posible también, redefinir y concretar el papel de la sustitución de importaciones y poner de pie la cuestión que se ha vuelto crucial, dada la ideología dominante, de las finanzas públicas. También permitiría mirar de manera distinta y seguramente más prometedora, la organización, el sentido y el destino de la banca nacionalizada. Lo que es más importante: poner en el centro de la elaboración programática a la cuestión social, serviría para avanzar en el descubrimiento, o la creación en su caso, de los nuevos agentes que en desarrollo económico y social diferente reclama.

El tema de las necesidades sociales nos lleva pronto también al de la *desmercantilización* progresiva de ciertas producciones.[9] No parece factible en un plazo aceptable, satisfacer con un mínimo éxito las necesidades básicas de la mayoría de la población mexicana por la vía de los mecanismos del mercado, sobre todo si los entendemos como mecanismos que se derivan de la acción de los agentes privados. Por el contrario, lo que parece obligado, incluso para una ampliación posterior del mercado y de las posibilidades de la inversión lucrativa para los agentes privados, es la desmercantilización de ciertas producciones de bienes básicos. Ello no quiere decir, por otro lado, que estos bienes se vayan a ofrecer de manera gratuita. De lo que se trataría es de construir una franja de producción social dominada directa o indirectamente en lo fundamental por el Estado, que estaría organizada de manera principal por criterios derivados de objetivos físicos de producción vinculados a los planes y metas de satisfacción de las necesidades esenciales. De esta manera, se tendría una producción que diera lugar a un excedente, pero que no dependiera de las tasas de ganancia privantes en el mercado, sino de criterios de reproducción y mantenimiento de la planta instalada. Esto, puede ilustrarse fácilmente con todo el gran "paquete" vinculado a la construcción de habitaciones populares, pero es muy probable que tuviera que abarcar en lo inmediato —y en esa medida hacia el futuro— todo lo que se refiere a la producción y distribución de bienes básicos para

[9] Este planteamiento ha sido hecho por Julio Boltvinik, *op. cit.* pp. 57-64.

asegurar una nutrición adecuada. Para ello existen ya bases materiales e institucionales importantes, como lo muestra el complejo productivo y distributivo que conforma hoy la CONASUPO.

Vale la pena advertir que una estrategia como la que se sugiere, se deriva de concebir al desarrollo económico como un proceso que adquiere sentido sobre todo en la expansión efectiva, tangible y duradera, de las capacidades de la gente y en particular, de las capacidades de la mayoría. Como ha planteado Sen,[10] existe una relación funcional entre las garantías o los derechos de las personas con respecto a los bienes que se producen en la sociedad y sus capacidades.

En consecuencia, se trata de, por la vía del desarrollo institucional, expandir los derechos y las garantías sociales. Esto supone desde luego una compleja operación jurídica y aun constitucional, pero también el desarrollo de líneas productivas y de organización de la distribución que implican, desde el principio, una transgresión de las dictaduras del mercado sobre todo en lo que toca a las tasas de ganancia. Se trata, en principio, de ampliar cuanto antes el acceso de la gente a capacidades que pueden ser obtenidas y producidas internamente. Dicho de otra manera, si aceptamos, como es ya de amplia aceptación, que el principal bloqueo para nuestro desarrollo se ubica en el sector externo y particularmente en la disponibilidad de divisas, en una estrategia como la sugerida hasta aquí, se buscaría la creación y el impulso de áreas productivas vinculadas a la ampliación de las capacidades de la gente y que no implicaran mayores importaciones ni el establecimiento de industrias nuevas que exigieran tecnologías desarrolladas y sofisticadas que es preciso traer del exterior.

Estas garantías o derechos sobre bienes y servicios no tienen por qué concretarse a través de los procesos del mercado. Aun en economías no socialistas, como indica Sen, la existencia de la seguridad social, cuando ésta es efectiva, hace que tales garantías y derechos vayan más allá de la operación de las fuerzas del mercado. Ésta sería la línea maestra que habría que desarrollar en México, dando a la seguridad social una dimensión más compleja, menos lineal que la que conocemos aquí y, desde luego, que la que opera en los países de mayor desarrollo. Esta ampliación de los derechos y garantías sociales, a su vez, tendría que estar vinculada con procesos simultáneos de organización autónoma de las comunidades y de las

---

[10] A. Sen, *op. cit.*

fuerzas sociales, no solamente para disfrutar y exigir servicios sino también para producir y distribuir bienes.

Dijimos anteriormente que a partir de lo social podríamos "derivar", para ubicarlos en una estrategia alternativa, temas como los de la industrialización, la agricultura, el comercio, la cuestión fiscal, etc. Es claro que de todos éstos, el más decisivo es el de la industrialización, dada su relevancia económica y social, para México y para el mundo. A este respecto, digamos en principio, que no se trata de cuestionar aquí su "centralidad" histórica y cultural. Más bien lo que se busca, es proponer una articulación productiva diferente a la actual, organizada en torno al tema social y en particular los consumos básicos que de dicho tema surgen necesariamente. Así cuando se habla de industrialización alternativa no se alude sólo a la necesidad de contar con un sector productor de bienes de producción, sino sobre todo de que dicho sector se vincule orgánica y dinámicamente con los bloques dominantes del consumo social.

Un programa de desarrollo alternativo que tuviera como objetivo central la articulación social, como la llama Alain De Janvry,[11] debe tomar en cuenta no sólo las exigencias que provienen de la concentración del ingreso y que se concretarían en la demanda social, sino también las que se derivan de la capacidad productiva real. "Apostar" a la existencia de grandes márgenes de capacidad ociosa, sobre todo en el sector que produce bienes de consumo masivo, para llevar a cabo una estrategia de expansión sustentada en la ampliación del consumo es muy riesgoso. Chile de manera trágica y de algún modo México así lo demuestran. Poner en el centro de la nueva estrategia de desarrollo a la cuestión social, por tanto, no es asunto sólo de realizar una redistribución más o menos profunda del ingreso y al mismo tiempo una ampliación de los derechos sociales de la mayoría. Es también, y desde el principio, una operación de largo alcance con un carácter estricta y rigurosamente productivo. No se trata solamente de aumentar las capacidades de consumo de bienes básicos para la mayoría (o de "bienes salario" para los trabajadores), sino de asegurar en una perspectiva de largo plazo, una capacidad de producción de dichos bienes crecientemente endógena. En consecuencia, es imperativa la realización de una reestructuración productiva que busque de manera explícita una adecuación dinámica y progresiva con las nuevas ca-

---

[11] A. De Janvry, *Social disarticulation in Latin American history* (mimeo.), California, marzo de 1984.

pacidades de demanda y de consumo de las mayorías que plantea la estrategia alternativa. Tanto la inversión en los sectores clave de la economía como la creación de demanda efectiva, tienen que ser articuladas y coordinadas. Esto supone, como puede entenderse, un creciente control social sobre el conjunto de los procesos de inversión y de manera particular una redistribución del ingreso que no solamente suponga trasladar capacidad de compra de los sectores altos de la población a los sectores mayoritarios desfavorecidos, sino también trasladar recursos reales de aquellos sectores al sector público. Al mismo tiempo se necesita reorganizar al sector público para dotarlo no sólo de capacidad de inversión en términos brutos, sino también de capacidad de complementación y sustitución de aquellos inversionistas privados que de frente a esta estrategia de articulación social, podrían reaccionar, como de hecho ha sucedido en México y en otros lugares con huelga de inversiones o fuga de capitales. Así lo advierte Alain De Janvry pensando en la estrategia chilena: "incrementar el consumo de bienes salario sobre la base de la movilización de la capacidad excedente... es una invitación para una posterior desestabilización. Negar el papel clave del sector externo en la provisión de las materias primas y los bienes de capital para las industrias productoras de bienes salarios, así como en la importación de bienes salarios, para los cuales el país en cuestión no tiene una ventaja comparativa natural, es también un camino seguro para la desestabilización de la economía y aun de la sociedad."[12]

La transición a un esquema de articulación social, sugiere De Janvry, requiere suficiente capacidad política para posponer las demandas populares de crecimiento en el consumo de bienes salarios y al mismo tiempo, capacidad política para someter a control los arraigados hábitos para el consumo internacionalizado que caracteriza a las clases altas. Se trataría entonces, para dar viabilidad mínima a esta estrategia de redirigir políticamente la inversión y someter el comercio, particularmente el comercio externo, a las necesidades de dicha articulación. Como puede colegirse de lo propuesto hasta aquí, la magnitud del excedente concretable en inversión productiva, se convierte en un factor determinante de la capacidad para conciliar la satisfacción inmediata de los rezagos heredados, con el establecimiento de bases sólidas para el crecimiento en el futuro. Los plazos y condiciones para convertir tal excedente en inversión, determinan también los plazos para hacer realidad el nuevo esquema de satisfacciones que se propone. De

[12] *Op. cit.*, p. 57.

cualquier modo, esto sería todo menos simultáneo. De adoptarse una estrategia como la mencionada, se entraría en un período de transición entre dos direcciones de crecimiento que, podemos decir, son radical y cualitativamente diferentes, incluso contradictorias.

En suma, la satisfacción de las necesidades sociales no es concebible por la simple vía de la redistribución en la capacidad de consumir, que resulta de una redistribución del ingreso de arriba hacia abajo. Se requiere también de una base productiva que asegure la satisfacción consistente de esta demanda social ampliada y al mismo tiempo, que asegure un crecimiento sólido y cada vez más diversificado en lo productivo, con el propósito de salir al paso a las naturales tendencias a la desestabilización financiera por la vía del sector externo.

Sobre todo en los principios de esta transición, lo anterior depende en lo fundamental, como ha dicho Fernando Fajnzylber, mucho más del grado de hegemonía y de la conducción política del nuevo liderazgo que de la técnica económica.[13]

Ello sin embargo, no debería llevar a otorgar un carácter "operacional" absoluto a la idea de hegemonía. Sin duda, la cuestión del liderazgo y de la dirección política se presenta como una variable clave en el manejo de una transición de la naturaleza de la que hemos esbozado anteriormente, pero a esto habría que agregar algunos otros elementos que parecen igualmente importantes y que al final de cuentas, tienen que ver también con una efectiva capacidad de conducción política para la reconstrucción económica. Se piensa aquí en los dispositivos que ahora existen, o que pueden ser creados en el conjunto del sistema político y de comunicación social, y que podrían dar a los procesos de distribución de bienes y de bienestar una mayor eficacia. Dicho de otra manera, si no existen mecanismos de comunicación social para dar la alerta en cuanto a carencias, embotellamientos o escaseces, sobre todo en lo que toca a la provisión de bienes básicos, la transición puede ser bloqueada muy pronto por reacciones sociales de carácter masivo. De aquí la necesidad de pensar la cuestión de la conducción política, de la hegemonía o del liderazgo, en un sentido muy amplio, que tiene que ver con canales de comunicación política y social muy ramificados y con mecanismos de descentralización efectiva, no solamente para la toma de decisiones sino también en lo que toca a las capacidades productivas sobre todo de bienes básicos. Ello daría a esa transi-

[13] Fernando Fajnzylber, *La industrialización trunca de América Latina*, México, Editorial Nueva Imagen, 1983, pp. 344-345.

ción, que de todas maneras será relativamente dolorosa y llena de escaseces, mayores márgenes de seguridad para mantener vivo el indispensable apoyo popular masivo al proyecto de reestructuración económica y social. Como se comprenderá, la idea de hegemonía que aquí se tiene implica procesos sociales y políticos que, en realidad, no admiten sujetos predeterminados ni protagonistas políticos únicos. Ni jacobinismos salvadores "desde arriba", ni providencialismos de izquierda "desde abajo", parecen ser suficientes en esta perspectiva. Podrían ser, en cambio, de prosperar en un cierto momento como convocatorias políticas, elementos de distorsión y aun de bloqueo. En una "imagen-objetivo" de esta suerte, entonces, democracia y desarrollo se suponen la una y el otro... se funden y se confunden.

2. La reestructuración productiva

La reorganización del desarrollo económico y social propuesta supone, como hemos visto, una reestructuración productiva de carácter global, que sin embargo debería empezar a concretarse desde luego, en los siguientes renglones principales:

a] *La creación de una agricultura fuerte orientada a la autosuficiencia alimentaria básica es una de las primeras y grandes definiciones necesarias para la nueva estrategia.* En nuestro país, uno de los componentes productivos obligados de una estrategia de articulación social es la agricultura y de manera más amplia, el sector rural. La noción clave que aquí se sugiere es la de una *nueva sociedad rural* cuyo establecimiento y desarrollo debería ser la base para una nueva y más productiva relación económica y social entre el campo y la ciudad y más específicamente, entre la producción agropecuaria y forestal y la industria. En particular, habría que redefinir dichas relaciones en favor del campo con el propósito de convertirlo en un escenario social y productivo capaz de mantener el máximo posible de población en el sector rural, capaz de producir de modo sostenido los bienes agrícolas esenciales para el abasto de la mayoría urbana y capaz también de coadyuvar a una eficiente vinculación con el mercado mundial a través de una exportación diversificada y flexible. Todo ello, convertiría al sector rural en un mercado dinámico para su propia producción, y desde luego para la proveniente de la industria urbana, a la vez que le permitiría volver a funcionar, pero ahora en un nivel superior de desarrollo social y material, como un mecanismo de dosificación y contención relativa de la oferta de trabajo en las ciudades, atenuando las demandas sociales y fortaleciendo la capacidad de negociación de la fuerza laboral urbana.

No se trata de proponer un utópico retorno a un mundo que es todo menos bucólico. Tampoco se trata de aspirar a una suerte de universo social congelado y por ello progresivamente dominado por la perspectiva localista y limitada que suele asociarse al mundo rural. Más bien, se quiere sugerir la necesidad de explorar nuevas perspectivas para el desarrollo rural, que sean congruentes con una evidencia de carácter histórico: la incapacidad del sector urbano industrial para convertir en realidad universal y no excluyente, las promesas evolucionistas de empleo creciente y remunerado en un hábitat urbano realmente habitable y cada vez más placentero.

Dentro de las acciones de largo aliento encaminadas a la rehabilitación del campo y la construcción de una nueva sociedad rural, una de las que primero debería ponerse en práctica es la elevación de los ingresos de los más pobres, tanto los que se dedican forzadamente a trabajar con base en un salario, como aquellos que forman la gran masa de los que en parte producen por su cuenta y en parte trabajan como asalariados. El incremento de los salarios mínimos en el campo y el aumento en los precios reales a través del precio de garantía y del apoyo fiscal a los productos producidos por los campesinos y en particular por los más pobres, no sólo repercutiría en una elevación de la capacidad productiva general de los campesinos y del campo, sino tendría efectos muy importantes en la distribución del ingreso y en la reestructuración dinámica y progresiva del mercado interior mexicano. Esto se puede lograr sin afectar necesariamente los índices generales de precios, ni poner en peligro las posibilidades competitivas de las exportaciones agrícolas, sobre todo si se piensa que la base exportadora agrícola mexicana ha podido, en los últimos veinte o treinta años, desarrollar una importante habilidad para incorporar y desarrollar tecnología. Esa base exportadora así, podría asimilar ciertos incrementos en los salarios de sus trabajadores sin que ello significara presiones reales y considerables sobre sus precios (los cuales, por lo demás, no están determinados internamente a partir de los costos, sino del comportamiento de la demanda fundamentalmente externa). La rehabilitación, a través de los precios de garantía o del apoyo fiscal, de las economías campesinas más pobres, sin duda sería uno de los grandes puntos de apoyo para reconstituir al campo en lo productivo y para avanzar con paso firme hacia lo que hemos llamado una nueva sociedad rural, que tendría que ser tangible y viable a partir de los escalones más bajos, donde se ubica la mayor parte de la población campesina.

Nada de lo dicho hasta aquí, por otro lado, puede concebirse sin una amplia e intensa interrelación del campo con la industria, que trajera consigo una ampliación y diversificación de las fuerzas productivas en el sector rural y se basara, como condición *sine qua non,* en el liderazgo campesino, tanto del proceso de producción como del que tiene que ver con la incorporación y la innovación tecnológicas.

La construcción o ampliación de la infraestructura para la nueva sociedad rural, debería también someterse a ese liderazgo y a los criterios de asignación de recursos y selección de técnicas que son propios de formas de gestión económica y social fundamentalmente colectivas y solidarias. Ello podría implicar ritmos de actividad económica cuantificables relativamente lentos, pero aseguraría una estructuración más sólida y equilibrada del conjunto rural.

Los agentes que tendrían un papel protagónico por excelencia en esta vasta revisión, en el tiempo y en el espacio, del modelo de desarrollo serían, aparte de los campesinos, los sectores organizados del movimiento obrero urbano y los técnicos e intelectuales vinculados a las instituciones estatales responsables del abasto, la planeación del desarrollo rural y agropecuario y el financiamiento a las actividades productivas en el campo. En vista de los desarrollos experimentados en los últimos años y no obstante su precariedad, habría que involucrar también a los trabajadores intelectuales y administrativos vinculados a las agencias y programas orientados a la atención a marginados.

b] Los graves problemas de inarticulación económica que subyacen a la crisis actual de México y que se expresan de manera abierta en el desequilibrio externo y el elevado monto de endeudamiento con el exterior, encuentran su condensación principal en el sector industrial que, como se sabe, constituye la fuente más dinámica del desequilibrio con el exterior y al mismo tiempo es el sector más dinámico del conjunto de la producción económica. *Los esfuerzos por llevar a cabo una reestructuración productiva, deben otorgarle una alta prioridad a la reconversión y la ampliación diversificada de la estructura industrial.*

Parece evidente que en este esfuerzo debiera ocupar un primerísimo lugar la creación y el desarrollo de un sector productor de bienes de capital, destinado a asegurar una integración productiva congruente con el objetivo central de lograr una articulación social creciente y duradera. Se trataría de una expansión selectiva del sector productor de bienes de producción y particularmente de bienes de capital. Así, se buscaría garantizar la autonomía nacional en algunos rubros decisivos a fin de conferir solidez a la nueva estrategia y asegurar una progresiva reproducción de carácter endógeno, al menos en las ramas y sectores que se definieran como prioritarias. De esta manera, habría que privilegiar la producción de bienes de capital y de producción para el transporte colectivo, la producción agrícola, la transformación agroindustrial, la industria alimentaria y la salud pública. Éstos son núcleos productivos esenciales para satisfacer algunas de las necesidades sociales que hoy definen las grandes carencias de la existencia social en México. Lo mismo podría decirse del complejo vinculado a la habitación en el que parece haber ya considerables capacidades instaladas. Por otro lado, habría que estimular la producción de bienes de capital destinados a la explotación y transformación de los recursos naturales en que es rico el país y en particular, de aquellos que como el petróleo y la minería constituyen además fuentes importantes de divisas, insustituibles en el corto y el mediano plazo. No sobra insistir en la relevancia específica que tiene para una estrategia alternativa, el aprovechamiento racional, intensivo y extenso al mismo tiempo, de los recursos naturales en que es abundante México. Probablemente, aparte de la industria petrolera que observa un grado de integración importante y que aprovecha el recurso natural y lo convierte hasta la petroquímica, no exista ningún otro ejemplo de consideración en esta materia. El grado de integración entre la agricultura y la industria en México es muy precario y el grado de integración entre la industria y la producción pecuaria, es todavía más insatisfactorio que el anterior. Lo mismo podríamos decir de los recursos marinos, particularmente los pesqueros (tanto en el mar como en las aguas interiores), y de los recursos forestales, no obstante su abundancia, su riqueza y su directa implicación con la gran perspectiva de satisfacer de manera explícita y directa, las necesidades de habitación.

Otros rubros que deberían recibir atención especial, son aquellos que, como la forja y la fundición, se relacionan con la estructura básica de la producción y pueden a la vez impulsar una integración productiva en el orden regional, a través del fomento a la instalación de empresas vinculadas a industrias con importantes implicaciones espaciales. Tal es el caso, por ejemplo, de la industria azucarera y puede ser el de la industria naval que desde el sexenio pasado ha comenzado a ser desarrollada por el Estado. Buscar impactos en el desarrollo regional junto con la referida integración productiva, puede propiciar una nueva conformación del mapa industrial mexicano y dar lugar, también, a nuevos esquemas de relación entre el Estado (que aparece como demandante de primera magnitud, cuando no también como otorgante de enorme importancia en todo tipo de apoyos y subsidios) y un empresariado privado o social que hasta la fecha se ha mantenido en una evulución económica prácticamente vegetativa, y subordinado ideológica y políticamente a las cúpulas empresariales del centro político y económico de la capital de la República.

El estímulo *programático directo* a la producción de bienes básicos de consumo masivo y generalizado y al desarrollo o la ampliación de rubros estratégicos o decisivos para la producción de bienes de capital y medios de producción en general, daría lugar también a una relativa ampliación y diversificación en la organización industrial.

Una reestructuración industrial de esta especie, da sin duda alguna grandes oportunidades para que surjan, se desarrollen o se consoliden en su caso, pequeñas y medianas industrias de carácter privado y también esfuerzos empresariales de carácter colectivo o social. Si a esto aunamos las posibilidades que tiene en materia de nuevos desarrollos regionales, podemos decir que, de contarse con una participación explícita del movimiento obrero organizado en un proyecto industrial de este tipo, otros protagonistas que podrían ser muy importantes en una empresa de esta naturaleza, serían precisamente los pequeños y medianos industriales ubicados fuera del tradicional centro económico de la capital de la República, e incluso fuera de los polos industriales ya conocidos —particularmente el de Monterrey. Junto con ellos, podría darse lugar también, a un efectivo desarrollo del sector social en el campo industrial, particularmente en aquellos renglones más vinculados al consumo de los trabajadores y a la producción de elementos indispensables para la construcción de vivienda. Todo esto implicaría la creación de nuevas coaliciones político-económicas y particularmente político-industriales, alrededor del esfuerzo estatal directo e indirecto, es decir, alrededor de la empresa pública volcada a la reestructuración industrial y de las políticas específicas que el Estado tendría que poner en práctica con el propósito de estimular y desestimular, en su caso, la evolución de una nueva estructura productiva.

Podemos decir, en síntesis y fuera de toda tentación autárquica, que el renglón dominante del desarrollo industrial en México, sigue siendo la *construcción interna* a partir de la ampliación del mercado interior, tanto por la vía del consumo de las personas como por la diversificación productiva. Esto supone, a su vez, el diseño explícito de una política industrial orientada a profundizar la integración local de la planta productiva y sobre todo, destinada a revertir el proceso de "de-sustitución" de importaciones que caracterizó a la economía durante los años setenta.[14]

Esta reversión en el proceso de "de-sustitución" de importaciones debería sin embargo, desde el principio, subordinarse de manera progresiva a los criterios que surgen de la nueva estrategia, para buscar una integración productiva coherente con el propósito prioritario de satisfacer de manera directa las necesidades sociales fundamentales. Más que buscar la continuación de la pauta de sustitución de importaciones que se desarrolló en los años cincuenta y sesenta, se trataría de dar lugar a un proceso crecientemente selectivo y racional, con una perspectiva de largo plazo. Esto llevaría, por ejemplo, a buscar nuevas maneras de conformación de los sectores que han sido tradicionalmente líderes en la industrialización mexicana, cambiando sus objetivos de producción, su grado de integración nacional y aun su localización. La industria automotriz es, en este aspecto, un caso conspicuo.

3. Propiedad y democracia. (Estado, planeación, mercado)*

La reestructuración productiva planteada tiene implicaciones de largo alcance sobre el conjunto de las prácticas sociales y políticas que han caracterizado el modelo y la estrategia de desarrollo que se busca cambiar. Vale la pena, para los fines de este ensayo, hacer explícitas algunas de estas implicaciones.

En primer lugar, una reestructuración como la reseñada implica modificaciones importantes en el sistema de propiedad de los medios de producción y en la capacidad de decisión de la sociedad sobre los principales mecanismos del proceso económico.[15] Estas reformas en el sistema de propiedad y en el sistema de toma de decisiones, no deben identificarse necesariamente con una mayor estatización de la economía y, por esta vía, del sistema social. Se trataría más bien, de nuevas formas de control social a través de la

---

* Baso este apartado en un borrador sobre el tema elaborado por Gustavo Gordillo para el área de analisis del PSUM.

[14] Cf. Jaime Ros, op. cit., p. 53.

[15] Cf. Julio López, Políticas económicas alternativas en América Latina (mimeo.), México, 1984.

propiedad, pero también de la democratización, sobre todo en los centros principales donde se toman las decisiones, ubicados en el Estado, pero no solamente en él: también en las grandes concentraciones de poder económico, en las empresas productivas y de servicios.

Una primera reforma en el sistema de propiedad, tendría que buscar una efectiva regularización de las formas de propiedad en el campo mexicano. Esto suele asociarse con garantías a la propiedad privada rural para desarrollarse; en nuestra perspectiva, más bien se trataría de dar efectivas garantías a los campesinos, a los ejidatarios y a los comuneros para desplegar sus potencialidades productivas sin estar sujetos a la permanente amenaza de la burocracia estatal y a la también permanente y creciente amenaza de los grandes agricultores y ganaderos privados. Se trataría asimismo, de propiciar reformas en el sistema de propiedad social ya consagrado por la Constitución, con el propósito de permitir que las formas colectivas de propiedad y particularmente el ejido, se convirtieran en formas no solamente de propiedad, sino de producción y de reproducción económica y social.

Las modificaciones en el sistema de propiedad adquieren su importancia política y económica más decisiva, si pensamos en la otra gran implicación que aquí se quiere resaltar y que tiene que ver con la necesidad de reforzar el liderazgo estatal para llevar a la práctica las grandes líneas de esta estrategia alternativa para el desarrollo nacional. El reforzamiento del liderazgo estatal, tiene que ver desde luego con su capacidad de conducción y de orientación del conjunto del proceso de desarrollo, pero resulta inevitable pensar que está ligado también con una relativa ampliación de la presencia del Estado en los procesos productivos básicos, sobre todo en lo que toca a la creación o nacionalización de empresas "punta" en algunas ramas estratégicas. Particularmente, podríamos decir que el papel más activo del Estado que esta estrategia alternativa reclama, se puede ubicar en tres aspectos principales: una mayor participación directa en la producción de insumos estratégicos y bienes de producción; una acrecentada política de financiamiento del bienestar social, particularmente en la educación y la salud, y el fortalecimiento de su papel como constructor de infraestructura, en especial en lo que se refiere a la requerida por el desarrollo rural y la reorganización urbana.

Lo anterior implica el despliegue de una política financiera estatal más dinámica y profunda. Un elemento que tiene que ver tanto con las modificaciones en el sistema de propiedad como con la ampliación de la intervención estatal, es el sistema financiero y particularmente la capacidad del Estado para influir en la captación y sobre todo en la distribución de los recursos financieros. Ello, en nuestro caso, se encuentra ya en un estado avanzado, merced a la nacionalización de la banca privada. Sin embargo, los usos que caracterizaron a la banca en su época de control privado no se han modificado de manera sustancial, y hoy el país se encuentra ante la necesidad de dar pasos acelerados para que el cambio de manos que implicó la nacionalización bancaria desemboque en lo que es lo esencial, es decir, un cambio efectivo de usos. En la medida en que se propicien desde el gobierno desarrollos paralelos en el sistema financiero bajo control privado, la utilización de este recurso esencial para los fines de la estrategia alternativa será limitada, y aun bloqueada, porque los sistemas paralelos financieros privados podrán no sólo competir por los fondos de ahorro de la sociedad, sino también inducir una utilización, incluso productiva, de estos fondos, que sin embargo no sea coherente con los objetivos y las necesidades de la estrategia. La constitución y el desarrollo de un sistema financiero privado paralelo al sistema nacionalizado, puede también significar que la referencia ideológica principal para los agentes productivos deje de ser la banca, como lo fue en el pasado, y lo sea ahora este sistema paralelo controlado privadamente. Ello quitaría a la nacionalización bancaria uno de sus más importantes activos "no tangibles", que no tienen que ver directamente ni con la captación ni con la asignación de recursos, sino más bien con los decisivos aunque no siempre entendibles lazos entre centros de poder sumamente centralizados y las conductas y decisiones de los agentes económicos dispersos en el mercado, el territorio y en la sociedad. Como sabemos, la banca privada tuvo la gran ventaja de convertirse en muy poco tiempo en un punto de referencia principal para las decisiones de largo plazo del resto de los agentes económicos; su nacionalización ofreció al Estado la posibilidad, no de convertirse él —entendido como instancia política superior— en la nueva referencia ideológica para los agentes productivos, pero sí de dar a la banca nacionalizada un nuevo carácter, sin quitarle esa naturaleza fundamental de ser una referencia ideológica de vasto espectro. Esto puede verse minado de manera progresiva e incluso acelerada, si se propicia desde el propio gobierno el surgimiento de nuevos núcleos financieros, que pudieran reclamar para sí el cumplimiento de este papel que cumplían antes los bancos privados.

El fortalecimiento del liderazgo estatal que es indispensable para echar a andar y mantener la estrategia alternativa, no se resuelve con la simple ampliación directa de la propiedad pública y de manera más restringida, de la propiedad estatal. De hecho, tanto por nuestra propia experiencia como por lo que nos indica la experiencia internacional, esta estrategia alternativa de desarrollo necesita la construcción o la redefinición de un nuevo pacto social que implica el despliegue y la creación de mecanismos de concertación de nuevo tipo entre los distintos sectores sociales, sobre la base de la negociación. Tal negociación estaría sancionada por acuerdos o contratos asumidos libremente, y que deberían llegar a la definición de metas, objetivos, obligaciones y responsabilidades, así como a la fijación de sanciones y mecanismos de autocorrección para resolver fallas, demoras o incumplimientos en los acuerdos contraídos. Así, la rectoría económica del Estado (un principio que es ya constitucional) sólo puede ser plenamente ejercida en la medida en que se dé en un contexto de progresiva democracia social y económica que tenga como uno de sus propósitos explícitos la sustitución del verticalismo y el ejercicio burocráticos, y al mismo tiempo, la progresiva modulación de los reguladores, no automáticos pero sí generalmente arbitrarios, que provienen del funcionamiento del mercado. De hecho, junto con el fortalecimiento del liderazgo estatal debe ocupar un primerísimo lugar en el diseño político y económico de la estrategia alternativa la reformulación de la economía mixta que conocemos.

Esta nueva economía mixta debe contemplar, entre otras finalidades, la eliminación del clientelismo que busca recursos económicos a través de diversas formas de decisión política. Al mismo tiempo, debería contribuir a diluir y marginar los tradicionales pactos de simulación a que recurren de manera privilegiada los distintos cuerpos burocráticos como medida de autodefensa y propiciar el fin del uso discrecional, arbitrario y patrimonial, de recursos destinados al apoyo de actividades productivas o sectores sociales, con propósitos de manipulación política o de distensión artificial de conflictos sociales.

En suma, se trataría de construir una economía mixta que se liberara de lo que al final de cuentas llevó a la economía mixta actual a un estado de práctico colapso, es decir, una lógica de subsidio generalizado, indiscriminado e intemporal, que no solamente propicia despilfarro, sino sobre todo produce la ilusión de que es posible posponer sin fecha soluciones reales y de fondo a los problemas económicos y sociales. Se trataría pues, de reconstruir la economía mixta con base en mecanismos de concertación que contemplaran una vinculación amplia, democrática y participativa de los distintos sectores productivos y que al mismo tiempo dieran lugar a que los subsidios y los apoyos estatales a los sectores privado y social, fueran transparentes, con objetivos y plazos definidos y con forma de aplicación sujetas a control social y sancionadas legalmente. La democracia económica de la que aquí se habla, no es un simple esquema de cogestión administrativa o de depuración de las relaciones industriales o aun de participación puntual de los trabajadores organizados en las cuentas de la administración de las empresas. En realidad, la democracia económica debería implicar la reducción o la erradicación del amplio margen de discrecionalidad con que se manejan los recursos, tanto públicos como privados. Implica, así, reducir el autoritarismo del capital que se expresa directamente en los procesos productivos. En una palabra, la democracia económica buscaría dar sustento no sólo material sino institucional a la democracia política, con el propósito de llegar a una socialización en el acceso y el uso del excedente económico, tanto en la unidad productiva como en las distintas ramas de producción, así como en la conducción de la propia actividad económica nacional. Una democracia económica así, supone revisar las relaciones con el sector privado; conlleva también un efectivo fortalecimiento del sector social productivo, e implica la organización de las fuerzas populares básicas y su participación directa en las constituciones económicas y políticas que organizan el conjunto de las relaciones en México.

La reforma del Estado que sería coherente con estos requisitos de la estrategia alternativa, tendría como propósito esencial hacer de la participación social un componente orgánico de los distintos niveles de la vida estatal. Ello haría que la conducción de la economía y de la política por parte del gobierno sufriera una creciente inserción de la vida civil y, particularmente, registrara de manera cada vez más sistemática los proyectos, necesidades y decisiones de las distintas fuerzas populares y de sus organizaciones en el nivel social y el político.

Ciertamente, la vía para dar cauce sistemático y relativamente armónico a esta participación social en el conjunto de la actividad económica, es la planeación. A través de sus expresiones institucionales a nivel central y regional (es decir, en el nivel del gobierno federal, en los estados y municipios y eventualmente en las regiones que se conviniera), la planeación sería no sólo un proceso técnico, ni tampoco un acto de la burocracia del Estado; sería más bien un complejo conjunto de relaciones institucionales y sociales, que encontrarían concreción política y documental en planes, programas y decisiones de política económica, pero que desde el principio irían más allá. La planeación sería un proceso sin fin en el que las distintas voluntades organizadas que dan cuerpo a la sociedad civil, encuentran una nueva forma de solución de conflictos, de confrontación y de concreción en políticas, que tienden a sintetizarse en el Estado en sus diferentes niveles. La planeación, entonces, tendría que verse también como un proceso que debería tener de manera intencional y explícita una vocación descentralizada, tanto por lo que toca a los actores como por lo que toca al espacio. Sin ello, la planeación pronto se convertiría simplemente en una nueva forma de gobernar desde el Estado y desde la burocracia y en consecuencia, independientemente de las ventajas técnicas que tuviera sobre otras formas de organizar el gobierno, no sería el vehículo para hacer realidad una democracia extensa y compleja como la que reclama un desarrollo alternativo.

Ni la planeación ni las nacionalizaciones y la ampliación de la intervención directa del Estado en la economía, significan la eliminación o el rechazo a la presencia de empresas privadas. Ciertamente, una estrategia como la que aquí se propone, implica una promoción activa de empresas autogestionarias de obreros y/o campesinos y en general, de trabajadores (asalariados o no). Tanto la política industrial como la vasta operación histórica en el sector rural anotadas antes, tienden a sustentarse en formas de organización diversas pero todas ellas más o menos colectivas; es decir, organizaciones ejidales y comunales, cooperativas, empresas sociales y junto o dentro de ellas también pequeña y mediana industria y en general pequeña y mediana empresa privada. Al mismo tiempo, la ampliación de la empresa pública no puede entenderse como una simple extensión de lo conocido; se requiere de una empresa pública que para empezar, responda de manera estricta a un programa general de orden centralizado y que a la vez exprese en su interior la acción de formas cada vez más desarrolladas de·control y participación de los trabajadores.

El papel central que jugaría la planeación como elemento de mediación entre la concertación, el contrato y la democracia económica misma, así como la presencia de grandes empresas públicas ubicadas en eslabones y sectores estratégicos de la producción económica y social no significa, a su vez, una renuncia absoluta ni disimulada a la existencia del mercado. El rechazo a una determinación centralizada y centralizadora de las necesidades sociales, las carencias económicas y en general las decisiones que tienen que ver con la vida productiva y social, exige buscar otras formas de comunicación económica, que a final de cuentas se podrían resumir en la necesidad de la existencia del mercado. El mercado, puede asumirse como un espacio social básico donde transcurre la disputa por el excedente generado en la sociedad y el Estado. Pero en la perspectiva de la estrategia alternativa, ese espacio social básico debe verse siempre como un espacio reorientado a partir de mecanismos de concertación social y a la vez, como un espacio crecientemente ocupado por las fuerzas sociales que tradicionalmente ha excluido o marginado la libre operación del mercado capitalista.

No se trata, pues, de rehabilitar "moralmente" al mercado sino de darle una nueva dimensión social que estaría definida fundamentalmente por el creciente control que sobre sus fuerzas ejerce, no el Estado sino el conglomerado de entidades económicas y sociales que, gracias a la estrategia, se pueden expresar de manera relativamente igualitaria en sus diferentes mecanismos de operación. Dicho en una palabra, en esta estrategia no se contempla la desaparición de los mercados sino su reorientación, a partir de mecanismos de progresiva y cada vez más consciente, ilustrada e informada participación social. Darle una coherencia relativamente orgánica a esta participación, manteniéndola sin embargo diversa y plural, sería una de las funciones más importantes de los mercados.

Los cambios en los objetivos y las prioridades del desarrollo, junto con la reestructuración productiva y social que implica, suponen a la vez, cambios políticos de indudable significación global. Es importante tener en cuenta que la política no es, en la perspectiva de esta estrategia, un "eslabón perdido" del proceso que aparecerá como elemento decisivo en algún momento indeterminado. Los cambios políticos no deben verse como un factor residual y desconocido (no puede afirmarse que "el avance dependerá de las condiciones políticas"), ni como condición sin la cual la estrategia no puede siquiera iniciarse. Más bien, los cambios políticos hay que concebirlos como un componente orgánico de la estrategia, un componente privilegiado y de enorme peso en el ritmo, la marcha y la naturaleza del proceso global. De hecho, podríamos decir que sin política, sin acción colectiva organizada y consciente, una estrategia alternativa es impensable. Sin embargo es menester, de todas formas, *pensar* a la política como un conjunto de prácticas que tienen ritmos distintos y pesos específicos variables y no como una práctica homogénea casi providencial, capaz de desencadenar procesos de orden económico y social o en su caso frenarlos de manera absoluta. Nada de esto, por lo demás, quita a la política su primacía en procesos de desarrollo como el que aquí se esboza. En consecuencia, un cam-

ROLANDO CORDERA CAMPOS

bio de gobierno favorable a las fuerzas promotoras de la estrategia alternativa no garantiza ser el punto inicial de un cambio efectivo de modelo. La experiencia chilena en el pasado, la experiencia francesa actualmente en curso, ilustran esta cuestión. Sin embargo, es claro que la izquierda y en general las fuerzas populares tampoco pueden apostar, como proposición consciente, a "empezar de nuevo", o de cero, gracias a una revolución total que desembocara en una guerra civil que a su vez resultara favorable para el campo popular. Las experiencias al respecto nunca han sido ni pueden ser *opciones* del campo popular; sus costos y dolores son conocidos y sus resultados, al final de cuentas, no son lo suficientemente satisfactorios, sobre todo si se les compara con el costo humano, histórico y social que han implicado. De esta manera, no se pueden ver como opciones aceptables que se puedan convertir en propuestas orgánicas de las fuerzas socialistas y populares. Así, lo que se plantea a la izquierda y al campo popular es la necesidad de construir (o luchar por ello) de manera sistemática, las bases primordiales de ese nuevo modelo. Esta "acumulación socialista originaria" forma parte en México de una larga transición que será necesariamente desigual y compleja y será todo menos una transición unívoca, pero que puede ser en efecto eso: una transición, si de manera consciente y cada vez más generalizada se concibe al proceso de cambio como una *revolución planeada*. Esa revolución, se iría concretando (aunque siempre de modo provisional y sujeto a la lucha social y política, puntual y general) en la creación de nuevas formas de existencia social donde predominen la seguridad y las garantías al acceso colectivo de los bienes y servicios sociales, junto con la ampliación masiva de capacidades y una progresiva gestión de carácter participativo y democrático. Ésta es, al final de cuentas, la perspectiva maestra y rectora de una estrategia alternativa como la que aquí apenas se ha insinuado, para dar paso a una transformación de la sociedad, de la economía y del Estado.

Ésta es la revolución planeada y controlada a la que los mexicanos que forman la mayoría y a los que se dirige la izquierda nacional, pueden ya aspirar y empezar a construir.

III. EN EL CORTO PLAZO...

Propuestas y reflexiones como las sugeridas en este texto pueden parecer del todo impertinentes, en medio de la tormenta financiera que con la deuda externa y la especulación interna amenaza con ahogar la actividad económica en el corto plazo. Este corto plazo, en efecto, es un acertijo desafiante sin cuya resolución no es posible albergar esperanzas para más adelante. No hay, para decirlo pronto, estrategia que tenga sentido político si no cuenta con respuestas consistentes a los retos del corto plazo. La definición de grandes líneas y tareas de largo aliento no resuelve por sí sola los problemas del momento ni sustituye el cúmulo de manipulaciones monetarias y fiscales que dan cuerpo a la· política económica. No se trata, por lo demás, de menospreciar la importancia de tales manipulaciones para el presente y para el porvenir.

Son tantas y tan vitales las calamidades y fatalidades que el corto plazo encierra o parece encerrar, que uno siempre se ve tentado a reformular la ya clásica conseja de Keynes en el sentido de que en el largo plazo todos estaremos muertos. Más bien, habría que decir que para países como el nuestro, tan dependientes, tan vulnerables, tan frágiles en su estructura interna, lo que parece cierto es que en el corto plazo todos estamos ya muertos. Tal vez aquí podamos encontrar la explicación de la enorme fascinación que sobre los economistas y políticos de México y el mundo, hoy ejercen las políticas de ajuste que, en los hechos, se traducen en recesos productivos de larga duración o, como ha sido nuestro caso en los últimos años, no sólo en recesos sino en regresiones productivas de notable profundidad. Pareciera que ante esta perspectiva de muerte segura que encierra el corto plazo, quienes toman las decisiones y los que formulan las alternativas prefieran irse por el camino de una pausa mortecina que, sin embargo, en la práctica significa recesiones y regresiones que no postergan sino alargan y agravan la agonía.

Sea como fuere, lo que aquí se busca es llamar la atención sobre la necesidad, casi diríamos vital, de no quedar presos de las obsesiones que emanan de la coyuntura, la necesidad de imponer al pensamiento público una vinculación férrea, explícita, intencionada, con los problemas densos y profundos del desarrollo y de subordinar a ello también, para los fines operativos inmediatos, la preocupación por la macroeconomía que surge de la dictadura del corto plazo.

En un lúcido ensayo sobre Chile y su futuro, Alejandro Foxley[16] hace una reflexión que puede servirnos como una lección preventiva. Dice que tal vez el mayor vacío en el enfoque prevaleciente en

---

[16] Alejandro Foxley, "Después del monetarismo", en varios autores, *Reconstrucción económica para la democracia*, Santiago de Chile, Aconcagua, 1983, p. 16.

los últimos años en Chile, haya sido "la total ausencia de una concepción global del desarrollo del país, de las posibilidades de crecimiento de sus diversos sectores y de los medios necesarios para movilizar los recursos en función de esas metas de desarrollo. La dicusión, agrega Foxley, estos años, ha estado dominada por la macroeconomía; se han discutido incansablemente la forma de los procesos de ajuste y el uso de instrumentos para ajustar; no ha habido una estrategia de desarrollo para el país."

¿Cuáles serían, en este contexto, algunos de los principales lineamientos a seguir en lo inmediato, de tal manera que las aspiraciones estratégicas empezaran a volverse realidades concretas y no logros pospuestos *sine die*? En primer lugar, puesto que las fiebres financieras del pasado inmediato siguen viviendo con nosotros, hay que recalcar que un efectivo control sobre la moneda y los cambios sigue siendo una condición sin la cual es inconcebible un crecimiento económico mínimamente estable y sostenido. La organización del sistema financiero de acuerdo con esta necesidad central es imprescindible, lo cual hace altamente cuestionable la vía abierta por el gobierno para la conformación de un sistema paralelo, controlado por intereses privados seguramente muy concentrados. Por otro lado, resulta casi imposible imaginar una recuperación económica en condiciones de sostenerse en el tiempo y a la vez dar a nuevas configuraciones productivas y sociales como las aquí sugeridas, si no se introduce un control efectivo sobre las compras en el exterior, en consonancia con las metas de articulación interna, ampliación del mercado interior y crecimiento del empleo.

El control sobre los cambios, empero, debería dirigirse sobre todo al movimiento de capitales, cuyo flujo hacia el exterior fue sustentado de manera principal por la deuda pública externa y por las ganancias petroleras. Según Lance Taylor,[17] México es virtualmente el único país en desarrollo donde las clases económicamente superiores tienen tales privilegios en el mercado de capitales, lo que lo lleva a sugerir que la fuga de capitales debería ser uno de los primeros aspectos a resolver por cualquier propuesta de renovación moral que aspirara a tener un alcance nacional de significación.

Sin reducir y someter a control la inflación, la estabilidad económica y social es también impensable. Pero a la vez, todo combate a la inflación, que descanse exclusivamente en la restricción productiva y, sobre todo, en la represión salarial, arroja resultados efímeros cuando no de plano contrarios a los buscados. Parece claro, así, que

[17] *Op. cit.*, p. 29.

junto con el control del gasto y la modulación de la demanda es indispensable poner al servicio de la causa antinflacionaria, a la tasa de interés, reduciéndola, y a la tasa de cambio, evitando un deslizamiento excesivo. Simultáneamente, parece imprescindible avanzar hacia una política de ingresos donde la moderación salarial tuviera una contraparte real en las ganancias, que podría ir hasta su congelación. Todo ello para revivir controles directos sobre los precios de productos básicos que no fueran autodestructibles, y que tampoco justificaran incrementos espasmódicos y desproporcionados que no hacen sino alimentar o despertar el fuego inflacionario.

El fomento a la producción de bienes básicos esenciales, directamente por vía fiscal o a través de los recursos de la banca nacionalizada, forma parte indisoluble de los primeros pasos de una política que buscara someter la inflación y a la vez defender los intereses de la mayoría a largo plazo. Asegurar una oferta adecuada y oportuna de bienes básicos, sigue siendo el gran seguro de vida para una estrategia alternativa que quiere combinar bienestar mayoritario con soberanía nacional. Encontrar compatibilidad entre la capacidad de compra y el acceso por la vía del derecho social a tales bienes, es ciertamente uno de los grandes mandatos de tal estrategia. Para ello y para dar a la economía y el mercado una conformación más coherente con los ejes de la estrategia, parece también obligado proceder a una reforma fiscal que, en sus grandes líneas, tendría como finalidad la justicia tributaria y a la vez el fortalecimiento del ahorro público. Una reforma así, tendría que incorporar a su esfera de acción a la riqueza y no sólo al ingreso si se quiere, aparte de los objetivos enunciados, propiciar una nueva movilidad y un nuevo uso de los acervos de la sociedad. Impuestos a la riqueza y no, como hasta hoy, a la pobreza, es la fórmula de la reforma impositiva requerida.

Aparte del control sobre los cambios, las acciones sobre el tipo de cambio y otras medidas de estímulo directo a las exportaciones, un componente obligado de las medidas enunciadas arriba que tiene que ver con el sector externo, es aquel que se dirigiría a asegurar directamente una creciente disponibilidad de divisas para poner en acto una política industrial encaminada a la integración interna y a la reconversión productiva. Ni los controles esbozados antes ni un eventual mayor dinamismo en las ventas externas no petroleras, son capaces de asegurar tal disponibilidad de divisas. Se requiere así, desde el principio, redefinir a fondo los términos y las condiciones para pagar la deuda, para permitir un rápido y aunque fuera modesto retorno, a tasas positivas de crecimiento del producto por persona, y sobre todo para sentar las primeras bases de una evolución económica diferente. Como hemos experimentado con dolor en los últimos tiempos, las condiciones que hay que cubrir para que el endeudamiento externo no adquiera vida propia y se vuelva un factor destructivo del crecimiento nacional son muchas y difíciles de alcanzar, más aún si se quiere que todas ellas o su mayor parte coincidan en el tiempo. Por ello, la deuda debe volver a verse como un residuo que resulta de un crecimiento planeado de las importaciones; residuo que debería, además, ser programado con una tasa descendente de crecimiento. Sólo así se puede aspirar a una autonomía económica creciente y a una inserción en el mercado internacional, que se decida y controle nacionalmente.

Sin menoscabar las propuestas anteriores, es obligado poner en el centro de estas sugerencias para el aquí y el ahora las que tienen que ver de manera inmediata y directa con la existencia de la mayoría trabajadora. En primer lugar, es imprescindible elevar los salarios mínimos generales cuya represión es injustificable desde el punto de vista técnico-económico y muy nociva social y políticamente. Desde la perspectiva de la estrategia alternativa, una política salarial como la aplicada por el gobierno actual (y en buena medida por el anterior) es claramente perniciosa, porque refuerza y amplía la desigualdad, distorsiona todavía más la estructura productiva y, a través de ello, consolida y "justifica" nuevas modalidades de subordinación económica externa.

En segundo lugar, parece claro que las exigencias de empleo planteadas por el crecimiento de la población *que ya está presente*, no pueden ser encaradas satisfactoriamente con base en la sola ampliación productiva. Por ello, es indispensable llevar a la práctica programas directos de empleo que no pueden verse como programas de "emergencia" de alcance y duración restringidos. Aumentar de inmediato el empleo en los diferentes renglones que tienen que ver con el desarrollo social es no sólo factible sino necesario, y sus efectos en la productividad general y social del sistema económico no deberían menospreciarse. Al combinarse con las acciones de descentralización y democratización mencionadas, la ampliación del empleo en el sector de desarrollo social podrá traer consigo incluso beneficios cuantificables en materia presupuestaria.

De cualquier forma, lo que no admite demora es la *acción directa* en materia salarial y de empleo. El diseño de "paquetes" de defensa del salario constituye una forma superior de lucha por el excedente, pero no puede verse como un sustituto del incremento nominal. Más bien, un cierto aumento monetario del salario, en especial del mínimo, constituye el "mínimo técnico" indispensable para que los "paquetes" tengan un efecto real y tangible, tanto para el trabajador o grupo de trabajadores como desde luego para el conjunto de la clase proletaria y, en otro nivel, de la dinámica macroeconómica. Una política salarial y de empleo como la enunciada, habida cuenta de las restricciones provenientes de la inflación, el sector externo, etcétera, implica ciertamente una "modulación" precisa y cuidadosa. Entre otras cosas, habría que ubicarla en el marco de la política de ingresos mencionada arriba y habría que contar, para instrumentarla, con índices de precios y salarios revisados y desglosados por ramas y regiones. Pero al principio está claramente definido por la pérdida brutal que ha registrado el salario mínimo real en los últimos años y por las perspectivas, aun las más optimistas del empleo en los años que siguen.

Estas y otras medidas de corte similar, forman parte del espectro de decisiones que hay que tomar en el corto plazo para defender la existencia de la mayoría y asegurar un desenvolvimiento nacional soberano. Existen otras que pueden parecer menos urgentes pero que, sobre todo si se les ubica en una perspectiva más amplia, sin duda tienen que ver con el presente que define de modo más o menos preciso el mañana estratégico.

En particular, hay que mencionar todas aquellas que se vinculan con la selectividad industrial, los patrones energéticos y las ventajas comparativas que se quiere crear o desarrollar y las formas específicas de interdependencia que se desee propiciar con la economía norteamericana. Todas ellas a su vez, tienen que aterrizar en el terreno de la educación, la formación de cuadros y el desarrollo científico-tecnológico, si en verdad se quiere explorar una inserción internacional menos "dependiente", más eficiente y, sobre todo, más endógena. Pero estas operaciones, encaran hoy un severo y estrecho marco de restricciones. El principal, que no debe olvidarse so pretexto de los imperativos y encantos de la nueva modernización que está ya con nosotros, tiene que ver con los reclamos productivos y distributivos emanados de las carencias básicas elementales de la mayoría, y con la grave situación de vulnerabilidad externa con que nos hemos encontrado luego del sueño petrolero. En ambos casos se trata, en lo esencial, de lo que *no* se ha hecho y *tiene* que hacerse, más que de posibilidades y opciones futuras.

No se propone aquí ninguna renuncia apresurada, mucho menos resignada, a la modernidad planetaria que está produciendo la revolución científica y técnica en curso. Lo que se busca, más bien, es hacer explícitas las condiciones y requisitos que hay que cubrir para que esas promesas puedan ser realidades efectivamente nacionales y no espejismos producidos por privilegios fatalmente minoritarios, porque dependan de la pobreza de los más, y de la renuncia a la soberanía. Estas condiciones y requisitos siguen concretándose en el México de fines del siglo xx en las necesidades de alimento, vestido, habitación, salud e ilustración y un mínimo ocio productivo, que afectan con crueldad a la mayoría. En este sentido, sigue vigente con todo su poderío intelectual y político la reflexión de John Maynard Keynes cuando criticaba a los librecambistas de su tiempo. Decía Keynes: "aun si fuera verdad que pudiéramos ser un poco más ricos en la medida que todo el país y sus trabajadores se especializaran en la producción de media docena de productos, ¿deberíamos todos reclamar la destrucción inmediata de la inmensa variedad de fuentes de trabajo y oficios que impiden el logro de esta especialización con el argumento de una mayor y gloriosa baratura para el consumidor? Un país —concluye Keynes—, que no es capaz de sostener actividades como la agricultura, e incluso como el arte y la cultura, es un país donde su gente no puede darse la oportunidad ni el lujo de vivir." Asegurar que tengamos esta oportunidad, a través del desarrollo de nuestras fuerzas productivas básicas en la agricultura, la industria y, como decía Keynes, en el arte y la cultura, en la educación y en la ciencia, es la línea más segura para hacer realidad la *resistencia nacional* a la que nos convoca don Alejandro Gómez Arias en el epígrafe que inicia este ensayo.

LA CRISIS EN 1985: SALDOS Y OPCIONES*

CARLOS TELLO

En 1982 terminó en México el breve período de rápida expansión de la economía que se había iniciado cuatro años antes. Durante ese año, en unos cuantos meses, el entusiasmo por la segunda versión del milagro mexicano proclamado por muchos —dentro y fuera del país— a partir de los descubrimientos de las enormes reservas de hidrocarburos, y su subsecuente explotación, se desvaneció a un ritmo inusitado. Hoy, después de casi cuatro años de retroceso, los viejos y los nuevos problemas económicos y sociales de la nación se presentan acumulados y de enormes magnitudes y le dan al presente la apariencia de un callejón sin salida.

Después de registrar un crecimiento económico particularmente alto durante cuatro años consecutivos, muy por encima del promedio mundial y desde luego mayor al de los otros países de América Latina, en 1982 —por primera vez en los últimos cincuenta años— la economía mexicana dejó de crecer. En tanto que durante 1978-1981 la tasa de crecimiento del producto interno bruto (PIB), en términos reales, fue de casi 8.5% en promedio al año (la tasa promedio más alta para un período equivalente en lo que va de este siglo), en 1982 el valor real del PIB disminuyó en un 0.5%, respecto al que tenía en 1981, lo que equivale a una disminución de 3% en el producto por persona del país.

No sólo no hubo en 1982 crecimiento económico en México. Además, una serie de acontecimientos económicos y sociales se combinaron de tal forma durante ese año que la nación encaró una encrucijada sin paralelo en su historia reciente.

Su recuento permite formarse una idea del alcance y profundidad de la problemática de aquel año: la formación interna de capital prácticamente se suspendió en 1982, después de cuatro años consecutivos de crecimiento acelerado de la inversión pública y privada; los precios de las mercancías y de los servicios aumentaron a un ritmo sin precedente desde los años de la lucha armada en el país

* Este ensayo forma parte de un estudio más amplio sobre la economía mexicana en el que he estado trabajando con Rolando Cordera.

y 1982 terminó con una inflación de cerca de 100%; los salarios reales descendieron a un nivel inferior al de 1976 y el desempleo abierto de la mano de obra pasó del 5% del total de la fuerza de trabajo en los primeros meses de ese año, a más del 10% en los últimos meses. Así, a finales de 1982, prácticamente la mitad de la fuerza de trabajo en México estaba desempleada o subocupada. Lo mismo sucedía con las fábricas y sus equipos. Muchas y muy importantes empresas del sector privado enfrentaron muy serias dificultades financieras —no así sus dueños— y varias de ellas quebraron o fueron absorbidas por otras empresas, con frecuencia extranjeras; una buena parte de las que durante el período del auge habían contratado crédito con la banca comercial extranjera suspendieron los pagos del servicio de su deuda externa (notablemente, el grupo industrial ALFA que era el grupo privado nacional más importante en el país). Por su parte, las finanzas públicas se deterioraron aceleradamente: el déficit del sector público, que durante los primeros años del período 1978-1982 se había mantenido en torno al 7.5% del PIB, llegó a cerca del 15% en 1981 y al 18% en 1982, y muchas de las empresas del sector público también tuvieron que enfrentarse a muy serios problemas financieros.

En las relaciones económicas de México con el exterior el deterioro también fue notable y acelerado. A la reducción del precio del petróleo a mediados de 1981 siguieron otras más en 1982 y se sumaron, durante esos años, la disminución de la demanda mundial por otros productos que el país exporta así como la caída de sus precios, a causa de la depresión económica mundial iniciando, por lo demás, una tendencia al descenso en los precios de las materias primas, prácticamente independiente del crecimiento de los países industrializados. A ello se añadió un aumento considerable en las tasas de interés de los muy cuantiosos préstamos que el país tenía contratados, multiplicando con ello los pagos que por este concepto se tenían que hacer al exterior. Asimismo, las empresas extranjeras que operaban en el país aceleraron el ritmo de remisión de sus utilidades a sus países de origen.

En 1981 y en 1982 la especulación monetaria en México adquirió características apocalípticas y la fuga de capitales nacionales alcanzó montos inusitados. El peso monetario se devaluó en varias ocasiones y el tipo de cambio de la moneda aumentó de 25 a 150 pesos por dólar entre febrero y diciembre de 1982. Entre tanto, el servicio de la deuda pública con el exterior —la cual creció muy aceleradamente a partir del segundo semestre de 1981, en parte para hacerle frente a la fuga de capitales del país que la política de libre e irrestricta convertibilidad de la moneda permitía— se hizo cada vez más difícil. La banca comercial extranjera, que había prestado al país en 1981 más de 22 mil millones de dólares, en términos netos sólo le prestó en 1982, 6 mil millones y, a partir de julio de ese año, suspendió sus créditos a México por considerarlos demasiado riesgosos. En agosto de 1982 México suspendió el servicio de su deuda externa, al agotarse las reservas monetarias internacionales en el Banco de México, lo que precipitó una crisis bancaria y financiera con repercusiones mundiales en la que todavía hoy en día —en agosto de 1985— más que vislumbrar el principio de su fin, apenas se ha asistido al fin de su principio. En ese mismo mes de agosto de 1982, para obtener divisas que tanto urgían, se acudió al gobierno de los Estados Unidos pero éste, como respuesta, impuso duras condiciones a la venta anticipada de petróleo que México tuvo que hacerle para su reserva estratégica.

Coincidiendo con el proceso de la sucesión presidencial, durante 1981 y 1982, pero de manera creciente, los rumores sustituyen a la de por sí escasa información; las presiones del gobierno de los Estados Unidos aumentan, en buena medida como resultado de la política que México adopta en los conflictos de Centroamérica, y los ataques al gobierno —articulados y promovidos por grupos del sector privado— se aceleran y multiplican, responsabilizándolo de la crítica situación que México vivía. En un esfuerzo para recuperar el control de la política financiera en el país —y en general de la política económica— el primero de septiembre de 1982 se decretó la nacionalización de la banca privada y se estableció el control generalizado de cambios, evitándose de esta manera un colapso aún más grave en la economía y sociedad mexicanas. En buena medida como resultado de ello, las relaciones entre el sector privado y el gobierno —que se habían empezado a resentir a partir del segundo semestre de 1981— alcanzaron su punto más álgido desde la segunda mitad de la década de los años treinta, durante el gobierno del presidente Cárdenas, y el concepto mismo de economía mixta se puso en entredicho.

Ése fue el escenario del inicio del gobierno del presidente de la Madrid. No era la primera vez que la transmisión de poderes en el país se daba en condiciones difíciles. De hecho, ésta fue la tercera ocasión consecutiva en que el cambio de gobierno ocurrió en circunstancias críticas.

Doce años antes, Luis Echeverría asumió la presidencia de la República, en diciembre de 1970, en el marco abierto por los acontecimientos de 1968. Si bien entonces el país no encaraba un peligro

inminente en materia económica, era claro que algunas relaciones
políticas fundamentales se habían resentido profundamente y, sobre
todo, que a México se le planteaba con urgencia la necesidad de
cambios de fondo en su vida económica y social. La violencia y la
represión en que el país se debatió entre 1968 y 1971 no eran fenómenos esporádicos sino expresaban, tal vez de modo desproporcio-
nado, serios desajustes en el cuerpo político y la estructura económica nacional. La idea y la conciencia de la crisis hicieron en esos
años un firme acto de presencia y se inició en México un acciden-
tado período de cambios, de intentos por encauzarlos desde el Estado
y de crecientes conflictos económicos y sociales. Seis años después,
en diciembre de 1976, a José López Portillo le tocó asumir el poder
ejecutivo dentro del colapso económico y financiero más grave de la
posguerra y en medio de una confrontación ideológica con el sector
privado de la cual el gobierno salió mal librado. Nunca antes de
ese año la lucha por encauzar y organizar la evolución económica
y social del país, a partir de diferentes proyectos y concepciones
sobre el futuro, había sido más abierta y enconada. El auge espectacular que siguió al primer año del gobierno del presidente López
Portillo sólo en apariencia resolvió los conflictos y los problemas
económicos que habían presidido su principio. Desde los últimos
meses de 1981 y, sobre todo, a fines de 1982 todos los tiempos y
ritmos del acontecer social desembocaron en una sola, aunque compleja, dimensión: la de la crisis.

"La situación —advirtió el presidente de la Madrid al tomar
posesión de su cargo el primero de diciembre de 1982— es intole-
rable. No permitiré que el país se deshaga en nuestras manos."

No era para menos. A las expectativas inciertas propiciadas por
la inflación y la devaluación desmesurada que tuvo lugar a lo largo
de 1982, se agregaba la certeza de que hacia adelante las divisas
"seguras" del petróleo tendrían que dedicarse casi por entero a
pagar los intereses de la deuda externa contratada hasta ese momento, con el agravante de que, al menos para el futuro previsible,
no había ninguna probabilidad de que el capital nacional fugado
al exterior volviera al país en una magnitud significativa. Parecía
claro, además, que las fracturas en el esquema de economía mixta
que había provocado la nacionalización de la banca eran profundas y que, lo que era peor, buena parte de los empresarios se incli-
naban a abandonar la actividad productiva y, en general, la promoción de empresas a cambio de la especulación financiera, o de
plano la emigración económica.

Por su parte, el Estado encaraba su propia crisis financiera en una proporción superampliada y sus posibilidades de sustituir los huecos que estaba creando la retirada masiva del sector privado eran prácticamente nulas, o por lo menos así se las veía desde el gobierno. En ello coincidía una parte sustancial del "espíritu público" mexicano, que de manera más acusada que en 1976 sin mayor reflexión y análisis se mostraba dispuesto a pasarle al Estado la cuenta por los platos rotos.

A finales de 1982 parecía haber consenso en México sobre la gravedad de la crisis. Las apreciaciones de optimismo ligero que se hicieron a principios y mediados de ese año, en el sentido de que lo que sucedía era un simple problema financiero, "de caja" como se le llamó entonces, dieron paso a partir de diciembre a un reconocimiento ominoso de que la crisis era estructural y de duración prolongada. El primero y más enfático en reconocerlo fue el nuevo gobierno. "El proceso de desarrollo, diagnosticaba el presidente de la Madrid en su primer *Informe de gobierno,* se había paralizado y se habían deteriorado las bases para lograr mejoras en el bienestar de las mayorías e, incluso, para mantener los niveles ya logrados. Enfrentábamos no sólo una crisis circunstancial, sino una de carácter estructural que rebasaba el ámbito económico, al darse también manifestaciones de encono entre diferentes sectores sociales, que implicaban un cuestionamiento de nuestros principios rectores y, en algunos grupos, de la organización misma de la nación."

Para hacerle frente a esta profunda y compleja crisis el gobierno del presidente de la Madrid promueve el Programa Inmediato de Reordenación Económica (PIRE), para superarla a corto plazo, y el Plan Nacional de Desarrollo 1983-1988 (PND), para simultáneamente promover una estrategia de cambio estructural que le dé solidez y estabilidad al crecimiento económico a mediano plazo.

En la presentación que el presidente de la República hace del PND se dice:

"No es posible enfatizar el cambio estructural sin resolver la crisis; los resultados serían efímeros. Tampoco debemos preocuparnos sólo por resolver la crisis sin incidir en los desequilibrios fundamentales que la generaron; ello la haría recurrente.

"La experiencia histórica muestra la necesidad de este propósito. En el país, cuando se ha intentado realizar cambios estructurales sin poner atención a los equilibrios fundamentales de corto plazo, el crecimiento ha sido inestable y los avances no han logrado permanencia. Por otra parte, cuando sólo se enfatizó la estabilidad, sólo se logró permanencia en el crecimiento, pero se perdió su sentido

social al desatenderse las necesidades de cambio estructural. Por
ello, la estrategia del plan enfatiza simultáneamente el combate a la
inflación y la protección del empleo, con el inicio de cambios cualitativos. Éste es el rasgo singular de la estrategia de desarrollo:
combatir simultáneamente las manifestaciones y las raíces de la
crisis. Ello implica mayores dificultades, pero es una solución más
firme y radical."

En esta singular afirmación se hace una revisión apretada y crítica
de la estrategia adoptada durante el período del llamado desarrollo
establilizador (que, en realidad, no logró permanencia en el crecimiento) y la que pusieron en práctica los dos gobiernos que le
siguieron a partir de 1970 (que, por lo demás, nunca abandonaron
por completo las políticas económicas de la década previa). Se
plantea, además, el propósito fundamental de la política económica
del actual gobierno: armonizar, combinándolos, el programa de
estabilización macroeconómica de corto plazo, acordado con el Fondo Monetario Internacional, con el llamado cambio estructural de
más largo plazo. Y, finalmente, se reafirma que, a diferencia de
otras épocas, la estrategia adoptada ahora sí va a funcionar, ya
que es la correcta, por lo que llevará al país a superar sus añejos
y recientes problemas.

El principio general que articula el diagnóstico que se hace, la
estrategia que se propone y la dirección que se establece en el uso
de los instrumentos de política económica, en ambos documentos,
es la confianza y el convencimiento de que los mecanismos de la
libre operación del mercado y del sistema de precios son los adecuados para regular y distribuir eficientemente los recursos y combinar
los factores de la producción en la sociedad. Se presupone que la
intervención del Estado sólo ha distorsionado el funcionamiento que
se estima normal de la economía y ha alejado a los mercados —el
de bienes, el de factores, el de divisas— de su situación de equilibrio.
Sin embargo, a diferencia de lo que ha sucedido en otras latitudes
(por ejemplo, en los países del cono sur de América Latina), en el
caso mexicano la confianza en los mecanismos del mercado no es
ciega: no ha implicado la renuncia por parte del Estado a intervenir en el proceso de desarrollo económico. Por el contrario, en
México —y en ello reside lo novedoso del proyecto— "la actitud
de la nueva administración en materia de política económica parece ser una de reconocimiento de la imposibilidad de dejar la fijación de los precios relativos al mercado, debido a las características institucionales de nuestra sociedad, al mismo tiempo que la

intervención en ellos se dirige a lograr los resultados que arrojaría el mercado si éste funcionara sin intervención en un contexto institucional distinto. Esta suplantación de las funciones del mercado se realiza, en los mercados externo y de factores, a través de la intervención en la fijación de precios, y en el mercado de bienes, a través de la renuncia a la posibilidad de gastar por encima del ingreso que le confiere al Estado su posición institucional en la sociedad." *

Se trata, en suma, de intervenir en los mercados de manera que éstos funcionen como si no hubiera intervención.

A pesar de todos los esfuerzos y de la perseverancia con que se ha actuado, la política económica puesta en práctica por el gobierno en estos últimos años no ha tenido los resultados que de ella se esperaban. Los saldos de casi cuatro años de crisis económica y de política económica en México pueden resumirse en los siguientes puntos:

1] Entre 1982 y 1984 el PIB por persona en términos reales ha disminuido en alrededor de 10% y la incipiente recuperación económica que se da en los últimos meses de 1984 se agota antes de que termine el primer semestre del año en curso. Todo parece indicar que, en el mejor de los casos, el crecimiento del PIB durante 1985 apenas superará al de la población. Ello contrasta con las metas establecidas en el PND, que ya para este último año fijaba una meta de crecimiento real del PIB de entre 5 y 6%.

La caída en la actividad económica ha sido tan intensa que, tan sólo para que el PIB por persona a finales de la presente década recupere el nivel que ya había alcanzado a principios de ella, la tasa de crecimiento de la economía entre 1986 y finales de los ochenta debe ser de 5% anual. Todo ello para estar como se estaba diez años antes. Y lo que es aún más grave: esta modesta tasa de crecimiento del PIB en los años por venir no será fácil de alcanzar, pues no sólo las condiciones externas serán poco propicias sino que, además, las internas se ven cada vez más difíciles a causa de la política económica puesta en práctica durante estos últimos años.

2] Esta caída sin precedente en el ingreso de un país que durante más de cuarenta años sólo conoció el crecimiento ininterrumpido, ha estado acompañada de un aumento en la concentración del ingreso y de la riqueza. En estos años, el desempleo abierto ha pasado de alrededor del 5% a cerca del 15% de la fuerza de trabajo —más

* José I. Casar, "La política económica del nuevo gobierno", en *Economía Mexicana*, núm. 5, México, Centro de Investigación y Docencia Económica, 1983, p. 46.

de tres millones y medio de personas en 1985— y el salario en términos reales ha disminuido cada año y en este año es apenas una fracción —el 65%— del que era a principio de 1982. Por su parte, los propietarios de activos fijos y financieros —dentro y fuera del país— han multiplicado sus ingresos y su riqueza y las empresas reportan considerables aumentos en sus utilidades, muy por encima del incremento del índice general de precios. Así, más que avanzar hacia una sociedad más igualitaria —y ello es propósito fundamental del PND— se ha retrocedido y el deterioro en la ya de entrada desigual distribución del ingreso ha afectado negativamente las condiciones generales de existencia de la mayoría de la población.

3] Más que combatir el rezago social y la pobreza —tal y como lo estipula el PND—, la política instrumentada en estos años ha contribuido a que aumente el porcentaje de la población nacional que no satisface de manera aceptable sus necesidades esenciales en materia de alimentación, educación, vivienda y salud. En estos años la calidad de la vida para grupos muy numerosos de la sociedad ha empeorado. Epidemias que se pensaban ya controladas han vuelto a reaparecer. Las autoridades dan cuenta continuamente de los crecientes índices de desnutrición de la población, especialmente la infantil, y de disminución en el volumen de alimentos básicos consumidos en los centros urbanos. El rezago en materia de vivienda ha crecido y el servicio de educación carece de recursos ante la creciente demanda. En suma, en estos años de retroceso económico y social han sido las mayorías populares las que han cargado con el peso del ajuste al que ha estado sometida la economía nacional y, con ello, las condiciones de existencia de la población se han deteriorado.

4] Lo mismo sucede con el capital fijo y la planta productiva del país. En cierto sentido el capital que el país ha acumulado se está echando a perder y, en algunos casos, tiene el peligro de volverse obsoleto sin nunca haber rendido todo lo que podía. La austeridad presupuestal ha significado, en muchos casos, que los gastos de conservación y mantenimiento disminuyan en términos reales. Presas, carreteras y puertos se deterioran. Proyectos de infraestructura e industriales iniciados en otras épocas se suspenden y las disminuidas importaciones reducen la eficiencia del aparato productivo nacional. Inclusive hay equipos (tractores, embarcaciones, locomotoras) que están parados, sin poderse aprovechar a causa de los ajustes y recortes presupuestales y la insuficiencia de refacciones importadas. Además de las implicaciones que todo ello tiene en el corto plazo, el descuido del capital fijo y la planta productiva tiene repercusiones serias, muy costosas, en el mediano y el largo plazos.

5] La crisis fiscal del Estado subsiste en lo esencial y puede resumirse de la siguiente forma: frente a las necesidades básicas de la nación es muy poco lo que el sector público gasta y ese gasto reducido está inadecuadamente financiado. Argumentar, como con frecuencia se hace, que se ha reducido el déficit público y que ahora representa un porcentaje menor del producto no es suficiente evidencia de que se ha superado la crisis fiscal tal y como se lo proponían los programas del gobierno. Habría que ver lo que está detrás. La reducción sin concierto del gasto y el incremento en el precio de la gasolina explican buena parte de ese ajuste fiscal. En todo caso, ni una reforma tributaria ni una reforma presupuestal —requisitos fundamentales para superar la crisis fiscal— se ha planteado y, mucho menos, llevado a cabo. En cambio, se anuncian ventas de empresas públicas y se reduce el presupuesto autorizado para 1985 —ya de por sí austero— en tres ocasiones en un solo semestre, para terminar despidiendo a funcionarios y empleados del sector público. A todo ello no se le puede llamar reforma estructural, de fondo.

6] La crisis cambiaria también subsiste después de tres años de esfuerzos por recuperar lo que se llamó "la soberanía monetaria". Las fugas de capital continúan y en 1985, como en otras épocas, el ánimo especulativo acabó con los esfuerzos gubernamentales que buscaban ordenar el mercado cambiario. Como en el pasado, este mercado opera en la actualidad en el sentido inverso a lo que se considera su comportamiento normal: mientras más altos son los rendimientos para los ahorros en pesos y más se acelera la devaluación de la moneda frente al dólar, menor es el deseo que hay por mantener saldos en pesos y mayor la demanda por divisas. Relajado el sistema de control de cambios desde diciembre de 1982, los especuladores han llevado el tipo de cambio del peso frente al dólar a niveles injustificados y, contra la política declarada, el tipo de cambio libre (o superlibre, como popularmente se le conoce) se ha separado del controlado. Ello afecta las expectativas inflacionarias, estimula la fuga de capitales y la venta de empresas nacionales al capital extranjero. De hecho, la situación cambiaria lleva a pensar en forma peligrosa que la mejor inversión es el dólar.

7] Problemas similares tiene la balanza de pagos del país. Los pagos por concepto de interés de la deuda externa absorben buena parte de las divisas generadas por la exportación de petróleo. Entre 1982 y 1985 se habrán pagado más de cuarenta mil millones de dólares por concepto de interés (más de la mitad del saldo de la deuda externa del país a finales de 1982) y el saldo de la deuda externa total ha crecido año con año. Se ha renegociado la deuda, pero el problema de fondo subsiste. No podía ser de otra manera. Las filiales de empresas extranjeras que operan en el país continúan remitiendo fuertes cantidades de utilidades a sus matrices, a pesar de la caída en el ritmo de actividad de la economía nacional. Ya hace tiempo que el país, a pesar de su pobreza, exporta capitales. En el intercambio de mercancías y de servicios tampoco las cosas marchan como se tenía previsto y programado. El petróleo continúa siendo la espina dorsal de las relaciones comerciales con el exterior y sus perspectivas no son nada alentadoras. Por lo demás, se llevan a cabo exportaciones no petroleras y se deja de importar cuando disminuye el ritmo de actividad económica en el país; cuando apenas se inicia una muy modesta recuperación de la economía, lo que antes se exportaba se empieza a consumir internamente y además aumentan las importaciones. Se demuestra con ello la naturaleza altamente dependiente de la planta productiva nacional y el carácter poco emprendedor y no persistente del exportador mexicano. Y todo ello a pesar de que el tipo de cambio pasó de 25 pesos por dólar en febrero de 1982 a más de 350 pesos por dólar a mediados de 1985. Para exportar hay que crecer. Por lo visto, no basta con devaluar o cambiar los precios relativos. Ahora se anuncia la apertura del mercado nacional a la competencia del exterior eliminándose los permisos de importación y estableciendo, en lugar de ellos, aranceles. ¿Con qué divisas se hará la importación?, ¿con las controladas? Se habla también, y de nueva cuenta, de ingresar al GATT: a ese club de países ricos que hablan de liberar el comercio entre las naciones y lo único que hacen es proteger cada vez más sus economías. Se afirma, optimistamente, que todo ello es un ajuste que sitúa al país en el camino de la modernización y que, además, ayudará a reducir las presiones inflacionarias.

8] La inflación aún persiste y, a pesar de que el ritmo del crecimiento del índice nacional de precios al consumidor ha disminuido, aún está por encima de lo previsto por el gobierno. En 1985 el comportamiento de los precios será muy similar al del año pasado y puede, inclusive, ser superior. La inflación ahora difícilmente puede ser atribuida a la evolución de los salarios monetarios. Tampoco puede atribuirse a excesos de gasto público, sobre todo cuando como en 1984 el incremento en el gasto sobre lo presupuestado se encuentra en el pago de interés de la deuda pública. Más que a los salarios y al gasto público los movimientos al alza de los precios se relacionan con las altas tasas de interés y el descontrol en el tipo de cambio. El afán por obtener ganancias rápidas (y a cualquier precio) hace el resto. La espiral es utilidades-precios y no otra. La falta de inversión neta durante estos años de crisis alentará aún más las presiones inflacionarias en los años por venir.

9] De distinta naturaleza que lo anterior, pero sin duda alguna también muy importante, es la cuestión de la confianza de los inversionistas. A pesar de un sinnúmero de concesiones que se les han otorgado, el gobierno no recupera su confianza. No sólo el capital fugado en otras épocas no regresa sino que, además, ha continuado saliendo del país en estos tres años en que la política económica le ha sido particularmente favorable. Prácticamente no hay inversión privada y la extranjera, por más beneficios que obtiene, viene poco y más bien compra lo que existe. El gobierno ha cedido ante la presión del capital y, en lugar de que se lo agradezca, le reclama cada vez más y demanda reducir aún más el papel del Estado en la economía. A mayores concesiones, mayores demandas. El capital no está satisfecho. Quiere más y no sólo en el campo de lo económico. Ahora se lanza, con apoyo del exterior, a disputarle el poder al grupo gobernante. En esto tampoco el gobierno ha tenido los resultados que de sus políticas esperaba. Esto era de esperarse. Lo que en realidad sucede es que el concepto mismo de economía mixta entró en entredicho y las relaciones entre el sector privado y el gobierno, que en los últimos quince años han sido crecientemente conflictivas, tuvieron una fractura fundamental al nacionalizarse la banca. Esa ruptura no se puede componer por la vía de las concesiones. Otro camino es necesario. Hay que avanzar.

A pesar de que el saldo de la política gubernamental deja mucho que desear, el gobierno del presidente de la Madrid insiste en señalar que el camino por el que se decidió es el correcto y propone más de lo mismo, pero más intenso. Se repite que no hay otro camino, pero sí lo hay. Uno que atienda más a los intereses nacionales, populares y democráticos de México.

Son muchos y de muy distinta especie los factores que tendrían que tomarse en cuenta en el diseño de una política alternativa a la planteada por el gobierno del presidente de la Madrid. En cualquier caso, se debe tener presente que en los próximos años es poco probable que el crecimiento de la economía sea acelerado. Inclusive lo más probable es que esté por debajo de la tasa de crecimiento que en promedio el país logró entre 1935 y 1982.

Es por ello por lo que ahora la calidad del crecimiento importa mucho más que en otras épocas. No se debe reanudar el proceso de expansión de la actividad económica para repetir las cosas. Pronto volveríamos a entrar en una crisis, pero más profunda. Lo que se ha agotado es un estilo de crecimiento: un proceso de expansión económica durante casi cincuenta años que, a pesar de lo mucho que se ha hecho, arroja un saldo no del todo favorable. Decenas de millones de mexicanos que no disfrutan de una vida digna y segura son testimonio elocuente de ello. La creciente vulnerabilidad y dependencia externas del país; las deficiencias y las insuficiencias de la agricultura y la industria; un Estado sin recursos para atender las demandas económicas y sociales de la población y de los negocios, también lo atestiguan. Por ello hay que cambiar nuestro estilo de crecimiento. Hacer del crecimiento, desarrollo. Ello es difícil, pero necesario. No se va a lograr dejando las cosas y los problemas al mercado; tampoco forzando movimientos en los precios relativos. Mucho menos abriéndonos al exterior. Desde luego que no hay fórmulas fáciles, sencillas, que den resultados ciertos a corto plazo. Nadie posee la verdad. Hay que discutir, confrontar. La necesidad de cambio es clara y se requieren respuestas que vayan a la raíz de los problemas. Un nuevo orden económico interno. No es el diseño de éste el propósito de este ensayo. Lo que aquí se plantea es apenas lo inmediato, lo urgente.

De entrada se tiene que tomar en cuenta que las perspectivas de crecimiento de la economía y comercio mundiales para los próximos años no son nada alentadoras. Tampoco son particularmente favorables las de los países con los que México tiene más intensas relaciones comerciales y financieras. La economía norteamericana ha dejado de crecer al ritmo que venía haciéndolo y muestra ya claros signos de debilitamiento. Si bien no hay que esperar ni descansar demasiado en el comportamiento de esa economía, sin duda la situación de país frontera puede beneficiar a México y a su proceso de expansión, pero sólo en la medida en que la economía nacional se fortalezca. También es poco probable que en los próximos años se repita un nuevo auge petrolero y mucho menos que el capital financiero de los países desarrollados transfiera recursos cuantiosos, ni siquiera significativos, a las economías como la nuestra, tal y como lo hizo en la década de los años setenta.

Limitados seriamente los estímulos del exterior hoy, más que en cualquier otra época desde la segunda posguerra, México tendrá que descansar en su propio esfuerzo, consciente de que su crecimiento económico —de darse— puede fácilmente tener un prematuro fin si es que no se reaniman también buena parte del resto de las economías con las que el país tiene relaciones. Apostar a un estilo de crecimiento que tenga como estímulo fundamental la exportación está condenado al fracaso. No hay que confundir la promoción de las exportaciones con un crecimiento basado en la exportación. Por lo demás, sólo con un mercado nacional vigoroso y en crecimiento se podrá acceder a los mercados del exterior, vendiendo lo que producimos.

Dentro de los factores internos habría que considerar que no existe, en buena medida, un sector empresarial entusiasta y dispuesto a comprometer sus recursos de capital con el país y con su desarrollo futuro. Además la planta y el equipo productivo, que en general no es muy eficiente, se ha deteriorado como resultado de la crisis. A ello habría que agregar la relativa escasez de recursos de que dispone el gobierno para reiniciar, impulsándolo, el proceso de recuperación de la economía y el no muy eficiente desempeño de muchas de las entidades del sector público mexicano. Más que integrar un sector público productivo y financieramente articulado, las empresas públicas actúan como verdaderos feudos, lo que dificulta poner en marcha un programa de estímulo al resto de las actividades productivas.

A pesar de estas y otras limitaciones al proceso de expansión de la economía nacional, las posibilidades de superar la crisis no están canceladas para México. Sin embargo, si es que se busca que el desarrollo en el país siga siendo posible, se requiere encarar, bajo una nueva perspectiva y desde luego, la cuestión de la deuda externa.

Para México, como para muchos otros países, es cada vez más difícil cumplir con el servicio anual de la deuda externa. No es posible, ni conveniente, continuar siendo flexibles en las metas de crecimiento y de bienestar y demandar mayores sacrificios al pueblo de México en aras del pago puntual de la deuda externa. Las restricciones que al uso de divisas y a las finanzas públicas impone el pago al exterior de los intereses y el capital son de tal magnitud que ya, en la actualidad, no sólo cancelan el crecimiento de la economía sino que también lo ponen en entredicho a mediano y largo plazos. Una nueva restructuración de la deuda externa sólo en forma muy limitada aliviaría la situación sin resolverla. Lo que se requiere —y pronto— es encontrar, conjuntamente deudores y acreedores, una solución global al problema en el marco de un nuevo orden económico internacional. Por lo pronto se debe suspender (o reducir significativamente) el servicio de la deuda externa por un lapso de tres a cinco años. Y ello como requisito sin el cual el país difícilmente podrá iniciar su recuperación económica. No se trata, desde luego, de simple y sencillamente declarar unilateralmente una moratoria. Ello poco resolvería. Inclusive, por la acumulación de intereses no liquidados con oportunidad, podría empeorar la situación. Más bien lo que se busca es recuperar para el desarrollo una cantidad importante de recursos que en la actualidad, por la vía del servicio de la deuda, se está transfiriendo a los países desarrollados. Se debe actuar junto y en coordinación con los otros países deudores. Con la unidad, que da fuerza, y la fuerza de la razón se podrá negociar con los países acreedores. Ellos lo esperan. Desde 1982 se han estado preparando para el momento de la negociación. Saben muy bien que la solución no está en la continua sangría de las economías de los países deudores. Y la suspensión de pagos sólo como primer paso, que tendrá que estar acompañado posteriormente —ya en un ambiente de recuperación económica, que siempre ayuda a pensar mejor— por una reunión internacional que aborde la cuestión de las finanzas internacionales y los movimientos de capital y le dé una solución sensata, que evite en lo sucesivo caer de vuelta en lo mismo.

Estrechamente vinculado a lo anterior está la cuestión del control de cambios. Dada la escasez relativa de divisas y lo importante que son para promover el desarrollo nacional, es indispensable reforzar el control de cambios como fórmula para garantizar su uso prioritario y nacional. Como en las otras ocasiones (1975-1976, 1981-1982), en la actualidad —1985— la crisis se agudiza a raíz y a partir de la especulación con las divisas y la fuga de capitales. Ello no se debe permitir ya. Por el contrario, lo que se debe buscar es asegurar que las empresas en México —públicas y privadas— dispongan a precios competitivos de las mercancías, insumos y bienes de capital necesarios para su funcionamiento, para así fortalecer y vigorizar la planta productiva y facilitar su expansión orientada.

Los recursos presupuestales y las divisas liberadas al cancelar (o reducir en forma importante) el servicio de la deuda externa y la seguridad que da un mercado cambiario estable, no sujeto a la especulación, dará un margen de maniobra y abrirá la posibilidad de articular y promover una política económica alternativa, más cercana a los intereses populares y nacionales.

Las propuestas de política para el desarrollo económico y social tienen que ofrecer respuestas a los problemas centrales de la crisis económica actual. Para ello, por lo menos los siguientes aspectos centrales de la política económica deben modificarse desde luego.

En primer lugar está la cuestión de los ingresos reales de los trabajadores. Continuar imponiendo límites a los aumentos salariales nominales no sólo es socialmente injusto sino que, además, es ineficiente desde un punto de vista económico. La contención salarial no ha mostrado ser muy eficaz como instrumento antinflacionario. En cambio, al disminuir, la demanda estrecha el mercado interno y reduce la producción y el empleo, al mismo tiempo que repercute negativamente en la estructura y orientación del aparato productivo. Lo que se requiere es un cambio en la política salarial y un aumento en la producción de bienes de consumo popular para que se recupere e incluso aumente el salario real, con revisiones más frecuentes de los salarios nominales y con una política vigorosa de salarios no monetarios (tiendas sindicales y otras prestaciones) que en los momentos críticos de la historia nacional ha mantenido la estabilidad y la paz social.

En segundo lugar está la cuestión de la alimentación, la salud, la vivienda y la educación de las clases populares, especialmente los grupos marginados. Si algo resulta evidente después de más de cuarenta y cinco años de acelerada y sostenida expansión de la economía es que el crecimiento en México no ha producido desarrollo. El rezago que existe en materia de bienestar social es enorme. La crisis lo ha agravado. De ahí que se debe desplegar un esfuerzo considerable y de inmediato para aumentar la producción de bienes y servicios de consumo generalizado y masivamente distribuirlos a precios accesibles. Simultáneamente, es necesario formular —y llevar a la práctica— un programa masivo y eficiente que tenga como propósito mejorar las condiciones de salud y nutrición de los grupos de la población urbana y rural más necesitados.

En tercer lugar está la cuestión del campo. Más que cualquier otra cosa, lo necesario es una definición y acción clara, consistente y persistente por parte del Estado que, asumiendo plenamente la crisis de la sociedad rural, impulse con todos sus recursos la capacidad para producir de los campesinos; estimule la autosuficiencia en la producción de granos básicos; respete la organización campesina; impida que el desarrollo de la ganadería se haga a expensas de la agricultura y rescate para los campesinos una parte de los mecanismos de intermediación.

En cuarto lugar está la cuestión del gasto público y el estímulo al privado. Liberado de las restricciones que el pago de la deuda le impone, el gasto público sanamente financiado y selectivamente orientado tendrá que ser el apoyo en que descanse la recuperación de la economía. La capacidad productiva en prácticamente todas las ramas de la actividad está subutilizada por lo que con facilidad se puede acceder a mayores niveles de producción sin cuantiosas inversiones. La mayor demanda originada en los aumentos salariales y en el gasto público, junto con una política monetaria y crediticia que no inhiba a la inversión privada, permitirá al país crecer a un ritmo más acelerado. En materia de gasto público no es suficiente aumentarlo. Se requiere, sobre todo, elevar su eficiencia y productividad y sanear su financiamiento. Para ello es indispensable una profunda reforma presupuestal que, por lo menos, le dé una mayor participación al poder legislativo en la formulación del presupuesto y en su evaluación; fortalezca el pacto federal, para que en el diseño y ejecución del presupuesto participen más intensamente los gobiernos estatales y la población más directamente involucrada y, finalmente, incluya una reforma fiscal.

En quinto lugar está la cuestión de la política bancaria. Frente a la crisis la banca debe convertirse en un sistema de apoyo a la producción. Asumiendo los riesgos necesarios —y no descansando en las garantías que se otorguen— la banca debe proporcionar los recursos suficientes, a tasas reducidas de interés, para la expansión de la producción en actividades prioritarias y apoyando a las empresas públicas, privadas y sociales.

Para rescatar un desarrollo con un sentido popular y nacional es necesario abordar en la dirección apuntada las cuestiones planteadas. De otra suerte la política económica estará cada vez más alejada de los intereses populares y nacionales.

Tlacopac, agosto de 1985

PRÓLOGO A LA CRISIS FUTURA

PABLO GONZÁLEZ CASANOVA

"In each of the largest Latin American debtor countries 1985 will be a pivotal year, testing political leaders determination to follow the IMF regime."

(*Fortune,* 18 de febrero de 1985)

Al terminar este libro, este prólogo, la crisis empieza, la de veras, la real. Mientras tanto sólo podemos expresar lo que vemos y oímos en la coyuntura, lo que vivimos en este momento, con nuestras desilusiones y esperanzas, con nuestras mitologías y nuestros intentos de lucidez.

1985 fue un año de presiones inducidas y no sólo estructurales. Desde febrero vino el dumping mundial en los precios del petróleo. El 27 de marzo la embajadora Kirkpatrick declaró que "México es un aliado poco confiable". A lo largo del primer semestre se dio el cierre de la frontera con pretextos arbitrarios, la detención de transportes y autobuses mexicanos con la nueva prohibición para adentrarse más allá de siete kilómetros en territorio norteamericano; la cancelación de pedidos de acero, cítricos y otros productos de exportación de México, la exigencia de eliminación de subsidios gubernamentales a industrias mexicanas so pretexto de competencia ilegal, monopolística; la exclusión de productos preferenciales de México; la ampliación de impuestos compensatorios a las exportaciones de México...

Las presiones norteamericanas se combinaron y coordinaron con las del sector privado interno, apoyadas en la fuga de capitales: dos mil millones de dólares en tres meses según NAFINSA (29 de mayo de 1983). COPARMEX pidió la desaparición del ejido; los grupos patronales de Nuevo León exigieron la privatización y liquidación de todas las paraestatales y la privatización de la educación. La CONCANACO demandó que se incluyeran en la venta las empresas públicas de tipo prioritario y estratégico, que se redujeran los impuestos al capital, que se ampliara la liberación de los permisos previos de importación, y que se pusiera a la venta, para empezar, la Nacional Hotelera. Más tarde, la CANACINTRA pediría la privatización de la Comisión Federal de Electricidad y de PEMEX y todos —o casi todos— que entremos al GATT. Eso, ocurrió en agosto, des-

[415]

pués de las medidas de julio. Pero a lo largo del semestre, la gran burguesía no mostró interés alguno en la soberanía nacional, e incluso sus principales organizaciones y líderes realizaron acciones concertadas económicas, políticas y culturales con las fuerzas expansionistas de Estados Unidos.

La crisis de julio de 1985 se volvió así un nuevo jalón en el mismo proceso, y provocó las mismas reacciones, aunque con fenómenos que parecen cada vez más claros y preocupantes. En julio se hicieron sentir los efectos de la política de desestabilización monetaria, de desestabilización comercial, de desestabilización migratoria, de una fuerte propaganda contra el conjunto del país, y de la acción diplomática, periodística y patronal, abierta o veladamente intervencionista con motivo de la corrupción, del tráfico de drogas y de los fraudes electorales. Después de eso, de la devaluación monetaria preelectoral, y de los conflictos postelectorales, vino *más de lo mismo*, y algo más grave: una política que aplica las mismas *medidas* pero ya sin creer o sin poder creer en ellas como acaso antes se creyó, sino "por prudencia", por obsecuencia en una situación dependiente en que se cree que "lo prudente" es ser más dependiente, más obsecuente.

Durante el mes de julio el gobierno de la república dio a conocer una serie de medidas que calificó de "enérgicas y profundas", las cuales se ubican exactamente dentro de los lineamientos "estabilizadores" anunciados desde el principio del sexenio, y que el gran capital exige llevar hasta sus últimas consecuencias.

El 22 de julio el Ejecutivo federal, al inaugurar la Segunda Reunión Nacional de la Banca, puntualizó los problemas económicos que más preocupan al gobierno y las medidas a seguir para superarlos. Entre los primeros fue apuntado en primer lugar el proceso inflacionario: la meta propuesta para el año ya no sería alcanzada (los pronósticos hablan de una tasa de inflación superior a 55%); el déficit público tampoco lograría disminuir hasta los niveles programados (la meta era de 5.4% del PNB y es probable que se sitúe en 7.4%); el deterioro de la balanza comercial, volvía a presentarse dado el crecimiento de las importaciones y la reducción drástica del valor de las exportaciones (reducción de los precios del petróleo y estancamiento de las exportaciones no petroleras); con el deterioro de la balanza comercial nuevamente habrían sido afectados los ingresos de divisas del país; la especulación cambiaria había resurgido y había vuelto inoperante la regulación del Banco de México sobre el mercado de divisas: de enero a junio las reservas internacionales del Banco de México se redujeron en un 25%, por lo cual se había decidido abandonar durante unos días el tipo de cambio *libre* a "las fuerzas de la oferta y la demanda", constituyéndose así un mercado de dólar "superlibre", al que posteriormente se "ajustaría" el mercado controlado de divisas: fue como operó una nueva devaluación.

Para enfrentar estos problemas, la estrategia diseñada por el gobierno no se fundamentó en un cambio de rumbo. El gabinete económico sostuvo enfáticamente que *"se iba por la ruta correcta"* y afirmó que si algunos problemas no se han solucionado, ello se debe a "errores de instrumentación". Es decir, la política es la correcta, sólo hay que *profundizar* en las medidas.

De este modo el planteamiento "estabilizador" fue reforzado, erigiendo a los que eran objetivos provisorios de "reordenación" económica, en objetivo fundamental y casi único del sexenio.

Las medidas anunciadas fueron la contención del crecimiento del gasto corriente, sobre la base del "recorte" de estructuras del gobierno federal y del sector paraestatal; la modificación del sistema de protección comercial, sustituyendo los permisos previos de importación por aranceles; el "reordenamiento" del mercado cambiario, buscando nuevamente el establecimiento de un tipo de cambio "realista" que proteja las reservas y fomente las exportaciones no petroleras; el fortalecimiento de la recaudación y reducción de la evasión fiscal; y, finalmente, el fomento a la intermediación financiera, buscando la captación de recursos al menor costo posible y la eficiente canalización de los créditos hacia actividades prioritarias.

Actuando en consecuencia, el Gobierno Federal procedió a eliminar 15 subsecretarías con 50 direcciones generales. Practicó un recorte al presupuesto de 150 mil millones de pesos, que sumado al de principios de año por 700 mil millones, redujo en 850 mil millones de pesos el presupuesto original. Más adelante anunció la venta de algunas empresas estatales, la "restructuración" de otras y la liquidación de las "no esenciales".

Un numeroso conjunto de empleados del gobierno quedó sin trabajo y con riesgo de que no se les dé indemnización alguna. Los funcionarios perdieron su personal de confianza y alrededor de 100 000 familias sufrieron los efectos de un nuevo desempleado. Muchos planes y programas de desarrollo fueron detenidos y quedaron truncos como los que ya antes habían tenido la misma suerte. La reducción sin embargo representó a lo sumo el 5% del déficit probable de 1985. Por lo demás, la reducción no afectó el rubro más oneroso, que es el pago de los intereses de la deuda pública, el cual representa el 50% del gasto corriente.

En lo que se refiere a la política comercial y de cambios, la liberalización del comercio exterior y la devaluación del peso —como ha ocurrido antes— no alentarán las exportaciones ni reducirán las importaciones, pues nuestras exportaciones, además de enfrentar el proteccionismo del principal mercado, los Estados Unidos, proceden en general de una industria orientada sobre todo al mercado interno que carece de capacidad para competir internacionalmente en caso de que la dejaran. Por su parte las importaciones que tradicionalmente son necesarias al crecimiento no disminuirán mientras que la estructura que las determina no se altere y ésta no se altera o lo hace en forma cada vez más desfavorable. En fin, la reducción acelerada de los aranceles y el inminente ingreso al GATT pondrán en grave riesgo a diversas industrias pequeñas y medianas que representan aproximadamente el 80% de la industria nacional. Las industrias "eficientes" que triunfarán no serán las mexicanas ni las que dan más empleo: el "darwinismo de mercado" con sus dos mil empresas, seguirá dominando y cerrando el mercado de los Estados Unidos y también dominará y dolarizará el de México asociado a los comerciantes importadores y a las maquiladoras. ¿Cómo puede comprobarse lo contrario? ¿Con qué base histórica o empírica?

La política financiera adoptada se orienta por su parte a incrementar el encaje legal e inicia una nueva tendencia alcista en las tasas de interés. Con ello se pretende —como se dijo en esta y en ocasiones anteriores— frenar la especulación cambiaria y la fuga de capitales; pero semejante efecto ni se alcanzó con anterioridad ni hay razón alguna para que se alcance ahora: el efecto principal ha sido y será frenar aún más la actividad productiva del sector no asociado a las transnacionales.

En síntesis, las medidas de julio continúan la política de "ajuste y estabilización" del presente régimen, sólo que ahora todo parece indicar que se ha abandonado en forma definitiva la promesa del desarrollo nacional. Las medidas "enérgicas y profundas" de *la misma política económica,* con mayores concesiones en la apertura de nuestro comercio y en la privatización y desnacionalización de nuestra economía, coinciden con una disminución de nuestras exigencias jurídico-políticas de no-intervención, y autodeterminación de los pueblos de Nicaragua y El Salvador, frente a la decisión del gobierno de los Estados Unidos de violar abiertamente la ley internacional. México desnacionaliza sus empresas, abre su mercado y modera su voz.

En economía el gobierno aparece cada vez más imbuido de un liberalismo tecnocrático que se convierte en dogma del Estado, y que en un hablar "estándar" hace repetir a todo el gabinete económico y sus voceros exactamente las mismas tesis del FMI, de la oficina del Tesoro de los Estados Unidos y de los partidos conservadores europeos.

El problema sería ya muy serio si quedara allí, pero lo es más en tanto tiende a aislarnos y a debilitarnos como Estado-Nación, que es exactamente lo que nos exige la política de Washington. Éste hace con México lo que con los pieles rojas, y México hace lo que los pieles rojas antes de morir. Le exige que se aísle y se desarme en lo político, social, ideológico, y espera a que se desarme, para entonces —ya sin peligro, según cree— liquidarlo o liquidar las cuentas. Es más, como en toda política colonialista aumenta las bases económicas, sociales y políticas de los enfrentamientos y conflictos internos, empezando por exigir al gobierno que tome medidas cada vez más duras contra el pueblo. La clase tecnocrática, como si no conociera la historia del Oeste, hace lo que hicieron los vencidos del Oeste, y acalla las voces contrarias al suicidio nacional a base de presiones, diatribas y campañas, o con una tolerancia olímpica en que la crítica política o científica merece el máximo desdén en la práctica, en los hechos.

El rumbo sigue fijo; está trazado. Dicen, ¿qué dicen?, que digan. Al mismo tiempo se maneja el discurso público con una gran incongruencia. Del "gabinete económico" salen voces que confiesan que no entienden lo que pasa, y que afirman sin embargo estar completamente seguras de la política que aplican. Otras aceptan que puede haber errores, como "en cualquier obra humana", incluida la de sus críticos: Si todos podemos cometer errores, entonces nosotros cometemos nuestros errores. Al mismo tiempo 1o., se *ordena pensar*, y 2o., se pregunta; se somete al voto lo que ya se decidió, y se dice que está uno dispuesto a discutir cuando en realidad está uno resuelto a seguir al pie de la letra al Fondo Monetario Internacional. Lo curioso es que todos pretenden aplicar una a una la política del FMI en uso de su libertad de conciencia, de su responsabilidad nacional y de su conocimiento. Su alegato es que *piensan así*. El resultado es borgiano: escriben de nuevo el Quijote sin copiarlo.

Objetivamente todas las políticas son las del FMI y todas tienen los mismos efectos que en otras partes. La política fiscal se basa sobre todo en impuestos indirectos, con un IVA de 15%, muy superior al de otros países. En política monetaria hay libertad de cambiar pesos por dólares sin ninguna limitación en el monto, con poquísimas en la manipulación de dólares controlados y libres. En política financiera hay "reestructuraciones" de la deuda con altas tasas de interés, altas comisiones y plazos cortos de crédito insuficientes para los ciclos de producción. En política bancaria, se imponen altas tasas de interés y hay falta de crédito para las empresas industriales y agrícolas. En política de egresos, hay recortes de gastos e inversiones de servicio social y productivo y recortes de personal de servicios sin que aumente el de la producción. En inversiones públicas, hay descuido creciente en la política de inversiones en la infraestructura y en recursos energéticos. En propiedad pública, hay privatización y desnacionalización de actividades bancarias y de empresas públicas altamente rentables, de gran importancia en las exportaciones como el turismo y la aviación comercial. En la propiedad social, continúa o se acentúa la precariedad de créditos, transportes y mercados. En la producción de bienes y servicios de consumo popular, hay contracción de actividades de la CONASUPO y organizaciones afines. En la renovación e innovación tecnológica mexicana no hay ninguna política realmente efectiva y anticíclica y ninguna que corresponda a la pretendida "mayor eficiencia en la producción" que va a lograr la "austeridad". En la renovación, articulación y reorganización de empresas públicas, sociales y privadas para una mayor competitividad, hay notoria ausencia de un plan prioritario. En política comercial se da un estímulo creciente al mercado externo, y decreciente al interno, todo ello cuando el proteccionismo de los países industrializados aumenta y cuando el 50% del comercio mundial está superprotegido. En el mercado interno hay estímulo creciente al mercado de lujo —dolarizado y exportador de divisas—, y contención al mercado de las clases medias, trabajadoras y de población marginada. En política comercial internacional se acelera la sustitución de permisos de importación por aranceles, acto preparatorio de la entrada al GATT en calidad de mercado semicolonial asociado. En política de inversiones extranjeras, aumenta el fomento de maquiladoras y el permiso de que la totalidad de las acciones quede en manos de propietarios extranjeros (monopólicos y oligopólicos). En política de empleo, se fomenta el de maquila y se trunca el calificado y el altamente especializado. En política antinflacionaria, todas las medidas anteriores tienden a aumentar las presiones sobre la demanda de productos cada vez más escasos, y las presiones para que se abra el mercado a los productos extranjeros. En política de redistribución del ingreso se da, como es obvio, una estructura cada vez más inequitativa. En política de "rectoría del Estado" se tiende a un peso creciente del capital privado, en particular del gran capital y sus asociados, empleados y voceros. En política de independencia nacional (política "nacionalista" acorde mínimamente con la supuesta ideología oficial) se tiende a establecer una relación transnacional, de dependencia cada vez más articulada a la economía, la sociedad, la cultura y el poder de los Estados Unidos. En política de desarrollo, es evidente un proceso de subdesarrollo que está llevando a los niveles de vida y crecimiento que tenía México una o dos décadas atrás.

Cuando se mencionan estos y otros datos, todos perfectamente comprobables y calculables, surgen dos tipos de reacciones, unas a la defensiva: "lo mismo pasa en otros países", "no hay alternativa", "qué vamos a hacer", "lo sentimos también mucho", "sabemos que los costos sociales son muy altos pero son *necesarios*"; y otros a la ofensiva, en que se acusa de irresponsables, catastrofistas, demagogos, ignorantes, a quienes señalan los hechos anteriores. Los funcionarios y sus voceros no tratan de demostrar que lo que dicen es exacto y que las críticas son inexactas e infundadas. Usan un lenguaje metafórico: "ya llegamos al fondo de la crisis"; hubo un "excesivo calentamiento"; el peso se va a "deslizar más"; "la 'alquimia' de las elecciones afectó nuestra imagen en el extranjero". Es más, manejan las cifras numéricas con alteraciones simples y llanas, o con burdas retóricas, propias del peor uso estadístico o matemático. Sería conveniente al respecto hacer una lista y una tipología de la distorsión de la realidad en la información oficial: de la forma en que se engaña con los números, con las estadísticas y con los modelos matemáticos, desde el ocultamiento del desempleo real, pasando por los falsos índices de inflación y por la forma falaz en que se interpreta el menor desequilibrio de la balanza de pagos cuando no se dice que es más por disminución de importaciones que por aumento de exportaciones, hasta el último espectáculo que dieron funcionarios e ideólogos oficiales con motivo del diálogo de La Habana, espectáculo sobre el que vale la pena recapitular por: 1o. La forma en que imitaron argumentos; 2o. La forma en que desvirtuaron argumentos, y 3o. La forma en que no alcanzan a elaborar una argumentación mínimamente coherente desde el punto de vista de una estrategia para enfrentar la amenazadora crisis de la deuda de acuerdo con los objetivos (nacionales, populares) que pretenden representar o alcanzar.

En la forma en que los funcionarios "descubren" los argumentos del FMI les pasa lo que a Pierre Menard: es irreal la imaginación que se imponen. En relación al diálogo de La Habana ellos y sus voceros han usado los mismos argumentos que el *Financial Times*, los mismos que después usaron los primeros ministros y los ministros de Hacienda en los países acreedores. Acusaron al líder cubano de "falta de consecuencia, por cuanto Cuba se ha empeñado en cumplir sus obligaciones financieras, tanto con los países socialistas como con Occidente" (palabras del ministro de Hacienda de Alemania Federal, que tomó del primer ministro de ese mismo país, quien las tomó del *Financial Times*). Así, desvirtúan los argumentos de varias maneras. No dicen que Cuba tiene una deuda *pagable* y que lo que dijo Fidel Castro es que la nuestra, es *impagable*. No discuten si es mejor declarar *hoy* la moratoria o la suspensión de pagos *entre varios* (tesis del presidente de Cuba) *para negociar desde posiciones de fuerza*; o si es mejor esperar uno a uno a que cada país se declare en quiebra cuando ya esté en un estado lamentable, desesperado, como Bolivia. Dicen que ellos sí pueden pagar y piden que les creamos; pero *no* demuestran que la aritmética de la deuda impagable es inexacta. No pueden. También en México dos menos dos son cero. Es más, critican hasta a don Benito Juárez, y dicen que si Juárez no hubiera declarado la moratoria las potencias colonialistas no nos habrían invadido. Usan los argumentos de los colonialistas, muestran pensamientos de colonizados y revelan no conocer la historia de Juárez. Los colonialistas mientras tanto saben bien que la deuda es *incobrable*. Y desde hace tiempo consideran medidas prácticas y útiles. Algunos ya están vendiendo los bonos de la deuda a 40% de su valor. Otros, desde ahora diseñan escenarios sobre la crisis futura: cuando la deuda sea *incobrable*.

Y nuestros escenarios, ¿cuáles son? Por increíble que parezca, nuestros estudios en la materia son muy escasos. En general carecemos de comisiones o centros de investigación prospectiva, y de estrategia económica y social. Si algunos han existido han contado con mínimo apoyo y nadie les hace caso. Los trabajos de esta índole son realizados por instituciones extranjeras como la Wharton Econometric Forecasting Associates, que proporciona información permanente y actualizada incluso a las dependencias del gobierno federal. "El que un organismo privado extranjero realice este tipo de trabajos —comenta un investigador— implica sesgos en el manejo de las cifras (y en los supuestos de las proyecciones) que responden a concepciones ajenas a los propósitos del desarrollo económico y social del país...". No son necesariamente ni los de sus clases gobernantes. En cuanto a los centros mexicanos de investigación se dedican sobre todo al estudio de tendencias pasadas y recientes. Y cuando exploran el futuro económico nacional o mundial no combinan el análisis cualitativo y el cuantitativo. La mayoría descansa en análisis cualitativos en que no hay la menor voluntad de rigor teórico-práctico, de ciencia *aplicada*. Con estudios cualitativos o cuantitativos más que plantearse el problema de las tendencias probables y sus alternativas se plantean problemas de persuasión y argumentación: justificamos, racionalizamos, legitimamos o nos ponemos a enjuiciar, a inculpar, a descalificar a las personas o grupos que sostienen tal o cual tesis que no nos parece. No nos detenemos en la tesis misma para ver *su validez, su fiabilidad, su coherencia, su nivel de generalidad, sus consecuencias, y las alternativas* que presenta a nuestra capacidad de acción en la correlación actual de fuerzas en la que eventualmente podemos crear. Es más, nuestros planes de "ingeniería social" como nuestros programas de lucha no tienen consecuencias prácticas. Aquéllos se mueren en los cajones, éstos en las declaraciones. Tenemos separada nuestra mentalidad decisoria de nuestros estudios sobre decisiones, y casi no tenemos estudios sobre decisiones. Y ni siquiera llevamos a sus últimas consecuencias los pocos que hay, por extranjeros y sesgados que sean.

¿Por qué no reparamos en los cuatro escenarios de Wharton y en sus consecuencias; tres diseñados en función de la severidad con que se aplique el "Programa inmediato de reordenación económica" y el cuarto con el agravante de una caída del mercado del petróleo? ¿Por qué no señalamos que en todos, al costo social y económico de la crisis se añade el de una deuda externa que, no obstante las penosas renegociaciones periódicas y la sangría permanente de los pagos de intereses, seguiría creciendo incensantemente: según la alternativa "básica" (1a.) será de 118 226 millones de dólares en 1992; de acuerdo con la alternativa 1 (2a.), será de 110 211 millones de dólares; de acuerdo con la alternativa 2 (3a.), será de 107 798 millones de dólares; y de acuerdo con la alternativa 3 (4a.), será de 130 625 millones de dólares. ¿Por qué no vemos con base en esas proyecciones y escenarios que la tasa de desempleo —en los cuatro— es de un 17% o más en el período 1985-1990, cuando en 1984 las fuentes oficiales declaran que es menos del 7%? ¿Por qué no vemos cómo va creciendo el servicio de la deuda respecto del monto de nuestras exportaciones de 30% en 1980, a 34% en 1982, a 46% en 1984, y constatamos cómo sacrificios de esta magnitud no son todavía suficientes para impedir que la demanda siga creciendo hacia el futuro hasta volverse no sólo aritmética sino políticamente *impagable*? ¿Por qué hasta en los cálculos más "optimistas" (y falaces) de la deuda ésta baja hasta 1988 para crecer de nuevo en 1989 y 1990, y eso que se queda por debajo de la realidad? ¿Por qué a los escenarios de

Wharton no agregamos otras variables de nutrición, salud, vivienda, educación, y no nos detenemos a pensar hasta cuándo la deuda externa será *pagable* económica, financiera o políticamente? ¿Por qué no hacemos otros escenarios, con otros supuestos, con nuestros técnicos, nuestras universidades, desde el gobierno o desde los partidos? ¿Por qué confundimos nuestro legítimo deseo de triunfo y de no perder con un optimismo sin base que incluso llega a ver con esperanza a los "gentlemén" (*sic*) que practican la usura colonialista y que se preparan a "cobrar las deudas con soberanías"? ¿Por qué no pensamos que en la crisis a unos los derroca el imperialismo y a otros lo derroca el pueblo? Y si queremos triunfar, ¿por qué no escogemos con quién queremos triunfar?

Es cierto que lo que pasa en México pasa en otros países del mundo capitalista. Desde la Thatcher hasta Pinochet muchos son los gobernantes que aplican las políticas del FMI con las variantes locales. Es cierto que el problema es del "sistema" y no de tal o cual gobernante. Es un problema de colonialismo financiero, de colonialismo usurero y de lucha de clases. Es un problema que sólo se va a resolver cuando el pueblo tenga el poder. Pero, por lo pronto, nos está llevando a una situación nacional cada vez más débil en que está amenazada la existencia misma de la nación con otro proceso: la transnacionalización de México. Los cambios son estructurales —dijo un viceministro. Tiene razón: él y otros, a sabiendas y sin saberlo, están reestructurando la economía, la sociedad, la política y la cultura *en función de las transnacionales,* y para que la crisis, que es reestructuración, termine en la *transnacionalización.*

Al buscar impedir semejante desastre parecerá necesario, cada vez más, unir a todas las fuerzas populares, democráticas y patrióticas en un frente de defensa de la economía popular, de la economía nacional. Y será necesario movilizar a las masas en defensa de ese programa. Vale decir: con los líderes actuales o con otros nuevos, *necesariamente,* las masas se movilizarán. Será el prólogo de la crisis futura y el epílogo de la actual.

Pero no debemos precipitarnos a las rupturas ni enfrascarnos en juicios e inculpaciones personales. Hasta los líderes revolucionarios más lúcidos de nuestro tiempo —como Fidel Castro— están viendo si es posible que estos gobiernos de nuestra América —la capitalista y dependiente— actúen en una forma que no sea suicida, en una forma que podría hacer menos dolorosa la historia de la liberación de nuestros pueblos. Si no lo hacen; si lo burgués domina a lo señor, o a lo que de pueblo les quede a los gobernantes, entonces empezará otra etapa histórica: la de la lucha masiva por un nuevo poder estructurado en torno al pueblo trabajador y a la clase obrera.

Mientras tanto debemos respetar a los líderes y a las bases que todavía creen en las reformas, y explorar con ellos, hasta el fin, la posibilidad de llevarlas a cabo. Todo eso, con un lenguaje serio y exacto, con una argumentación cuidada y fundada, con lucidez y vocación de poder *realmente* nacional y *realmente* popular.

México, 23 de agosto de 1985

impreso en cuadratín y medio, s.a. de c.v.
dr. vértiz 931-A - col. narvarte
03020 méxico, d.f.
tres mil ejemplares y sobrantes para reposición
29 de julio de 1991